« LES AVENTURES DE L'ESPRIT »

DU MÊME AUTEUR

Chez le même éditeur

La Prophétie des Andes, 1994
Les Leçons de vie de la Prophétie des Andes, 1995
La Dixième Prophétie (la suite de la Prophétie des Andes), 1997

JAMES REDFIELD
et
CAROL ADRIENNE

LA DIXIÈME RÉVÉLATION

Traduit de l'américain par Yves Coleman

ROBERT LAFFONT

Titre original : THE TENTH INSIGHT, HOLDING THE VISION,
AN EXPERIENTIAL GUIDE

ISBN 2-221-08519-1
(Édition originale : ISBN 0-446-67299-8 Warner Books Inc., New York)

Soit l'espoir se trouve en nous, soit il est absent ; c'est une dimension de l'âme et il ne dépend pas essentiellement de telle ou telle observation particulière du monde ou de telle ou telle estimation de la situation. L'espoir n'est pas la science du pronostic. C'est une orientation de l'esprit, une orientation du cœur ; il transcende le monde dont on a l'expérience immédiate, et est ancré quelque part au-delà de ses horizons.

Václav Havel

Remerciements

Ce livre s'est pour ainsi dire écrit tout seul, notamment grâce à l'aide de nombreux appels synchronistiques survenant au bon moment. Merci à tous ceux dont les idées figurent dans cet ouvrage. Nous tenons particulièrement à témoigner notre reconnaissance à deux exemples de la nouvelle pensée et de la nouvelle communauté : l'Institut des sciences noétiques qui nous a aidés dans nos recherches, et le Centre de formation écologiste qui a été pour nous une importante source d'inspiration.

Pour leur contribution spirituelle et leurs conseils nous voudrions remercier individuellement : Larry Leigon qui nous a fait bénéficier de ses réflexions sur l' « ombre » et la nature de l'évolution économique ; Elmer Schettler qui nous a communiqué ses conceptions sur le chemin de vie ; Donna Hale, psychothérapeute et médium, qui nous a exposé ses idées sur la dynamique énergétique et les vies antérieures ; Kevin Ryerson pour ses informations sur le voyage initiatique ; Kathryn Leighton, dont les efforts ont ouvert la voie au travail présent pendant toutes les années durant lesquelles elle nous a soutenus ; Sherrin Bennett, consultante, qui nous a aidés à structurer ce livre ; Ann Buzenberg, éditrice du *Celestine Journal*, pour sa collaboration efficace ; le Dr Henry Wesselman pour ses propos sur la science et la spiritualité ; le Dr Selma Lewis pour ses explications passionnantes sur certains concepts psychologiques ; Paula Pagano, qui a déniché d'importantes enquêtes de terrain ; Penney Peirce pour son apport généreux ; Fadel Behmann qui nous a signalé le travail du Pr Kyriacos C. Markides au moment propice ; Bonnie Colleen de KEST et David Sersta du Learning Annex de Toronto qui nous ont aidés à diffuser des idées transformatrices ; ainsi que le Dr Marilyn Rossner et le père John Rossner de Montréal ; le Dr Patrick Tribble ;

Johnathan Katz ; Gilberto Munguia ; Russell E. DiCarlo ; Jack Coates ; et Elizabeth Kibbey (tu sais tout ce que nous te devons !).

Finalement, nous remercions encore notre éditeur, Joann Davis, qui a rendu possible la conception de ces livres, ainsi que Harvey-Jane Kowal qui a transformé notre tapuscrit en un ouvrage imprimé.

Et Candice Fuhrman pour tout.

Introduction

Au travers de ce nouveau livre, nous voudrions apporter aux lecteurs des informations et des idées complémentaires qui étaieront les hypothèses fondamentales de la dixième révélation. Les révélations exposées dans les livres précédents sont de nature archétypale, et donc intégrées dans notre croissance psychologique. Notre mission consiste surtout à diffuser leur message en favorisant l'organisation de réunions, d'échanges et de débats honnêtes sur l'expérience spirituelle actuelle.

Vous découvrirez, au fil des pages, qu'un dialogue riche et varié sur la spiritualité est déjà engagé dans toutes les parties du monde. Ce sont précisément les échanges – impliquant de partager courageusement nos expériences – qui accélèrent cette prise de conscience. Au cours des dernières années du XXe siècle, coïncidant avec celles du IIe millénaire, il ne s'agit pas tant de découvrir de nouvelles conceptions (bien que cela compte aussi), mais plutôt de retrouver des expériences autrefois rejetées ou admises sans réflexion, et que nous prenons désormais au sérieux. Le phénomène fondamental est, bien sûr, le « partage courageux d'expériences » car, comme le suggère la dixième révélation, nous nous trouvons à un point crucial de l'histoire.

Pour la vieille conception newtonienne du monde, l'univers était une grande machine qui fonctionnait de façon purement matérialiste (sans accorder la moindre place au miracle). Aujourd'hui émerge lentement une nouvelle conception, fondée sur des preuves expérimentales, selon laquelle le monde représente beaucoup plus que ce que nous imaginions. Nous commençons à voir l'univers comme un lieu intelligent, spirituel, où la conscience des hommes progresse, où ceux-ci se sentent guidés par leur intuition et les coïncidences magiques ; en outre, ils se souviennent de la vérité individuelle qu'ils sont venus apporter à la société.

Le courage représente le facteur clé de cette prise de conscience, parce que nous devons d'abord croire que nous allons vivre ces expériences et les renouveler. Les neuf premières révélations portent sur la façon de sortir de notre impasse personnelle pour nous lancer dans le flux transcendantal où nos vibrations croissent et nos vies progressent vers plus de spiritualité. Quant à la dixième révélation, elle concerne le pouvoir de nos intentions sacrées qui amplifient le processus global. Nous devons conserver la vision, utiliser pleinement les deux caractéristiques fondamentales de la prière : le pouvoir de la foi et la visualisation. En d'autres termes, il ne suffit pas de « s'abandonner » au flux de la synchronicité, bien qu'il s'agisse d'une condition fondamentale. Nous devons aussi, lorsque nous nous réveillons le matin, vouloir que cette synchronicité se produise et l'attendre.

Ce guide est conçu pour stimuler la discussion sur ces questions et sur bien d'autres. Encore une fois, nous accordons une importance primordiale au dialogue. À l'intérieur de nous-mêmes nous savons qu'une transformation spirituelle est en train de se produire. Cependant, le tableau global de cette nouvelle Vision du Monde se dessine seulement maintenant, au fur et à mesure qu'individus et petits groupes arrivent à leurs propres conclusions, parlent de ce qu'ils voient, engrangent de nouvelles informations, précisent et font évoluer leurs opinions. Toutes ces conversations spirituelles qui se déroulent à la base sont en train de construire un nouveau consensus sur la réalité.

Et ce consensus ne sera complet que lorsqu'il vous inclura.

James Redfield
Carol Adrienne

Première partie

Le seuil

1

La Grande Vision

L'AIGLE
L'ESPRIT

La dixième révélation doit nous mener à une prise de conscience globale – la perception des coïncidences mystérieuses, le développement de la spiritualité sur terre, les disparitions de la neuvième révélation –, tout cela à partir de la perspective de la dimension spirituelle, afin que nous puissions comprendre les raisons de cette transformation et y participer plus activement. (*La Dixième Prophétie* [1].)

MAINTENIR LA VISION DU MONDE OUVERTE

Pour Jésus-Christ, Mahomet et Bouddha, la capacité de conserver la Vision du Monde fait partie de leur *curriculum vitae* dès leur naissance. S'ils posaient aujourd'hui leur candidature à un entretien d'embauche, ils obtiendraient à coup sûr le poste à pourvoir – quel qu'il soit –, étant donné leur expérience et leur qualification.

Mais nous avons écrit ce livre pour le commun des mortels.

Récemment, au cours d'une séance d'étude collective portant sur les dix révélations, un homme a levé la main et a dit :

« Je suis très préoccupé par la façon dont je pourrais utiliser ces informations dans la vie pratique. J'ai participé à d'autres ateliers et j'ai parlé à d'autres personnes. Nous sommes tous très enthousiastes, mais comment puis-je maintenir cet enthousiasme et l'insuffler à mon entourage quotidien ? Comment puis-je conserver ce sentiment extraordinaire ?

« J'ai suffisamment parlé de moi, a-t-il continué, je veux maintenant être davantage impliqué dans le monde réel. Comment dois-je procéder ? »

Cet homme exprimait un souci que nous partageons tous. Vous vous êtes probablement déjà posé cette question. Notre société *doit* se la poser si nous voulons nous ouvrir à une nouvelle Vision du Monde et progresser de la situation actuelle jusqu'à un avenir viable. Il est important de se demander : « Quelle contribution positive puis-je apporter à l'humanité ? » parce que nous devons agir immédiatement pour échapper au désastre. Mais la façon dont nous nous interrogeons est aussi à la racine de nos problèmes. Nous voulons les affronter de *l'extérieur*. Pour entreprendre une action efficace, il faut d'abord agir à l'intérieur de nous-mêmes – et non essayer de sauver ceux qui se trouvent *là-bas, à l'extérieur*. Nous devons radicalement changer notre regard sur le monde, et soulever le voile qui nous dissimule notre sagesse et nos ressources ignorées. Cette action se déroulera dans d'autres dimensions de la « réalité extérieure » et de notre réalité intérieure. Une fois que nous saurons opérer à ce niveau multidimensionnel, nous serons immédiatement en phase avec l'objectif déterminé par l'évolution : spiritualiser notre monde « réel » physique. Nous nous engagerons dans un processus extrêmement fluide que nous avons du mal à imaginer pour l'instant. Comment y parviendrons-nous ?

LES ÉTAPES DE LA CONSCIENCE

La dixième révélation, de même que les neuf autres décrites dans *La Prophétie des Andes*, représente une étape de la conscience. Si vous avez lu ce livre, vous avez peut-être été surpris : vous aviez l'impression de connaître déjà le contenu de la plupart des révélations, d'en avoir assimilé le sens, mais de les avoir temporairement oubliées. Ce vague souvenir vous indique que vous êtes venu dans ce monde avec un objectif précis : aider l'humanité à s'élever à un niveau de conscience supérieur.

Si vous avez étudié les neuf premières révélations et êtes en train de découvrir la dixième, vous reconnaîtrez une partie ou la quasi-totalité des idées très anciennes, éternelles, que nous allons exposer dans les paragraphes suivants. À ce niveau de pensée/sentiment/intuition vous pouvez dire : « Oui, je sens que ces concepts sont à l'œuvre dans ma vie. » Comme s'ils vivaient en vous.

Cette conscience nous pousse à réagir, comme l'homme qui posait la question ci-dessus. Alors, qu'allons-nous faire ? Nous avons l'habitude d'être actifs, de contrôler notre univers – ou au moins d'essayer – et d'obtenir des résultats. Or, jusqu'à maintenant, nous nous sommes souciés uniquement de *modifier le monde extérieur* mais non de travailler sur notre *monde intérieur où la conscience règne en maîtresse*. Pour parvenir à ce changement d'optique, nous devons d'abord démanteler nos anciennes méthodes et conceptions. Voilà ce que signifie le changement de paradigme. Sommes-nous capables de déconstruire et déconditionner nos esprits, d'enlever nos œillères et de laisser la lumière pénétrer en nous suffisamment rapidement pour nous sauver nous-mêmes ainsi que l'environnement ? Telle est la question qui nous hante souvent lorsque nous nous réveillons à trois ou quatre heures du matin.

À nous de jouer. À nous, les gens ordinaires, d'étendre notre conscience jusqu'à englober le futur. Nous pouvons effectuer une partie de ce travail en choisissant de changer, ou d'aimer davantage. Quels que soient les enseignements nouveaux que nous découvrons, quelle que soit l'importance de notre croissance spirituelle, et même si nos conceptions se sont modifiées du tout au tout, nous sommes également travaillés par des forces extérieures. Nous connaissons déjà certaines d'entre elles, par exemple, les désastres écologiques qui alimentent nos peurs. Cela nous force à réfléchir attentivement aux conséquences de toutes les actions que nous entreprenons.

Mais d'autres forces influent sur notre pensée, collectivement et individuellement, notamment les êtres présents dans la dimension spirituelle qui observent nos progrès et sont préoccupés par notre bien-être. Cela vous semble inquiétant ? N'ayez crainte. La dimension spirituelle, qui existe au-delà du domaine de nos cinq sens, nous apparaît individuellement et collectivement afin de nous aider à prendre conscience d'un véritable état de dépendance et à en sortir : l'autosatisfaction, la peur, la dénégation et la cupidité perpétuent nos dysfonctionnements psychospirituels. Ces autres dimensions *veulent* que la Terre resplendisse comme la source merveilleuse, incroyablement riche d'amour, de vie et d'enseignements qu'elle aurait dû être.

Jusqu'à maintenant la plupart d'entre nous n'avaient pas été conscients de la frontière invisible qui sépare ces différents niveaux d'existence. À ce point de l'évolution, alors que la survie de la planète et de toutes ses espèces est en jeu, il est temps d'écarter le voile. Il est temps de faire intervenir la cavalerie. Mais n'anticipons pas.

PAS DE RECETTE EN DEHORS DU PROCESSUS

La plupart des Occidentaux veulent effectuer le voyage de leur vie avec une carte détaillée, une liste d'instructions et une garantie de remboursement. Au fur et à mesure que nous comprenons que la vie est un processus évolutif, nous découvrons qu'il n'y a pas de recette infaillible pour le succès : nous devons seulement observer attentivement la structure des énergies qui nous inspirent et nous communiquent des informations. L'énergie qui enflamme notre esprit éclaire le chemin, et *nos amis nous aident*. En bref, disons que le désir et la volonté sont les mécanismes de mise au point de l'intention. La foi, ou l'écoute attentive, qui va permettre que des portes s'ouvrent, est absolument impérative sur cette voie. Vous devez avoir confiance, attendre sereinement que vos objectifs et vos désirs s'accomplissent. Étant donné la loi qui consiste à donner et recevoir, nous donnons aux autres et recevons un afflux d'énergie.

Comme nous le prescrivent les révélations, nous devons « poser des questions et suivre notre intuition ». Encore plus simplement, nous pourrions dire que nos vies suivent le cours de nos pensées.

> [...] nos vies sont centrées sur la prière et l'action. Notre travail est constamment irrigué par notre contemplation, notre union avec Dieu dans tout ce que nous faisons, et ce travail [...] irrigue notre union avec Dieu, de sorte qu'un flux perpétuel s'écoule de la prière vers l'action et de l'action vers la prière. (Lucinda Vardey, *Mother Theresa : A Simple Path.*)

ET QUE FAIRE SI... ?

Et que faire si quelqu'un vous affirme que votre présence sur terre a un sens ? Que vous êtes déjà immergé dans un continuum d'énergie consciente qui se déploie dans un but précis ? Et si vous savez, sans éprouver le moindre doute, que vous n'êtes pas seul – non pas sur le plan métaphorique, mais littéralement pas seul ? Et si vous savez qu'il n'y a pas d'accidents, que des éléments importants d'information se trouvent tout autour de vous et que vous réussirez peut-être – ou peut-être pas – à les repérer ? Comment vivriez-vous si vous saviez que vous ne cesserez pas d'exister quand votre corps actuel s'éclipsera après votre mort ?

Comment vous sentiriez-vous si vous découvriez à travers une expérience personnelle irréfutable que les hommes ne représentent qu'un niveau de conscience dans un univers constitué de multiples couches d'êtres conscients et intelligents ? Éprouveriez-vous de la peur, de l'humilité ou de l'excitation ? Vous sentiriez-vous profondément relié à une source dont vous aviez oublié l'existence ? Les personnes qui ont eu des NDE (expériences de mort imminente), des contacts avec des êtres chers qui sont décédés, des anges, des saints ou des entités ressemblant à des extraterrestres font toutes état des sentiments mentionnés plus haut.

Avec la dixième révélation nous prenons conscience que nous ne sommes pas seuls, et ne sommes pas le centre de l'univers. Nous savons maintenant que nous sommes sur terre pour accomplir une mission, nous nous souvenons que nous avons un objectif existentiel. Ce but peut vous sembler insaisissable, comme un mot que vous avez sur le bout de la langue. Mais à ce niveau de compréhension, ce vague souvenir suffit à déclencher des événements synchronistiques qui vous amènent à rencontrer la prochaine personne, à recevoir le prochain message.

Peut-être n'avez-vous pas eu une expérience extraordinaire dans la dimension spirituelle, ou n'avez-vous jamais eu de contacts avec votre groupe d'âmes. Peut-être votre enfant n'a-t-il pas échappé à une chute mortelle alors qu'il allait tomber d'une falaise du Grand Canyon ? Joan Wester Anderson, auteur de deux livres sur la présence des anges et les miracles a raconté l'histoire d'une mère dont la fille était partie pour camper avec des amis. Un après-midi, elle a eu le pressentiment que sa fille courait un grand danger, et s'est exclamée : « Dieu tout-puissant, sauvez-la ! » Quand la jeune fille revint de voyage, elle raconta qu'elle était tombée d'une falaise mais que sa chute avait été momentanément arrêtée par une saillie *de moins de vingt centimètres de large*. Elle avait alors senti que des bras l'entouraient et la hissaient jusqu'en haut de la falaise. Peut-être avez-vous déjà lu des récits de NDE où des gens ont pénétré dans un tunnel illuminé, vu des êtres irradiant de la lumière, et senti un amour tellement incroyable qu'ils auraient voulu rester là-bas et ne plus revenir sur terre.

Même si vous n'avez jamais eu de contacts avec d'autres dimensions, vous êtes entouré par des centaines de milliers, si ce n'est des millions, de vos semblables qui ont eu récemment de telles rencontres avec d'autres niveaux d'existence. Et, étant donné que vous évoluez dans ce que le biologiste Rupert Sheldrake appelle le champ morphogénétique, cela signifie que *vous faites partie du processus*.

> Des théoriciens contemporains comme le physicien britannique David Bohm, qui a beaucoup étudié les implications du théorème de Bell, ont été obligés d'émettre l'hypothèse qu'il existe un « champ invisible » : il donne sa cohérence à la réalité et sait ce qui se passe partout instantanément... Le champ invisible ressemble beaucoup à l'intelligence sous-jacente de l'ADN et leur comportement ressemble beaucoup à celui de l'esprit. Ce dernier a la propriété de maintenir toutes nos idées en place, dans un réservoir silencieux si l'on peut dire, où elles sont organisées, de façon précise, en concepts et en catégories. (Deepak Chopra, *Le Corps quantique : trouver la santé aux confins du corps et de l'esprit*.)

Le temps est venu d'affiner nos compétences pour prêter attention aux informations étonnantes qui affluent en ce moment. Il est utile que nous soyons ébahis. Pourquoi ? Parce que c'est ainsi que nous déconstruirons ce que nous croyions être une réalité solide comme un roc. Le temps est venu de bander tous nos efforts pour nous ouvrir à ces informations si importantes pour la survie et l'évolution de la race humaine.

Nous avons pour tâche d'établir un pont entre l'ancienne façon de penser et les apports des cinquième, neuvième et dixième révélations – qui changent radicalement notre façon de nous voir nous-mêmes, mais aussi de traiter les autres – ainsi que la façon dont nous communiquons avec les *autres dimensions*. Les réponses à nos questions *quotidiennes* sont liées aux explications des événements qui défient notre esprit rationnel. Notre possibilité de soigner la planète dépend de notre capacité à nous ouvrir aux réalités de l'Après-Vie ou aux plans spirituels d'existence avec lesquels nous sommes déjà en communication, *et à comprendre que ces dimensions sont intimement liées à notre propre conscience*. C'est pourquoi nos questions quotidiennes sur notre façon de vivre notre propre vie, de servir la planète, dépendront des messages que nous saurons capter à partir de notre intuition et des coïncidences qui nous amèneront à une nouvelle façon de penser.

Tout cela a l'air bizarre et fort peu réaliste ! penserez-vous. Vous n'êtes pas obligé de continuer à lire ce livre. Vous pouvez l'offrir à l'Armée du Salut ou à quelqu'un que vous trouvez bizarre, lui aussi. Mais si vous poursuivez votre lecture, nous allons essayer de vous emmener dans un voyage à travers des images mentales : des anecdotes toutes simples déclencheront en vous, nous l'espérons, des pensées, des sentiments et des intuitions qui auront un sens. En réalité, nous sommes en train de découvrir ensemble ce processus, et la dixième révélation nous rappelle qu'à partir de maintenant nous devons travailler de concert avec d'autres personnes pour développer notre intelligence et notre intuition afin de pousser la chenille de l'humanité jusqu'à la branche où elle pourra se transformer en papillon.

> Selon le schéma de l'évolution, chaque développement doit être intégré et mis au service d'une fonction supérieure [...]. Le néocortex (du cerveau) est si puissant qu'une partie infinitésimale suffit pour moduler ou changer toutes les autres fonctions, mais alors à quoi servent les quatre-vingt-dix pour cent restants ? [...] Après l'adolescence, la nature prévoit que nous découvrions le processus et ne fassions plus qu'un avec lui, ce qui activera et fusionnera le reste de nos structures neuronales, nous équilibrera et nous amènera à l'objectif fixé par l'évolution. Le Dr B. Ramamurthi, président du Congrès international de neurochirurgie, avance l'hypothèse que la partie inutilisée de notre cerveau est destinée à explorer notre « univers intérieur ». (Joseph Chilton Pearce, *Le futur commence aujourd'hui*.)

Sortez vos antennes, utilisez votre intuition et votre sensibilité quand vous rencontrez des professeurs, des livres ou des synchronicités utiles pour l'étape actuelle de votre vie. Surveillez de tout votre cœur et avec tout votre esprit le trou de serrure de la dimension spirituelle. Souvenez-vous que le chemin ne sera pas linéaire ; vous devrez peut-être vous laisser aller et faire une expérience invraisemblable avant de forcer la porte de votre prochain niveau. Faites le tri dans les informations que vous recevez, mais ne perdez pas votre temps à démontrer quoi que ce soit ou à trouver une preuve « scientifique ». Cette étape du voyage de l'humanité ne fonctionne pas suivant les anciennes « lois ». Votre but n'est pas de rester coincé dans la discussion stérile sur ce qui est « réel » ou ne l'est pas (par opposition à la vérité qui donne toujours l'impression d'être en quelque sorte vraie), mais de vous demander : cet événement ou cette idée me poussent-ils à donner plus d'amour, à avoir plus d'énergie, à me montrer plus généreux et ouvert à la vie ? Telle est la vérité située derrière votre expérience. Ne renoncez pas à utiliser votre esprit, mais abandonnez vos schémas mentaux. Il ne s'agit pas d'un voyage sentimental, mais d'un voyage d'amour – uniquement d'amour.

CELA ARRIVE MAINTENANT

Ce livre a été réalisé exactement selon les mêmes principes que les principes qu'il décrit. Un torrent de coïncidences orchestrées avec une synchronisation incroyable a permis à beaucoup de gens d'« écrire ce livre ». Pendant la rédaction de chaque chapitre, invariablement quelqu'un nous appelait pour nous communiquer un élément d'information qui s'intégrait parfaitement au sujet du chapitre. Nous avons ainsi découvert que des gens sont mystérieusement connectés entre eux sur ce chemin ! Par exemple, un jour nous avons interviewé par téléphone deux personnes – Cindy Spring sur les cercles de sagesse et Richard Miles sur les nouveaux paradigmes de la santé – dont nous avions obtenu les noms à partir de deux sources complètement différentes. Quelques jours plus tard, la même semaine, nous avons découvert qu'ils habitaient la même rue, à Oakland en Californie, étaient voisins, et que chacun avait raconté à l'autre l'entretien qu'il avait eu avec nous !

Les informations affluent partout. À Montréal, au Congrès pour le rétablissement de la connexion entre le ciel et la terre, Carol Adrienne a donné deux conférences qui, incidemment, portaient sur le même sujet que la dixième révélation. Celle-ci n'était pas encore connue quand on l'a invitée. Lors de ce congrès, l'un des orateurs, le Dr Myrin Borysenko, a mentionné deux sujets de recherche sur lesquels Carol avait travaillé en Californie avant de venir à Montréal. Pendant le déjeuner, au cours d'une conversation informelle, Kevin Ryerson, le fameux expert en matière d'intuition, a fourni des indications sur les sites sacrés dont nous parlerons au chapitre 3. Carol s'est aussi fait un nouvel ami durant ce congrès et, une semaine plus tard, ce dernier a reçu la photocopie d'un article sur Kyriacos C. Markides, qui l'a poussé à acheter son livre, *Riding With the Lion*, que vous devriez tous lire. La principale thèse du Pr Markides est étonnamment proche de la dixième révélation. Il décrit de façon très vivante les expériences mystiques, particulièrement enrichissantes, des orthodoxes orientaux ; elles nous font pénétrer au cœur du mystère, et nous rappellent les contributions décisives des ascètes à la conservation de la Vision du Monde.

Au cours d'une autre rencontre fructueuse et heureuse qui semblait être prédestinée, Carol a fait la connaissance d'Elizabeth Jenkins, personnalité à l'origine de la Fondation Viracocha pour la préservation de la sagesse indigène. Elizabeth a parlé à Carol d'un livre qui proposait des réflexions sur les serviteurs de l'humanité et les groupes d'âmes. De plus, sa compétence lui avait fait découvrir les prophéties des Indiens Queru du Pérou, qui pratiquent encore des traditions identiques à celles des anciens Incas. La civilisation andine apparaît comme l'ultime morceau manquant d'un gigantesque puzzle qui s'assemblerait soudain de manière définitive ; certaines prophéties prévoient un changement de dimensions et un passage du troisième au quatrième niveau de conscience précisément à notre époque.

À présent, les coïncidences se produisent plus fréquemment pour ceux qui en sont devenus conscients, ou qui cherchent à en comprendre le sens. Dans chaque atelier que nous organisons, nous demandons : « Combien d'entre vous ont observé une augmentation du nombre de coïncidences ? » et 80 % des participants, voire plus, lèvent la main. Quand nous partageons des expériences avec des personnes réceptives comme nous, nous commençons à sentir quelque chose et l'un d'entre nous déclare souvent : « Eh bien, je crois que je fais peut-être partie de la *masse critique d'énergie consciente décrite dans la première révélation.* »

Comprenez-nous bien. L'enchaînement des dix révélations et leurs principes ne sont pas théoriques. Quand vous devenez conscient de ces idées et faites confiance au processus qui s'enclenche dans votre propre vie, quelque chose d'étonnant se produit. Et ces principes *interviennent effectivement dans votre vie*. Notre but ici est de vous enseigner ce que vous devez chercher. Nous voulons vous encourager à vous ouvrir à ce mystérieux voyage et à le laisser agir à travers vous.

GROUPES D'INITIÉS ET COÏNCIDENCES

Il existe une communauté mondiale de gens qui travaillent tranquillement pour l'unité globale, et au service d'un projet planétaire – projet qu'aucun d'entre nous ne peut imaginer dans sa totalité. Ces gens se reconnaissent instinctivement les uns les autres au cours de leurs activités quotidiennes – dans les avions, sur les terrains de jeux, dans les bibliothèques et les cafés, dans les conférences, les concerts, les dîners, les réunions, les stages et les ateliers – et même chez le dentiste, le coiffeur, l'acupuncteur ou dans les pots organisés sur les lieux de travail. Nous avons tous eu ce genre d'expérience. Une espèce d'étincelle se produit, une énergie électrique quand vous abordez un thème proche de votre cœur, et que l'autre personne semble deviner votre vision. Soudain une relation s'établit et vous percevez une volonté de vous ouvrir à l'autre, de partager certains de vos buts, de vos idées. Vous avez l'intuition que cette personne se dirige dans une voie semblable à la vôtre. De tels phénomènes se produisent-ils de plus en plus souvent dans votre vie ?

Où que vous vous trouviez dans le monde, vous reconnaîtrez l'un des membres de votre groupe. La conversation entre vous se déroulera sans efforts, comme si votre interlocuteur venait juste de penser exactement au même sujet que celui que vous abordez – comme si votre conversation avait commencé des mois auparavant et venait de reprendre. Vous pourrez vous donner mutuellement des conseils, presque immédiatement, même si vos sphères d'activité sont complètement différentes. Vous échangerez des impressions sur des livres, des articles, ou de nouvelles méthodes qui pourront vous aider dans ce que vous tentez d'accomplir. Vous vous communiquerez mutuellement de l'énergie et serez tous deux enthousiasmés par la connexion que vous avez établie. Le fait de savoir que l'autre, peut-être un complet inconnu, comprend votre vision et vibre à vos idées vous remplira d'espoir et de force tous les jours et les semaines à venir.

Une autre pièce du puzzle

Si l'on vous propose de bien vous amuser, de vivre des aventures passionnantes, de mener des actions efficaces, vous répondrez probablement : « Comptez sur moi. » Mais beaucoup d'entre nous n'ont pas une idée très claire de ce qu'ils veulent faire, excepté peut-être de gagner à la loterie, « aider les autres » ou « lutter pour la paix ». De plus, notre travail nous apparaît fort éloigné de l'activité riche de sens dont nous avons un besoin vital ; nous nous sentons désorientés et hésitons sur le chemin à prendre.

Beaucoup d'entre nous croient que rien ne se produit par accident. De même, nous pouvons aussi avoir l'impression que nous ne comprenons pas les synchronicités qui nous arrivent ou ne savons pas comment continuer à les susciter. Tel est l'état d'esprit du héros de *La Dixième Prophétie* quand il commence à chercher son amie Charlène. Il réalise bientôt qu'il existe une autre pièce du puzzle, la dixième révélation, qui nous aide à vivre les neuf autres sur le long terme.

> D'abord, environ à partir de onze ans, les préadolescents ont une image idéaliste de la vie qui devient de plus en plus intense. Ensuite, autour de quatorze-quinze ans, un grand espoir se lève que « quelque chose de formidable va se produire ». Par la suite, les adolescents éprouvent un sentiment unique, secret, de grandeur, qui cherche à se manifester. Leur cœur parle quand ils essaient d'exprimer même partiellement ce sentiment, qui offre une clé importante au problème général [...]. Ils ressentent la nécessité intérieure d'avoir un modèle pour atteindre de nouveaux horizons, besoin qui les propulse comme la volonté qui apparaît chez un bambin apprenant à marcher. (Joseph Chilton Pearce, *Le futur commence aujourd'hui.*)

Les pièges – Le sentiment d'accablement

Le monde se transforme à une vitesse incroyable. Des changements qui, auparavant, prenaient des milliers d'années se produisent maintenant en quelques décennies, voire moins. Cette accélération, qui existe à tous les niveaux, dans toutes les cultures et dans toutes les disciplines, provoque de grands bouleversements, innovations, symptômes et réactions. Tandis que certains systèmes s'effondrent et que d'autres prospèrent, nos réactions humaines couvrent un large éventail, de l'enthousiasme et l'exaltation à la peur et au désespoir. Ébranlés par les reportages sur les problèmes sociaux et environnementaux et leurs conséquences sur les individus, nous voudrions bien agir. Le plus souvent nous ne faisons rien. Plus le rythme des événements se précipite, plus nous nous efforçons de nous adapter. Inquiets, nous croyons que nous n'arriverons pas à suivre, ou que l'avenir échappera à notre contrôle. Submergés par le rythme de notre époque, nos responsabilités professionnelles et autres, nous en sommes réduits à espérer que « quelqu'un » fera quelque chose. Certaines entraves – telles que le temps, les difficultés financières ou les tâches familiales – servent parfois à *justifier* notre passivité. Le désespoir – un sentiment d'impuissance face à l'énormité de la tâche à entreprendre – nous paralyse souvent.

La polarisation de la pensée – Prendre des positions figées ou rester ouvert

Selon ce qui vous est arrivé cette semaine, vous aurez probablement une conception pessimiste ou optimiste de l'avenir. Dans le premier cas, vous penserez que le monde s'écroule rapidement, que nous sommes en grand danger sur les plans économique, politique et écologique, et que nous n'avons aucun espoir de prendre un meilleur chemin dans un avenir proche.

Dans le second cas, vous vous direz que le monde *est* en pleine transition, mais que l'humanité, si elle se laisse guider par le bon sens et l'intuition, a de bonnes chances de trouver des solutions nouvelles à des problèmes apparemment insolubles. Individuellement, nous pouvons fluctuer entre ces deux conceptions de l'avenir du monde. Un jour, nous nous sentons perdus, hésitants, effrayés, et désespérons de jamais agir sur des situations qui nous paraissent incontrôlables. Puis, le lendemain, notre espoir renaît brusquement : nous nous sentons inspirés, passionnés, téméraires, généreux, pleins de compassion et désirons ardemment suivre la voie spirituelle. Ces attitudes et ces états d'énergie contradictoires proviennent souvent des oscillations de l'esprit collectif, tandis que s'opère la transition vers une nouvelle Vision du Monde.

La polarisation entre l'optimisme et le pessimisme nous place à un carrefour – l'humanité est arrivée à un point où elle doit choisir. Choisir, c'est exercer un pouvoir.

Un choix fondé sur la peur ou sur l'amour

Parfois nous devons nous effondrer avant de nous relever. Et parce que cette chute nous effraie, la Peur obscurcit quelquefois notre perspective. Nous trouvons toutes sortes de bonnes raisons pour expliquer que la société devient incontrôlable et décline rapidement, pour nous convaincre de cette position et la défendre autour de nous. La Peur devient alors un mécanisme de blocage (ou la justification pour ne pas agir) : « À quoi bon ? Je n'ai aucun pouvoir », prétendons-nous.

Si nous prenons quelque distance avec notre situation, nous nous apercevons que nous sommes au pôle extrême de la pensée et du mode de vie matérialistes. La société occidentale a déjà traversé une longue période de matérialisme forcené.

Peut-être était-ce prévu par le Projet universel ?

Cet excès de matérialisme joue le rôle d'un catalyseur qui nous pousse maintenant à rechercher un équilibre spirituel. Si nous réussissons à discerner le sens du processus sous-jacent à notre situation actuelle, peut-être parviendrons-nous à avoir moins peur et à retrouver notre Vision de Naissance.

Selon le sociologue Paul H. Ray : « Notre plus grande erreur serait de prendre au sérieux le pessimisme actuel, et de capituler devant la peur et le cynisme qui envahissent les médias. Car alors nous en arriverions à une conclusion vraiment catastrophique : " Non seulement la situation empire sans cesse, mais on ne peut absolument rien y faire. " [2] »

La dixième révélation souligne un point capital : si la pensée crée la réalité, alors nous devons constamment nous concentrer sur l'issue positive que nous souhaitons.

Les bonnes nouvelles

Nous ne sommes pas seuls. Selon une récente enquête menée par Paul H. Ray, quarante-quatre millions d'Américains ont une « conception créative de la culture » et partagent des valeurs, des préférences fondamentales, qui contribueront à façonner une nouvelle Vision du Monde. Il distingue trois courants principaux actuellement aux États-Unis [3] :

• Les *traditionalistes*, soit 29 % de la population, ou cinquante-six millions de gens, qui aimeraient revenir au style de vie de l'Amérique d'antan, quand on habitait de petites villes et que l'on respectait les commandements de la religion.

• Les *modernistes*, soit 47 % de la population, ou quatre-vingt-huit millions de gens, influencés par « les professions urbaines du commerce, les fonctionnaires et les militaires, les savants, les techniciens et les intellectuels ». Parmi ceux-ci, les plus conservateurs ont « tendance à idéaliser le mode de vie des années 20 ou 50, tandis que les progressistes et les modérés partagent les philosophies des années 50 et 60, et sont plus ouverts aux nouvelles idées [4] ».

• *Ceux qui ont une vision créatrice de la culture*, soit 24 % de la population, ou quarante-quatre millions de gens, qui ont des affinités avec le New Age, les psychologies humaniste et transpersonnelle, les mouvements écologistes et féministes. Le travail de Ray montre qu'environ vingt millions d'entre eux, soit 10,6 % de la population totale, sont authentiquement concernés par leur vie spirituelle, un travail personnel en profondeur, un développement écologique durable. Ils appartiennent à la classe moyenne supérieure et comptent 67 % de femmes pour 33 % d'hommes. Les vingt-quatre millions restants, soit 13 % de la population totale, appartiennent surtout à la classe moyenne. Ils s'intéressent beaucoup aux questions sociales et environnementales d'un point de vue concret, mais en général moins à leur propre développement personnel et spirituel. On les trouve dans toutes les régions du pays, dans des proportions assez semblables.

Les données empiriques fournies par les recherches de Ray ainsi que les analyses d'autres commentateurs sur la transformation de la conscience semblent indiquer que de plus en plus de gens voudraient voir fusionner le personnel et le spirituel avec le social et le politique. Un sondage Maclean/CBS en 1995 révélait que 82 % des Canadiens s'intéressent « un peu ou beaucoup à la spiritualité ». Fait encore plus intéressant : presque la moitié des personnes interrogées ont déclaré que la spiritualité occupait plus de place dans leur vie depuis quelques années. Les gens lisent des livres sur les traditions spirituelles indigènes et ésotériques, forment des groupes d'étude, et se mettent à pratiquer de très anciens rituels. Le mystère de la vie nous envoie des signaux. Nous commençons à nous *souvenir* que nous avons choisi de venir sur terre pour accomplir une tâche spécifique. Nous remarquons de plus en plus que les prétendues coïncidences ont une signification profonde et nous poussent à progresser dans un certain sens.

La synergie

Les livres et les enseignants fournissent des appuis importants. Mais les expériences de première main sont encore plus convaincantes. Comment l'énergie pénètre-t-elle dans notre vie ? Les luttes de pouvoir auxquelles nous participons traduisent-elles un besoin de croissance personnelle ? Lorsque vous maîtrisez les septième, huitième, neuvième et dixième révélations, vous vous alignez intuitivement et sans le savoir sur d'autres personnes, grâce à votre attirance pour des êtres qui semblent se trouver sur la même longueur d'onde que vous.

Nombre d'entre nous ont des contacts avec la *dimension spirituelle* – même si nous n'en parlons pas toujours autour de nous. Nous savons reconnaître les inspirations et les intuitions quotidiennes qui nous font progresser.

Chaque individu est un point de traversée du flux de l'évolution

Nous représentons les mains, le cœur et l'esprit du processus de l'évolution. Puisque nous gérons la force énergétique vitale, nous devons maintenir le cap fixé par notre objectif originel, mener notre vie tout en apportant au monde la contribution que nous avions projetée. Beaucoup d'entre nous ont oublié qu'ils sont nés avec des rêves. Quand nous sommes « au creux de la vague » et que rien ne semble *se passer* nous devons nous souvenir que des périodes de stagnation sont nécessaires pour que nous intégrions, analysions et raffinions notre vision.

La Dixième Prophétie commence par nous suggérer de recourir à la visualisation pour renforcer notre foi en un sens de l'univers. Mais que devons-nous visualiser ? La vie nous demande constamment de choisir où fixer notre attention et notre intuition. Comment allons-nous procéder ? Au fur et à mesure que l'énergie coule à travers nous, nous sommes attirés par des gens et des situations différents. Comment rester sur la bonne voie ? Les intuitions traversent brièvement notre esprit, une synchronicité révèle une nouvelle direction, ou nous recevons le bienfait de cadeaux inattendus. Que faire de ce que nous recevons ?

Il n'existe pas de recette ou de réponse unique. Cependant, il est fort utile de se poser certaines questions. Demandons-nous : « Qu'est-ce que je veux faire ? » « Qu'est-ce qui m'empêche de faire ceci ou cela ? » N'oublions pas de préciser notre intention d'atteindre notre idéal, et observons ensuite les indices que l'univers nous communique. Si l'on ne cesse de dire : « Rien ne me réussit », « Ma vie est stupide et ennuyeuse », l'on n'aide pas l'univers à tenir ses promesses ! Nos croyances sont l'histoire que nous nous racontons à l'intérieur de nous-mêmes, et cette histoire se développe à la une des journaux du kiosque de notre vie.

Quelle est l'histoire ?

Conserver la Vision du Monde devient une idée abstraite, à moins de se connecter en cherchant un sens à la vie quotidienne. Si nous nous concentrons seulement sur les événements *littéraux* du monde, nous risquons fort de rater les messages spirituels. Prenez l'habitude de chercher l'enseignement le plus large, la vision la plus complète, à l'échelle du monde. Par exemple, si vous êtes préoccupé par les ordures qui s'amassent contre la clôture entourant le terrain vague contigu au vôtre, qu'est-ce qui fait défaut dans votre voisinage ? Quel est le problème ? Quel est le tableau d'ensemble ? Pour trouver un sens aux activités quotidiennes, nous devons établir un rapport entre le monde ordinaire et le monde caché, symbolique, spirituel.

C'est généralement grâce à une histoire que nous arrivons à trouver notre place dans le monde. Qu'il s'agisse d'une comptine, d'une épopée légendaire ou d'un rapport de police sur un meurtre. Les histoires éclairent les principes spirituels qui guident et font évoluer l'humanité.

Nous vous encourageons, donc, à pénétrer avec nous dans ce champ de connaissances. Il serait souhaitable que ce livre fasse le pont entre la vie quotidienne et la Vision du Monde. Vous y parviendrez en lisant attentivement les récits rassemblés ici, en vous posant des questions à leur propos et en observant vos perceptions. Les histoires vécues et les concepts de ce guide doivent éveiller votre propre *souvenir* sur le véritable sens de votre présence sur terre. Si nous sommes vraiment *présents* dans ce monde, nous devons réagir. Dans ce cas, nous ne sommes plus paralysés – nous pouvons entrevoir des choix, prendre des responsabilités. Alors nous contribuons à changer les choses.

C'est à vous d'écrire votre voyage, l'histoire de votre vie. Quand vous le faites, vous êtes aussi en train d'écrire une partie de l'histoire du monde.

> Chaque action ou même chaque pensée déclenche une réaction en retour entre notre action et les domaines dans lesquels nous puisons notre expérience [...]. Si un nombre significatif de gens participent pendant un temps suffisant, cela stabilise les effets de champ et les déplace successivement du plan personnel au plan social, à celui de la totalité de l'espèce et enfin au plan universel ; on passe des interactions physiques subtiles aux structures causales subtiles, mais cela demande une énorme masse d'efforts parallèles ou similaires sur une vaste dimension sociale. (Joseph Chilton Pearce, *Le futur commence aujourd'hui.*)

Un paysan qui cultive du soja en Iowa, Elmer Schettler, décrit la nouvelle attitude qu'il est en train d'adopter dans la vie. « J'ai toujours été un type stressé et agressif. Au cours des dernières années, cependant, j'ai développé mes aspirations spirituelles. Je commence vraiment à voir le monde comme un lieu mystérieux et intéressant, plutôt qu'un endroit où l'on se contente d'essayer de provoquer des événements. » L'idée d'Elmer reflète un changement : plutôt que de toujours forcer les situations, il a décidé de prêter attention à ce qui veut se produire. Il dit : « Maintenant, je ne cherche plus à travailler sans cesse davantage, j'observe le déroulement de la vie. Je suis en train d'abandonner ma vieille morale protestante. Je veux interagir davantage avec l'Univers, et lui permettre de me dire ce qui m'est destiné.

« Je dois me rappeler à l'ordre lorsque les choses ne se passent pas comme je le veux, quand je me sens frustré parce que des gens sur qui je compte ne font pas leur boulot. Je me demande : “ Pourquoi est-ce que je crois devoir résoudre ce problème ? Quel est mon but à long terme ? Quel est le sens réel de ce qui arrive ? ” Alors je fais quelques exercices de respiration et de relaxation pendant un moment, et je me reconnecte à mon centre intérieur. Cela me permet de prendre du recul pendant une minute. Je me souviens que je ne veux plus travailler comme un fou, ou m'imaginer que je connais toutes les réponses. Je me souviens que ma vie est en train de se dérouler. Je cherche quelque chose que je puisse apprécier – un coucher de soleil, des nuages, une photo de ma famille, et je nourris cette partie de moi.

« Quelquefois, quand j'ai besoin d'aide pour un problème spécifique, je prends quelques notes, je mets le papier dans ma poche et je laisse la vie suivre son cours. Pendant la journée je cherche des petits indices qui me prouvent que je suis sur la bonne piste. Par exemple, l'autre jour, dans la salle de gym, je voulais rédiger une liste des choses à faire. J'avais un morceau de papier, mais pas de stylo. J'ai regardé en direction du tapis roulant et j'ai vu que quelqu'un avait laissé un stylo à côté de la machine. C'était un détail, mais cela m'a rendu heureux. »

Quand vous cherchez, votre chemin change.

La peur naît de l'impuissance et d'un sentiment de séparation

En Occident, on considère en général le hasard comme une force extérieure qui gouverne les événements de notre vie. Par exemple, nous apprenons à voir les problèmes sous forme de catégories : le chômage, la criminalité, la pollution ou la guerre. Nous croyons être conditionnés par ces facteurs, et faute d'une vision globale nous éprouvons un sentiment de séparation et d'impuissance. Voulant nous *sentir* à nouveau maîtres de la situation, soit nous ignorons le problème et nions qu'il existe, soit nous prenons position comme si nous pouvions stopper ces calamités en défendant l'opinion « juste ». Pour bénéficier de l'énergie en provenance de ceux qui pensent comme nous, et simplifier des situations qui semblent chaotiques, nous adoptons une position polarisée. Sur le plan politique, nous nous déclarons progressistes ou conservateurs, intimement persuadés que la vérité réside dans *une seule position.*

Afin de maîtriser notre propre peur, nous nous fabriquons un ennemi et l'accusons de tous les maux. Nous nous déchaînons contre les prostituées, les jeunes délinquants ou les politiciens, et ce faisant les déshumanisons. Mais alors il nous est presque impossible de les considérer comme des âmes qui souffrent, peut-être, et ont besoin d'aide et d'amour. En politique, on a tendance à diaboliser les problèmes ou les individus, pour pouvoir présenter tel parti ou tel dirigeant comme le sauveur.

Ceux qui partagent ce mode de pensée croient que le monde est un champ de bataille, la vie un objet que l'on peut diriger, contrôler et s'approprier ; ils s'imaginent que, s'ils ne luttent pas pour obtenir quelque chose, un autre s'emparera de ce qu'ils mériteraient d'obtenir. Si cet état d'esprit est partiellement le vôtre, essayez de passer un dimanche après-midi avec des personnes que vous ne fréquentez pas habituellement. Parlez aux uns et aux autres, écoutez comment chacun expose sa conception de la vie.

Comme le sociologue Fred Polak l'a montré dans son étude portant sur mille cinq cents ans d'histoire européenne, *The Image of Future*, si toute une culture défend une vision très pessimiste de l'avenir, cette prophétie se réalisera. Les prédictions actuelles sur le déclin de la civilisation n'ont pas besoin d'être correctes pour se vérifier. Les comportements pathologiques qu'elles suscitent peuvent suffire à provoquer une telle situation. C'est une maladie de la croyance. Et le contraire est également vrai. Lorsqu'une culture défend des images positives de l'avenir, celles-ci peuvent être erronées, mais le fait que les gens s'investissent dans de nouvelles opportunités et aient la volonté de construire une société juste suffit à instaurer un mode de vie décent, si ce n'est peut-être le meilleur des mondes. (Paul H. Ray, *The Rise of Integral Culture.*)

Au fur et à mesure que nos enfants grandiront, nous devrons leur enseigner ce qu'est l'intuition – leur faire comprendre qu'il existe à l'intérieur d'eux-mêmes une part à laquelle ils peuvent accorder leur confiance pour prendre des décisions. Bien sûr, ce seront peut-être eux qui *nous* apprendront quelque chose. Nous leur parlerons des mécanismes de domination, nous leur apprendrons à repérer les mauvaises habitudes que notre famille a prises et ainsi nous permettrons à tout notre entourage d'évoluer.

Selon le psychologue Walter Mischel, qui a mené des recherches durant les années 60 dans une crèche de l'université Stanford, plus un enfant accepte que son plaisir soit différé, mieux il réussira à l'âge adulte. Écoutons Daniel Goleman, l'auteur de *L'Intelligence émotionnelle* : « À certains moments, le tissu de la société semble se déchirer à toute allure, l'égoïsme, la violence et la mesquinerie semblent miner la beauté de notre vie sociale. La capacité de contrôler les impulsions est à la base de la volonté et du caractère. De même, le fondement de l'altruisme repose sur l'empathie, la capacité de deviner les émotions chez les autres ; on ne peut s'intéresser aux autres si l'on est insensible à leurs aspirations ou à leur désespoir. Les deux qualités morales dont notre époque a le plus besoin sont le contrôle de soi et la compassion [5]. » Au cours des prochaines décennies, la maîtrise des impulsions, la compassion, la sensibilité personnelle et la connexion spirituelle seront plus importantes que tous les progrès technologiques que nous avons effectués jusqu'ici. Sans ces qualités, nous serons les esclaves des techniques que nous avons inventées. Nous avons déjà placé des armes automatiques dans les mains d'enfants.

Sur le seuil

Imaginez un instant que des conseillers et des guides spirituels, savants et pleins d'amour, vous « briefent » avant que vous descendiez dans votre corps – avant votre naissance. La conversation pourrait prendre le tour suivant :

« Bon, si vous êtes prêt à vous incarner de nouveau dans un corps, apercevez-vous " là en bas " des parents qui vous aideront à travailler sur le thème qui vous intéresse ?

« Quand vous serez en bas, dans votre corps, n'oubliez pas de repérer les signaux ! On ne vous attribuera pas une mission supérieure à vos moyens, et si l'un d'entre vous désire une tâche supplémentaire, dites-le tout de suite ! Vous devez apprendre à construire autour de vous autant d'énergie et d'amour que possible. Restez branché sur la source spirituelle. Parfois, vous vous sentirez perdu et souffrirez. Demandez alors de l'aide et écoutez attentivement ce que vous dit votre sagesse intérieure. Vous aurez tout ce qu'il faudra pour vous éveiller à votre nature spirituelle, afin de faire pénétrer cet esprit dans tout ce que vous entreprendrez. Vous rencontrerez de très nombreuses personnes qui sont sur le même chemin que vous et, pour corser un peu l'affaire, leur apparence sera très différente de ce à quoi vous vous attendiez. Mais elles vous donneront une chance de montrer combien d'amour vous pouvez transmettre. Restez en contact avec nous. Écrivez-nous quand vous le pouvez. Si vous avez besoin de quelque chose, n'hésitez pas à le demander. Bon, à bientôt. Et, oh, n'oubliez pas ! Vous êtes responsable de chacune de vos actions, aussi minime soit-elle. Vous comprendrez mieux quand vous reviendrez parmi nous. »

LA VISION DU MONDE

Vous vous sentirez peut-être en profonde harmonie avec ce que vous avez lu dans *La Prophétie des Andes, Les Leçons de la Prophétie des Andes* et *La Dixième Prophétie*. En effet, la nouvelle conception du monde possède de nombreux points communs avec ce que le philosophe et écrivain Aldous Huxley appelait la « philosophie éternelle ». Depuis environ cinq mille ans, certaines vérités fondamentales provenant à la fois des philosophies orientales et occidentales continuent à éclairer le chemin.

> Courage ! Sans le savoir, nous voyageons au milieu d'une foule d'alliés : de nombreuses personnes créatives, porteuses d'idées, de valeurs et de tendances plus positives que durant toutes les périodes antérieures de renaissance. Et elles peuvent probablement être mobilisées pour agir de façon altruiste en faveur de notre avenir. (Paul H. Ray, *The Rise of Integral Culture.*)

Construite sur ces principes essentiels, la Vision du Monde se trouve à *l'intérieur de nous*. Une version de la Vision du Monde existe aussi dans les croyances de chaque culture. La vision devient une réalité suivant la façon dont nous choisissons de vivre nos vies. Non un but *extérieur* à atteindre un jour dans le futur, mais une force qui nous définit et nous informe, qui est réelle pour nous à travers les valeurs que nous sentons à l'intérieur de nous-mêmes. La Vision du Monde est « ce qui compte » pour nous. Ce n'est pas une « règle », ni un comportement, ou une recette pour atteindre un objectif déterminé, afin d'obtenir des résultats politiques, économiques ou culturels précis. Non, la Vision du Monde est plus exactement un processus qui *engendre* la coexistence pacifique, l'équilibre et la générosité, et qui respecte les différences entre les espèces, les peuples, les cultures, les langues, les religions et les philosophies.

Voici maintenant les points clés de la sagesse éternelle qui ont façonné, et continuent à façonner, le chemin de notre évolution.

1 *La conscience joue un rôle déterminant*

Le champ d'énergie dans lequel nous vivons et grâce auquel nous créons quelque chose avec notre intention est la conscience. C'est à la fois le créé et l'incréé ou, comme Deepak Chopra l'appelle, le champ de la potentialité pure. *Vos attitudes façonnent la Vision du Monde.* Imaginez que vous êtes une goutte d'eau dans un seau – un énorme seau. Au fur et à mesure que vous pénétrez à l'intérieur de vous-même pour vous connecter à vos intuitions (à votre objectif spirituel), vos pensées conscientes ondulent vers l'extérieur. Votre être catalyse des changements dans votre famille, chez vos amis, vos voisins et vos collègues de travail. Puis les ondes dérivent vers vos représentants politiques, s'associant à d'autres ondes et en construisant de nouvelles qui rejettent les initiatives de ceux qui dirigent le monde. *Lorsqu'une masse critique de conscience humaine saisit la vision de sa totalité, cette Vision du Monde plus globale, la Vision se déroule naturellement.*

2. Nous sommes plongés dans un champ d'énergie. Nous sommes immergés dans Dieu

Nous sommes faits de la même énergie créatrice divine que Dieu. Les religions appellent cette énergie spirituelle notre nature christique ou bouddhique durable. Le monde matériel surgit de cet océan d'énergie grâce à nos pensées et croyances collectives. Au cours des âges, les maîtres spirituels ont enseigné que nous sommes interdépendants avec toutes les formes de la vie, et que chaque forme a un rôle important à jouer en faisant fonctionner chaque chose. Fondés sur des structures et des relations, les principes de la philosophie antique contiennent le projet de Dieu pour l'univers.

> Je crois profondément que nous devons trouver, tous ensemble, une spiritualité nouvelle. Ce nouveau concept devrait s'élaborer parallèlement aux religions, de telle sorte que toutes les bonnes volontés puissent y adhérer. Nous avons besoin d'un nouveau concept, d'une spiritualité laïque. Nous devrions promouvoir ce concept, avec l'aide des scientifiques. Il pourrait nous conduire à établir ce que nous cherchons tous – une *morale séculière* (il détache lui-même les mots). (Sa Sainteté le dalaï-lama interviewée par Jean-Claude Carrière dans *La Force du bouddhisme*.)

3. L'univers a un objectif

Un événement ne se produit presque jamais par hasard. Une femme qui se demandait si elle devait continuer à écrire a raconté dans le *Celestine Journal* un tournant fondamental de sa vie suscité, selon elle, par les forces divines, après la lecture d'un livre de Ray Bradbury : *Zen in the Art of Writing : Releasing the Creative Genius Within You*. Voici ce qu'elle relate : « Cela m'émut tellement que j'écrivis une lettre enthousiaste à M. Bradbury pour le remercier car son œuvre m'inspire et m'encourage à écrire. Peu de temps après avoir posté cette lettre, notre librairie locale organisa une signature avec Ray Bradbury et annonça qu'il tirerait au sort les noms de cinq clients, qui auraient le privilège de dîner avec lui ensuite. Dès que j'appris cela, je sus que je serais l'une des cinq personnes choisies. Le jour dit, mon nom fut tiré le dernier ! J'ai pu m'entretenir longuement avec lui. Maintenant je sais que je dois continuer à écrire. L'univers a une façon merveilleuse de prendre soin de nous si nous lui permettons de le faire [6]. »

4. L'amour est la plus haute forme d'énergie

Pour la sagesse éternelle, les hommes sont sur terre afin de s'élever spirituellement en augmentant leur capacité d'aimer. Une femme explique : « J'ai appris à faire attention aux coïncidences qui se produisent dans ma vie et à écouter les pensées qui flottent et traversent mon esprit quand je suis éveillée mais aussi dans mes rêves. J'ai également appris à apprécier les plus petites interactions humaines, y compris celles qui semblent insignifiantes [7]. »

Cet amour n'est pas un sentiment superficiel plaqué sur la réalité. *Il découle de l'état de conscience d'un individu quand il est connecté à l'énergie universelle – la fréquence de l'amour.*

5. Nous vivrons plusieurs vies remplies d'amour

Le concept de la réincarnation, la possibilité de vivre de nombreuses vies et, finalement, de découvrir la totalité du potentiel humain font partie intégrante de la philosophie éternelle. Oui, la vie est souvent courte. Oui, nous devons vivre intensément notre vie présente. Nous faisons s'épanouir certaines tendances et certains dons pour atteindre de nouveaux objectifs. Quand vous aurez réalisé l'objectif de votre vie présente, vous quitterez ce monde. Et vous aurez très probablement l'occasion de le poursuivre d'une façon différente dans votre prochaine vie.

> Quelques jours plus tard, [mes guides spirituels] me demandèrent de méditer sur « l'âme de l'homme et sa place dans l'au-delà ». Ils soulignèrent l'importance de cette démarche, qui rend moins ennuyeuse la période carrefour que nous appelons la mort et permet de passer plus vite au plan supérieur. « Plus on convertit rapidement les âmes terrestres en esprits transfigurés, ont écrit [les maîtres spirituels], plus rapidement on progressera vers une fusion avec la totalité. » Cela n'est peut-être pas clair pour vous en ce moment, mais au fur et à mesure que vous progresserez dans votre méditation, nous vous aiderons à traverser une série d'expériences qui vous métamorphoseront et vous révéleront le but pour lequel nous travaillons. (Ruth Montgomery, *A Search for Truth.*)

6. Les choix créent les conséquences – telle est la loi de cause à effet ou karma

Durant notre enfance, on nous apprend à ne pas toucher à un four brûlant – illustration simple de la loi de cause à effet. Mais, selon cette même loi, si nos actions ont des conséquences directes dans notre vie quotidienne, des actes effectués dans des vies antérieures peuvent aussi avoir des conséquences *dans des vies ultérieures*. Le karma est la loi naturelle de l'univers. Comme le dit la sagesse populaire : « Si un bienfait n'est jamais perdu, il en est de même pour un méfait » et « N'espérez pas recevoir plus que vous n'avez donné ».

7. Les autres dimensions sont des réalités

Nous devons nous rendre compte que nous sommes séparés de – et que nous pouvons être unis à – la source que nous appelons Dieu. L'ancienne Vision du Monde considérait l'existence matérielle comme la seule « réalité », uniquement parce qu'elle se trouve devant nous tous les jours.

Pour le Pr Markides, il existe réellement d'autres niveaux d'existence. Une telle hypothèse est fondamentale pour la compréhension de l'univers. Dans *Riding with the Lion*, il affirme : « Disposés en strates successives, suivant une hiérarchie qui conditionne leurs relations, d'autres mondes s'interpénètrent avec le nôtre. Le monde des cinq sens est à la base de ce totem spirituel. Ces différentes strates ne se trouvent pas seulement dans le monde naturel, objectif, mais font aussi partie de la structure même de la conscience humaine [8]. »

8. Nature duelle

Dans la dimension spirituelle, la dualité n'existe pas. Il y a une source – Dieu – qui ne produit que le bien. Il n'y a pas de seconde source, d'une puissance égale, dont découle le mal. Cependant, dans la dimension terrestre, nous sommes prisonniers de la dualité – des couples opposés comme le bien et le mal, la lumière et l'obscurité, le mâle et la femelle, le neuf et l'ancien. En arrivant sur terre, nous nous sommes séparés de la source unique. Notre but est de nous souvenir de cette source et de nous y relier.

La philosophie éternelle nous rappelle que, bien que nous soyons des individus duels, nous appartenons à une seule humanité. Nos corps vivent et meurent au bout d'un certain temps, mais nos consciences ont une vie éternelle. Vivre sur terre nous oblige à affronter des oppositions et à effectuer des choix. La vie nous force à choisir, à nous exprimer, et à nous mouvoir dans la dualité. Plus les choix d'un individu s'opposent à l'amour, à la compassion et à la disponibilité, plus le mal s'accroît.

PANORAMA DE LA DIXIÈME RÉVÉLATION

Comme la philosophie éternelle, la dixième révélation est le *cadre* qui assure l'accomplissement de *toutes* les révélations.

LES IDÉES CENTRALES DES NEUF PREMIÈRES RÉVÉLATIONS DE *LA PROPHÉTIE DES ANDES*

• Notre façon de voir le monde est en train de se transformer à une vitesse hallucinante.

• Nous découvrons que le but de notre vie est la croissance spirituelle à travers l'action de l'amour, et non uniquement la survie dans un monde matérialiste. *La seule façon d'avancer véritablement, individuellement et collectivement, est de nous ouvrir à la pleine dimension de ce que nous sommes, de suivre les indications de notre intuition, et d'aider les autres, plutôt que de travailler à défendre nos propres intérêts.*

• Nous comprenons que nous sommes un être divin, temporairement incarné dans un corps physique.

• Nous sommes en communication avec la dimension spirituelle grâce à notre connaissance intuitive, aux coïncidences, aux événements paranormaux et aux guérisons miraculeuses.

• La plupart d'entre nous ont décidé d'être ici, sur terre, et nous choisissons les circonstances qui peuvent renforcer le caractère de notre âme et contribuer à conserver en nous la Vision du Monde.

• Nous pouvons apprendre à ne pas gaspiller notre énergie plutôt que de nous engager dans des luttes de pouvoir stériles.

LES IDÉES CENTRALES DE LA DIXIÈME RÉVÉLATION

• Dans la dimension spirituelle il existe des niveaux de conscience qui se situent au-delà du nôtre.

• Nous avons une Vision de Naissance quand nous naissons.

• Collectivement nous prenons conscience de la Vision du Monde détenue par nos groupes d'âmes.

• Nous nous rendons compte que nous recevons des orientations provenant du domaine spirituel ou angélique.

• Nous sommes profondément connectés à nos amis et à notre famille, et à certains de ceux que nous rencontrons à des tournants de notre vie.

• Nous nous efforçons de rendre la dimension physique plus spirituelle.

• Ensemble nous nous souvenons que la Vision du Monde est fondée sur les éléments fondamentaux de la sagesse éternelle.

• Nous apprenons à conserver une intuition et nous croyons qu'elle nous mène à la prochaine étape de notre chemin.
• Ce que nous voulons existe d'abord dans nos cœurs et nos esprits, et se réalise quand nous maintenons notre intention avec persévérance.
• Après la mort, nous quittons notre corps et revoyons chaque épisode de notre vie. Nous sommes clairement capables de voir (et de sentir) combien d'amour nous pouvons donner aux autres lors de chaque rencontre.
• Le but ultime de l'humanité est la fusion des dimensions matérielle et spirituelle.

L'école de la sagesse

Imaginez que l'enseignement de la dixième révélation fasse partie du programme d'une école de sagesse dont les matières dépendraient entièrement de votre choix. Même si vous connaissez déjà la plupart des sujets, le fait de lire des récits concernant des gens ordinaires peut vous aider à mieux vous souvenir de ce que vous savez intuitivement. Notre but est seulement de stimuler votre connaissance intérieure.

Il est normal de résister au changement. Certains oscillent régulièrement entre deux attitudes : tantôt ils ont confiance dans le processus, tantôt ils doutent d'eux-mêmes et de la spiritualité. Ils régressent en voulant à nouveau contrôler les situations et se raccrocher à ce qui leur est familier, même si cela ne fonctionne pas très bien. Nombre d'entre nous se demandent : « Je sais que j'ai une destinée spirituelle, mais que puis-je faire *aujourd'hui* ? »

Pour l'hémisphère gauche du cerveau, nous présenterons les principes dans leurs grandes lignes. Pour l'hémisphère droit, nous raconterons des anecdotes. Voici les six matières enseignées dans notre école : 1) les vies antérieures ; 2) les groupes d'âmes (qui conservent nos souvenirs des vies antérieures et nous envoient de l'énergie) ; 3) les Visions de Naissance ; 4) la revue de l'Après-Vie (qui permet d'évaluer à quel point nous avons réussi à nous souvenir de notre Vision de Naissance et à la réaliser sur terre) ; 5) la Vision du Monde, dont l'objectif est d'unifier les domaines spirituel et physique grâce à la conscience des deux dimensions ; et 6) les récits de ceux qui ont joué un rôle pionnier.

TROUVER SA PLACE

La métaphore présentée dans *La Dixième Prophétie* sur la façon de « découvrir seul la vallée » suggère que chacun de nous doit aller à l'intérieur de soi et écouter les intuitions et les messages pertinents qui nous parviennent à travers les autres. Mais il faut également se souvenir que le fait de chercher sa place est un processus continuel. Dans le voyage de la vie, vous réagissez constamment à la prochaine situation dans laquelle vous vous trouverez, au prochain obstacle que vous devrez franchir. Il n'existe pas de point d'arrêt où vous pourriez dire : « Ça y est, maintenant j'y suis. » En choisissant la vie plutôt que la Peur, vous accomplissez l'une des principales étapes de votre objectif de vie personnel.

Comme nous l'exposerons plus loin, nous devons nous libérer de notre dépendance par rapport à nos traumatismes et nos échecs passés. En restant dans le moment présent, nous progressons en demandant des indications sur la prochaine étape à atteindre et la prochaine tâche à accomplir. Nous concentrons notre attention sur notre intention et laisserons l'univers ouvrir la voie.

> La course progresse seulement quand tous ensemble nous nous élançons vers notre but commun, l'illumination et la perfection. C'est pourquoi, si chacun veut avancer rapidement, il doit veiller à ce que ses condisciples (ceux qui partagent les mêmes intérêts) disposent de tous les outils nécessaires pour avancer individuellement. (Ruth Montgomery, *A World Beyond.*)

Quelle est votre raison d'être ?

Selon Peter Drucker, gourou du business et essayiste, le premier pas sur la route du succès consiste à se demander : « Quelle est ma raison d'être ? » ou « Qu'est-ce que je fabrique exactement sur terre ? » Si vous ne pouvez pas répondre à cette question, vous passez probablement 90 % de votre temps à faire des choses qui n'ont rien à voir avec vos objectifs existentiels.

Être un guichet d'informations

Une personne qui dirige une PME de vente par correspondance spécialisée dans les livres d'éducation spirituelle nous a dit : « Je suis comme un guichet d'informations. Je veux fournir une contribution utile qui aidera quelqu'un au cours de son chemin existentiel. Je me sens comme un catalyseur, et je me rends compte que j'ai rempli cette fonction dans mes différents emplois au cours des années. J'ai acquis une certaine empathie et une capacité à voir les problèmes dans une perspective plus large, cela après avoir passé des années à boire plus que de raison, après avoir subi un accident de voiture grave et être passée par un long processus de récupération physique. Avant, j'étais très rétive aux nouvelles informations, mais après plusieurs faux départs j'ai finalement commencé à aller mieux. Maintenant je vends des cassettes de musique, des livres et d'autres éléments d'éducation spirituelle. Maintenant j'éprouve une énorme joie à dire à quelqu'un : “ Hé, voilà un livre, un disque que vous aimerez certainement. ” Ensuite je laisse les choses se dérouler toutes seules. Je sais que je ne suis qu'un intermédiaire. Mes clients en feront ce qu'ils voudront. »

En définissant « quelle est notre raison d'être », nous pouvons nous mettre sur l'agenda de Dieu ; quand Il a besoin d'un guichet d'informations, Il sait qui Il doit consulter pour cette tâche.

Conserver ce qui est important

La directrice d'une fondation, qui aime voyager et photographier des cérémonies folkloriques dans d'autres pays, nous explique : « Je crois que *ma* tâche est de préserver ce qui est important. Je le fais de différentes façons, à la fois dans ma fondation et par mes photographies. Cela semble être une tendance dominante dans ma nature. »

Diriger des orchestres

Un gérant d'usine, qui s'occupe également de deux organisations professionnelles et siège au conseil d'administration d'une école, nous déclare : « Mon travail ressemble à la direction d'orchestre. J'occupe de nombreux rôles de direction parce que je devine rapidement comment faire fonctionner un groupe sans anicroche en coordonnant les efforts des personnes adéquates vers le même objectif. J'arrive à tirer le maximum de tous les groupes auxquels j'appartiens et j'aime ce type de défis, même si le chaos s'installe. »

> Une renaissance se produit quand les portes de l'esprit s'ouvrent à d'autres mondes et à des idées étrangères, et qu'une nouvelle harmonie turbulente commence à se former. (Graham Dunstan Martin, *Shadows in the Cave*.)

Surprendre les gens avec un moulinet éblouissant

Un auteur de livres techniques, entraîneur sportif, remarquait : « J'écoute et je synthétise. Je cherche toujours à rendre les choses plus faciles à faire aux autres, mais j'adore les surprendre avec un moulinet éblouissant auquel ils ne s'attendent pas. Mon travail peut paraître terne, mais j'aime m'immerger dans un projet, le structurer complètement – et ensuite le montrer à quelqu'un ! »

Créer des moments extraordinaires pour les autres

Un conducteur de grue, qui sait aussi merveilleusement danser, nous offre un bon exemple d'équilibre entre travail et jeu. Plusieurs fois par semaine, il danse la salsa, et ses concitoyens le considèrent comme un homme exceptionnellement optimiste, philosophe, généreux et drôle. Nous l'avons rencontré, avec sa partenaire, et cette dernière lui a dit : « Tu sais quelle est ta raison d'être ? Créer des moments extraordinaires pour les autres ! »

ÉTUDE INDIVIDUELLE

Pratique : l'intention

Le matin, quand vous devez prendre une décision ou lorsque vous participez à une interaction particulièrement importante, écrivez votre intention sur une petite fiche. Réfugiez-vous à l'intérieur de vous-même pendant un moment.

Première étape : clarifier l'image

• *Arrêtez le monde.* Prenez le temps d'apaiser votre esprit. Fermez les yeux et pénétrez en vous-même.

• *Ralentissez et rassemblez de l'énergie.* Suivez le rythme de votre respiration pendant une ou deux minutes.

• *Clarifiez l'image.* Demandez-vous : « Qu'est-ce que j'attends de cet événement, de ce problème ou de cette décision ? »

• *Chargez l'image.* Énumérez toutes les attentes positives qui vous viennent à l'esprit.

• *Demandez.* Écrivez toutes les questions qui vous passent par la tête. Par exemple : « Dois-je me marier avec Jo ? » ou « Quelle est la meilleure manière de présenter mon projet aujourd'hui ? » ou « Ferai-je le bon choix en achetant cette maison ? »

Deuxième étape : créer l'objectif et le laisser de côté

• *Vouloir.* Ensuite, récrivez votre question sous la forme d'une affirmation positive dans laquelle *vous avez déjà obtenu le résultat désiré.* Par exemple, reformulez la première question ci-dessus au passé composé, en vous concentrant sur l'issue désirée, sous-jacente à la question, ce qui donnerait : « J'ai fait un mariage heureux avec le partenaire idéal ! » ou « Ma proposition a créé les conditions parfaites pour que je franchisse encore une étape dans mon développement personnel » ou « Je vis en ce moment dans une maison idéale pour mes besoins ».

• *Détendez-vous.* Maintenant, chassez tout doute en vous-même. Relâchez-vous et faites confiance à l'univers : il s'occupera des détails. Ne cherchez pas à obtenir un résultat particulier, faites confiance à la sagesse divine : elle œuvre pour votre bien, même si vous n'en êtes pas conscient.

Troisième étape : observer ce que l'univers vous suggère de faire

• *Recevoir.* Accroissez votre sensibilité aux signes subtils ou aux messages quant à la bonne direction à prendre pendant la journée.

• *Recharger.* Concentrez-vous sur votre affirmation et imaginez que vous possédez ce que vous désirez.

Quatrième étape : la gratitude vous laisse ouvert

• *Remerciez.* Chaque fois que vous remarquez le moindre bienfait, si l'on vous cède la place dans le métro, si vous trouvez une pièce de monnaie, si quelqu'un vous sourit, alors faites en pensée une prière de remerciement. La gratitude vous aide à garder votre intention chargée d'énergie.

Nous vous suggérons de tenir un journal pour conserver les traces de votre intention et la stimuler, suivre la piste des synchronicités et y chercher un sens. Les coïncidences ayant tendance à survenir groupées, un journal sera un outil très efficace pour travailler la dixième révélation.

ÉTUDE DE GROUPE

Principes

• Partir et arriver à l'heure, surtout si vous vous réunissez au domicile de quelqu'un.

• Il n'est ni nécessaire ni souhaitable d'avoir un leader, mais un volontaire pourra prendre des notes, écrire la liste des tâches ou surveiller le temps de parole de chacun.

• N'interrompez pas les participants quand ils parlent et écoutez-les attentivement.

• Envoyez de l'énergie et de l'amour à chaque intervenant et tâchez de découvrir la beauté intérieure de son âme.

• Écoutez et parlez à partir de votre cœur.

• Évitez cancans et jugements.

• N'évoquez pas la vie privée des intervenants en dehors du groupe.

• Un groupe de méditation sur tel ou tel problème peut être très utile. Laissez les participants discuter des messages qu'ils ont reçus.

• Si des rapports de forces s'installent, décrivez avec sincérité vos sentiments, soyez doux et patient, mais ferme. Évitez les reproches.

• Méditez fréquemment en réfléchissant à la Vision de Naissance de chacun.

Discussions

Commencez par lire des livres et des magazines sur des sujets qui élargissent les limites de votre Vision du Monde, tels que la réincarnation, l'enlèvement par des extraterrestres, les anges et le pouvoir de guérison des prières. Résumez vos lectures aux membres du groupe et partagez vos réflexions sur ces thèmes.

Vous pouvez aussi commencer une réunion sur l'un des sujets ci-dessus. Décidez lequel a « le plus d'énergie » pour le groupe. Une fois votre choix établi, laissez chacun résumer par écrit ses sentiments pendant cinq minutes. Ensuite chacun lira à son tour ce qu'il a noté. Et vous conclurez par une discussion générale.

Propositions de sujets

– Si vous deviez raconter votre vie à un enfant de cinq ans, quels seraient les points les plus importants sur lesquels vous insisteriez ?

– Quelles sont vos sources d'inspiration ? Pourquoi ? Comment ?

– Êtes-vous sur le point d'entreprendre quelque chose ? Quelle porte voulez-vous ouvrir ?

– Quels ont été vos objectifs jusqu'ici ?

– Que pensez-vous de la réincarnation ?

– Qu'aimeriez-vous changer dans votre quartier ?

2

Comment les neuf premières révélations vous préparent à la dixième

CORBEAU
LA LOI

Chacun d'entre nous, une fois qu'il a compris ses mécanismes de domination (les scénarios de son passé), peut repérer [...] certains problèmes liés à sa carrière, à ses amis, à l'endroit où il devrait vivre [...]. Si nous restons vigilants, [...] notre intuition nous indiquera alors la direction et les décisions souhaitables, les personnes à qui nous devons nous adresser pour trouver des réponses. (*La Dixième Prophétie* [1].)

LES NEUF PREMIÈRES RÉVÉLATIONS MÈNENT À LA DIXIÈME

Pour comprendre comment la dixième révélation nous propulse vers un nouveau niveau de conscience, il faut d'abord résumer brièvement les neuf premières révélations. Vous pouvez sauter ce chapitre si vous maîtrisez déjà bien ces principes.

1. La masse critique

Une nouvelle prise de conscience spirituelle se produit dans notre société, provoquée par l'apparition d'une masse critique d'individus qui constatent que leur vie est un développement spirituel, un voyage dans lequel ils progressent grâce à de mystérieuses coïncidences.

2. Une vaste perspective

Cette prise de conscience correspond à la création d'une nouvelle Vision du Monde, plus complète. Elle remplace la conception dominante depuis cinq siècles qui privilégiait la recherche de la prospérité et du confort. Ces préoccupations technologiques ont certes constitué un progrès important. Mais, dès que nous prenons conscience des coïncidences dans notre vie, de nouveaux horizons s'ouvrent devant nous : le véritable objectif de la vie humaine sur cette terre et la véritable nature de notre univers.

3. *Une question d'énergie*

Nous savons aujourd'hui que nous ne vivons pas dans un univers statique, uniquement matériel, mais dans un univers mû par une énergie dynamique. Chaque élément est un champ d'énergie sacrée que nous pouvons pressentir et dont nous pouvons avoir l'intuition. De plus, nous, les humains, avons la capacité de projeter notre énergie en concentrant notre attention dans la direction désirée (« Quel que soit l'endroit où vous dirigerez votre attention, votre énergie spirituelle la suivra »). Nous influençons ainsi d'autres systèmes d'énergie et augmentons la cadence des coïncidences dans notre vie.

4. *La lutte pour le pouvoir*

Trop souvent les êtres humains se coupent de la source spirituelle de cette énergie : ils se sentent alors faibles et peu sûrs d'eux. Pour regagner de l'énergie, nous avons tendance à manipuler les autres ou à les forcer à nous accorder de l'attention et donc de l'énergie. Lorsque nous réussissons à dominer les autres de cette façon, nous nous sentons plus puissants, mais eux sont affaiblis et souvent ils réagissent en se défendant. L'énergie humaine étant limitée, la lutte pour obtenir celle-ci détermine tous les conflits entre les hommes.

5. *Le message des mystiques*

L'insécurité et la violence prennent fin quand nous sentons en nous-mêmes une connexion intérieure avec l'énergie divine, connexion décrite par les mystiques de toutes les traditions. Elle se traduit par une sensation de légèreté – l'impression de flotter –, un sentiment d'amour permanent. En l'absence de ces symptômes, la connexion n'est pas réelle, mais seulement feinte.

6. *Éclaircir le passé*

Plus nous restons connectés longtemps, plus nous acquérons une conscience aiguë des périodes pendant lesquelles nous sommes déconnectés, habituellement en période de stress. À ces moments-là, nous pouvons observer comment nous essayons de dérober de l'énergie aux autres, chacun à sa manière. Lorsque nous sommes conscients de nos manipulations, notre connexion devient plus constante et nous pouvons alors découvrir notre propre chemin de croissance dans la vie, et notre mission spirituelle, la façon personnelle dont nous pouvons contribuer au monde.

7. Être en prise avec le courant

Lorsque nous connaissons notre mission personnelle, le flux de coïncidences mystérieuses s'accroît et nous nous sentons guidés vers notre destinée. Nous nous posons des questions ; les rêves nocturnes, les rêves éveillés et les intuitions nous amènent progressivement à trouver les réponses, qui sont en général fournies de façon synchronistique par un autre être humain.

8. L'éthique interpersonnelle

Nous pouvons augmenter la fréquence des coïncidences qui nous guident en élevant l'esprit de toutes les personnes que nous rencontrons. Élever l'esprit des autres est une activité particulièrement efficace dans des groupes où chaque membre bénéficie de l'énergie collective. Avec des enfants, c'est extrêmement important pour assurer très tôt leur sentiment de sécurité et leur développement personnel. En voyant la beauté dans chaque visage nous élevons nos congénères à leur moi le plus authentique et augmentons les chances d'entendre un message synchronistique.

9. La culture de demain

Tandis que nous évoluerons vers le meilleur accomplissement de nos missions spirituelles, les moyens technologiques tendront à devenir complètement automatisés tandis que les êtres humains se concentreront plutôt sur les états d'énergie synchronistiques, transformant finalement nos corps en une forme spirituelle et unissant cette dimension d'existence avec la dimension de l'Après-Vie, ce qui clôturera le cycle de la naissance et de la mort.

QUESTIONS SUR LES NEUF PREMIÈRES RÉVÉLATIONS

Pour conserver la Vision du Monde, nous devons, bien sûr, maîtriser parfaitement notre capacité de suivre les indications que nous recevons. Vous découvrirez peut-être que vous vous êtes déjà posé certaines des questions ci-dessous et que vous partagez les mêmes préoccupations.

J'observe plus de coïncidences, mais comment savoir ce qu'elles signifient ? Je ne sais pas toujours très bien ce que je dois en penser.

Comme le personnage principal le dit lui-même dans *La Dixième Prophétie* : « En vérité, le sens de certaines parties de la Prophétie m'échappait encore. Certes, j'avais appris à me connecter avec mon énergie spirituelle intérieure [...]. Et j'étais plus attentif que jamais aux pensées intuitives et aux rêves, à la luminosité d'une pièce ou d'un paysage. Mais, en même temps, la nature trop sporadique des coïncidences me décevait. [...] Je me remplissais d'énergie [...] et habituellement j'avais une intuition assez claire de ce que je devais faire. [...] Pourtant, après ces préliminaires, fréquemment, aucun événement important ne se produisait. Je ne recevais aucun message, n'observais aucune coïncidence. [...] Malgré tous mes efforts pour projeter de l'énergie, l'autre me repoussait ou, pis encore, la rencontre commençait de façon prometteuse, puis la situation devenait incontrôlable et finalement j'en ressortais extrêmement irrité et troublé. [...] Je me rendais compte que quelque chose me manquait quand j'essayais d'appliquer les révélations au long terme. [...] Apparemment j'avais oublié certaines connaissances essentielles ou peut-être même les ignorais-je totalement [2]. »

Coïncidence ou flash de mémoire ?

Les coïncidences excitent habituellement notre esprit ou nous paraissent mystérieuses. Pourquoi ? Peut-être parce qu'elles nous connectent au souvenir de notre projet de vie. D'un point de vue spirituel, aucun événement ne se produit par hasard. Par conséquent, cet état de conscience plus intense provoqué, selon vous, par l'apparition inattendue de deux événements simultanés, ou plus, signifie que ceux-ci ont un sens inconscient. Même si vous n'en percevez pas immédiatement le sens, cela ne signifie pas qu'il n'y en ait pas. Un jour, vous repenserez peut-être à un événement et vous vous apercevrez qu'il signalait un tournant dans votre vie ou qu'il a ébranlé vos convictions. Par exemple, un musicien en Louisiane avait décidé qu'il voulait devenir moins distant avec les autres après avoir lu le passage sur les mécanismes de domination dans *La Prophétie des Andes*. Il a appelé un libraire spécialisé dans les ouvrages métaphysiques pour lui demander s'il connaissait des groupes d'étude fonctionnant dans la région. Le gérant lui a répondu qu'il n'y en avait pas pour le moment, et lui a suggéré à la place de prendre un cours de yoga. Le musicien a décidé de suivre ce conseil : « Le yoga était exactement ce dont j'avais besoin pour entrer en contact avec mon corps, nous a-t-il raconté. Pour moi, en ce moment, c'est encore mieux qu'un groupe d'étude qui aurait sans doute agi sur le plan mental, et cela a toujours été mon problème. Je suis étonné de constater à quel point de nouvelles perspectives sont apparues dans ma vie depuis que j'ai pris cette décision. » Son intention de travailler sur ce qu'il sentait être une zone bloquée l'a conduit à vivre d'une façon totalement différente.

La synchronicité renforce notre conviction d'être sur la bonne voie

Parfois un événement synchronistique vous indique que vous êtes sur la bonne voie. Par exemple, une mère et sa fille qui vivaient en Californie sont allées jusqu'à Vancouver pour participer à un atelier sur la programmation neurolinguistique (PNL). Le premier soir, elles se sont assises juste derrière deux autres personnes et ont engagé la conversation avec elles. Il s'agissait également d'une mère et de sa fille qui vivaient à Vancouver. Les deux mères portaient le même prénom, et celle habitant à Vancouver avait vécu peu auparavant dans le même immeuble que la jeune fille de Californie. Dans la mesure où elles n'eurent pas d'autres contacts par la suite, la mère et la fille de Californie en déduisirent que cette synchronicité leur indiquait qu'elles avaient agi judicieusement en choisissant cet atelier, puisque cette coïncidence concernait la localisation (deux femmes vivant ou ayant vécu au même endroit).

La synchronicité révèle des processus intérieurs

Si vous cherchez des informations précises, le nombre d'événements synchrones augmentera. Alvin Stenzel, de Bethesda, dans le Maryland, raconte : « Quand l'étudiant sera prêt, le professeur apparaîtra [...]. Tandis que je travaillais à mon dernier livre, un guide pour aider les lycéens à choisir une faculté et à préparer leur entrée dans la vie active, je me rendis compte que j'avais du mal à trouver le bon axe, à dégager un concept qui charpente mes propres connaissances. Je m'arrêtai d'écrire pendant une semaine, et je lus un livre que l'on m'avait offert pour Noël : *Le soin de l'âme* de Thomas Moore... Et j'y ai trouvé exactement ce que je cherchais ! Quand j'ai su repérer mon besoin et me suis ouvert à des réponses, alors le professeur est apparu [3] ! »

> L'inconscient collectif est une sorte de champ d'énergie psychique, dont les électrons sont les archétypes. Son aspect ordonné est déterminé par les rythmes numériques du Soi [...]. Le Soi connaît un processus de rajeunissement perpétuel [...]. On peut comparer les processus psychologiques aux processus énergétiques, et ils suivent parfois certaines lois. (Marie-Louise von Franz, *La Psychologie de la divination.*)

Les coïncidences proviennent d'une force spirituelle qui nous entraîne tout le long de notre vie, et elles ont toujours un lien avec l'une des révélations sur lesquelles nous travaillons. Par exemple, si nous étudions la première révélation, les coïncidences nous apporteront la preuve que la transformation est en train de se produire. Si nous étudions la deuxième révélation, nous apprendrons comment nous délivrer de vieilles préoccupations. Après avoir réfléchi au sujet de la troisième révélation, nous obtiendrons des indices sur la façon dont coule l'énergie. Nous rencontrerons des gens qui sauront répondre aux problèmes qui nous hantent en ce moment précis. Les événements synchrones nous éclaireront. Quand le temps viendra de nous pencher sur la sixième révélation, qui nous permet d'identifier notre propre lignée à partir de nos ancêtres, nous comprendrons mieux la synchronicité. Les coïncidences nous montrent la direction vers laquelle nous progressons, et éclairent la question qui nous préoccupe le plus à un moment précis. Dès que nous savons quelle doit être notre contribution sur terre, les événements synchrones se multiplient. N'oubliez pas de revoir périodiquement les révélations précédemment étudiées, au fur et à mesure que vous acquérez de nouvelles connaissances.

Comment puis-je sonder les coïncidences pour obtenir de nouvelles informations ?

Quand un événement synchrone se produit, envoyez un peu d'énergie aux personnes impliquées pour les aider à vous transmettre un message. Adoptez une approche directe et, si le moment s'y prête, dites avec humour : « J'aimerais vraiment savoir pourquoi nous nous sommes rencontrés maintenant. Auriez-vous un message pour moi ? » Montrez à votre interlocuteur que vous voulez sincèrement entrer en connexion avec lui.

> Les Chinois ne s'interrogent pas sur les causes d'un événement [...]. Ils n'ont pas une conception linéaire du temps. [Ils] se demandent : « Quels sont les événements qui ont tendance à se produire en même temps ? » [...] Ensuite ils explorent ces grappes d'événements intérieurs et extérieurs [...]. Certains événements ont tendance à s'agglutiner [...]. Les Occidentaux se rendent progressivement compte qu'en fait les choses tendent à se produire en même temps ; il ne s'agit pas d'une idée fantasque, les événements ont tendance à s'assembler. D'après ce que nous en savons, ce phénomène est lié à l'existence des archétypes ; plus précisément, si un certain archétype imprègne tout l'inconscient collectif, alors certains événements tendent à se produire en même temps. (Marie-Louise von Franz, *La Psychologie de la divination.*)

Lorsque vous avez observé une coïncidence, prenez quelques minutes pour en noter les éléments les plus remarquables et vous demander : « Qu'ai-je voulu savoir récemment ? Quelle pensée m'a particulièrement préoccupé ces derniers temps ? Pourquoi ai-je rencontré cette personne au moment même où je me pose cette question ? » Dans votre journal, décrivez la coïncidence et répertoriez tous les sens que vous lui attribuez (même s'ils vous semblent plutôt fantaisistes). Ouvrez-vous aux messages intuitifs en laissant vos pensées éclore au hasard et en notant comment elles vous viennent, sans les ordonner, pendant que l'énergie communiquée par l'événement est encore forte. L'information qu'elle contient vous apparaîtra peut-être dans quelques jours, voire au bout de quelques mois.

Une autre façon de sonder une coïncidence est de s'imaginer qu'il s'agissait d'un rêve. Quel sens lui donneriez-vous dans ce cas ?

Comment utiliser dans mon travail, dans ma famille, ma connaissance des révélations ?

Bien sûr, il n'existe pas de recette qui convienne à tout le monde et à toutes les situations. Cependant, vous pouvez commencer par trouver le but profond de vos relations avec vos collègues de travail et avec votre famille. Lorsqu'ils découvrent leurs mécanismes de domination, beaucoup de sujets réussissent à ne plus réagir inconsciemment et à faire librement de nouveaux choix.

Pourquoi ma femme (mon mari) ne se passionne-t-elle (il) pas pour ces idées ? Dois-je essayer de les lui expliquer, ou suis-je en train de prendre une direction trop différente ?

Combien de fois nous sentons-nous frustrés parce que quelqu'un que nous aimons ne partage pas nos nouveaux intérêts ? En général, les changements de la conscience provoquent des bouleversements dans des relations fondées sur des conditions antérieures. Par exemple, si votre épouse (ou votre mari) se rend compte que vous progressez dans une direction différente, plusieurs réactions sont possibles. Votre conjoint s'y intéressera, s'en désintéressera, ou se sentira menacé parce qu'il s'imaginera que vous ne l'aimerez plus s'il ne partage pas vos nouvelles idées. Toutes ces réactions risquent de provoquer la peur d'être rejeté ou dépassé et réactiver un besoin d'obtenir de l'attention ou de contrôler vos actions.

Même si vous n'avez pas de compagnon ou de compagne, un changement de votre niveau de conscience vous amènera à être mis à l'épreuve rapidement. Par exemple, quelqu'un qui est proche de vous exprimera, verbalement ou non, *vos propres doutes intérieurs* à propos de votre nouvelle décision ou perception. Un ami, un parent ou votre conjoint a-t-il émis une critique sur votre idée ou votre décision ? Leurs mots reflètent-ils un doute, si léger soit-il, que *vous* n'avez pas encore éclairci à l'intérieur de *votre* tête ? Avez-vous été plus replié sur vous-même ou distant que d'habitude, parce que vous présumiez que votre partenaire ne s'intéressait pas à votre démarche ? Expliquez-lui honnêtement l'importance qu'ont pour vous vos activités spirituelles (travail personnel, lectures, tenue d'un journal, etc.). Ne vous laissez pas détourner de votre chemin. Faites que vos actions, votre compassion grandissante, votre énergie et votre amour soient un modèle pour les autres, sans essayer de les convaincre de suivre votre voie. Tous les humains ont leur rythme de développement personnel, et si vous voulez qu'ils vous accompagnent, n'oubliez pas qu'ils doivent le faire à leur propre allure et suivant leur envie. Ne formulez pas de jugement précipité sur l'avenir de votre relation avant d'avoir exploré vos sentiments avec un mentor de toute confiance ou un psychothérapeute. Votre puissante soif de spiritualité ne doit pas vous faire perdre votre sens de l'humour.

> Vous plantez une graine chez quelqu'un et elle se niche dans un des obscurs recoins de son esprit. Avec le temps, elle commence à croître et soudain elle devient consciente et cette personne s'intéresse à ces informations, plusieurs années plus tard, quand son attitude s'est modifiée par rapport à ces nouvelles idées. Un changement de paradigme – et Thomas Kuhn en a parlé en détail – ne se réduit pas à un changement purement intellectuel. Il s'agit d'une profonde transformation de votre façon de vivre [...]. Opérer un travail de médiation entre des paradigmes et communiquer des données aux autres dans l'espoir que leur esprit évolue est un processus très lent, qui ne donne pas ses fruits du jour au lendemain. (Dr Beverly Rubik dans *Towards a New World Vision* de Russell E. DiCarlo.)

Mon patron est un Intimidateur ! Comment puis-je l'affronter sans perdre mon travail ?

Nous avons tous rencontré, un jour ou l'autre, des individus au caractère difficile, coléreux ou menaçant. Une jeune femme, Frances, travaillait avec un patron dominateur, capricieux, qui s'attendait à ce qu'elle accoure chaque fois qu'il tempêtait. Tout en aimant son travail, elle se sentait constamment paniquée, car elle pouvait rarement terminer une tâche avant qu'il lui demande d'en entamer une autre. Quand Frances réfléchit à l'influence de ses parents, elle se rendit compte rapidement que le comportement de son employeur ressemblait beaucoup à celui de son père. Elle avait toujours craint celui-ci, et s'était toujours soumise devant ses cris et ses exigences. En choisissant ce travail elle s'était involontairement replongée dans une atmosphère similaire.

« Inconsciemment, je croyais qu'il était normal d'être dominée et traitée grossièrement, expliqua-t-elle, car c'était une situation que je connaissais bien. » Frances se demanda : « Pourquoi est-ce que je me trouve dans cette situation en ce moment ? » Bien qu'elle ne l'eût vraiment compris qu'un peu plus tard, Frances se demanda si le fait d'avoir un patron dominateur ne lui indiquait pas dans quel domaine sa croissance intérieure devait se produire. Avant de trouver un travail plus créatif, il fallait d'abord qu'elle apprenne à avoir davantage confiance dans ses capacités et devienne plus sûre d'elle. Mais auparavant elle devait faire quelques nouveaux pas en avant.

Malgré son poste subalterne dans la hiérarchie, elle commença à fixer des limites à ce qu'elle accepterait de son patron. Un après-midi, alors que l'ambiance au bureau était plus calme que d'habitude, elle sollicita un bref entretien avec son chef. La gorge nouée, elle l'informa qu'elle avait l'impression de ne pas travailler dans les meilleures conditions. Il lui demanda pourquoi, et elle répondit : « J'ai peur de vous. » Il la considéra en silence pendant près d'une minute, puis elle poursuivit : « Je ne peux pas être performante quand on me houspille. J'aime mon travail dans cette entreprise, et je désire être suffisamment flexible pour vous aider le mieux possible. Mais, par exemple, j'ai besoin que vous me laissiez un délai minimal chaque fois que vous décidez de me changer de tâche. J'aimerais garder mon poste ici et ne pas avoir peur d'être réprimandée tout le temps ! »

Grâce à sa sincérité, leur conversation fut brève mais fructueuse. En quittant le bureau directorial, elle sentit une immense poussée d'énergie, car elle avait exposé son opinion avec calme et détermination. Elle travailla dans cette entreprise pendant quelques mois encore, puis, sans qu'elle eût à fournir le moindre effort, un nouvel emploi se présenta à elle, plus intéressant et aux côtés d'un patron agréable à vivre. Elle se rendit compte que son explication avec son employeur lui avait permis d'affronter un problème personnel qu'elle n'avait jamais résolu avec son père. Un peu plus tard, elle comprit aussi que l'attitude égoïste de son ancien chef reflétait, de façon déformée, ce qui lui manquait dans un sens : elle avait besoin qu'on lui prête attention – une attention sincère, désintéressée – et qu'on ne la transforme pas en un simple outil au service des autres.

En général, une situation difficile nous donne l'occasion de découvrir où nous sommes coincés ou ce que nous redoutons – et donc de prendre les mesures appropriées pour que la situation change. Cela nous fournit l'occasion de guérir une vieille blessure, de mettre fin à un schéma de comportement inconscient, de nous défendre, d'accomplir un rêve ou d'apprendre une information cruciale pour notre voyage existentiel. Quand nous avons assimilé une nouvelle leçon, la vie se charge de nous faire progresser.

Si je crois que je crée ma réalité, pourquoi les choses ne changent-elles pas ?

L'énergie suit la pensée. Si vous ne parvenez pas à réaliser vos desseins, nous allons dégager quatre groupes de questions pour vous aider à découvrir ce qui « coince ».

1) Croyez-vous vraiment que vous pouvez atteindre votre nouvel objectif, ou que vous le méritez ? N'auriez-vous pas, cachée dans votre subconscient, l'idée que, quoi que vous entrepreniez, vous n'obtenez jamais ce que vous voulez ? (Attitude de la Victime.) Demandez-vous : « Par quel mécanisme intérieur me dis-je : Je ne mérite pas d'atteindre mon but ? » Par exemple, si vous voulez quelque chose qui coûte très cher, vous plaignez-vous à votre entourage de ne pouvoir vous acheter ceci ou cela ? Vous référez-vous sans cesse à vos dettes financières ? Votre incrédulité profonde risque de neutraliser votre intention d'attirer vers vous la réalisation de vos rêves.

2) Faites-vous confiance aux messages intuitifs qui vous suggèrent de prendre de nouvelles décisions ou de nouveaux risques susceptibles de vous conduire plus rapidement à votre objectif ? Suivez-vous les indications fournies par ces messages ?

3) Avez-vous correctement estimé le temps nécessaire pour atteindre cet objectif ? Êtes-vous impatient d'obtenir des résulats ? Vous refusez-vous à attendre ? Êtes-vous prêt à parcourir patiemment toutes les étapes pour que le but se dessine ?

4) Intuitivement, pensez-vous que cet objectif désiré soit absolument dans votre intérêt ? Si vous n'obtenez pas le résultat que vous cherchez, n'y a-t-il pas là un message à capter, et lequel ?

> N'hésitez pas à demander des faveurs à Dieu, comme si vous étiez convaincu qu'elles vous seront accordées : cela montre votre foi. Cherchez à savoir ce qu'Il veut pour vous. Sentez Sa présence, et ensuite assurez-vous que, quoi que vous demandiez, ce soit pour le meilleur objectif possible et non pour satisfaire un caprice égoïste. Votre prière ne servira à rien si vous cherchez à nuire à quelqu'un, ou si vous vous placez au-dessus de vos rivaux ou de vos amis. Demandez que la volonté de Dieu, et non la vôtre, s'accomplisse, et priez ensuite comme si vous vous attendiez à voir la prière exaucée immédiatement. (Ruth Montgomery, *A World Beyond*.)

Certaines personnes ont découvert que leurs vœux étaient exaucés quand elles écrivaient sur une feuille de papier le but souhaité, quinze fois de suite, chaque jour pendant quelques semaines, et qu'elles « lâchaient prise » ensuite. À Dieu de s'en occuper.

Il est capital de savoir que, pour créer notre réalité, nous devons disposer de la plus grande partie de notre énergie afin de la diriger vers un objectif positif. Si nous gaspillons nos forces en remâchant d'anciennes blessures et des échecs passés, nous n'aurons plus assez d'énergie psychique pour créer le futur que nous désirons. Si nous passons notre temps à ressasser toutes les choses négatives qui nous sont arrivées, notre esprit entretient des images négatives. Nous continuons à nous sentir victimes de notre passé. Bien sûr, nous ne vous suggérons pas de nier ces événements ou de ne pas prendre le temps nécessaire et approprié pour vous soigner. Cependant, lorsque nous considérons notre vie comme la somme de tout ce que nous avons souffert et de ce à quoi nous avons réchappé, alors nous limitons notre capacité à dépasser ces traumatismes. Carolyne Myss, qui a une excellente intuition médicale, décrit parfaitement ce processus dans sa cassette audio intitulée « Pourquoi les gens ne guérissent pas [4] ».

Comment puis-je analyser ma situation présente de façon à progresser ?

Puisque nous savons que tout a un but, alors nous avons intérêt à chercher l'intention positive sous-jacente derrière notre situation actuelle. Qu'obtenez-vous en ne progressant pas ? Quel en est l'avantage ? Un homme nous a raconté : « J'ai accepté un jour un travail que je n'aimais pas du tout, mais j'avais besoin d'argent. Je n'arrêtais pas de me dire : “ Pourquoi diable ai-je pris ce boulot ? Même la plupart de mes collègues me sont antipathiques. ” Après avoir réfléchi à la première révélation qui nous enseigne que la vie est un mystère, j'ai décidé d'analyser ma situation présente comme s'il s'agissait d'un mystère que je voulais percer. Cela m'a donné une vision réellement différente des raisons pour lesquelles j'allais travailler tous les matins (en dehors de mon salaire, bien sûr). J'ai commencé à parler à des gens et à chercher quel message subtil ils pouvaient avoir pour moi. Cette approche a complètement changé mon comportement au boulot et a rendu cette expérience beaucoup plus supportable. Peu à peu j'ai découvert que beaucoup de mes collègues avaient échoué dans cette entreprise après avoir abandonné tous leurs rêves. En restant dans ce poste que je détestais, ma paye m'empêchait de voir que je ne voulais plus être un acteur à mi-temps ayant un second boulot alimentaire. Elle m'empêchait de m'interroger sur mon avenir, car alors j'aurais eu l'impression de ne plus avoir aucune amarre. » Finalement il retourna dans l'Indiana et s'inscrivit à la faculté pour obtenir un diplôme d'éducateur grâce auquel il espère devenir un jour professeur d'art dramatique.

Pour progresser, passez en revue tous les aspects de votre situation actuelle, en recherchant l'intention positive sous-jacente. Diffusez autour de vous de l'énergie et de l'amour et soyez convaincu que l'univers va vous donner exactement ce dont vous avez besoin à tel moment. Rappelez-vous le vieil adage : « Si vous essayez d'oublier une chose, elle se rappelle toujours à votre bon souvenir. »

Comment puis-je utiliser ces concepts pour m'engager davantage et soigner la planète ?

Vous faites déjà partie de la masse critique d'individus qui veulent soigner la planète. Durant votre séjour sur terre, vous avez un objectif passionnant à atteindre et vous vous engagez à découvrir qui vous êtes vraiment et à utiliser vos dons. Quand vous vous sentez en dehors du courant d'énergie, abandonnez-vous à l'ordre supérieur de l'intelligence universelle. C'est à vous de voir où vous avez été placé et d'agir dans les lieux où vous êtes utile. Par exemple, un récent article paru en Californie montrait comment la détermination de quelques parents peu fortunés avait créé non seulement un meilleur avenir pour leurs propres enfants, mais un nouveau modèle pour mettre fin à la ségrégation dans les écoles. Sur la presqu'île de San Francisco, il y a dix ans, une autoroute séparait deux circonscriptions scolaires – l'une regroupant seulement des enfants noirs, l'autre uniquement des blancs. Margaret Tinsley, une Afro-Américaine, n'était pas prête à accepter que ses enfants étudient dans une école dont le niveau académique était considéré comme extrêmement faible. « Et je ne croyais pas non plus que, si mes enfants fréquentaient une école accueillant seulement des élèves noirs, une telle situation les préparerait à leur vie future [5]. » Ses efforts et ceux d'autres parents ont abouti à un procès qui a fait date, puis à un programme facultatif exemplaire, grâce auquel les enfants peuvent traverser les frontières du quartier. Durant les trois premières années du primaire, ils découvrent différentes races et cultures avant que quiconque puisse leur apprendre à se méfier de ceux qui leur paraissent différents. « L'arrêt Tinsley a permis à des jeunes d'origines culturelles variées d'apprendre à se connaître à un âge relativement précoce, dit Jack Robertson, l'un des avocats qui ont plaidé l'affaire. Les enfants ne naissent pas avec des préjugés. On les leur inculque. »

Notez où la vie vous a placé. Qu'est-ce qui doit être changé en ce lieu ? Qu'est-ce qui vous passionne ? Comment pouvez-vous servir une cause supérieure à vos besoins personnels ? L'arrêt Tinsley ne provient pas d'une décision gouvernementale, mais de l'initiative d'une mère de famille courageuse et clairvoyante.

Y a-t-il des méthodes que je pourrais apprendre et qui augmenteraient l'efficacité de mon objectif sacré ?

Oui. Tout d'abord, libérez-vous de votre passé pour mieux réfléchir à votre futur.

Avant de vous lever le matin, demandez-vous : « Quelle est la question la plus importante pour moi aujourd'hui ? » Vous devez, par exemple, prendre une décision concernant votre santé et vous ne savez que faire. Si vous craignez de vous tromper, si vous êtes désorienté ou hésitez sur le choix à opérer, essayez de reformuler votre question en un énoncé positif concernant le résultat que vous désirez. Exprimez-la de façon positive, au présent, comme si le problème était déjà résolu. Ainsi, vous énoncerez peut-être une phrase du genre : « Chaque choix que je fais me rapproche de la santé et de la paix de l'esprit. »

Prenez l'habitude de visualiser le déroulement de votre journée avant de quitter votre maison. Le fait d'affirmer votre gratitude permet l'afflux de choses positives. À chacune de vos réalisations et de vos succès, exprimez votre reconnaissance. Vous augmenterez l'énergie positive de vos champs d'énergie, personnel et collectif.

L'abondance découle d'une attitude ouverte, confiante. Les attitudes des autres ont aussi un impact sur vous. Aussi simple que cela vous paraisse, si vous développez des liens d'amitié avec des gens qui sont positifs et optimistes, cela peut se révéler d'une grande efficacité. Évitez les pessimistes, les personnes atteintes de sinistrose.

Faites de l'ordre dans votre vie. Observez votre domicile et votre environnement de travail. Que pouvez-vous laisser tomber ? De quoi vous êtes-vous détaché ? Débarrassez vos champs d'énergie physique, émotionnelle et financière du bric-à-brac qui les encombre. Distribuez ce dont vous n'avez pas besoin, ou ce qui n'a plus de sens pour vous. Créez un petit coin sacré dans votre maison pour vous rappeler votre désir d'évoluer et d'apporter une contribution à l'humanité. Placez-y des photos de vos modèles ou des maîtres qui vous ont marqué, en les entourant de produits de la terre – fleurs, pierres, coquillages, fruits.

Des centaines d'études et d'anecdotes personnelles montrent que la prière fonctionne au-delà du temps et de la distance. Parfois, cependant, nous ne savons pas exactement ce pour quoi nous devrions prier. Par exemple, quand une personne chère est malade, nous voulons qu'elle se rétablisse. Selon les recherches menées par le Dr Larry Dossey, en cas de maladie il est très efficace de prier pour l'issue la plus positive. Envoyer de l'énergie et de l'amour pour faciliter un prompt rétablissement aide ceux qui les reçoivent. De cette façon, vous priez pour qu'un savoir spirituel supérieur apporte le plus grand bien aux autres.

> Je place mon espoir dans ceux qui sont conscients et ont le courage et la détermination d'éveiller d'autres personnes. Si cela arrive, alors une Renaissance se produira. Écoutez les dirigeants qui nous encouragent à être meilleurs, non ceux qui jouent avec nos peurs. À mon avis, soit nous allons assister à un très rapide déclin et aboutir au scénario le plus tragique, soit le rêve d'une nouvelle Renaissance deviendra réalité. À nous de choisir. (Dr Larry Dossey, dans *Towards a New World View* de Russell E. DiCarlo.)

Dans *Healing Words*, un livre sur la façon de réaliser nos intentions sacrées, le Dr Larry Dossey écrit : « Plus nous essayons d'influencer et de contrôler ces événements, plus ils semblent nous échapper. Le secret semble consister à ne pas essayer et à lâcher prise, afin que le monde manifeste de façon télésomatique sa sagesse, non la nôtre [...]. Bien que la prière soit efficace à distance, nous ne pouvons pas toujours " déclencher les événements " par la seule force de notre volonté (pensée positive) ou de notre prière pour des objectifs spécifiques [...]. On peut aussi considérer la prière comme une invitation, une requête respectueuse adressée au monde pour qu'il se manifeste de façon bienveillante [6]. »

« Je sais que j'ai une mission, mais comment puis-je en devenir plus conscient ? »

Puisque vous êtes une âme en développement, votre mission est de parfaire votre capacité à aimer, même si vous essayez – comme nous le faisons tous – de rendre votre tâche plus compliquée que cela. À propos de notre « mission existentielle » quatre idées sont très répandues : *a*) cette mission ou cet objectif existentiel existe quelque part « là-bas » et attend d'être découvert ; *b*) notre objectif existentiel est une occupation ou une activité spécifique, définissable ; *c*) quand nous le connaîtrons, notre vraie vie commencera ; et *d*) nous avons probablement besoin de faire quelque chose pour changer notre personnalité afin de le trouver ou de le mériter. Quand nous ne pouvons préciser cet objectif avec certitude, nous tendons à dire : « Je suis si troublé. J'ignore quelle est ma mission. À quoi puis-je servir ? »

À l'origine de cette recherche se trouve le désir de nous souvenir de notre projet ou de notre Vision de Naissance originels. Nous décrirons plus en détail ce processus pour trouver votre objectif existentiel dans le chapitre 7. Mais commençons d'abord par analyser les idées les plus répandues que nous venons de mentionner. Voyons quelles sont les mesures pratiques nécessaires pour vous connecter à votre Vision de Naissance dès aujourd'hui.

1. La motivation intérieure

D'abord, votre mission existe à l'intérieur de vous et se manifeste à travers vos penchants, désirs et motivations naturels. Pensez à ce que vous aimez faire. Quelles sont les activités qui vous apportent de la joie et de la satisfaction ? À quoi vous occupiez-vous pendant des heures d'affilée quand vous étiez enfant ?

Juste pour vous amuser, notez sur une feuille de papier toutes les activités qui vous plaisaient pendant votre enfance, ou qui vous procurent du plaisir maintenant. Supposons que vous aimiez beaucoup les mots croisés. Notez-le, puis demandez-vous : Pourquoi est-ce que j'aime faire des mots croisés pendant des heures ? Appréciez-vous ce jeu parce que vous vous y livrez seul, dans un environnement calme, et que vous avez tout le temps nécessaire pour réfléchir et chercher des mots dans le dictionnaire ? Avez-vous une mémoire exceptionnelle, ou un don mystérieux pour découvrir le mot juste ? Éprouvez-vous une satisfaction intellectuelle, un sentiment d'apaisement, à la fin d'une grille de mots croisés ? Tous ces « petits plaisirs » constituent des facteurs motivants qui rendent cette activité précieuse à vos yeux.

Faites la liste de tous vos centres d'intérêt et talents, puis demandez-vous pourquoi ils vous passionnent tellement. Les raisons et les forces qui vous poussent à agir façonnent votre personnalité unique. Si vous travaillez en harmonie avec ces motivations, vous serez une partie intégrante de votre objectif existentiel. Vous ne voulez sans doute pas gagner votre vie en faisant des mots croisés, mais la nature de cette activité montre ce qui vous attire fondamentalement. Par conséquent votre objectif se trouve à l'intérieur de vous. Observez soigneusement ce qui retient votre attention.

2. Trouver et vivre votre projet existentiel n'est pas un but final mais un processus

Généralement on croit que l'objectif existentiel est une occupation précise, définissable, comme une carrière de pilote d'avion, d'agent immobilier, de dentiste, de vice-président du marketing, de travailleur social ou de décorateur d'intérieur. Mais si votre objectif existentiel était d'apprendre à montrer plus de compassion envers les autres ? Ou de veiller sur l'éducation d'un enfant, de créer une industrie ou d'être le rocher de Gibraltar au sein de votre famille ? Si vous comprenez que votre objectif existentiel se révèle progressivement durant le long parcours de votre vie, votre cœur acceptera tout ce qui vous arrive comme faisant partie de votre objectif existentiel, et pas seulement ce que vous faites pour gagner votre pain quotidien.

3. Aucune attente

Ne jugez pas votre existence inutile ou insignifiante si vous n'avez pas trouvé d'objectif. Profitez du moment présent pour toucher pleinement la vie et être touché par elle. Aucune idée abstraite de succès et de réussite ne peut remplacer l'incroyable éventail d'expériences que vous apporte chaque jour. Observez l'objectif des événements quotidiens, et ayez confiance : vous êtes exactement à l'endroit où vous devez être. Ne vous acharnez pas à trouver un but, mais conservez l'intention qui vous sera révélée. Faire confiance au calendrier de la vie et jouir pleinement du présent peut vous libérer plus que toute autre activité.

4. Vous êtes un système qui s'organise lui-même

Votre objectif est en train de se développer. Cessez de penser que quelque chose va mal, ou que vous devez changer pour trouver votre destin. Votre orientation se trouve en vous et fonctionne à tout moment. Le désir de votre âme d'appartenir au monde vous attirera les opportunités pour développer votre but. Vous devez 1) surveiller votre flux d'énergie interne ; 2) prêter attention à ce qui arrive naturellement ; 3) faire le travail que vous avez à faire ; 4) croire que vous recevrez ce qui vous est nécessaire pour accomplir votre tâche. Une rose ne se demande pas si elle peut remplir ou non les fonctions d'une rose. Un castor n'essaie pas d'être un hibou.

Comme le maître bouddhiste Jack Kornfield nous l'enseigne dans *A Path with Heart* : « Dans de nombreuses traditions spirituelles il faut répondre à une seule question : Qui suis-je ? Quand nous commençons à y répondre, nous sommes envahis d'images et d'idéaux – les images négatives de nous-mêmes que nous voulons changer et parfaire, et les images positives qui ont un grand potentiel spirituel –, cependant le chemin spirituel ne nous transforme pas beaucoup, car il s'agit plutôt d'écouter les éléments fondamentaux de notre être[7]. »

Pat Brady Waslenko, de Seattle, a écrit la lettre suivante au *Celestine Journal* en février 1995 : « Parfois les résultats de la croissance spirituelle sont presque imperceptibles sans que des changements concrets, parfaitement visibles, se produisent et confirment que nous sommes sur la bonne voie. Ceux qui se tiennent en piètre estime croient facilement qu'ils font quelque chose de mal ou qu'ils ne méritent pas les événements positifs qui se produisent dans leur vie. Dans mon cas, mes espérances se réalisent lentement et à des niveaux subtils. Deux techniques m'aident à progresser dans mon évolution : 1) toujours me rappeler que, tant que je serai totalement disposé à accomplir la volonté de Dieu, chacune de mes actions sera sacrée ; 2) passer en revue ma semaine et faire la liste, chaque vendredi soir, de toutes les synchronicités que j'ai vécues. Sans cet effort conscient de ma part, beaucoup de bienfaits passeraient inaperçus à mes yeux[8]. »

TRAVAIL INDIVIDUEL ET TRAVAIL DE GROUPE

Les progrès ou les problèmes concernant les neuf premières révélations

Prenez le temps de réfléchir aux changements qui se sont produits dans votre vie depuis que vous avez lu *La Prophétie des Andes, Les Leçons de la Prophétie des Andes, La Dixième Prophétie*, ou tout autre livre qui vous a marqué. Si vous travaillez dans un groupe, choisissez l'une des questions à débattre ci-dessous. Chaque participant commence par noter ses réflexions pendant environ cinq minutes, puis il s'exprime à haute voix sans que les autres fassent de commentaires. Écoutez attentivement chacun des intervenants, et envoyez-lui de l'énergie et de l'amour. Observez en même temps si certaines pensées déclenchent des intuitions en vous. Une fois que tous se sont exprimés, entamez la discussion générale.

Les progrès

• Quelles sont les révélations qui ont provoqué les changements les plus importants dans votre vie ? Que s'est-il produit ?

• En quoi vos relations avec votre conjoint, vos enfants, vos amis, votre famille ou vos collègues de travail ont-elles changé ? Soyez précis.

• Prenez un paquet de petites fiches bristol de 8 x 12 cm : notez sur chacune d'elles une des qualités ou notions mentionnées ci-dessous (quelqu'un peut aussi les préparer à l'avance) : empathie, détermination, capacité de diriger, coopération, vision, gentillesse, équité, persuasion, créativité, beauté, engagement, pardon, abandon total, aventure, équilibre, carrefour, contrôle, confiance, abondance, transformation, inspiration, amour, jeu, lâcher-prise, succès, joie, imagination, responsabilité, concentration, harmonie, sagesse – ou tout autre concept que vous souhaitez explorer.

Distribuez une ou deux fiches par personne, du côté vierge, de façon que les participants ne puissent pas voir ce qui y est écrit. Chacun doit ensuite utiliser ces mots pour réfléchir à ces qualités et noter son expérience récente à ce sujet.

• Notez trois activités que vous appréciiez beaucoup quand vous étiez enfant. Et aujourd'hui, qu'en est-il ?

• Décrivez votre idéal de vie. Où aimeriez-vous vivre ? Quel genre de travail vous voyez-vous en train de faire ? Quels sont vos amis et connaissances ? Sur une échelle de 1 à 10, où vous situez-vous sur le chemin de votre idéal ? Par groupe de deux, essayez de trouver, chacun à votre tour, quelles sont les prochaines décisions que vous devriez prendre pour vous rapprocher de votre vie idéale.

• Quelles sont les trois choses dont vous êtes le plus fier ? N'hésitez pas à décrire toutes vos qualités.

Doutes

• Quelles sont les révélations que vous comprenez le moins bien ? Pourquoi ? Discutez de ces questions en groupe.

• Choisissez l'une des questions qui vous préoccupe le plus à propos des révélations et écrivez-la sur une fiche de 8 x 12 cm. Fermez les yeux et méditez afin de recevoir un message clair au cours des jours prochains, message qui accroîtra votre compréhension.

Deuxième partie

Mystère

3

Intuition – Visualiser le chemin

LE LYNX
LES SECRETS

Par exemple, je me remplissais d'énergie en essayant de discerner les questions primordiales dans mon existence, et habituellement j'avais une intuition assez claire de ce que je devais faire pour obtenir la réponse – pourtant, après ces préliminaires, fréquemment, aucun événement important ne se produisait [...]. Apparemment, j'avais oublié certaines connaissances essentielles [...] ou peut-être même les ignorais-je totalement. (*La Dixième Prophétie* [1].)

COMMENT PRENDRE AU SÉRIEUX SES INTUITIONS

Lorsque le téléphone sonne, nous répondons et recevons un message. Quand l'intuition se fait entendre, nous « répondons » en la prenant en considération. L'un des principes les plus importants de *La Dixième Prophétie* est que, pour mettre au jour notre Vision de Naissance, nous devons conserver les intuitions qui surgissent dans notre esprit.

Comme l'explique le personnage principal de *La Dixième Prophétie* : « Lorsque nous appliquons les leçons des neuf premières révélations, nos intuitions nous apparaissent comme des perceptions purement machinales ou des impressions vagues et passagères. Mais plus nous nous familiarisons avec elles, plus nous parvenons à saisir leur nature. [...] Ici, dans cette vallée, tu as vécu les mêmes expériences. Tu as reçu une image mentale d'un événement potentiel – trouver les chutes et rencontrer quelqu'un – et tu as continué à avancer, tu as su provoquer la coïncidence qui t'a permis de dénicher cet endroit et de me rencontrer. Si tu avais chassé cette image, ou douté de la possibilité de découvrir les chutes, tu serais passé à côté de la synchronicité et aurais été déçu. Mais tu as pris cette image au sérieux ; tu l'as *conservée* dans ton esprit [2]. »

Plus nous *façonnons notre destin et sommes façonnés* par lui, plus nous devons non seulement repérer les intuitions flottantes, mais les conserver avec confiance. Les intuitions sont des guides, elles nous fournissent des indications sur la façon de gérer des situations nouvelles ou difficiles. En tant que forces d'attraction elles nous présentent parfois un modèle ou un aperçu sur une possibilité passionnante qui nous fera avancer sur notre propre chemin. Nous pouvons percevoir une image complète, une vision explicite, faire régulièrement un rêve éveillé ou un rêve normal, recevoir une simple information. Une femme nous a raconté : « Un jour, j'ai su que je devais quitter Santa Fe, au Nouveau-Mexique, et retourner en Californie. Une voix intérieure m'a dit : “ Il est temps que tu retournes à l'école. ” Mais je n'avais pas la moindre idée de ce que j'étais censée étudier. » Suivant son intuition, elle revint vivre en Californie. Une succession de synchronicités l'amenèrent à une école qui venait d'inaugurer un cours de psychologie transpersonnelle. « Dès que j'en ai entendu parler, j'ai compris que c'était exactement ce que je cherchais, mais je ne le savais pas auparavant ! »

De même, Sandra Fry, de Wayne en Pennsylvanie, a raconté au *Celestine Journal* comment le fait de suivre les indications d'une vision lui a procuré un bienfait du ciel : « J'ai d'abord vu une image durant un massage [...]. J'ai appris à faire confiance à ce type de processus. J'étais en train d'explorer mon passé et en même temps j'avais demandé à l'Esprit de me procurer une expérience mystique pour m'aider à trouver le nouvel être à l'intérieur de moi. C'est alors que j'ai commencé à voir cette chapelle et un clocher. J'ai su qu'ils se trouvaient dans le Sud-Ouest. [...] À la même époque, j'ai appris que l'Association américaine pour la thérapie par les massages tenait son congrès d'automne à Albuquerque [...] et j'y ai participé. De la fenêtre de mon hôtel, j'apercevais les montagnes, et j'ai senti qu'elles m'appelaient. Décidée à les explorer, je suis montée dans ma voiture. J'ai attendu le bon moment [...]. J'ai visité plusieurs musées sur la culture et l'histoire des Indiens, puis un homme m'a dit de suivre la Piste turquoise qui pénétrait dans les montagnes. Le chemin de terre qu'il m'avait indiqué m'a conduite jusqu'à Cerillos, un vieux village minier niché au sommet. Et là je suis tombée sur la chapelle de ma vision, et j'ai reçu un message intérieur qui me disait : “ Deviens ton moi futur. ” [...] J'ai l'impression de maîtriser la septième révélation maintenant : je mesure le flux, je m'efforce d'être présente et de laisser les choses se produire [...]. Durant mon expérience dans la chapelle, j'ai eu le sentiment que la boucle était bouclée, qu'une grande partie de ma tâche était accomplie. Cela m'a permis de comprendre ce que le passé m'avait enseigné [...]. Avant d'aller au Nouveau-Mexique, j'étais prisonnière d'un processus de lâcher prise/

transformation... lâcher prise/transformation. Dans la chapelle, pendant une seconde, l'Esprit m'a permis de m'arrêter, de sentir que je ne faisais plus qu'un avec Dieu, de vraiment savoir que [...] l'espace intérieur ne fait qu'un avec le cosmos. Je me suis sentie en syntonie avec la Source. Ce moment a été un cadeau auquel je pourrai toujours me ressourcer [3]. »

> Pendant des années, Ernest Hilgard, de l'université Stanford, a mené des recherches sur un aspect énigmatique de la personnalité qu'il appelle l' « observateur caché ». Quel que soit notre état de conscience, si nous sommes endormis, sous anesthésie, sous hypnose ou drogués, un second aspect de notre moi est toujours en alerte et conscient de tout ce qui se passe, et il réagit de façon intelligente [...]. Cet observateur caché déploie une intelligence détachée, dénuée d'émotion, plus puissante et cohérente que notre ego-moi [...]. Il me semble que nous ne faisons qu'un avec cet observateur caché jusqu'à sept ans environ, âge auquel notre intellect commence à se former et une scission se produit. (Joseph Chilton Pearce, *Le futur commence aujourd'hui*.)

Les sentiments, les rêves éveillés et l'imagination sont souvent assimilés à une perte de temps et à l'irréalité. Rien n'est plus éloigné de la vérité. L'imagination est la clé du travail que nous effectuons avec notre esprit, car elle nous permet d'entrer dans le royaume spirituel pour retrouver un très ancien savoir. L'imagination est le don de la vision spirituelle et de la prophétie.

Si nos sentiments et nos intuitions sont des sources d'information aussi valables que nos sens physiques, ont-ils toujours raison ? Au moment où nous écrivions cette question, le téléphone a sonné. Blair Steelman nous appelait pour une autre affaire, mais il nous a semblé qu'il avait un message à nous transmettre sur la validité des intuitions. Blair, ancien pilote de chasse et homme d'affaires, organise des ateliers sur la mythologie et l'accomplissement personnel à Miami, en Floride. Quelqu'un lui a raconté un jour l'histoire suivante dont il se sert pour décrire l'intuition : « À la fin du film *Le Docteur Jivago*, le général communiste parle à une petite fille. Il lui demande comment elle a été séparée de son père durant la révolution. Elle lui répond : " Oh ! il y avait une grande foule et beaucoup de vacarme et je me suis perdue. " Il lui demande à nouveau : " Te souviens-tu précisément de la façon dont tu as été séparée de ton père ? " Elle ne veut pas lui répondre, mais il insiste, et finalement elle avoue que son père a lâché sa main. Le général communiste lui dit alors : " C'est justement ce que j'essaie de t'expliquer. Ce n'était pas ton vrai père. Le Dr Jivago est ton vrai père, et il ne t'aurait jamais lâché la main. " » Blair explique toujours à ses étudiants :

« Chacun d'entre nous a un “ père ” ou un “ parent ” à l'intérieur de lui-même, qui ne nous lâchera jamais la main, quelle que soit la situation. Le père ou le parent est la petite voix calme de notre intuition. Cette voix ne nous abandonnera jamais, quoi qu'il advienne dans nos vies. » Et si nous faisons fausse route ? « C'est parce que nous nous agrippons à la main de notre faux père, le père de nos sens, notre ego, dit Blair. Nous nous accrochons aux positions, aux formes et aux rôles que nous jouons dans la vie et qui sont tous moins importants que notre moi réel. »

Comment tester une intuition ? « Pour moi, cela se vérifie aux résultats, affirme Blair. Si j'ai une idée et que, lorsque je la mets en pratique, je rencontre seulement de la résistance, cela m'indique que je fais probablement quelque chose dont je m'imagine – à tort – avoir besoin. Par exemple, chaque fois que je travaille seulement pour de l'argent, la situation devient critique. Quand je poursuis mon objectif et que j'ai des activités qui sont en harmonie avec moi-même, l'argent apparaît toujours naturellement. Je me souviens d'être ce que je suis. Ensuite j'ai confiance dans le fait que, quoi qu'il me faille pour remplir mon objectif, cela me sera donné. » Blair nous rappelle que l'enchaînement naturel pour faire apparaître une vision est 1) être ; 2) faire ; et 3) avoir. « D'habitude on nous apprend la séquence contraire 1) avoir ; 2) faire ; 3) être, dit-il. Nous souhaitons avoir une voiture, une carrière, une relation, etc. Ensuite nous essayons de réfléchir à ce que nous devons faire pour l'obtenir. Nous recherchons des boulots bien payés, et enfin nous essayons d'être ce que nous sommes. » Tôt ou tard, votre situation s'éclaircira. Si vous avez trouvé votre véritable personnalité, continuez dans la même voie, vous ne pouvez pas vous tromper.

LA FOI

Quand nous sommes face à des coïncidences qui ont un sens, ce que nous percevons intérieurement est plus important que la simple compréhension intellectuelle d'une théorie. Avoir eu cette expérience personnelle directe augmente notre capacité d'« avoir la foi ». La foi ressemble à une « attente vigilante ». Cet état d'esprit tend à accroître l'intuition et les opportunités.

> La foi est une certitude qui nous permet de voir comment les choses devraient être. Nos ancêtres avaient cette connaissance, mais peu d'entre nous l'ont atteinte. *(La Dixième Prophétie.)*

Dans *La Dixième Prophétie*, Wil dit : « Réfléchis bien. Tu es venu ici pour retrouver Charlène et tu as rencontré David : il t'a expliqué que la dixième révélation permettrait de mieux comprendre la reconnaissance spirituelle en cours sur cette planète, si nous découvrons notre relation avec l'Après-Vie. Selon lui la dixième révélation nous aiderait à clarifier la nature de nos intuitions, à les conserver dans notre esprit, à voir notre chemin synchronistique de façon plus complète. Ensuite tu as appris à maintenir tes intuitions et tu m'as trouvé auprès des chutes. Je t'ai alors confirmé que la conservation des intuitions et de nos images mentales fonctionnait aussi dans l'Après-Vie et que les êtres humains sont en train d'entrer en syntonie avec cette autre dimension. Peu après, nous avons tous deux vu Williams passer en revue toute sa vie et se tourmenter parce qu'il n'arrivait pas à se souvenir de quelque chose qu'il voulait faire : il devait se joindre à un groupe de gens pour essayer d'affronter cette Peur qui menace notre éveil spirituel. Il a dit que nous devons comprendre cette Peur et entreprendre quelque chose contre elle. Ensuite nous avons été séparés et tu es tombé sur un journaliste qui t'a communiqué sa vision terrifiante de l'avenir. [...] Ensuite, bien sûr, tu as rencontré une femme qui consacre sa vie à soigner les autres. Elle les aide à vaincre les blocages provoqués par la peur. Pour ce faire, elle aiguillonne leur mémoire, afin qu'ils discernent la raison pour laquelle ils sont sur cette terre. *Se souvenir* joue donc un rôle clé [4]. »

> Je pense que les expériences de Robert Jahn et Brenda Dunn à Princeton, au Laboratoire de recherche sur les anomalies techniques, sont très importantes. Ils ont montré que certaines personnes peuvent modifier les valeurs des chiffres sur des générations de nombres aléatoires, en utilisant simplement la force de leur esprit pour les faire s'élever ou baisser. Il s'agit d'une de ces exceptions que la science ne peut expliquer en utilisant son cadre d'analyse habituel, car elles contredisent sa façon traditionnelle d'appréhender la réalité. De tels faits représentent un véritable défi pour le paradigme dominant actuel. Ils ont montré que l'intention mentale peut interagir avec des systèmes physiques aléatoires, qu'ils soient mécaniques, électroniques ou radioactifs. (Dr Beverly Rubik dans *Towards a New World View*, par Russell E. DiCarlo.)

Ce passage nous incite à nous concentrer sur le résultat que nous voulons obtenir et à garder la foi dans cette image. Se souvenir de la raison pour laquelle nous agissons nous permet de rester en contact avec le tableau général de notre vision originelle, quand le pessimisme ou la peur nous gagne.

Marjorie Stern, une habitante de San Francisco, est parvenue à créer une bibliothèque au bout de nombreuses années d'efforts ; elle nous offre le merveilleux exemple d'une vision préservée pendant longtemps. En 1966, après avoir déjà passé dix ans à travailler bénévolement pour convaincre ses concitoyens qu'il leur faudrait une nouvelle bibliothèque et qu'ils devaient verser leur contribution pour l'obtenir, elle écrivit une lettre aux donateurs potentiels dans laquelle elle disait : « Il n'existe aucune recette magique pour améliorer de façon significative la vie de la cité. Nous devrons travailler dur pendant des années [...] si nous voulons un jour réaliser notre rêve d'avoir une nouvelle bibliothèque. » Trente ans plus tard, Mme Stern, âgée maintenant de quatre-vingts ans, a eu la chance de voir se concrétiser le rêve qu'elle avait maintenu vivant par son engagement infatigable : le nouveau bâtiment a été inauguré. Les efforts de Mme Stern ont permis de collecter plus de trente-trois millions de dollars fournis par dix-sept mille donateurs – qu'elle a tous personnellement remerciés. « C'est comme ça que les choses fonctionnent : elles n'aboutissent pas du jour au lendemain [...]. Je pense à long terme. Une telle vision est indispensable, explique-t-elle très modestement. Il s'agit d'une lutte et vous devez ne jamais cesser de vous battre. Mais ne vous arrêtez jamais avant d'avoir obtenu le maximum [5]. »

LES RÊVES

La ferme intention de faire apparaître votre propre vision stimule l'inconscient à vous transmettre des informations à travers les rêves. Souvenez-vous, le mystère veut se déployer ! Les rêves vous communiquent toujours des messages sur votre développement personnel ou sur la meilleure façon d'interagir avec le monde. Ils vous donnent des indications dont vous n'êtes cependant pas conscient.

Il existe deux sortes de rêves : ceux qui sont strictement personnels et ceux qui reflètent l'inconscient collectif. Les grands rêves que font les dirigeants importants appartiennent au second groupe, car ils indiquent des schémas qui serviront au futur de l'humanité. Alors qu'une masse critique de gens commencent à avoir une connaissance expérimentale des différents champs de la spiritualité, nous découvrons que davantage d'informations parviennent à un nombre croissant d'individus à travers des rêves remplis de lumière, numineux, et qui contiennent des symboles archétypiques. Pour capter ces informations, il nous faudra apprendre à : 1) laisser se réaliser l'intention de rêver ; 2) intensifier le souvenir du rêve le matin ; 3) décortiquer le rêve à la recherche d'informations ; et 4) interpréter les symboles des rêves fondés sur des mythes à la fois individuels et collectifs.

Les rêves personnels

Dans une interview, Joyce Petschek, auteur de trois livres sur les rêves, *The Silver Bird, Silver Dreams* et *Bedroom Chocolates*, nous raconte comment elle explore et fouille les rêves pour se connecter sur les messages qu'ils apportent.

« Tout d'abord, dit-elle, il faut distinguer plusieurs types de rêves. Les plus répandus, bien sûr, sont les rêves personnels qui reflètent les thèmes de vie, les angoisses et les relations individuelles. Ces rêves ne vous fournissent jamais d'informations que vous ne puissiez assimiler ; les messages viendront quand vous serez prêts à les entendre. Ces rêves surviennent pour vous aider à balayer les émotions négatives et à transformer vos énergies personnelles. Si vous les écartez, ils se répètent. Ils font boule de neige, deviennent de plus en plus longs, et produisent de plus en plus d'angoisse. Ils peuvent aussi présenter les versions d'un même thème sous différents angles. Ces rêves répétitifs proviennent généralement de traumatismes non résolus depuis l'enfance. Plus vous vous débarrasserez de la peur et de la négativité de ces traumatismes, plus votre potentiel psychique s'ouvrira pour explorer et accroître votre créativité personnelle. »

Les rêves existent dans le champ aurique de chacun de nous, et envahissent notre conscience durant notre sommeil. Nous intégrons leur énergie et leurs messages en les analysant à l'état éveillé, en les notant, en peignant ou dessinant des images aperçues, ou en utilisant l'enseignement spirituel qu'ils transmettent. Lorsqu'on les étudie, on fait pénétrer leur énergie dans la réalité éveillée, et l'on supprime ainsi les barrières entre la dimension spirituelle et la dimension physique. Allan Ishac, de New York, a écrit au *Celestine Journal* [6], en juin 1995, pour raconter son expérience : « Il y a plusieurs années, à un moment où j'étais dans un état intermédiaire, entre veille et sommeil, j'ai vu un message s'inscrire sur le tableau noir de mes paupières fermées : “ Vingt-cinq endroits où l'on peut trouver le calme et la tranquillité à New York. ” » Il écrivit cette phrase sur une feuille de papier et l'oublia. Il la retrouvait de temps à autre dans ses affaires. Un jour, alors qu'il envisageait de quitter New York parce qu'il se sentait épuisé par le rythme de vie, le bruit et la tension générale, il découvrit soudain que son rêve lui disait en fait : « Tu enseignes ce que tu as le plus grand besoin d'apprendre. » Il se rendit compte que son rêve lui donnait le titre d'un livre, et il se mit à entreprendre des recherches et à écrire durant le week-end. Grâce à une série de synchronicités, il publia finalement son livre *Cinquante Endroits où trouver le calme et la paix à New York.*

Les rêves clarifient les situations présentes

Dans *La Dixième Prophétie*, Wil, pendant qu'il est relié à l'énergie spirituelle de l'Après-Vie, voit d'abord Joel faire un rêve – un rêve qui lui montre les erreurs passées du journaliste. Il en explique la signification au personnage principal : « Oui, mais [le rêve] a un sens. Quand nous rêvons, nous voyageons inconsciemment jusqu'à la dimension du sommeil. D'autres âmes arrivent pour nous aider. N'oublie pas la fonction des rêves : ils clarifient pour nous la façon d'affronter des situations quotidiennes. La septième révélation nous enseigne à interpréter les rêves, en confrontant nos images nocturnes à notre vie réelle [7]. »

Les rêves collectifs

« Lorsque l'on dépasse son moi personnel pour s'intéresser au moi collectif, alors apparaissent des rêves atypiques qui émergent quand on a appris à s'abandonner à l'univers et à accueillir de façon positive l'inattendu, affirme Joyce Petschek. Ce sont des rêves qui concernent d'autres gens, plus que notre moi individuel ; ils donnent l'impression d'être prémonitoires mais concernent notre présent. Ils indiquent une volonté de recevoir de l'information d'une source inconnue, information qui affectera la vie d'autres personnes. » Par exemple, Petschek nous raconte : « J'ai travaillé avec un sénateur américain qui avait rêvé d'une longue table de conférence sur laquelle étaient posés une feuille de papier blanc et un stylo, et il entendait une voix lui ordonner de ne pas signer. Quelques mois plus tard, il revécut cette scène au cours d'une conférence en Islande et se trouva devant la même table, le même papier blanc et le même stylo. À cause de son rêve il ne signa pas l'accord. » Un tel rêve prémonitoire reflète une connexion avec l'énergie collective. Cette information peut vous concerner personnellement dans une certaine mesure, mais ce message a une importance et une signification plus larges. « En général, explique Petschek, quand vous commencez à percevoir ces rêves collectifs, le centre d'intérêt de votre esprit s'est déplacé de vous vers les autres. »

On raconte souvent que les rêves collectifs baignent dans une lumière blanche et brillante ou dorée. Ils s'imprègnent solidement dans la mémoire et n'en disparaissent jamais, même après la mort. Nous donnant une perspective plus large, ils communiquent un enseignement spirituel profond. « Quand vous voulez vraiment vivre de façon intuitive, ou " sur le fil du rasoir ", comme j'aime à le dire, poursuit Petschek, ces rêves sont parfois les seules affirmations que vous possédiez à propos de votre voyage existentiel au sens le plus large. Quand vous vous laissez entraîner par le courant, vous devez faire confiance à ce qui apparaît sur votre route. Ensuite la vie dévoile ses leçons occultes que vous ne pouvez pas contrôler mais qui vous apprennent beaucoup. »

L'école de la nuit

Les spécialistes des rêves appellent certains songes l' « école de la nuit ». Petschek en définit certaines caractéristiques. « Durant les rêves de l'école de la nuit, explique-t-elle, vous vous trouvez au-delà de la dimension terrestre, dans un espace flottant et circulaire avec de nombreux autres êtres, certains faisant partie de votre vie actuelle, d'autres provenant de dimensions inconnues et d'autres vies. L'atmosphère est toujours étrange et familière à la fois. D'habitude un individu extraordinaire transmet des enseignements télépathiques, comme dans une sorte de classe. Il m'est arrivé de voir ainsi des gens que je connaissais et, quand je les rencontrais dans la réalité, je leur en parlais. Ils me répondaient en général : " Oh oui ! j'étais là et je t'ai vue, toi aussi. " » Petschek a remarqué que les rêves de l'école de la nuit se produisent invariablement dans une sphère de cristal et sont « clairs comme du cristal ». Éclairés par une brillante lumière blanche, ils sont toujours accompagnés d'une communication télépathique inoubliable. Il existe aussi les rêves parallèles où deux individus rêvent séparément du même paysage imaginaire, de différents points de vue.

Les rêves répétitifs

Les rêves prémonitoires peuvent aussi se répéter, indiquer une direction inconnue qui s'ouvre au rêveur, l'arrivée d'un schéma psychique potentiel. Une femme rêva d'un paysage italien, baignant dans une lumière blanche et éclatante. Elle voyagea pendant deux ans en Italie, en recherchant inlassablement ce paysage. C'est seulement quand elle y « renonça » qu'il apparut dans la réalité. Elle acheta un terrain à cet endroit et, deux ans plus tard, un important centre tibétain s'ouvrit à dix minutes de sa propriété, et une communauté s'y établit, au sein de laquelle elle devint très active.

Les rêves prophétiques

Les rêves prophétiques ont toujours fasciné les hommes à travers les âges. Par exemple, beaucoup de gens ont rêvé du naufrage du *Tita-*

nic, ou d'accidents d'avion. Ces catastrophes existent dans l'aura de l'inconscient collectif avant de se produire dans la réalité. Ces rêves surviennent de façon imprévue chez ceux qui pourraient tirer profit de telles informations pour agir, mais à ce stade de notre développement, la plupart d'entre nous ne sont probablement pas capables d'atténuer l'effet de ces menaces. Pourquoi ? Tout d'abord l'inconscient collectif ne croit pas suffisamment à la possibilité de changer télépathiquement les événements. Ensuite, ces rêves prémonitoires parviennent à des individus, et il n'existe pas de bureau central qui recueille et suive la trace de telles informations afin que ces catastrophes puissent être empêchées ou que les conséquences en soient limitées, et ce à travers un travail psychique collectif.

Un rêve concernant une catastrophe peut aussi concerner une seule personne. Ces rêves télépathiques d'urgence expriment un certain désespoir et impliquent un trouble potentiel. Quelqu'un cherche de l'aide et, comme s'il s'agissait d'une longueur d'onde radio, cette personne dans le besoin se met en contact avec un sujet réceptif qui reçoit télépathiquement son message et, avec un peu de chance, pourra l'aider. En parlant de manière télépathique à la personne inquiète dans le rêve, en donnant des instructions claires sur ce qu'elle doit faire, un tel danger potentiel peut être évité dans la réalité. Par exemple, une femme nous a raconté : « Je rêvais d'une amie qui se trouvait sur un bateau. J'ai vu un homme qui la poursuivait avec l'intention de l'étrangler, et j'ai senti sa terreur tandis qu'elle essayait de lui échapper. Dans mon rêve j'ai commencé à lui donner des instructions : " Calme-toi. Descends ce corridor. Tourne à gauche. Monte l'escalier. " Je lui ai télépathiquement suggéré de pénétrer dans une belle cabine vide, de s'y enfermer et d'y rester jusqu'au lendemain matin. Le rêve s'achevait ainsi. Quelques semaines plus tard, quand mon amie est revenue chez elle, je lui ai tout raconté. Elle m'a expliqué qu'elle s'était fait embaucher comme cuisinière sur un yacht et qu'un de ses collègues s'était mis en colère parce qu'elle avait repoussé plusieurs fois ses avances. Il avait fini par essayer de l'étrangler et, terrifiée, elle était entrée dans une cabine inoccupée où elle s'était enfermée. Nous fûmes toutes deux stupéfaites de constater cette coïncidence. »

Anastasia, une habitante de Toronto, au Canada, a écrit au *Celestine Journal* pour relater ceci : « Un vendredi soir, aux alentours de vingt-trois heures, j'ai rêvé qu'une amie intime, Janet, et moi faisions la fête dans ce qui ressemblait à une grande chambre d'hôtel [...]. Nous avons soudain été interrompues par quelqu'un qui tapait violemment sur la porte. Inquiète, Janet m'a regardée et a demandé : " Qui est-ce ? " Elle a entendu la voix d'un ancien petit ami qu'elle n'avait pas vu depuis longtemps. " Va-t'en, lui a-t-elle dit. Laisse-moi tranquille. " Il a commencé à donner des coups de pied dans la porte et à cogner dessus, tout en hurlant. Effrayées, nous nous sommes barricadées. J'ai appelé le gardien. Et le rêve s'est terminé là.

« Le lendemain matin, je suis allée chercher la fille de Janet qui m'a raconté exactement l'histoire que j'avais rêvée. Elle et sa mère regardaient la télévision ce soir-là, aux alentours de vingt-trois heures, quand elles ont entendu quelqu'un donner un grand coup contre la porte. Katie a ouvert et s'est trouvée face à son ancien petit ami que j'avais vu dans mon rêve. Les mêmes événements se sont produits quand elle a refermé la porte et lui a dit de partir. Après avoir donné plusieurs coups de pied dans la porte, il a fini par s'éloigner. Katie et moi étions stupéfaites que, pendant que ces événements se déroulaient chez elle, j'étais en train de les rêver [8] ! »

Apparemment notre inconscient peut télépathiquement s'adresser à quelqu'un en qui nous avons une profonde confiance pour nous aider en cas d'urgence. Ce genre de rêve semble prouver à quel point nos énergies mentales sont puissamment connectées.

Plus vous évacuez de votre esprit les voix négatives, plus vous aurez la chance d'entrer en contact avec des maîtres spirituels dans vos rêves. Ces guides peuvent arriver dans vos songes inopinément ou à votre requête, si votre énergie est ouverte pour recevoir leur assistance ou leur information. Selon Petschek, ceux qui affirment ne jamais rêver se sentent en général l'esprit tellement surchargé qu'ils refusent de recevoir la moindre information supplémentaire. Ils ne veulent pas examiner leur vie en détail et bloquent sans doute leur vie onirique. Une telle attitude peut aboutir à neutraliser des indications subtiles, des messages intuitifs, et le sens d'une coïncidence.

Une invitation au rêve

Petschek suggère le processus suivant pour se souvenir des informations contenues dans les rêves. Prenez la position du roi, c'est-à-dire couchez-vous sur le dos en croisant les orteils. Placez ensuite vos doigts en triangle au-dessus de votre plexus solaire, fermez les yeux, écoutez tranquillement le bruit de votre respiration. Gardez la bouche légèrement ouverte. Votre esprit se calmera automatiquement. Laissez chaque pensée qui vous vient flotter, puis s'éloigner, sans la retenir ni la juger. Au bout de quelques minutes, quand votre esprit semble vide, énoncez mentalement une question courte à laquelle vous souhaitez que votre rêve vous apporte une réponse. Formulez de petites questions simples, qui demandent une information que personne ne semble capable de fournir. De telles requêtes peuvent porter sur votre autoguérison, un projet créatif, des conseils spirituels, etc. Répétez votre question trois fois et ensuite endormez-vous en faisant le silence dans votre esprit.

Si vous n'obtenez pas de réponses à vos questions, renouvelez votre tentative trois nuits de suite. Si cela ne donne aucun résultat, laissez tomber. Vous n'êtes pas prêt à recevoir de façon positive la solution à votre problème.

Le rappel du matin

Quand vous vous réveillez, n'oubliez pas de garder les yeux fermés et de rouler sur votre dos. Retenez la dernière scène du rêve qui est apparue dans votre esprit, laissez ensuite la scène précédente émerger, puis la précédente, comme un film qui se déroulerait à l'envers. Ensuite, sur l'écran de vos rêves, repassez les scènes de la fin du rêve jusqu'au début, en imprimant chaque séquence dans votre esprit. Quand vous êtes bien réveillé, notez les différentes péripéties du rêve. Vous découvrirez avec surprise que de nouveaux fragments presque oubliés vous reviennent encore. Pour vous aider, vous pouvez donner un titre à votre rêve, et définir chaque thème qui y apparaît, en marge de vos notes.

Les symboles et les gens célèbres

Si votre rêve baigne dans une lumière translucide brillante, blanche ou dorée, cela vous indique que vous êtes à un carrefour et vous suggère une nouvelle voie. Plus le rêve est profond, plus son contenu est symbolique. Réfléchissez à chaque symbole, en vous demandant : « Quelle est l'essence, quel est l'enseignement de ce symbole ? Quel rapport a-t-il avec ma vie ? » Si vous consultez des livres expliquant le symbolisme des rêves, rappelez-vous que votre interprétation du symbole a deux dimensions : son sens mythique collectif et sa connotation personnelle pour vous seul. Si une personne célèbre traverse votre rêve, notez quelles sont ses réalisations que vous admirez et ce que vous désireriez imiter dans votre vie personnelle. Chaque personnage représente un aspect de vous-même qui se découvre à vous.

Transformer le rêve

Lorsqu'un rêve vous perturbe, provoque de l'angoisse, vous exprimez un aspect de la Peur que vous êtes maintenant prêt à affronter. Les rêves angoissés des adultes proviennent de problèmes non résolus (parfois dans l'enfance, souvent durant des vies antérieures) qui vous empêchent de progresser sur le plan émotionnel. Balayer cette Peur augmentera votre confiance en vous-même et accroîtra votre potentiel pour de nouvelles perspectives.

Le matin, revoyez rapidement votre rêve pour en noter tous les éléments. Êtes-vous réceptif au message qu'il contient ou éprouvez-vous des réticences ? Si vous souhaitiez une issue différente, pensez à la dernière scène et récrivez-la avec une fin plus agréable. Si vous avez rêvé que vous ratiez un examen (thème très courant), dites-vous mentalement d'une voix emphatique : « Je viens de passer cet examen haut la main ! En fait, mon devoir était si brillant que j'ai eu la meilleure note. Tout le monde, y compris le professeur, m'a félicité par une salve d'applaudissements. Je me sens dans une forme éblouissante. » Inventez votre grand final personnel pour vos rêves ! Lorsque vous réagissez ainsi, observez comment se passe votre journée. Ce genre d'autopersuasion augmente souvent votre énergie et réduit votre stress (surtout si vous gardez votre sens de l'humour !). Et vous découvrirez peut-être que toute votre journée se déroulera plus agréablement que d'habitude. Souvenez-vous que votre travail intérieur précède la réalité extérieure. Les rêves vous montrent la qualité de votre réalité intérieure qui précède la réalité extérieure. Ces techniques simples aident à chasser la négativité de votre esprit et vous ouvrent des niveaux multidimensionnels inconnus.

La mécanique des rêves

Tandis que vous analysez votre rêve, notez les choix que vous avez faits en songe. Par exemple, une femme se rappelait : « J'ai rêvé que je me suis réveillée dans une maison inconnue et j'étais effrayée. Je me suis levée pour découvrir où j'étais et j'ai trouvé la porte d'entrée ouverte. Un homme se trouvait dans le hall. Je suis sortie et j'ai regardé à l'intérieur ; il a disparu par une porte sur ma gauche. Je suis retournée à l'intérieur et j'avais un peu moins peur. Je me suis promenée dans les différentes pièces et j'ai découvert que j'aimais ce pavillon à un étage, situé dans un lotissement (d'habitude ce n'est pas du tout mon style). Dans la pièce du fond se trouvait une jeune femme [...]. Nous avons bavardé quelques minutes. [...] Ensuite j'ai vu que le chat avait apporté entre ses crocs un animal, à moitié mâché, plus mort que vif, qui ressemblait à un iguane ou à un dinosaure ridicule. La jeune femme ne semblait pas dégoûtée et s'apprêtait à nettoyer les saletés causées par le chat. Mais, au lieu de cela, elle commença à me parler de découvertes archéologiques fabuleuses ; grâce à des fouilles effectuées à quelques mètres de l'arrière-cour, on avait exhumé les restes d'une ancienne civilisation. D'autres personnes sont entrées [...] et j'ai entendu de nouveaux détails à propos de cette ancienne culture et des conditions de vie de ses habitants. Leurs maisons semblaient indiquer qu'ils avaient " une mentalité technologique ”. » Pendant qu'elle voit la scène de la découverte et observe les habitations antiques, la personne qui rêve se rend compte que les individus qui vivaient il y a des milliers d'années étaient les mêmes que ceux qui découvraient les ruines – au présent. Elle dit dans le rêve : « Mais ces gens, c'est nous ! »

Quelle est la structure sous-jacente à ce rêve ? Tout d'abord, il s'agit d'un rêve collectif parce que son décor est incontestablement inhabituel et impossible à oublier ; impressionnant et intense, il baigne dans une lumière blanche. Il ne contient aucune référence personnelle à la vie de la dormeuse. La phrase : « D'autres personnes sont entrées » exprime la nature collective de ce rêve et révèle que d'autres protagonistes sont intéressés par les découvertes faites au cours de cette scène.

Le thème principal est annoncé de deux façons. D'abord, le chat (symbole antique de l'énergie psychique) apporte dans la salle à manger un objet ancien qui a été détérioré (à moitié mangé) au cours du temps. La salle à manger représente un endroit où l'on mange, on digère et on échange des idées durant les repas. Deuxièmement, la personne qui rêve déclare que la maison était une maison toute « simple située dans un lotissement et comportant un étage [*storey*] » : cela indique que le rêve a une histoire *(story)* et apporte des informations *.

La femme qui rencontre l'héroïne propose de nettoyer, mais cette dernière lui demande plutôt de lui parler des découvertes qui ont été faites. Ce changement dans l'action – du nettoyage des saletés du chat aux découvertes archéologiques – montre que la dormeuse fait un choix pour rechercher le contenu informationnel du rêve.

Le rêve commence devant la maison, continue à l'arrière, puis au milieu et se termine dans l'arrière-cour. L'homme qui entre représente le côté masculin caché de celle qui rêve, le point de vue masculin logique et rationnel. La qualité de son ombre lui suggère qu'une approche linéaire, rationnelle, pour trouver le sens de ce rêve, serait moins performante qu'une approche symbolique, intuitive. La personne qui rêve doit s'occuper à la fois de son côté masculin et de son côté féminin ; elle doit prêter attention à ce qui se passe dans le présent et à ce qui s'est déroulé dans le passé (le devant et l'arrière de la maison). Les découvertes se produisent dans l'arrière-cour, l'endroit réservé à l'intimité et aux rituels. Le rêve va du connu (le devant de la maison) à l'inconnu (l'arrière).

Selon Petschek, dans la première séquence d'un rêve on installe le décor ; dans celle du milieu, l'action créative se déroule et apporte de nouvelles informations ; et la fin nous indique le devenir probable de ce courant d'énergie. Ce rêve a montré des images d'objets artisanaux délicatement sculptés dans une substance inconnue, ressemblant à de

* Jeu de mots onirique entre *story* et *storey* (*N.d.T.*).

l'ambre, et que la personne qui rêve ne pouvait reconnaître. Dans son rêve, on lui avait offert une collection miniature de figurines de cette très ancienne civilisation, et une carte topographique. On peut interpréter le « miniature » comme une injonction à « jouer » avec ces objets.

Un rêve collectif de ce type, qui offre autant d'informations détaillées, sera certainement suivi par des thèmes de découverte similaires. Dans la dernière scène, la dormeuse voit un homme embrasser une personnalité influente, une femme d'un certain âge, entourée de journalistes et de photographes. Les flashes des appareils photo crépitent. Cette scène indique que, si la personne qui rêve cherche à comprendre activement ces nouvelles découvertes, son travail sera reconnu et accepté. Cette dernière scène montre où le potentiel du rêve se dirigera à l'avenir.

Peu auparavant, l'auteur du rêve avait écrit un article sur la réincarnation. Peut-être le message du songe (les gens de la civilisation très ancienne sont les mêmes que ceux du présent) reflète-t-il, à travers cette rêveuse individuelle, l'acceptation croissante par l'humanité de l'idée de la réincarnation.

Les rêves et les groupes d'âmes

La Dixième Prophétie suggère qu'il semble y avoir, dans la dimension spirituelle, des groupes d'âmes qui sont d'autres aspects de nous-mêmes et sont toujours près de nous. Ils nous insufflent de l'énergie au fur et à mesure que notre conscience augmente et lorsque nous demandons de l'aide pour atteindre un objectif spirituel. Dans le roman, les âmes appartenant à un groupe tendent à se ressembler entre elles et à se rapprocher du membre vivant sur terre. Wil explique : « Quand nous rêvons, nous rejoignons notre groupe d'âmes, et cela nous remet en mémoire notre objectif à ce moment précis de notre vie. Nous recevons des aperçus sur notre but existentiel originel. Ensuite, quand nous nous réveillons, nous conservons ce souvenir, parfois sous forme symbolique [9]. »

Bien que la plupart d'entre nous ne se souviennent pas d'avoir fait de telles rencontres, nous devons admettre qu'il est possible de recevoir un soutien non physique durant nos rêves. Peut-être les groupes d'âmes sont-ils une autre façon de décrire l'énergie psychique. Le psychologue suisse Carl Jung analysait les rêves comme un flux d'événements, une suite d'images qui représentent un certain flux d'énergie. Selon Marie-Louise von Franz : « C'est pourquoi, lorsqu'on analyse les rêves, [la fin] est aussi importante : elle indique la cible du flux d'énergie [...]. Je garde bien à l'esprit la dernière phrase d'un rêve [...] et ensuite je sais que le flux d'énergie psychique mentale est allé jusque-là. Nous savons alors où et dans quelle direction le courant de la vie coule sous la conscience. La phrase qui ouvre le rêve est également importante parce qu'elle montre la situation présente, elle montre où la personne qui rêve se trouve maintenant dans ce monde de confusion. Ensuite vient une suite d'événements, et la phrase finale indique la direction dans laquelle coule l'énergie [10]. »

ANIMAUX, PRÉSAGES ET SIGNES

Savoir lire les signes et interpréter les présages constitue un atout considérable quand on cherche à conserver une Vision du Monde positive. Lorsque nous sommes désorientés, un signe nous aide à arrêter ce malaise. Il nous aide à accorder notre pensée avec le sens que nous donnons au signe. Une fois que nous pensons comprendre le sens, nous avons l'impression que notre énergie grandit, que nous avons de nouveau un objectif et allons de l'avant.

L'animal qui apparaît au début du voyage ou d'un rêve détermine la tonalité globale

Dans *La Dixième Prophétie*, le personnage remarque les animaux qui apparaissent parfois dans son champ de vision quand il a besoin de conseils ou d'encouragements. Par exemple, quand il est important pour lui d'adopter une perspective plus vaste ou d'avoir un tableau d'ensemble, il voit un aigle. Traditionnellement les aigles symbolisent la clairvoyance, le courage, l'indépendance et les mises à l'épreuve spirituelles. Il aperçoit aussi des dizaines de corbeaux – certains perchés sur un arbre, d'autres tournant autour. Étant les détenteurs des lois de l'esprit, les corbeaux lui envoient un message d'ouverture : il doit se rappeler les lois spirituelles qui se présentent à lui. Combien de fois avez-vous été réveillé par le croassement des corbeaux ? Carlos Castaneda, le chamane et anthropologue, a souvent décrit l'apparition de son maître don Juan sous la forme d'un corbeau.

Le faucon jouait aussi un rôle important dans *La Dixième Prophétie*. Comme le remarque David : « Les faucons sont éveillés et observateurs, toujours à l'affût d'une information, d'un message nouveau. Leur présence doit nous inciter à redoubler immédiatement de vigilance. Souvent ils signalent qu'un messager est proche [11]. »

Dans les cultures indigènes et la tradition chamanique, les animaux sont des alliés qui signalent les changements, fournissent des directions et apportent des bienfaits. Quand le personnage principal cherche des indications, qu'il éprouve angoisse et inquiétude à propos des révélations, un lièvre apparaît dans le sous-bois. Plus loin, avec l'aide de David, il arrive à comprendre le sens de ce signe. En se souvenant qu'un lapin symbolise la fécondité et aussi la peur (étant une proie pour beaucoup de carnivores), le personnage principal peut alors affronter ouvertement sa peur (plutôt que d'être paralysé par elle) et la dépasser, en sachant que cette fertilité ou cette abondance surviendra quand il en aura besoin.

Les animaux sont des aspects de nous-mêmes auxquels nous devons nous connecter

Dans les rites initiatiques traditionnels, l'apparition d'un animal symbolise souvent l'objectif existentiel de l'initié et représente une coïncidence fondamentale. « Dans tous les mythes et les contes de fées que j'ai étudiés, affirme la psychanalyste Marie-Louise von Franz, je n'ai jamais vu un cas où un héros ne soit pas vainqueur s'il bénéficie de l'aide d'animaux bienveillants [12]. » Ted Andrews, l'auteur d'*Animal - Speak – the Spiritual and Magical Powers of Creatures Great and Small*, explique : « J'ai découvert dans la plupart des écrits et des mythologhies du monde un fonds de tradition concernant l'esprit des animaux et la croyance que des forces divines parlent aux hommes à travers le monde naturel [...] Aucun peuple n'y échappe [13]. » Il souligne que notre approche scientiste nous conduit généralement à analyser la nature en la disséquant et en examinant ses éléments. Nous avons perdu le sens du mystère et rejeté notre interdépendance avec nos collègues animaux.

La dixième révélation nous rappelle la dimension spirituelle de notre habitat physique et la riche source de conseils qu'elle peut offrir si nous choisissons d'ouvrir les yeux. « Le monde animal a beaucoup de choses à nous apprendre, affirme Andrews. La plupart des bêtes savent merveilleusement bien survivre et s'adapter. Il nous arrive d'avoir, nous aussi, besoin de ces aptitudes. Certains animaux n'ont jamais de cancer. Ne serait-il pas merveilleux d'apprendre leurs secrets ? Bon nombre d'entre eux ont une attitude nourricière et protectrice admirable. Certains sont très féconds et d'autres très doux [...]. Le monde animal nous montre comment nous pouvons développer notre potentiel [...] Chaque animal est une porte d'entrée vers le monde phénoménal de l'esprit humain. Mais la plupart des gens ne réalisent pas que leur opinion sur les animaux reflète l'opinion qu'ils ont d'eux-mêmes [14]. »

Andrews nous encourage à nous ouvrir au monde naturel en étudiant la faune, la flore, les arbres et les fleurs dont nous sentons que l'énergie est étroitement associée à la nôtre. En nous mettant à l'unisson de cette richesse de la vie, nous nous connectons directement à des archétypes vivants – aux qualités essentielles qui vivent à travers nous. Selon lui : « L'animal devient le symbole d'une force spécifique du royaume spirituel invisible qui se manifeste dans notre propre vie [15]. » Chaque animal a une spécificité et un esprit puissant. Andrews et sa femme se sentent tous deux une parenté avec le loup. Dans les sociétés traditionnelles, cette affinité avec un animal est appelée le « totem ».

Celui-ci devient votre guide pour toute votre vie, il vous aide à traverser les crises, les tournants de votre existence, et vous permet de vous soigner. Dans son livre, Andrews raconte un anniversaire qu'il a passé en campant dans les bois de l'Ontario : durant toute la nuit, il avait entendu des hurlements de loups provenant de différentes directions, quoique ce phénomène fût plutôt inhabituel à cette époque de l'année. Au cours d'un autre voyage dans la forêt, lui et sa femme campaient depuis plusieurs jours et sentaient qu'un loup allait sûrement survenir. « Les gens visitent le lac Supérieur chaque année sans apercevoir le moindre loup, mais nous sentions que, si le loup était vraiment notre totem, nous devions avoir la foi et attendre. Au moment où, déçus, nous nous apprêtions à quitter la région, un superbe loup a surgi d'entre les arbres et s'est arrêté à une dizaine de mètres de nous. Il a tourné la tête dans notre direction et nous a regardés fixement, ses yeux plongés dans les nôtres durant ce qui nous a semblé une éternité. Ensuite il a traversé la clairière, puis il nous a suivis à l'ombre des arbres avant de disparaître à nouveau dans le sous-bois. Nous avons tressailli de bonheur [16]. »

Elmer Schettler, le fermier qui cultive du soja et dont nous avons parlé au premier chapitre, a raconté récemment comment il avait pu observer des présages et devenir conscient des bienfaits que les animaux nous apportent. « J'ai découvert que, lorsque je ne force pas les choses, et que je les laisse en quelque sorte fermenter, j'obtiens les réponses que je recherche, dit-il. J'ai deux grands amis, Tom et Judy Crowley. Tom et moi nous parlons au téléphone chaque semaine, et un jour il m'a appelé pour m'inviter à Pâques. J'ai pris mon avion pour me rendre chez lui, et soudain j'ai remarqué que le compteur de trois de mes instruments de navigation (la boussole et les appareils indiquant la pression et la vitesse de l'air) affichait le chiffre 119. Je me souvins immédiatement d'un fait qui m'avait frappé en 1983 quand j'avais lu le livre de Kushner, *When Bad Things Happen to Good People*. À la page 119, il dit que, lorsqu'on prie, Dieu vous envoie de l'aide. Lorsque j'avais lu cette phrase j'étais sur le vol United Airlines 119 et il était 1 h 19 de l'après-midi. Alors pendant que je continuais à piloter mon avion, j'ai frissonné et pensé que cela allait être un jour important pour moi.

« Tom, Judy et moi sommes allés au service de Pâques, et le sermon portait exactement sur les questions que je me posais. Ensuite, quand nous avons quitté le parking, Tom a, par erreur, tourné à droite au lieu de tourner à gauche. Tandis que nous faisions demi-tour, un blaireau a traversé la route au galop. Normalement on n'aperçoit jamais de blaireaux pendant la journée. Judy a immédiatement dit : " Il faut que je consulte mon livre sur les animaux-médecine (ouvrage que je lui avais offert) pour voir ce que l'on dit sur les blaireaux. " Une fois de retour chez mes amis, nous avons ouvert le bouquin et fait une découverte intéressante : le blaireau signifie que l'on doit être davantage sûr de soi.

« Il faut toujours prier. Dieu nous envoie des messages, si nous avons la présence d'esprit de les capter. L'univers nous parle tout le temps. Quand je suis revenu à la maison, j'ai consciemment commencé à faire appel à l' “ énergie du blaireau ” pour être davantage sûr de moi – pas au point de devenir arrogant, non, mais afin d'avoir plus d'assurance dans les domaines de la vie où j'ai besoin de me défendre.

« Un samedi matin, Tom et moi parlions au téléphone quand un corbeau s'est posé sur le rebord de ma fenêtre. J'ai mentionné ce fait à mon ami, mais nous n'avons pas eu l'idée de vérifier dans le livre quel message nous apportait ce corbeau. Judy, cependant, y a pensé. L'oiseau était venu nous rappeler qu'un ordre régente le bien et le mal, ordre bien supérieur à celui établi par la société des hommes : l'intégrité personnelle et la nécessité de dire clairement la vérité. Une anecdote de ce genre m'amène à me demander combien de messages je rate chaque jour. »

Peut-être que, si notre niveau de vibration est bas, un animal se trouvera devant nous et n'accomplira que ses fonctions écologiques habituelles. Comme le dit David, l'Indien de *La Dixième Prophétie* : « Quand un biologiste sceptique réduit le comportement animal à un instinct irréfléchi, il ne fait que projeter les limites qu'il a lui-même fixées pour l'animal. Mais plus notre vibration augmente, plus les actions des animaux que nous rencontrons deviennent synchronistiques, mystérieuses et riches d'enseignements [17]. »

Dan Miller, de Las Vegas, Nevada, a écrit au *Celestine Journal* en novembre 1995 pour raconter l'histoire suivante. Un jour il travaillait dans le petit jardin d'un ranch qui comptait quatre-vingts ou quatre-vingt-dix ruches. D'habitude, les abeilles bourdonnaient constamment près de la maison et des sources d'eau disponible mais ne dérangeaient personne. Alors qu'il se penchait pour arracher des mauvaises herbes, deux abeilles commencèrent à voleter autour de lui, entre ses deux mains, et ne voulurent plus s'en aller. « Je me suis redressé en m'exclamant : “ Nom d'un chien ! ” À ce moment-là j'ai entendu un coup de feu. Une seconde plus tard, j'ai entendu une balle siffler exactement à l'endroit où je me tenais auparavant, à moins de trente centimètres devant moi. Les abeilles se sont envolées. J'ai appris alors qu'un des vieux ouvriers du ranch chassait des animaux nuisibles avec son 22 long rifle. Je n'ai jamais dit au vieil homme qu'il avait failli me tuer [18]. »

Nous développons nous-mêmes des caractéristiques animales durant le cours de l'évolution

Depuis les eaux mystérieuses des origines, les formes de la vie ont évolué du poisson à l'amphibien, du reptile au mammifère ; nos « moi » antérieurs se sont transformés à travers leurs existences successives, comme ces espèces. Par conséquent, une conscience spirituelle globale embrasse les vibrations des royaumes animal, minéral et végétal — pas seulement de l'humanité.

> La découverte des quanta nous a poussés à étudier l'influence du soleil et de la lune jusqu'au plus profond de nous-mêmes. Nous espérons pouvoir trouver encore davantage de sources de guérison en nous. Nous savons déjà qu'un fœtus humain se développe en évoquant et en imitant les formes des poissons, des amphibiens et des premiers mammifères. La découverte des quanta nous permet de pénétrer dans nos propres atomes et de nous souvenir des origines de l'univers lui-même. (Deepak Chopra, *Le Corps quantique*.)

Paul MacLean, dirigeant du Laboratoire sur l'évolution du cerveau et du comportement de l'Institut national de la santé mentale, a conçu un modèle du cerveau fondé sur son évolution. Il le divise en trois sphères, dont chacune a pour fonction de conserver les modèles de comportement physiologiques et comportementaux des formes de vie primitives. Jean Houston, la directrice de la Fondation pour la recherche mentale à Pomona, dans l'État de New York, écrit dans son livre *L'Homme en devenir* : « On peut appeler cela une sorte de polyphrénie évolutionniste car nous observons la réalité en utilisant les récepteurs de trois mentalités très différentes, d'âge et de fonction divers, et que deux " cerveaux " plus anciens ne peuvent communiquer verbalement [...]. Nous constatons, par exemple, que le comportement routinier des reptiles et des amphibiens se traduit chez les humains par des actes obsessifs compulsifs [...]. Dans notre mésencéphale, les combats et les activités nourricières des mammifères, ainsi que leurs préparatifs complexes pour s'associer et procréer fournissent le dynamisme émotionnel qui permet le développement de la famille, du clan, et les premières bases de la civilisation [...] ainsi que les structures neurochimiques qui préparent à la guerre, à l'agression, à la domination et à l'aliénation [...]. Et finalement il y a notre cerveau de néomammifère [...]. Partiellement ordinateur froid, calculateur, partiellement siège du paradoxe et véhicule de la transcendance, c'est cet aspect de nous-mêmes qui nous assigne notre destin et détermine si, en tant qu'espèce, nous croîtrons ou mourrons [19]. »

Lorsqu'un animal particulier apparaît dans un rêve ou dans la vie réelle, cela signifie que nous sommes prêts à intégrer cette information dans notre conscience en plein éveil. En découvrant nos origines communes et nos liens avec d'autres espèces, nous réalisons forcément la nécessité de préserver la riche diversité de forme et de conscience dont nous provenons. Comme David le remarque dans *La Dixième Pro-*

phétie : « Nous voulons qu'ils durent non seulement parce qu'ils font partie d'une écosphère équilibrée, mais parce qu'ils représentent un aspect de nous-mêmes dont nous essayons encore de nous souvenir [20]. »

Autres présages

Quand nous demandons à être orientés, notre sensibilité a tendance à devenir plus aiguë. Tout en vaquant à nos tâches quotidiennes, il est important de nous remplir d'une énergie optimiste, pleine d'expectative. Nous pouvons surprendre par hasard une phrase qui soudain se détache. Ou un mot particulier qui tout à coup se distingue du brouhaha de la foule, ou une publicité à la radio qui passe à un moment opportun. Un jeune homme nous a raconté : « Un jour, je devais livrer des cassettes de musique à un club de loisirs à la campagne, mais en route je me suis aperçu que j'avais oublié le plan pour m'y rendre. Je me suis arrêté devant une voie ferrée, me demandant si je devais tourner à droite ou à gauche, lorsque, à ce moment précis, j'ai entendu une publicité à la radio pour ce même club. L'annonceur a déclaré : " N'oubliez pas de tourner à gauche après la voie ferrée ! " En outre, cette coïncidence se révéla d'une portée encore plus grande : en effet, après avoir livré les cassettes, j'ai rencontré quelqu'un qui m'a permis plus tard de réaliser mon rêve : jouer dans plusieurs orchestres célèbres. »

Il existe une longue et riche tradition d'oracles. Par exemple, le *Yi King*, le Livre des transformations, est un système de prédiction, et il représente peut-être le plus ancien livre sur terre. Cet ouvrage observe tous les modèles de vie, depuis le mouvement des étoiles jusqu'aux relations à l'intérieur des familles, en passant par le commerce, les cycles de l'agriculture et les conséquences des guerres. Il combine l'évolution de grands mythes avec des considérations pratiques quotidiennes. Il offre des conseils précis à partir de la chute synchronistique de pièces de monnaie ou de morceaux d'achilée. Le psychologue Carl Jung était fasciné par le *Yi King*, parce qu'il pensait que ses hexagrammes reflétaient les archétypes de l'inconscient collectif. Selon R. L. Wing, l'auteur de *The I Ching Workbook*, « [Jung] voyait la nature humaine et l'ordre cosmique unis dans l'inconscient collectif grâce à des symboles qui concernent les gens de toutes les époques et de toutes les cultures [...]. Arrêter le temps (ou " changer ") en ayant une question particulière à l'esprit est un rituel : vous devez mettre en syntonie votre moi et votre situation présente, en tenant compte de tout ce qui se déroule en même temps dans l'univers [21] ».

Les chiffres sont aussi des symboles importants qui nous transmettent un sens si nous prenons le temps d'étudier leurs caractéristiques. Les anciens maîtres spirituels enseignaient que chaque nombre possède des qualités intrinsèques pouvant nous aider à nous mettre à l'unisson de ce qui se passe. Même les chiffres composant l'adresse de quelqu'un ou d'un bureau peuvent être parlants. Par exemple, une représentante de commerce très efficace nous a raconté qu'une des raisons pour lesquelles elle se réjouissait de prendre un nouvel appartement était que, si on additionnait les chiffres de son adresse, on arrivait à un total de trois – nombre toujours bénéfique pour elle, et qui est aussi le symbole de l'abondance, de l'imagination et de la sociabilité. Nous avons également entendu plusieurs anecdotes de personnes qui voyaient fréquemment un chiffre se répéter, par exemple, le chiffre 11, ce qui peut indiquer que quelqu'un fait partie d'un groupe d'âmes travaillant à ouvrir une nouvelle porte dans la dimension spirituelle.

Presque n'importe quel élément peut devenir chargé de sens si nous sommes ouverts et attentifs aux messages de l'intuition. Parfois, il arrive qu'on suive des signaux qui conduisent à délivrer un message à quelqu'un d'autre. Par exemple, Nancy Vittum de Cupertino en Californie a écrit au *Celestine Journal* : « Un matin, pendant que j'écrivais, j'ai ressenti la nécessité de me rendre immédiatement à la boutique vidéo et d'y louer une cassette. Comme je n'avais envie d'aucun film particulier, j'ai commencé par ignorer cette suggestion. Mais cette impulsion a persisté et m'a poussée à me rendre dans cette boutique avant que tous les bons films ne soient pris. » En arrivant devant le magasin, elle a rencontré une collègue de travail qu'elle n'avait pas revue depuis dix ans. Cette personne s'occupait de sa mère malade, âgée de quatre-vingt-six ans, et Nancy elle-même venait de passer cinq années à prendre soin de ses parents avant leur décès. « Cette femme m'a déclaré que le Destin nous avait sûrement réunies ce matin-là, car tout ce que je lui avais dit lui était d'un grand secours [22]. »

LES OUVERTURES DIMENSIONNELLES

Alice au pays des merveilles y est parvenue. Ainsi qu'Indiana Jones, les druides et les anciens Grecs. Les chamanes continuent à le faire – ils entrent dans une autre dimension au travers d'un lieu sacré sur terre. Les lieux sacrés : l'idée même évoque des sommets de montagnes balayés par les vents, des loups qui hurlent, des cascades, des grottes, des vallées enchantées, des pierres prophétiques et des portails menant à nos ancêtres. Dieu nous parle à travers les soupirs des arbres, le murmure des pierres qui chauffent au soleil, les antiques et silencieuses empreintes de main des troglodytes, les chemins ocre piétinés il y a des siècles par les milliers de pieds nus de ceux qui ont couru et marché pour rencontrer l'esprit – pour renaître dans l'esprit. Bien avant que les flèches gothiques attirent nos cœurs vers le ciel, les hommes et les femmes ont trouvé leur inspiration dans le divin et se sont connectés à lui en certains lieux chargés de puissance sur terre. Combien de fois avez-vous eu le bonheur d'avoir le souffle coupé par la splendeur d'un paysage – une mer infinie d'arbres, un plateau avec une falaise à pic de mille mètres ? Combien de fois avez-vous senti la présence et le calme d'une forêt très ancienne ? Combien de fois avez-vous été réduit au silence par le rugissement d'une cascade déversant ses eaux comme un torrent sur des rochers en granite ? Pas assez souvent. Et même bien loin du compte. Les sites sacrés ne nécessitent aucune explication, aucune carte. Ils existent. Vous les sentez et votre perspective grandit.

> [...] seule une poignée de Hopis aujourd'hui connaissent tous ces emplacements. Comme leurs frères et sœurs dans le monde qui ressentent et devinent encore le pouvoir d'un lieu, ces esprits sages disent que le pouvoir des sites sacrés réside dans quelque chose de plus important que leur beauté apparente. Ils reconnaissent que l'histoire de ces sites est importante, mais l'esprit, insistent-ils, est beaucoup plus important. Il opère avec des gens de toutes les races, mais uniquement si leur conscience est claire et leur cœur pur [...]. Certains lieux spéciaux dans la nature ont la capacité d'aider les hommes à entrer dans des états de conscience modifiés appelés « spirituels » en raison de leur contact direct, mental et/ou spirituel, avec eux. (James A. Swan, *Sacred Places : How the Living Earth Seeks our Friendship.*)

Kevin Ryerson, spécialiste de l'intuition, auteur et conférencier célèbre pour sa collaboration avec l'actrice et militante Shirley MacLaine, a le talent rare d'entrer en contact avec de très anciens esprits. Au cours des dernières années, il a emmené des gens visiter des sites sacrés un peu partout dans le monde, pour qu'ils effectuent une quête de vision et pénètrent ainsi dans ce qu'il appelle leur « paysage onirique ». L'objectif de cette quête, nous a-t-il expliqué, est de résoudre les problèmes du passé, de donner tous les moyens à l'initié de recevoir des révélations sur son objectif existentiel, sur son avenir, et d'assimiler la force vivante du savoir ancestral.

Dans la région de Sedona, en Arizona, où abondent les rochers rouges, il existe un canyon sacré : Red Tank Draw. Formant un mur naturel, les parois de ce canyon abritent une série de pétroglyphes (images gravées) et de pictoglyphes (symboles peints). Quand l'initié ou le chercheur de vision marche dans le canyon en unisson avec le soleil, il entame un voyage chamanique complet, qui commence au lever et se termine au coucher du soleil. Choisi pour son alignement avec les quatre points cardinaux, le canyon reflète et conserve, selon Ryerson, le savoir ancestral, archétypique. La seule lecture de la description ci-dessous devrait vous connecter avec cette expérience mythique.

Au début du voyage, vous verrez des images de naissance et d'innocence. Ces images primales symbolisent la séparation entre l'esprit et le corps durant un voyage chamanique, mais signifient aussi que vous vous séparez de votre première vérité ou de votre première innocence. C'est l'archétype de l'orphelin, explique Ryerson, et l'équivalent indigène de l'expulsion du jardin d'Éden. Vous, l'orphelin, vous devenez maintenant un errant, chamaniquement représenté par les animaux migrateurs. Les pétroglyphes montrent clairement des animaux qui se déplacent, associés avec la croix celtique qui représente les quatre points cardinaux et une destination sacrée – ce que l'on peut appeler « errer avec une intention » ou voyager. À ce stade, vous vous promenez parmi vos ancêtres et les êtres vivants, à la recherche d'une vérité dont vous sentez qu'elle vous ressemble, afin de pouvoir l'identifier.

Quand vous, l'initié, vous découvrez une vérité adaptée à votre personnalité, cela vous redonne de la puissance, en vous restituant la perception de votre destinée et en la revigorant. (Comme cela ressemble à la coïncidence qui nous apporte un indice et nous reconnecte à notre sentiment d'avoir une mission !) Maintenant que vous avez acquis cette nouvelle sensibilité, vous risquez de devenir trop sensible et d'essayer de protéger votre vérité – une vérité qui n'a pas besoin d'être protégée. Cette étape est représentée sous la forme de tortues marines (symbole archétypique de la protection). La carapace de la tortue représente aussi les modèles de divination qui pourraient être interprétés par le sage, et vous fourniront, maintenant que vous allez être un guerrier, les indications de la prophétie.

Vous êtes maintenant le guerrier, représenté par l'archer, avec son arc bandé. Vous vous trouvez à l'emplacement des sept flèches, symbolisant les sept chakras, origines de l'énergie matérielle et spirituelle. Ce sont les zones psychiques d'où provient notre caractère, et à partir desquelles nous libérons notre énergie pour la répandre dans le monde. Maintenant que vous êtes profondément engagé dans le canyon, vous poursuivez votre mission. Sur le plan archétypique vous devenez un héros. Joseph Campbell affirme que le film *La Guerre des étoiles* présentait le mythe du parfait héros. Imaginez un moment la sensation d'accélération et le sentiment d'euphorie que vous ressentiriez si vous voliez, comme Luke Skywalker, à travers les entrailles de l'Étoile de la Mort qui ressemblent à un canyon. Rappelez-vous qu'il avait accompli la même prouesse dans un canyon de sa région natale. À Red Tank Draw, donc, vous effectuez le parcours d'un héros.

Dans votre phase guerrière, la suivante, vous découvrez que le visage de l'ennemi vous ressemble – c'est le stade psychologique durant lequel vous réacceptez tous les éléments de votre personnalité que vous aviez rejetés dans l'ombre. À ce moment, vous avez déjà obtenu des succès, vous vous sentez plus puissant, et êtes initié à la prochaine phase : celle du guérisseur. Vous vous rendez compte que, si vous pouvez infliger de la douleur, vous pouvez aussi la soigner. Le guérisseur est représenté par une spirale dans la paume de la main.

Vous arrivez maintenant à la partie la plus difficile du voyage : en tant que guérisseur, vous découvrez que vous n'êtes en réalité pas différent du guerrier que vous étiez auparavant. Si vous soignez surtout en essayant d'éliminer la maladie ou la douleur, vous êtes encore en train de combattre un adversaire.

Dans un moment extatique, alors que vous êtes dans l'état du guérisseur (connexion), vous voyez tout à coup l'innocence originelle de l'autre. Ryerson commente ainsi cette étape : « Et en découvrant cette innocence, vous devez appliquer un nouveau modèle de vérité, la vérité qui ne peut être énoncée qu'en présence d'un enfant. »

Votre renaissance doit se produire à cette étape du voyage : tous les ancêtres viennent accueillir le visiteur (vous) dans le village. « Littéralement, explique Ryerson, à ce moment vous débouchez à un endroit du canyon, et vous voyez le rocher spirituel, alchimique, qui est seulement comparable à la scène du film, *2001, l'Odyssée de l'espace*. Vous voyez l'obscurité, le vide, l'obélisque qui peut tout absorber, toute la douleur, toutes les souffrances, toutes les erreurs, toutes les perceptions de l'identité. Vous changez de peau comme un serpent. Vous ne vous souciez plus de l'avenir. Vous savez ce que vous allez devenir : un ancêtre. L'archétype de l'ancêtre est réduit à une histoire, réduit à lui-même et vous découvrez que, comme les pétroglyphes, votre vie n'est pas réelle tant qu'elle n'a pas été racontée comme une histoire. »

À la fin de votre parcours dans le canyon, vous êtes confronté à une falaise de rochers rouges. C'est l'endroit où vous acquérez votre puissance, le seul dans le canyon où toutes les images répétées offrent une vision cohérente. Il s'agit d'un espace sacré. Qu'apprend le voyageur ? « Il apprend ce qu'il a besoin de savoir, répond Ryerson. Les gens me racontent qu'ils font des rêves impressionnants après leur marche. Ils se sentent plus vivants. Ils prennent des résolutions concernant leurs parents, leurs relations et leur carrière. L'intelligence vit dans le canyon et influence nos existences actuelles. La famille humaine est continue. Ce qui s'applique à nos ancêtres s'applique à nous aujourd'hui. »

James A. Swan écrit dans *Sacred Places : How the Living Earth Seeks our Friendship* : « Autour du monde, la surface de la Terre est constellée de lieux dont le seul nom suscite en nous de profonds sentiments : Palenque, le mont Omei, le mont Ararat, le mont Fuji, Lascaux, Iona, Jérusalem, Delphes, le Kilimanjaro, La Mecque, le Sinaï, le mont McKinley ou " Denali ", Chartres, les grandes pyramides, Stonehenge, le cratère d'Haleakala, le mont Kailas, le Gange, le mont Katahdin, le

Machu Picchu, Lourdes, Fatima et le temple du soleil à Mesa Verde sont parmi les plus célèbres [23]. » Encore aujourd'hui nous pouvons admirer les cultures en cercle dans la plaine de Salisbury qui déroutent notre esprit logique, mais font vibrer la corde du mystère dans notre âme.

ÉTUDE INDIVIDUELLE

La méditation attentive

Choisissez un endroit tranquille chez vous afin de vous y réfugier et d'y méditer. Si possible, créez un sentiment de sacré dans cet endroit. Installez-y, par exemple, une petite table avec des fleurs ou des objets tout particuliers qui vous rappellent votre projet de cultiver la capacité d'apaiser votre esprit. Choisissez une heure régulière pour vous asseoir et méditer, le matin avant de quitter la maison, ou l'après-midi avant ou après le dîner.

Asseyez-vous, sans hâte, le dos bien droit, les pieds bien placés sur le sol, les mains reposant légèrement sur vos cuisses, paumes tournées vers le ciel. Si vous le souhaitez, prenez la position du lotus, les jambes croisées avec un coussin sous vos fesses, de façon à être solidement installé par terre. Pour commencer votre méditation, fermez les yeux, joignez les paumes au-dessus du centre de votre poitrine, et inclinez légèrement la tête. Placez vos mains sur les cuisses à nouveau, expirez, en gardant les yeux fermés ou entrouverts mais dirigés vers le sol.

Surveillez votre respiration, en inspirant et expirant régulièrement. Lorsque des pensées se présentent à votre esprit, laissez-les se dissiper. Pensez de nouveau à votre respiration. Si une nouvelle idée vous vient, laissez-la s'en aller. Observez chacune de vos sensations tandis que l'air passe à travers vos narines, soulève votre poitrine et ressort par votre bouche jusque dans l'air ambiant. Détendez-vous à chaque inspiration et expiration. Relâchez consciemment la tension de vos muscles. Continuez à observer votre respiration et à calmer votre esprit, vos sensations, votre respiration. Quand votre imagination se met à vagabonder, veillez à ce qu'elle parte très loin. Considérez votre état d'esprit comme un objet, nommez-le d'un mot tel que « préoccupation », « tristesse », « froideur » et retournez à la respiration, quel que soit le temps durant lequel votre esprit a été en balade. Soyez patient et attentif dans votre méditation, en revenant toujours au rythme de votre respiration. Restez dans cette position pendant dix minutes au début, puis durant trente minutes, voire une heure si vous le souhaitez. Terminez votre méditation en inclinant légèrement la tête, les paumes réunies. Par ce geste vous reconnaissez que vous êtes prêt à pénétrer à l'intérieur de vous-même, mais aussi vous envoyez un double message à votre ego : « Repose-toi un peu. Ouvre-toi à une énergie supérieure et sois prêt à l'accueillir. »

En principe la méditation vous ramène immédiatement au moment présent, vous rend conscient de la direction dans laquelle vos pensées vous entraînent. Elle doit vous permettre de calmer votre esprit impatient et constamment sur le qui-vive. Au fur et à mesure de la pratique, vous remarquerez que la conscience de vos sentiments ainsi que la fréquence et la clarté de vos intuitions augmentent – même si votre esprit continue à vagabonder durant votre méditation.

L'attention durant la journée

Pour augmenter votre énergie et éclaircir vos idées, même dans un lieu public ou à votre travail, prenez cinq minutes dans le métro, ou au moment de votre heure de déjeuner, pour vous asseoir calmement, en baissant les yeux sans les fermer. Observez la qualité de votre respiration et les sensations qu'elle suscite. Cet acte tout simple vous aidera à être totalement présent dans ce moment.

> Novice dans un monastère bouddhiste, j'ai appris à être conscient de chaque chose que je faisais durant la journée, et, pendant plus de cinquante ans, j'ai employé cette méthode. Quand j'ai commencé, je pensais que cette pratique ne s'adressait qu'aux débutants, que les gens plus avancés se livraient à des activités plus importantes, mais maintenant je sais que tout le monde peut se livrer à la pratique de l'attention. (Thich Nhat Hanh, *Love in Action*.)

Pour exercer votre attention durant la journée, prenez une pause de cinq minutes en regardant par la fenêtre. Ou simplement asseyez-vous calmement dans votre espace de travail et essayez de visualiser chaque élément de votre environnement, en expirant de l'énergie et de l'amour autour de vous.

Un jour, un homme nous a déclaré dans un atelier : « Mon esprit est trop agité, je ne peux pas me calmer suffisamment pour méditer. » Calmer l'esprit avant de méditer, c'est comme nettoyer la maison avant l'arrivée de la femme de ménage. Pour commencer une méditation il faut d'abord décider de s'asseoir. Asseyez-vous en chassant les préoccupations de votre esprit, observez-le, détendez-le et ralentissez-le jusqu'à ce qu'il adopte le rythme régulier de votre respiration.

L'attention quand vous conduisez

Quand vous faites démarrer votre voiture pour vous rendre à votre travail, ou dans un magasin, prenez l'habitude de devenir présent quand vous tournez la clé. Prenez conscience que vous allez sortir pour rejoindre un courant d'autres âmes qui travaillent dans ce monde à leur façon. Tandis que vous pénétrez dans la circulation, devenez attentifs aux véhicules, aux piétons, aux bicyclettes, ou à toute autre information pertinente. Conservez votre intention de conduire avec dextérité, avec le plus d'amour possible, en sachant que vous appartenez à ce grand courant d'êtres qui sont reliés à vous par des liens qui ne vous sont pas encore perceptibles. Envoyez énergie et amour à ce courant d'êtres dont vous faites partie.

Quand la circulation est plus lente que vous ne le souhaiteriez, imaginez que vous êtes arrivé à bon port, presque à l'heure prévue, et que vous êtes heureux. Si vous remarquez une plaque d'immatriculation ou un message spécial, notez-le quand vous atteignez votre destination. Si cela vous marque pendant quelque temps, faites des exercices d'associations d'idées par écrit.

L'imagination active

Si vous désirez accroître votre intuition, utilisez une cassette de méditation dirigée une fois par semaine ou plusieurs fois par mois.

Lorsqu'une intuition ou une image a traversé votre esprit, renforcez-la en la décrivant dans votre journal. On retient plus facilement ses pensées en les notant qu'en les gardant dans sa tête. Pour effectuer des associations d'idées, commencez par utiliser votre intuition et ensuite construisez une histoire. Laissez votre stylo transcrire tout ce qui vous passe par la tête. Ne vous arrêtez pas, ne changez rien, continuez à écrire et remplissez deux ou trois pages. Vous pouvez vous relire immédiatement, ou laisser passer deux ou trois jours.

Les animaux-totems

Les animaux-totems sont votre esprit animal spécifique. L'animal « vous choisit » en apparaissant dans vos rêves, dans la réalité, ou en captant votre imagination grâce à des histoires ou des images qui vous attirent particulièrement. Si vous essayez de choisir votre propre totem, vous choisirez un animal pour son « image » exotique ou séduisante, ce qui signifie que votre ego est impliqué ! Commencez par observer tous les oiseaux ou les animaux que vous apercevez en marchant, près de votre maison ou quand vous allez camper. À quoi pensiez-vous quand vous avez vu tel ou tel animal ? Si vous êtes préoccupé ou intéressé par quelque chose, quel peut être le message de cet animal pour vous ?

Si vous avez déjà une relation privilégiée avec un animal, attirez son énergie vers vous en ayant dans votre maison une photo ou une petite sculpture le représentant. Apprenez ses caractéristiques, et quand vous avez une décision difficile à prendre, imaginez que vous lui parlez. Vos liens curatifs avec les animaux se font par l'intermédiaire de votre imagination. Vous voudrez peut-être acheter un jeu de cartes-médecine par Jamie Sams et David Carson pour mieux connaître les caractéristiques de chaque espèce. *Animal-Speak* (« Le Langage animal ») de Ted Andrews contient une mine d'informations et de suggestions pour travailler avec nos frères animaux.

ÉTUDE DE GROUPE

Visualisation (individuelle ou en groupe) pour la paix sur la planète

Si vous désirez contribuer à la paix mondiale, mais que vous ne sachiez pas comment procéder, projetez de méditer pour un « travail de paix » en faisant un exercice de visualisation une fois par jour ou par semaine. Méditez attentivement jusqu'à ce que vous vous sentiez détendu et apaisé. Faites pénétrer ensuite dans votre esprit votre vision de la paix : un cercle de gens réunis autour d'un feu de camp dans un endroit solitaire et qui se tiennent par la main ; une chaîne d'individus dont les mains se tendent au-dessus des continents et des mers ; des hommes et des femmes qui sourient et marchent dans les rues, en bavardant et en se livrant à leurs activités quotidiennes, et dont le cœur et le visage rayonnent d'amour ; des individus appartenant à des cultures diverses, assis ensemble, qui expriment leurs opinions différentes en débattant d'une façon saine et sincère. Une fois que vous avez obtenu une image qui vous remplisse véritablement d'amour et de vie, alors pensez-y fréquemment pendant la journée en dehors de votre temps de méditation. Ne soyez pas surpris si une occasion se présente et vous fait progresser dans votre travail pour la paix.

Visualiser l'activité ou l'action sociale la plus importante à vos yeux vous donnera beaucoup de pouvoir. Souvenez-vous que l'énergie suit la pensée, et que ce sur quoi vous vous concentrez prend de l'importance. Créez une forte image visuelle pour ce qui compte le plus pour vous, qu'il s'agisse de la préservation des forêts tropicales, de l'amour et de l'attention pour les enfants sans abri, de la construction de maisons et d'écoles, des soins destinés aux malades, ou de la création de jardins dans le désert par l'irrigation. Choisissez le domaine qui vous attire le plus et concentrez-vous sur la réalisation effective de cette action positive. Attendez-vous à ce qu'une occasion se présente et vous fasse progresser dans ce genre d'interaction.

Sujets pour des discussions de groupe

• Comment gérez-vous les doutes et la peur, quand votre intuition semble suggérer une nouvelle direction ?
• Certains animaux sont-ils apparus dans votre vie à des moments spéciaux ?

Pratique de l'intuition

1) À tour de rôle recevez des messages intuitifs émis par des membres du groupe. Cet exercice peut prendre de cinq à dix minutes par personne et est passionnant. Un participant s'asseoit en face des autres, les yeux clos, et reste silencieux. Chacun se met à l'écoute de l'énergie de cette personne, puis donne verbalement des indications ou des images positives qu'il a reçues d'elle. Chacun parle spontanément au fur et à mesure que les images lui viennent à l'esprit. Quelqu'un doit noter toutes les données énoncées. Quand vous sentez que l'énergie est épuisée, laissez la personne elle-même donner son avis sur la justesse des informations reçues.
2) Utilisez *le Yi King* ou toute autre méthode favorisant l'intuition.
3) Chaque participant doit écrire une question spécifique sur une feuille de papier. Mélangez tous les morceaux de papier, puis tirez-en un au sort sans le déplier ni le lire. Placez-le au centre de la pièce. Chacun ferme alors les yeux et recueille tous les messages et les images qui lui parviennent sans les censurer. Décrivez-les à haute voix pendant que l'un d'entre vous les note. Quand vous sentez que l'énergie est épuisée, ouvrez le morceau de papier et voyez comment les propos recueillis répondent à la question !

Travail sur les rêves

Analysez le contenu d'un rêve. Assurez-vous que chacun ait envie de participer à cette activité, car l'analyse des rêves peut devenir monotone ou ennuyeuse si certains membres du groupe s'abstiennent. Cherchez le message qui révèle quelque chose dont vous n'êtes pas conscient dans votre vie actuelle.

4

Clarification

LE PAPILLON
LE CHANGEMENT

J'ai réfléchi à tous les groupes auxquels j'avais participé, où certains s'appréciaient au premier coup d'œil, tandis que d'autres s'affrontaient d'emblée, sans raison apparente. Je me suis demandé : l'humanité est-elle prête maintenant à percevoir l'origine lointaine de ces réactions inconscientes ? (*La Dixième Prophétie* [1].)

Les révélations nous ont enseigné que la meilleure chose que nous puissions faire pour nous-mêmes est de nous emplir d'énergie positive et d'amour. Cependant, si nous voulons être dans le flux de la vie, nous devons aussi cesser de gaspiller de l'énergie en des échanges répétitifs et stériles. Si nous laissons échapper notre potentiel, nous ne pouvons pas accumuler suffisamment d'énergie positive pour créer la vie que nous voulons. Nous perdons de l'énergie quand nous permettons à d'autres de l'accaparer et que nous ne sommes pas conscients de nos mécanismes de domination.

Nous savons que nous sommes préoccupés. Nous nous entendons dire vingt fois par jour : « Je me demande ce que je fais de mon temps », « Jamais je n'arriverai à finir tout ce travail », « Je ne peux pas me le permettre », « C'est beaucoup trop cher », « Impossible de compter sur qui que ce soit » ou des variantes sur ces thèmes. À chaque fois nous gaspillons de l'énergie. Nous savons que certaines personnes nous manipulent facilement et nous font tourner en bourrique, nous rendent irritables ou nous culpabilisent.

Lorsque nous avons atteint le niveau de perception de la dixième révélation, notre Vision de Naissance nous conduit jusqu'aux gens que nous avons besoin de rencontrer, et nous indique la tâche que nous devons effectuer. Ceci est en harmonie avec la Vision du Monde dans la mesure où nous sommes attentifs aux conséquences de nos actions sur les autres et où nous cherchons activement à rendre le monde meilleur pour tous. Une fois que nous sommes parvenus à ce niveau, une grande partie de nos problèmes antérieurs ont été balayés et nous n'essayons plus de contrôler les autres. Pourquoi, alors, nous laissons-nous encore manipuler dans certaines situations ?

Commencez par vous rappeler : « Je sais que le monde extérieur reflète mon état intérieur. » Demandez-vous : « Suis-je encore coincé dans mon vieux comportement dicté par un mécanisme de domination ? Suis-je en train de filtrer mes perceptions à propos de moi-même et des autres grâce à une vieille méthode, parce que je me sens menacé ou angoissé ? Quels sont les signes ou les intuitions que j'ai ignorés dernièrement ? » Si une lutte intérieure concernant quelqu'un d'autre se déroule en vous, allongez votre moment d'apaisement au commencement de la méditation. Cherchez, dans vos rêves, des scénarios révélateurs qui vous donnent une autre image vivante de votre état intérieur actuel et appliquez ce message à votre conflit avec cette personne.

Lorsque nous atteignons le niveau de perception de la dixième révélation, nous sommes prêts à envisager que des réactions négatives vis-à-vis de certains individus proviennent peut-être d'une relation antérieure avec eux dans une vie précédente. La dixième révélation suggère que ces sentiments irrationnels de culpabilité, d'irritation – peut-être même la peur d'être trahi – pourraient être des souvenirs résiduels de problèmes non résolus dans des vies antérieures. Bien sûr, il nous arrive aussi d'éprouver des sentiments irrationnels positifs envers quelqu'un : ils indiquent généralement des expériences de vie très enrichissantes avec cette âme. Dans la mesure où les sentiments négatifs nous bouleversent et affectent notre capacité de vivre notre projet, nous nous concentrerons dans ce chapitre sur la façon de dénouer les fils, voire les cordes, d'énergie négative qui nous entravent.

CLARIFIER LES MÉCANISMES DE DOMINATION CRÉÉS AU COURS DE NOTRE VIE ACTUELLE

La sixième révélation suggère que, durant notre enfance, nous avons commencé à utiliser certains comportements afin de rester connectés à nos parents dont nous dépendions pour grandir. Ces comportements se sont développés à partir de notre perception de nos géniteurs : nous les considérions comme des personnes intimidatrices et envahissantes, ou comme des victimes qui se plaignent continuellement. Dans chaque cas, nous réagissions d'une certaine façon. Avec le temps, ces comportements se sont figés et transformés en ce que nous appelons des « mécanismes de domination ». Nous tentions de garder le *contrôle* de la relation parfois incertaine que nous avions avec l'amour et l'attention de nos parents – pour assurer notre survie même. Nous avons ainsi appris à maîtriser notre environnement de la seule façon que nous connaissions, à ce niveau de développement. C'est devenu un *mécanisme* parce que nous continuons à reproduire cette attitude à l'âge adulte, tout en étant bloqués par ces réactions dépassées.

Certains enfants crient et piquent des crises de colère pour intimider leurs parents et les obliger à leur accorder leur attention – ils apprennent ainsi à dominer les autres en étant des Intimidateurs. D'autres harcèlent constamment leurs parents avec des questions ou des actes ouvertement agressifs parce que ces derniers sont souvent absents ou distants – ils apprennent ainsi à devenir des Interrogateurs pour obtenir leur attention. Certains essayent de se dissimuler ou de s'en tirer en pratiquant des actions sournoisement perturbatrices parce que leurs parents s'immiscent constamment dans leur vie et sont trop sévères *(cf. ante)* – ils apprennent ainsi à être distants et réservés. Et enfin, certains pleurnichent et sucent leur pouce ; ils réagissent ainsi de façon passive à un (ou des parents) menaçant(s), intimidateur(s) – ils apprennent alors à vivre de cette manière : leur entourage considère qu'ils ont sans cesse besoin d'aide et d'attention (Victimes).

À l'âge adulte, ces différentes tactiques deviennent non seulement largement inefficaces et insatisfaisantes, mais elles bloquent également les synchronicités qui pourraient nous révéler notre Vision de Naissance. En clair, à moins que nous nous rendions compte de ces schémas de réaction, nous sommes coincés. Par exemple, nous pouvons essayer d'intimider les autres en les obligeant à nous donner ce que nous voulons (argent, amour, attention, reconnaissance, etc.), et ce en ayant une attitude agressive, catégorique, menaçante ou égocentrique. Intimidateurs, nous craignons de ne pas être pris au sérieux, et donc nous voulons écarter les menaces potentielles à notre liberté ou notre orgueil. En fait, l'Intimidateur ignore souvent quels sont ses vrais besoins et sentiments.

Les Intimidateurs voient le monde comme un champ de bataille. Chaque fois que nous agissons en étant poussés par un besoin de tout contrôler, nous limitons tout soutien providentiel ou nous en privons complètement. Si l'Intimidateur pense que la vie est une lutte et que les autres attendent le moment propice pour lui dérober son pouvoir, alors il attirera ce type de situation. L'énergie suit la pensée. La bataille qui se déroule à l'intérieur d'un individu se manifestera à l'extérieur, dans le monde réel.

Ce type de sujet sera incapable de conserver une Vision du Monde si son principal mode d'interaction est la confrontation et l'agressivité. Il sera trop occupé à mener des combats internes pour aider les autres. Tous ceux qui jouent les Intimidateurs dans leur vie privée contribuent à maintenir la vieille Vision du Monde en répandant cette mentalité belliqueuse dans le champ unifié de la conscience.

Les Interrogateurs voient le monde comme un jeu de malins. Ils observent toujours les autres pour trouver leurs points faibles et agissent de façon à en tirer profit. Ils déprécient les idées d'autrui en posant des questions rhétoriques qui les séparent et les éloignent des autres, plutôt que de créer une relation honnête de réciprocité (concessions mutuelles). « Je vais me faire l'avocat du diable » est l'une de leurs phrases favorites. Certes, les controverses sont souvent saines. Un débat légitime n'a cependant rien à voir avec le mécanisme de domination de l'Interrogateur, qui se résume à une réaction mécanique pour voler de l'énergie à l'autre et garder l'impression de tout contrôler. Annoncer fréquemment que l'on va contredire l'autre crée une distance et l'oblige à se poser en adversaire. Celui qui contrecarre constamment son interlocuteur veut qu'on le considère comme une personne importante afin de s'assurer un flux d'attention permanent. S'il pose une question, vous devez lui répondre, et vous placer immédiatement sur la défensive. Par conséquent, son propre besoin d'être important crée un élément de division, de corrosion, qui n'aide nullement à créer une vision positive pour réaliser un projet ou changer le monde. Son impulsion l'encourage à démolir les idées, plutôt que de s'ouvrir à la sagesse des autres. À l'échelle de l'humanité, ce mécanisme de domination entretient l'idée de séparation (Nous/Eux), la suspicion et la haine.

Les individus distants considèrent que l'univers est menaçant ou accablant. Ils préfèrent se retirer dans leur coin et ne pas participer de façon active, responsable, à la transformation de la planète. Ils craignent de prendre position, de commettre une erreur, d'être critiqués ou considérés comme incompétents ; par conséquent, ils s'expriment peu ou pas du tout et ne cherchent pas à faire connaître leur avis. Cette attitude distante maintient aussi les gens séparés les uns des autres, et draine subtilement l'énergie des partenaires. En restant distant, renfermé, en se coupant du reste du monde, l'Indifférent se sent isolé, méfiant, et son comportement est légitimé à ses yeux lorsque les choses échouent ou tournent mal. Il est incapable de voir qu'il crée inconsciemment l'échec parce qu'il ne participe pas véritablement aux événements. Les Indifférents sont souvent timides, ou craignent que les autres découvrent leurs sentiments ; en fait, ils appréhendent (ayant eu un parent interrogateur ou intimidateur) que quelqu'un nie leurs besoins ou leurs sentiments. Lorsqu'ils sont contestés, ils se sentent rayés de la carte, comme morts : cela les pousse à adopter un comportement de survie.

Les Indifférents considèrent les autres comme des envahisseurs potentiels. Même si certains sont convaincus que l'on pourrait améliorer le monde, ils ne bougent pas le petit doigt, car ils refusent de s'engager, de faire le premier pas. Naturellement prudents, les Indifférents se méfient toujours des motivations des autres et ont tendance à reculer devant les rencontres qui tombent au bon moment. Devant les drames de notre époque, ils deviennent des spectateurs « innocents » ou apathiques, tandis que de bonnes et saines réactions les stimuleraient à agir face à notre société.

Les Victimes considèrent que la vie est injuste. Pour eux, les problèmes viennent toujours de l'extérieur ; des autres, ou des situations qu'ils vivent. Le monde est manifestement incontrôlable et on doit se défendre contre lui à tout prix. Vous pouvez reconnaître l'attitude de la Victime à des phrases de ce genre : « On ne peut rien y changer », « Ce sont les riches qui commandent », « Je n'ai jamais une minute à moi », « Si je n'avais pas tous ces impôts à payer, cela irait beaucoup mieux », « Vous ne m'avez jamais donné ce que je vous demandais », « Je ne m'en sortirai jamais ». Et ainsi de suite. Les Victimes se sentent impuissantes, et parlent constamment de leurs souffrances, de leurs problèmes. Elles se définissent par leurs traumatismes passés ; elles drainent l'attention et l'énergie de leur entourage en se concentrant constamment sur les choses négatives pour que les autres, leurrés, leur donnent de l'énergie.

En fait, toute notre culture repose sur la victimisation. Grâce à la télévision, nous pouvons être présents sur presque tous les lieux où se produisent des crimes ou des tragédies. L'immense majorité des reportages dans les médias entretient la perspective que, à moins de nous montrer très prudents, nous aussi nous serons assassinés, coupés en petits morceaux, ruinés ou deviendrons SDF. La Victime se polarise sur les aspects effrayants et négatifs de la Vision du Monde. Si de toute façon l'humanité sombre dans la décadence, alors ils ont une bonne excuse pour rester embourbés dans l'inaction.

Carolyne Myss, une chercheuse qui écrit des livres et a une excellente intuition médicale, parle de façon éloquente de la mentalité de Victime dans une conférence sur cassette appelée « Pourquoi les gens ne guérissent pas ». Myss soutient que nous transformons nos épreuves en un pouvoir, et devenons dépendants du statut et du privilège conférés par ces épreuves. Par exemple, nous racontons invariablement des détails poignants sur notre histoire passée. Nous dévoilons les souffrances que nous avons endurées, qu'il s'agisse de mauvais traitements durant notre enfance, d'inceste, d'alcoolisme, de la mort d'un de nos enfants ou de tout autre échec ou carence affective.

La plus grave catastrophe pour un individu est la séparation entre le bébé et sa mère à la naissance. Cette expérience d'abandon constitue l'événement le plus dévastateur de la vie, et il nous handicape considérablement sur le plan émotionnel et psychologique. La mère sombre souvent dans la dépression postnatale, car elle est coupée du lien affectif censé s'installer avec son enfant. Elle commence

> par pleurer, mais ces larmes se transforment en colère, en dureté, deviennent une armure qui cache une blessure béante, jamais guérie, dont la plupart des femmes ne sont même pas conscientes, puisqu'elle est projetée sur l'environnement général et trop souvent reportée sur l'infortuné bébé-enfant. (Joseph Chilton Pearce, *Evolution's End.*)

Évidemment, quand quelque chose de négatif vous arrive, vous avez besoin de réconfort et d'un certain délai pour en affronter les conséquences. Avec le temps vous guérissez et poursuivez votre chemin. Mais si vous gardez votre plaie à vif et que vous l'utilisiez pour filtrer tous les événements de votre vie, cette blessure sert d'excuse et d'explication à vos échecs.

Myss pense que nous avons laissé une partie de notre âme dans ces premiers traumatismes, et que nous continuons à les raviver parce qu'ils nous semblent encore injustes. L'énergie que nous obtenons de ceux qui écoutent nos confidences nous donne du pouvoir. Donc, nous ne pouvons ou ne voulons pas laisser tomber ces vieilles douleurs. Naturellement, dans le passé, nous avons tous connu des épreuves qui nous ont rendus plus forts. Mais si nous gardons ces événements négatifs bien vivants dans le présent, cela *sape l'énergie psychique dont nous avons besoin pour créer une nouvelle voie*, pour accomplir notre Vision de Naissance.

Une fois que notre perception change et que nous nous rendons compte que ces événements se sont peut-être produits pour une raison précise, nous pouvons abandonner l'idée que nous avons été blessés par quelque chose. Comme le dit Myss : « Vous vous serez alors libéré d'une perception qui vous affaiblit [...]. À la suite de quoi votre perception passera à un niveau supérieur [...]. Le pardon a une action considérable parce que vous évacuez de votre esprit tous les reproches, les excuses et les sentiments d'impuissance liés à l'idée d'une justice œil pour œil [2]. »

La vie change totalement quand votre perception intérieure se modifie. Si vous ne vous fixez plus sur la façon dont les autres vous ont meurtri, vos relations seront toutes différentes. Selon Myss : « À partir du moment où vous cessez d'être une Victime, vous ne passerez plus votre temps avec des victimes... En effet, elles s'exclameront : “ Mon Dieu, comme tu as changé ! ” Cela ne leur plaira pas, elles vous considéreront comme un traître. Vous devez être suffisamment fort pour montrer aux autres que vous avez changé [...], parce que vous ne pouvez pas porter la croix de tout le monde [...]. Vous aurez peur [...] et vous demanderez : “ Comment sera ma vie si je vais bien ? Comment seront mes nouvelles relations fondées sur la confiance en soi, la mienne et celle de mes interlocuteurs ! " Quand vous confiez vos épreuves à quelqu'un, vous avez plusieurs visées cachées : 1) exercer un pouvoir sur l'autre : 2) le dominer ; 3) vous prévoyez qu'un jour vous aurez des difficultés et que vous aurez besoin d'une aide, ce qui est vraiment une manipulation planifiée longtemps à l'avance [3]. »

Exemple du mécanisme de domination Victime/Intimidateur

En lisant *La Prophétie des Andes*, en 1993, Jane a découvert qu'elle avait croisé beaucoup d'Intimidateurs dans sa vie. Se sentant épuisée et furieuse à cause « de la façon dont on la traitait », elle éprouvait aussi de la culpabilité car elle se demandait si elle s'occupait suffisamment des autres. « Ayant croisé trois Intimidateurs importants dans ma vie, j'ai dû admettre que je les attirais pour une raison spéciale. J'ai tout de suite pensé qu'ils ressemblaient beaucoup à ma mère. Il m'a fallu vraiment beaucoup souffrir avant de pouvoir m'analyser en profondeur et reconnaître mon mécanisme de domination. Depuis je suis absolument déterminée à m'en débarrasser. »

Jane nous a appelés récemment. « Je me sens tellement différente maintenant ! nous a-t-elle déclaré. Par exemple, j'ai complètement changé d'attitude à propos de mon métier : l'immobilier. Il y a six mois, je pensais que cette activité ne me convenait pas du tout. Maintenant je réussis à avoir de très bons clients, et j'apprécie de collaborer avec eux. Je me sens plus créative, plus optimiste, et cela me rend plus avenante. Me sentant détendue, je ne suis plus stressée en permanence. J'ai recommencé à gagner de l'argent, mais ce n'est pas seulement une question financière. En effet, bien que j'aie déjà connu de bonnes années auparavant, j'éprouvais encore de l'angoisse. J'ai vraiment travaillé sur mon attitude de Victime, et j'ai l'impression d'avoir considérablement fait baisser la pression. Lorsque je suis irritée, cela ne fait plus boule de neige comme auparavant. » Que s'est-il passé ? lui avons-nous demandé.

> Les autres possèdent le pouvoir que je leur reconnais [...]. Si j'attribue à l'*Autre* un pouvoir qu'il ne possède pas, alors j'affronte mon propre pouvoir. Mon partenaire est devenu mon adversaire, mon ennemi. Inversement, si l'*Autre* possède du pouvoir, mais que je sache qu'il ne peut pas l'exercer contre moi, il n'a alors aucun pouvoir – du moins à mon encontre. (Gerry Spence, *Savoir convaincre, faire passer ses idées en toute circonstance.*)

« D'abord, je savais que ces gens se trouvaient dans ma vie pour une raison. Je ne cessais d'être attirée par des personnes au caractère difficile. Elles pouvaient me piéger facilement – elles m'hypnotisaient presque. Je ne peux pas bien l'expliquer mais j'avais l'intuition que je reproduisais un vieux schéma. Ensuite, j'ai constaté que je finissais par exploser chaque fois que j'ignorais trop longtemps mes propres besoins. Certes ces individus étaient exigeants et égoïstes, mais je me culpabilisais et multipliais les concessions. Finalement, une fois que ma colère s'était accumulée, je me montrais encore plus intimidatrice qu'eux. Je pensais sans doute que je serais incapable de les affronter sans emmagasiner de la colère, ce qui me permettait de me sentir puissante.

« Je dépensais tellement d'énergie que j'ai finalement dû prendre des mesures. J'avais l'impression de conduire avec un pilote automatique. Je perdais mon énergie, puis j'explosais. Ensuite, je me sentais coupable. Je me concentrais entièrement sur les autres et leurs problèmes, et j'oubliais complètement mes besoins.

« J'ai commencé par chercher à comprendre intellectuellement mes mécanismes de domination. J'ai travaillé avec un thérapeute. Chaque fois que je rencontrais l'un de mes Intimidateurs, j'observais très attentivement mes sentiments et je me demandais quelle attitude adopter. Au téléphone, j'ai essayé plusieurs tactiques du genre : “ Il faut que je raccroche maintenant ” ou “ Je n'aime pas la façon dont tu me parles ”.

« La première fois que j'ai raccroché au nez d'une de ces personnes, j'ai senti un énorme vide dans mon estomac. Et ce malaise s'est reproduit souvent. Mais j'ai persisté : je voulais rompre avec mon mécanisme de domination et garder mon pouvoir. Je me suis rendu compte alors que ces personnes me traitaient mieux qu'avant. Quand par hasard elles criaient ou hurlaient, je les laissais gesticuler. J'apprenais à être plus détachée. Je me concentrais sur moi-même au lieu de m'intéresser à leur comportement. J'ai alors franchi le premier cap important : “ Jane, pense à toi. ”

« Je tenais un journal où je transcrivais nos échanges et mes sentiments. Quand je le relisais, je me demandais : Comment pourrai-je me montrer plus calme dans telle situation ? Que ferais-je de différent la prochaine fois ? Je me suis vraiment beaucoup entraînée, parce que je ne contrôlais pas mes actes ! Jusque-là j'étais sur pilote automatique, j'avais des œillères et mes choix s'effectuaient de façon complètement aveugle. »

Comment on se fait piéger

L'histoire de Jane contient plusieurs éléments communs à tous les comportements dysfonctionnels que provoquent les mécanismes de domination. D'abord, elle s'est rendu compte qu'elle rencontrait souvent des Intimidateurs. Elle était attirée par les gens au caractère difficile et se sentait piégée. Ce piège servait à attirer son attention pour qu'elle parvienne à se libérer de son vieux système.

La projection de sa colère faussait ses autres décisions

Ensuite, elle a découvert qu'elle niait l'étendue de sa souffrance, tout en rageant de plus en plus. Elle projetait sa souffrance et sa colère dans son travail, ce qui l'induisait à penser qu'elle n'était pas à sa place dans l'immobilier. Enfin, elle ignorait ses vrais sentiments, et se concentrait seulement sur l'attitude de son interlocuteur, un peu comme si elle était absente de la situation. Elle éprouvait une perte d'énergie, réagissait en se mettant en colère, et ensuite se sentait coupable – ce qui, bien sûr, lui faisait perdre beaucoup d'énergie lorsqu'elle revivait les scènes de conflit dans sa tête et se croyait en faute.

Revenir à son corps pour y chercher une source d'information

Jane commença à inverser son mécanisme de domination quand elle découvrit à quel point il la piégeait. Elle se reconnecta avec les sensations physiques dans son cou et son estomac, et se sentit alors davantage capable de prendre soin d'elle-même sur le moment – et pas seulement après, quand elle rejouait la rencontre dans sa tête. Elle réfléchit à différentes réponses, et fit savoir qu'elle n'aimait pas entendre des cris ou des critiques injustifiées. Plus important : elle s'occupa de ses propres sentiments et de son intention de surmonter sa peur, car elle était persuadée que cela la conduirait à des choix libérateurs. Elle réussit à se débarrasser de son réflexe consistant à se défendre et à dominer les autres, et sentit qu'elle pouvait s'occuper d'elle-même, y compris lorsque l'on essayait de lui dérober son énergie.

Les autres ne rendront pas votre vie meilleure

Lorsqu'elle découvrit que ses conflits intérieurs se manifestaient dans ces relations difficiles, Jane vit plus clairement que, à un niveau profond, chacune de ces personnes représentait un élément *qu'elle pensait inconsciemment nécessaire à sa survie.* « Je me suis rendu compte que j'étais piégée par une femme parce qu'elle était célèbre. J'avais peur de perdre ce contact parce que je me sentais honorée de l'avoir comme cliente. Un autre client était très riche, il avait tous les talents, et vivait dans une maison merveilleuse que j'adorais. La troisième était une femme très intelligente et qui rencontrait beaucoup de succès. Très brillante, elle possédait un excellent réseau de relations, ce dont j'étais à mon avis dépourvue. J'enviais son statut social et espérais qu'elle me présenterait à des gens influents. Peu de temps après avoir réfléchi à ma relation avec elle, j'ai eu la chance, par " hasard ", de participer à un événement important où l'on a beaucoup apprécié mes capacités d'oratrice et mon talent pour attirer un large public. Soudain, j'ai senti que j'étais connectée à ma propre source de pouvoir et d'énergie ! C'est devenu parfaitement clair pour moi : lorsque j'essayais de me connecter à ces trois sujets, je perdais de l'énergie au lieu d'en gagner. »

Reprendre l'énergie donnée aux autres

En termes psychologiques, Jane a récupéré les qualités qu'elle avait projetées sur ces individus. Elle a repris ses marques et n'a plus ressenti le besoin d'attirer des Intimidateurs pour pallier son manque d'auto-estime. Elle s'est aussi débarrassée d'une illusion sous-jacente : elle s'imaginait que sa survie dépendait de sa soumission à des gens au caractère difficile auxquels elle s'efforçait de faire plaisir, reproduisant son attitude envers sa mère durant son enfance.

Jane veut rester connectée à sa propre énergie : « Je me promène dans la nature, je cours sur la plage. Je médite. Je regarde la beauté autour de moi, ou j'écoute de la musique. J'essaie de manger correctement. J'ai vraiment appris à ne pas réagir à tous les pièges que me tendent mes clients. Je sais quand je dois dire non ; je sais maintenant rester détachée et mesurer les limites de mes concessions ; je ne prétends plus être une Victime. Peu importe si cela me coûte de dire non, je dois me protéger. Je donne la priorité à mes véritables besoins, et je laisse les autres être ce qu'ils sont, sans essayer de les comprendre ou de les changer.

« Si je sens que je commence à être épuisée, je me rappelle que j'ai la possibilité de changer d'attitude. Parfois, pour être en paix avec moi-même, j'élève la voix, mais même lorsque cela m'arrive, je reste centrée sur ma propre énergie.

« Je suis stupéfiée par la façon dont ma situation a changé. Je pensais devoir quitter l'immobilier, mais on m'a offert un poste dans une nouvelle société où la dynamique est complètement différente. Nous travaillons tous ensemble. C'est vraiment super. J'adore mes collègues. Et vous savez, maintenant que j'y réfléchis, je n'ai rien fait pour que cela arrive. Les choses ont été entraînées dans une sorte de courant. » Elle déjeunait récemment avec son amie Patti et la sœur de celle-ci, Nadine. Nadine se livrait à des remarques très sarcastiques à propos de l'intérêt de Jane et de Patti pour l'aromathérapie et l'astrologie : « Ce ne sont que des âneries New Age », a-t-elle affirmé. Patti a commencé à s'énerver, mais Jane a remarqué que cette discussion lui semblait plutôt comique. La bonne humeur de Jane est devenue contagieuse et, plus tard, Patti l'a remerciée d'avoir modifié le courant d'énergie, et d'avoir transformé une discussion mortellement sérieuse en un échange d'idées amical. Jane remarque : « Si vous gardez votre sens de l'humour, les gens ne peuvent pas continuer à être agressifs. »

La détermination de Jane, ou son intention, de changer un schéma douloureux l'a amenée à découvrir ce mécanisme de domination pour pouvoir l'affronter et s'en débarrasser. Elle n'a pas ignoré les gens et n'a pas changé de travail. Elle a compris que, derrière le schéma récurrent qui lui faisait attirer des Intimidateurs, il y avait un objectif de guérison. Elle a trouvé cet objectif en notant chaque épisode et en analysant les messages transmis dans ses rêves. Cessant de se sentir coupable des problèmes d'autrui, elle a remarqué les moments où son énergie baissait, et a pris des mesures pour conserver sa forme et ne pas être vidée par son entourage. Son projet d'être totalement à l'intérieur d'elle-même a attiré de nouvelles opportunités et a modifié son opinion sur elle-même et son travail. Même si cela a été douloureux pendant un certain temps, la prise de conscience et le travail psychologique qu'elle a effectués l'ont fait accéder à un degré supérieur de développement spirituel.

> Prendre conscience d'un mécanisme de domination et s'en libérer augmentent toujours l'angoisse, dans un premier temps, parce que la compulsion s'aggrave avant que l'on puisse trouver la solution intérieure au désarroi. C'est pourquoi « la nuit obscure de l'âme » précède parfois une augmentation de la prise de conscience et une euphorie spirituelle. (James Redfield, *La Dixième Prophétie.*)

« Maintenant je remarque les panneaux d'avertissement et les drapeaux rouges. Comme dans un match de football, je vois le ballon arriver sur moi – et je m'écarte pour le laisser passer. Quelques exemples de drapeau rouge : si une personne m'aborde trop abruptement, si je sens que quelqu'un cherche à me culpabiliser, est agressif ou exerce une trop forte pression. Je sens quand on veut obtenir quelque chose de moi. J'ai l'impression que ces gens ne sont pas en harmonie avec eux-mêmes. Avant j'étais comme eux – " en dehors de moi-même ". Je suis beaucoup moins passive, je ne suis plus le centre d'un univers hostile. Quand j'étais aussi égocentrique, je ne pouvais pas prendre en compte la réalité des autres. Aujourd'hui, même lorsque l'on me met sur un piédestal et que mon ego s'en réjouit, je sais qu'il s'agit d'une relation déséquilibrée. »

Équipement lourd, énergie lourde

Suzy, qui vit en Oklahoma, nous a raconté comment elle a découvert que les êtres humains ont tendance à vouloir accaparer l'énergie et comment cela lui a permis de traiter autrement des clients récalcitrants.

« Nous louons des remorques utilitaires pour transporter de l'équipement lourd et je négocie avec des hommes. Dans mon travail nombre d'entre eux font preuve d'agressivité quand ils ont affaire à une femme et qu'il s'agit de " trucs masculins ". Ils m'abordent avec un esprit belliqueux. Ils pensent sans doute qu'ainsi ils obtiendront ce qu'ils veulent, ou ce dont ils ont besoin. Cela me mettait en colère. Après avoir lu *La Prophétie des Andes* et *Les Leçons de la Prophétie des Andes*, au lieu de me sentir une Victime, je comprends mieux l'attitude de ces types à mon égard.

« Depuis que je sais que les mécanismes de domination commencent durant l'enfance, je ne me sens plus menacée. Les êtres humains répètent seulement les comportements qu'ils ont appris. Certains clients se font passer pour des Victimes en me disant : " Oh ! vous n'allez quand même pas me facturer une journée entière ! " et ainsi de suite. Ils essaient constamment d'obtenir ma sympathie et de manipuler les circonstances en leur faveur. Cela me fait presque rire parfois. »

Comme Jane, Suzy a également transformé sa vision intérieure et extérieure du travail. Elle n'a psychanalysé personne, n'a pas vanté les vertus de la spiritualité, n'a souligné les fautes de personne. *Elle a modifié sa perception intérieure.* Maintenant, elle ne pense plus automatiquement qu'elle est la cause de la grossièreté de ses clients ; elle ne lutte pas non plus pour garder son propre pouvoir. Grâce à la nouvelle conscience qu'elle a acquise, même son sens de l'humour s'est développé.

L'harmonie intérieure

Un musicien de jazz de La Nouvelle-Orléans, B.F., nous a écrit : « Les idées de *La Prophétie des Andes* ont bouleversé ma vie. Les coïncidences se produisent si fréquemment pour moi que je tiens un journal pour les noter toutes. J'ai toujours joué l'Indifférent, mais maintenant je me rends compte que plus j'essaie de me lier avec des gens, plus les coïncidences me permettent de rester ouvert.

« Mon père était un Interrogateur, j'ai donc réagi en adoptant le rôle de l'Indifférent. C'était un immigré irlandais à l'esprit très pratique – contrairement à moi. Il considérait la musique comme une activité peu réaliste. Il ne m'a pas laissé faire des études de musique, ce qui m'a beaucoup handicapé. Il raisonnait à partir des faits bruts et faisait appel à la logique ; quant à moi, je n'arrivais pas à lui expliquer mes sentiments. Je suis devenu indifférent et passif. J'ai toujours su que j'étais distant, et cela m'a empêché de prendre des risques importants, de progresser [...]. Je portais un masque – qui me contraignait à ne pas être moi-même, et je suis sûr que cela a affecté ma créativité. Maintenant, plus je vais vers les autres, plus les coïncidences se multiplient. »

Comment on attire les Interrogateurs

Anne, qui dirige deux sociétés, a connu une importante lutte de pouvoir avec son associée, Joanie. Elle a lu ce que nous avions écrit sur les mécanismes de domination : « Aussitôt, un déclic s'est produit quand j'ai lu vos commentaires sur les rapports entre l'Interrogateur et l'Indifférent. Joanie correspondait tout à fait à l'Interrogatrice. J'avais l'impression qu'elle regardait constamment au-dessus de mon épaule pour me prendre en faute ou critiquer mes méthodes de travail. Cela me cassait les pieds, et je commençais à me demander si j'étais faite pour ce métier. Mais alors j'ai réalisé que j'avais pris le rôle d'une Indifférente et j'ai tout compris. " Nom d'une pipe ! je suis en train d'adopter ce comportement en réponse à l'attitude interrogatrice de Joanie ! " Je savais que je devenais de plus en plus froide à son égard. J'attendais plusieurs jours pour répondre à ses appels téléphoniques. Je ne lui racontais pas toutes mes tractations avec certains de nos clients. Je prenais mes distances avec elle, parce que je ne voulais plus l'avoir sur le dos. Et mon indifférence ravivait en elle sa peur de l'abandon. Je connaissais son passé familial, et me souvins que ses parents l'avaient abandonnée plusieurs fois. Elle n'avait jamais vraiment appris à faire confiance à qui que ce soit. À cause de ma propre insécurité, je devenais silencieuse et secrète et elle pensait probablement que j'allais la tenir à l'écart de tout.

« Quand j'ai découvert cela, j'ai compris que mon attitude distante avait affecté tous les aspects de ma vie. Par exemple, à une certaine époque, je discutais les décisions de mon médecin, mais désormais cela ne m'arrivait plus jamais. Je le laissais faire. Être indifférente m'empêchait aussi de promouvoir suffisamment ma société, ce qui affectait mes finances. Sans parler de mes relations personnelles ! »

LA SERRURE : Comment parvenez-vous à ce qu'ils vous écoutent ? Comment les ouvrez-vous ?

LA CLÉ : C'est très simple. Donnez-leur tout le pouvoir. Dites-leur la vérité. Soyez authentiquue.

Ah, si seulement nous pouvions les ouvrir pour qu'ils acceptent nos arguments ! – en effet si l'Autre veut nous entendre, même l'argument le plus simple le convaincra. D'un autre côté, nous pouvons exposer l'argument le plus habile jamais inventé, si l'Autre ne veut pas nous écouter, autant hurler à la lune avec les coyotes. Donner la possibilité à l'Autre d'accepter ou de rejeter nos arguments chasse notre peur de l'Autre, cette peur qui nous fait toujours échouer. Si vous dites à votre épouse : « J'en ai assez de ce travail. Je vais partir en vacances la semaine prochaine. Soit tu prends toi aussi un congé et nous partons ensemble, soit je pars tout seul », attendez-vous à partir seul.

Par contre, si vous lui déclarez : « Chérie, je suis vraiment fatigué, et toi aussi sûrement. Essaie de demander un congé, le plus tôt sera le mieux. J'aimerais que nous prenions de petites vacances ensemble » [...] en reconnaissant que la décision dépend uniquement de l'autre, vous créez une situation où personne n'est perdant. Si nous n'accordons pas ce pouvoir à l'autre, il sera toujours fermé et imperméable à nos arguments et nous courrons toujours à l'échec. (Gerry Spence, *Savoir convaincre, op. cit.*)

ÉCLAIRCIR LES SENTIMENTS NÉGATIFS

Les sentiments négatifs se retrouvent dans tous les mécanismes de domination. De quoi s'agit-il ? Que nous tendions à être un Intimidateur ou une Victime, nous passons tous par des états émotionnels négatifs : rancune, méfiance, cynisme, insécurité, arrogance, colère, jalousie ou envie. Ces sentiments proviennent de la peur ou de la douleur que nous ressentons quand nous croyons perdre le contrôle de notre vie. Ces états émotionnels négatifs drainent notre énergie et entravent nos tentatives de nous rappeler notre Vision de Naissance. Il est donc utile de les noter quand ils nous paralysent. Évidemment, une vie émotionnelle bien remplie inclut *tous* les sentiments, car chacun d'entre eux contient un message. Mais si nous sommes englués dans une énergie pesante, nous regardons la vie avec des œillères et produisons alors une quantité plus importante de l'énergie négative qui a obnubilé notre esprit. Créer une Vision du Monde positive nous demande d'être flexibles, adaptables et ouverts à l'enseignement des autres. La prochaine fois que vous aurez un problème de communication ou un conflit avec quelqu'un, observez combien votre corps semble vous peser.

Nettoyer le champ

Pour nettoyer notre champ d'énergie il faut : 1) découvrir nos mécanismes de domination ; 2) remplacer les vieilles réactions par des solutions créatives ; 3) tourner la page du passé et continuer notre chemin.

Barbara est une enseignante, guérisseuse, thérapeute, essayiste et scientifique qui a mené des recherches sur l'énergie humaine pendant vingt ans. Considérée comme l'une des guérisseuses spirituelles les plus expertes, elle conçoit le champ d'énergie humaine comme une structure matricielle sur laquelle se développent les cellules du corps physique. Selon elle, notre champ d'énergie change constamment, puisqu'il traite continuellement le flot d'informations qui lui arrive. Nos attitudes et nos décisions modifient la dynamique de l'énergie. Interviewée par Russell E. DiCarlo dans *Towards a New World Vision*, elle explique : « Quand vous vous pardonnez, des phénomènes merveilleux se produisent. Il existe une certaine tension et une énergie stagnante qui est conservée dans le champ toutes les fois que vous n'acceptez pas quelque chose à l'intérieur de vous-même. Un peu comme les mucosités du nez quand on est enrhumé. Dans votre propre structure énergétique vous créez donc des distorsions causées par votre intransigeance envers vous-même. Ces distorsions finiront par aboutir à une maladie. Quand vous vous pardonnez, vous débloquez le flux d'énergie dans votre champ afin qu'il se nettoie lui-même à fond [...]. Lorsque vous refusez de pardonner à quelqu'un, un schéma défini se met en place dans votre champ. Le bord extérieur de celui-ci deviendra rigide et friable quand vous interagirez avec cette personne. Vous ne laisserez pas votre énergie vitale s'écouler vers cette personne par de multiples autres façons. De larges bandes d'énergie ou serpentins de bio-plasma coulent normalement entre les gens au cours de leur interaction. Un échange d'énergie vitale se déroule normalement entre toutes les choses vivantes [...]. Mais s'il existe un sentiment d'intransigeance, tout cela sera stoppé. Le même genre d'obstruction se produira aussi chez l'autre personne concernée. Il s'agit normalement d'une route à double sens [4]. »

La clarification personnelle fait partie de la spiritualisation de la dimension terrestre

Comme l'indique la troisième révélation, nous sommes immergés dans le champ de la conscience divine pure (avant qu'elle soit façonnée par la conscience humaine). Chaque pensée et chaque décision affecte non seulement notre champ d'énergie personnel, mais aussi ceux avec lesquels nous avons des liens karmiques, et *même le champ d'énergie universel lui-même*. En épurant notre énergie personnelle, nous progressons vers l'unification des dimensions physique et spirituelle à l'intérieur de nous-mêmes. Puisque chacun de nous est une étincelle de Dieu, chaque clarification crée davantage d'énergie et d'amour pour des objectifs liés à l'évolution. Comme de nombreux maîtres l'ont affirmé : « Si vous voulez instaurer la paix dans le monde, commencez par l'établir à l'intérieur de vous-même. »

> Une chose ne fabrique pas l'autre, ni ne l'incite à se produire, comme le croit la causalité linéaire ; elle aide l'autre à arriver en lui fournissant une occasion, un lieu ou un contexte, et – ô miracle ! – la seconde influe sur la première à son tour. Il existe ici une dynamique mutuelle, réciproque. Le pouvoir n'est pas inhérent à toutes les entités mais aux relations entre les entités. (Joanna Macy, *World as Lover, World as Self.*)

La gratitude ouvre la voie aux coïncidences

Pour Brennan : « Tous les champs ont différents types de frontières, de sorte que la frontière de quelqu'un qui ressent beaucoup d'amour sera douce et plus élastique. Par conséquent il peut interagir beaucoup plus facilement avec un autre être humain [5]. » La reconnaissance stimule les régions profondes de l'esprit divin où réside la Vision de Naissance. Selon Brennan : « L'intense énergie provenant de l'essence divine fondamentale irradie ensuite vers l'extérieur. C'est comme si un couloir s'ouvrait à partir de l'essence fondamentale [...] et que l'énergie jaillissait pour irriguer le monde entier. La reconnaissance met également l'individu en synchronicité avec le champ d'énergie universelle [...] ou les champs morphogénétiques de la planète entière et de tous les systèmes solaires. C'est aussi très important parce que cela vous met en harmonie avec votre vie. Quand votre énergie peut couler de cette façon et trouver cette place dans la vie, alors l'univers entier vous apporte son aide [6]. »

Certes, nous n'avons pas encore tous atteint le stade où nous pourrons voir ces flux d'énergie. Mais de nombreux pionniers y ont réussi. Myss et Brennan, pour ne citer que ces deux noms, possèdent une expérience de première main sur les champs d'énergie, et les contributions de tous ces initiés ont augmenté notre potentiel collectif. Les preuves qui apparaissent dans des disciplines nouvelles comme la bioénergétique pourraient faire progresser directement des domaines importants comme la résolution des conflits mondiaux. Imaginez ce qui se passerait si nous appliquions cette conscience, ces perceptions et ces attitudes dans des négociations de paix pour élaborer d'autres stratégies de dialogue ! Comme une goutte d'encre rouge dans l'eau, nos émotions agissent sur le monde. Si nous avons un comportement plus affectueux et honnête dans nos relations personnelles, nos énergies ont un effet sur la collectivité. Sans fournir aucun effort supplémentaire, nous sommes en train de créer des conditions fructueuses pour que les autres les exploitent. Jane et Suzy, précédemment citées, ont constaté que les circonstances extérieures de leur vie se modifiaient presque automatiquement dès que leurs perceptions internes avaient changé leur comportement. Au lieu de chercher une recette linéaire, du genre A + B = C, pour « changer le monde », nous pouvons entreprendre de modifier la configuration de notre propre vie, puis *observer les signes qui nous indiqueront l'aide que nous pouvons apporter aux autres.* Ayons une perception plus fluide de l'évolution : voyons-la comme un processus dynamique stimulé par la *relation* entre les événements, les découvertes et les décisions. Une fois que nous aurons déblayé la route, notre Vision de Naissance et la Vision du Monde se déploieront naturellement.

RÉSISTANCE

Vous découvrez les révélations et souhaitez ardemment opérer des changements dans votre vie. Vous espérez trouver votre objectif existentiel. Vous voulez prodiguer plus d'amour, et élever votre niveau de compréhension spirituelle. Vous avez récemment perçu certaines des mesures nécessaires pour provoquer des changements positifs. Vous avez lu quelques exercices dans ce livre ou dans d'autres ouvrages et ils vous paraissent intéressants.

Mais vous n'avez encore rien concrétisé.

Vous avez l'impression d'avoir demandé une orientation pour vous sortir d'une impasse, mais, à votre grande frustration, rien ne se produit.

Bienvenue à la résistance. Cette dynamique apparaîtra dans votre vie sous de multiples avatars. Supposons qu'une de vos vieilles connaissances vous signale qu'un de vos comportements nuit à votre relation. Si cela vous préoccupe, vous admettrez probablement la validité de sa remarque. Mais vous ne l'avouerez sûrement pas en disant : « Je te remercie infiniment de ton observation. Je vais réfléchir à cette question, parce que je veux progresser et devenir meilleur. » Non. Vous adopterez sans doute une attitude suffisante et critiquerez ses remarques effrontées, présomptueuses et erronées. Ou vous lui en voudrez énormément pour toutes les réflexions culottées et outrecuidantes qu'elle a faites depuis que vous la connaissez. Dans l'ordinateur de votre esprit, vous verrez défiler toutes les phrases inexcusables que vous avez archivées. En effet, vous n'avez jamais pris le temps de lui expliquer, une bonne fois pour toutes, que vous êtes quelqu'un d'extraordinaire malgré le regard sévère, peu perspicace de cet(te) ami(e). Vous faites de la résistance. Si vous vous sentez « injustement offensé » et si la rancune est l'une de vos émotions négatives habituelles, alors vous croyez probablement au plus profond de vous-même en la loi du talion. Ce type de réaction montre une incapacité à recevoir du feed-back ou à remarquer quand les choses ne marchent pas. Votre attitude rigidifie et sape votre énergie créatrice.

La résistance peut indiquer l'imminence d'un changement

À Boston, un participant à un atelier sur les révélations de *La Prophétie des Andes* nous a déclaré : « J'ai découvert que, lorsque je résiste réellement à quelque chose, cela signifie qu'une vérité se cache derrière. Ma résistance signale souvent que je vais bientôt opérer un grand changement. J'ai toujours été un scientifique, et la spiritualité représente un domaine absolument inexploré pour moi. Mais maintenant, quand je sens une résistance en moi contre quelque chose de nouveau, je guette le changement (dans ma vie) qui se produit toujours peu de temps après. »

Même si *vous* savez que vous devriez modifier l'orientation de votre vie, vous ne passez pas pour autant à l'action. Demandez-vous : Que serai-je obligé d'abandonner si je franchis ce nouveau pas? Beverly, une radiologue, nous a confié que, après avoir découvert les révélations, elle continuait à éviter de se recueillir pour faire le bilan parental conseillé dans *Les Leçons de la Prophétie des Andes* (pp 168-174). Pourtant elle pensait qu'elle pourrait ainsi récolter quelques informations sur la raison pour laquelle elle avait choisi ses parents – et non d'autres. Elle se demandait alors : « Dois-je continuer à travailler dans le domaine médical ou me lancer à fond dans l'écriture ? » « J'ai découvert d'où provenait ma résistance à tout auto-examen de ce type. J'avais peur de réfléchir à l'enfant que j'étais à cette époque, et à l'adulte que je suis devenue aujourd'hui. J'avais du mal à penser de façon neutre à ma mère et à mon père. Je m'imaginais toujours que j'avais eu de " mauvais parents ". Je leur en voulais de m'avoir influencée autant. » Beverly avait besoin de rester « dans le noir » à propos de ses parents, car ainsi elle pouvait les rendre responsables du fait que son intérêt pour la littérature restait inabouti. En réalité, elle avait peur de commencer une carrière d'écrivain à son âge. Il lui était plus facile de penser que, si ses parents avaient encouragé son talent plus tôt, elle aurait avancé dans cette voie. Mais elle découvrit aussi que leur sévérité lui avait donné de l'autodiscipline, et que sa carrière médicale lui avait procuré beaucoup d'avantages matériels ainsi qu'une solide estime de soi. Elle en parla avec un ami qui lui suggéra d'appliquer ses qualités – la discipline et la capacité de relever les défis – à l'écriture et à la promotion de ses textes. « D'ailleurs, explique-t-elle, j'aurais sans doute eu bien peu de chose à dire quand j'étais jeune. Maintenant j'ai très envie d'écrire sur l'évolution de la médecine, et j'avais besoin de cette expérience pour être crédible. »

Trouvez l'intérêt de rester où vous êtes

Lorsque vous ne suivez pas une intuition ou une opportunité synchronistique, vous faites clairement un choix. À la racine de ce choix existe une autre peur ou une priorité plus profonde, plus importante en ce moment que la nouvelle vie que vous prétendez vouloir. Demandez-vous : « Qu'ai-je peur de découvrir à propos de moi ? Pour une fois, qu'est-ce que ma résistance au changement va me *permettre* d'être, de faire ou d'avoir ? Quel bénéfice vais-je tirer si je continue à me décrire de cette façon restrictive ? Pourquoi suis-je en train d'argumenter en faveur de mes limites ? »

Considérez votre résistance comme une balise qui signale une croyance qui vous bloque. Cela vous aidera. Sans porter de jugement, voyez-la comme un endroit où vous devriez amener de la lumière et de la douceur. Les maîtres bouddhistes suggèrent d'aspirer la résistance que vous éprouvez, et d'observer comment elle se déplace dans votre cœur. Imaginez qu'elle se dissout et est éliminée tandis qu'elle traverse votre cœur rempli d'amour et de lumière.

ÉCLAIRCISSEZ LES SENTIMENTS RÉSIDUELS PROVENANT DE VIES ANTÉRIEURES

Maintenant que nous avons passé en revue les différentes manières d'éliminer les blocages d'énergie de notre vie *actuelle* enracinés dans des événements du passé, intéressons-nous aux liens avec des couches plus profondes à l'intérieur de nous-mêmes. Pourquoi ? De plus en plus, des groupes de gens se réincarnent en même temps pour conserver une Vision du Monde positive pendant cette époque d'immense transition. Pouvoir travailler harmonieusement n'est pas seulement un énorme avantage, mais aussi une nécessité pour accomplir des changements positifs dans l'environnement et la culture. « Aucun groupe ne peut atteindre sa puissance créatrice complète tant qu'il n'a pas clarifié puis amplifié son énergie. Nous devons être prêts à travailler sur des problèmes qui se résoudront après notre mort [7]. » Une perception au niveau de la dixième révélation nous donne cette perspective plus large qui inclut la réincarnation, conception que notre culture, historiquement, ne nous a pas inculquée.

> La huitième révélation nous apprend à accroître l'énergie d'autres personnes, à leur envoyer de l'énergie en se concentrant sur la beauté et la sagesse du Moi supérieur de notre interlocuteur. Cette technique peut élever le niveau d'énergie et de créativité d'un groupe de façon exponentielle. Malheureusement, beaucoup de groupes ont du mal à élever réciproquement leur énergie, même si les individus concernés sont capables de le faire en d'autres circonstances. C'est particulièrement vrai s'il s'agit de collègues de travail ou de gens qui s'associent pour réaliser un projet quelconque. En effet, souvent ces sujets ont déjà été réunis dans le passé ; de vieilles émotions d'une vie antérieure refont surface et bloquent leur travail. (James Redfield, *La Dixième Prophétie.*)

Par exemple, dans *La Dixième Prophétie,* à l'intérieur du groupe de sept personnes qui essaie d'arrêter les expériences sur l'énergie dans la vallée, Curtis et David expriment une colère apparemment irrationnelle contre Maya. Dans leurs méditations, ils découvrent des épisodes d'une vie passée où Maya a commis une erreur qui a provoqué la mort de Curtis et de David. Les émotions négatives de cette vie antérieure se sont transférées jusqu'à la présente réincarnation qui leur a donné une nouvelle chance d'atteindre ensemble un objectif.

La dixième révélation nous rappelle que, même si nous avons beaucoup travaillé sur nos mécanismes de domination, il nous arrive parfois d'éprouver une irritation irrationnelle contre quelqu'un. Dans ce cas, il faut nous demander si cette animosité ne proviendrait pas d'une vie antérieure. Cela éclairerait parfois des sentiments apparemment inexplicables (culpabilité, honte, envie, colère ou jalousie) que nous éprouvons pour quelqu'un dans un groupe, par exemple. Au lieu d'ignorer ces sentiments, mieux vaut essayer d'amener à la conscience la raison pour laquelle vous avez connu cette personne dans une vie passée, ce que vous vouliez accomplir et ce que vous pourriez faire différemment cette fois-ci. Il s'agit du même processus que vous utilisez quand vous clarifiez vos sentiments et comportements négatifs actuels. On peut l'appliquer à la vision plus large d'une incarnation *antérieure* dont les leçons sont susceptibles de vous aider *actuellement.* Soyez patient ! En effet, dans le roman, les personnages tirent rapidement des enseignements du passé... pour mieux convaincre le lecteur. Si, malgré une aide thérapeutique traditionnelle, vous ne réussissez pas à éclaircir un conflit important dans votre vie, essayez d'entrer en contact avec ces sentiments à travers une thérapie fondée sur la régression ou une hypnose effectuée par un ami ou un professionnel en qui vous avez toute confiance. Dans ce cas, comme pour n'importe quel service, vérifiez bien ses références.

Les émotions résiduelles ou les explosions provenant du passé

Dans *Exploring Reincarnation,* le psychologue Hans TenDam cite un exemple pittoresque de sentiments hérités d'une vie antérieure. Un policier italien, Lanfranco Davito, lui a raconté l'incident suivant : « [Davito] était en service quand un inconnu se dirigea vers lui dans la rue. Au même moment, il se souvint que cet homme l'avait battu à mort à coups de gourdin dans une querelle tribale, et il devint blanc de peur. Par la suite, toutes sortes de souvenirs d'une de ses vies antérieures lui sont revenus [8]. »

Peut-être êtes-vous venu sur terre pour continuer à travailler sur des problèmes non résolus, ainsi que pour atteindre votre objectif existentiel (qui inclut certainement le paiement de vos dettes karmiques en ne répétant pas les mêmes erreurs). Ceux que vous rencontrez ont accepté de vous aider à liquider cette dette.

> Nous avons toujours un moment paisible d' « harmonisation » (d'unification) avec les Devas dans notre jardin avant d'y travailler. Nous nous harmonisons avec les Devas des arbres avant de les couper et nous avons réussi à nous harmoniser avec les Devas des insectes pour qu'ils quittent nos plantes. Mais quand nous avons essayé de nous harmoniser avec le Deva ou l'Esprit du daim pour lui demander de cesser de manger les pousses de notre jardin, nous avons découvert qu'il nous fallait plusieurs jours de méditation pour nous mettre en rapport avec ce Deva. Les précédents propriétaires de ce terrain avaient chassé ce daim, et il nous fallait rétablir la confiance.
>
> Nous ne pouvons pas nous harmoniser avec la nature si nous ne sommes par harmonisés les uns avec les autres. Il nous faut d'abord éclaircir tous les conflits. La nature n'est pas seulement une petite parcelle de jardin créée par les hommes, nous devons inclure dans notre harmonisation le paysage environnant et la forêt. (Corinne McLaughlin et Gordon Davidson, *Spiritual Politics.*)

Plus vous deviendrez conscient de vos sentiments actuels, plus votre intuition vous fournira des messages sur des sentiments apparemment inexplicables. Par exemple, vous rencontrez un membre de votre belle-famille pour lequel vous éprouvez instantanément de l'aversion. Ou vous travaillez sur un projet avec une personne qui vous énerve énormément sans raison valable. Si vous désirez accomplir votre Vision de Naissance originelle, vous aurez besoin d'une perspective plus large sur l'origine de ces sentiments irrationnels.

> Je regarde Aigle Gris et je lui demande : « Où est la clé ? » Et avec une grande intensité il me répond : « LA GENTILLESSE. Votre monde a besoin de gentillesse. » Et je lui demande : « Comment pouvons-nous apprendre ? » « Avec gentillesse, seulement avec gentillesse », me répondit-il. (Rosemary Altea, *The Eagle and the Rose*.)

Dans un groupe organisé autour d'un projet, une personne gênante reflète parfois un important thème sous-jacent que tout le groupe doit déceler et traiter. Des groupes opérant à partir de la perspective de la dixième révélation doivent savoir comment ne plus concentrer leur énergie sur leurs problèmes passés, et revenir au présent en s'entourant d'une *atmosphère d'amour*. Comme le dit la dixième révélation, « [le processus de clarification ne pourra] commencer que si nous revenons à un état d'amour total [9] ». Edgar Cayce, le grand guérisseur et médium, a souvent souligné que nous devions éliminer notre hostilité envers les autres, sinon notre relation avec eux sera toujours problématique, à chaque nouvelle réincarnation. Des ennemis et des amis peuvent décider de partager une existence dans une même famille pour résoudre des problèmes karmiques.

Parfois, une personne avec une vibration très différente de la nôtre arrive dans notre vie et est guérie grâce à cette interaction. Dans son livre, *De nombreuses vies, de nombreux maîtres,* Brian Weiss décrit certaines des informations venues des dimensions supérieures de la conscience durant les séances de régression avec sa cliente, Catherine. Un de ces messages indiquait clairement que, si nous ne nous guérissons pas de nos défauts et de nos vices, nous les transporterons dans notre prochaine vie. À partir du moment où nous avons décidé que nous sommes suffisamment forts pour maîtriser nos problèmes externes, alors nous ne les rencontrerons plus dans notre prochaine vie. Puisque nous nous réincarnons en même temps que des gens qui acceptent de nous aider à nous délivrer de nos dettes karmiques, nous devons apprendre à partager nos connaissances. Pour Brian Weiss, le message des êtres supérieurs était : « Nous devons essayer d'aller vers ceux qui n'ont pas les mêmes vibrations que nous. Il est normal d'être attiré par quelqu'un qui est sur le même niveau que nous. Mais ce n'est pas une bonne chose. Vous devez vous approcher de ceux dont les vibrations ne coïncident pas [...] avec les vôtres. Ce qui compte [...] c'est d'aider les autres.

« On nous donne des pouvoirs intuitifs auxquels nous devrions obéir et non essayer de résister. Ceux qui résistent seront en danger.

Nous ne quittons pas chaque dimension avec des pouvoirs équivalents. Certains d'entre nous possèdent des pouvoirs plus grands que d'autres, hérités de vies antérieures, et qui s'accroissent avec le temps. Nous ne sommes pas créés égaux. Mais nous finirons par atteindre un niveau où nous le serons tous [10]. »

> L'impératif de la nature est, encore une fois, qu'aucune intelligence ne se développe sans un stimulus provenant d'une forme développée de cette même intelligence. Toutes les preuves indiquent que le cœur de la mère stimule le cœur du nouveau-né, instaurant ainsi un dialogue entre le cerveau-esprit et le cœur. Le nouveau-né sait alors que tout va bien et que la naissance s'est achevée avec succès [...]. Cette communication de cœur à cœur active également les informations correspondantes chez la mère.
>
> En tenant son bébé contre son sein gauche, en contact avec son cœur, la mère déclenche un bloc capital d'informations dormantes et provoque des changements précis des fonctions cérébrales et des changements permanents du comportement. (Joseph Chilton Pearce, *Le futur commence aujourd'hui.*)

Nous allons découvrir, au plus profond niveau de notre objectif existentiel, que notre enfance et notre famille originelle ont été probablement choisies pour que nous puissions perfectionner notre capacité d'aimer. Comme nous le verrons dans les chapitres suivants, notre âme a vraisemblablement choisi un lieu et une dynamique parentale particuliers afin que nous puissions nous délivrer de certains défauts, comme le fait de tourner les autres en ridicule, la méfiance, l'élitisme, la critique permanente, le sentiment de supériorité ou d'infériorité, l'arrogance, la cupidité, l'entêtement, l'impatience, la colère, l'esprit de revanche, la tendance à s'ériger en juge ou l'autosatisfaction permanente. Beaucoup d'écrits spirituels suggèrent qu'il existe une autre âme à laquelle vous êtes relié, et qui a accepté d'incarner le rôle sur lequel vous avez besoin de travailler. Brian Weiss a décrit une séance avec Catherine où elle voit, dans une autre vie, un homme affectueux qui s'occupe des chevaux dans une ferme. Elle reconnaît en lui son grand-père qu'elle a perdu. Elle dit au docteur :

« Il était très gentil avec nous. Il nous aimait. Il n'a jamais crié après nous [...] mais il est mort.

– Vous le retrouverez un jour, lui répond Weiss. Vous le savez.

– Oui. J'ai été avec lui avant. Il n'était pas comme mon père. Ils sont tellement différents.

– Pourquoi l'un vous aimait-il autant et vous traitait-il si gentiment, alors que l'autre est l'opposé ? demande Weiss.

– Parce que mon grand-père a appris. Il a payé la dette qu'il devait. Mon père n'a pas payé sa dette. Il est revenu sur terre [...] sans comprendre. Il devra revenir encore une fois [11]. »

Selon elle, son père avait pour tâche de comprendre qu'il ne devait pas traiter les enfants comme sa propriété, mais comme des êtres dignes d'amour.

ÉTUDE INDIVIDUELLE OU COLLECTIVE

Les exercices suivants peuvent être réalisés seuls ou servir de base de discussion pour un travail collectif. Si vous participez à un groupe, choisissez un ou plusieurs sujets, et écrivez sur ce ou ces thèmes pendant cinq ou dix minutes, soit chez vous avant la réunion, soit au début de la réunion.

Ces problèmes étant souvent assez personnels, vous devez créer dans votre groupe une atmosphère rassurante, chaleureuse. Vous gagnerez beaucoup en écoutant la façon dont les autres traitent leur thème.

À tour de rôle, lisez votre petit texte ou exposez vos sentiments sur la question débattue sans que le groupe vous interrompe. Une fois que chacun s'est exprimé une fois, entamez une discussion générale ou donnez un feed-back positif à chacun. Repérez qui, par sa façon de traiter le sujet, a un message à vous transmettre !

Les vieilles blessures

Écrivez pendant quelques minutes (entre trois et cinq) en laissant courir votre plume suivant votre inspiration. *Si vous travaillez dans un groupe, ne faites pas de confidences que vous pourriez regretter.*

1. Décrivez tous les sentiments, personnes ou situations qui vous ont obsédé récemment. Dépensez-vous de l'énergie pour une vieille blessure non guérie ? Combien de fois par heure, par jour, par semaine ? Quel pourcentage de votre énergie psychique consacrez-vous à ce problème ?

2. De quels problèmes (mauvais traitements durant l'enfance, maladies, accidents, défauts et autres événements négatifs) parlez-vous régulièrement avec les autres ? Les évoquer vous permet-il de vous sentir important ? Dans quelle mesure ? Cela vous donne-t-il un certain pouvoir ? Lequel ?

3. Dans quel domaine de votre vie vous sentez-vous coincé ? Dans votre travail, vos amitiés, votre vie conjugale ? Quel pas avez-vous peur de franchir ? Combien de temps vous concentrez-vous sur vos moments de confusion ? (Décrivez seulement vos sentiments sans essayer de résoudre quoi que ce soit.)

4. Décrivez en détail vos réactions si votre conflit actuel crée le *même niveau de tension* qui existait dans votre petite enfance.

Vivre avec enthousiasme

1. Décrivez l'événement que vous souhaiteriez le plus voir se réaliser dans votre vie.
2. Décrivez en détail une scène qui illustre exactement ce désir.
3. Quelle est la chose la plus agréable et la plus enrichissante que vous pourriez faire demain ?
4. La ferez-vous ? Sinon, pourquoi ? Qu'est-ce qui vous en empêche ?
5. Quel genre d'attitude révèle votre réponse ? Quelle voix entendez-vous : celle de votre père, de votre mère, de Dieu ?
6. Quelle priorité votre choix d'une activité pour le lendemain révèle-t-il ?
7. Que faites-vous pour vous détendre ?

Les mécanismes de domination

1. Quel mécanisme de domination déclenchez-vous quand vous êtes stressé ?
2. Décrivez comment vos parents (ou d'autres personnes qui vous ont élevé) essayent de vous dominer.
3. Avec quel genre de gens avez-vous le plus de difficultés ? Quelles impressions provoquent-ils chez vous ? Pensez à une ou deux personnes en particulier (amis, collègues). Décrivez les sentiments qu'exprime votre corps quand vous entrez en conflit avec eux.
4. Avez-vous réussi à « repérer le mécanisme de domination » et à commencer à parler de vos sentiments avec l'autre personne ? Que s'est-il passé ? Sinon, que craignez-vous qu'il arrive si vous lui parlez ?
5. Imaginez une conversation avec une personne avec laquelle vous entretenez un rapport de forces. Imaginez que vous êtes tous deux détendus et dans un endroit neutre, comme un café ou le banc d'un parc. Décrivez par écrit comment vous pouvez sincèrement exprimer vos sentiments, *sans blâmer l'autre.*

Examinez minutieusement vos relations pour chasser l'énergie négative

Avant d'affronter un problème relationnel dans le monde extérieur, un peu d'introspection vous préparera à chasser l'énergie négative.

Prenez un moment pour réfléchir aux questions suivantes afin d'examiner si vous vous cramponnez à des sentiments négatifs à propos de quelqu'un. Ces sentiments non résolus provoquent parfois des blocages d'énergie inconscients dans d'autres domaines de votre vie tels que la créativité, les finances ou la prise de décisions. Ayez à portée de main une feuille de papier pour y noter rapidement vos *premières impressions* devant ces questions.

La manière dont vous percevez l'autre

• Fermez les yeux. Qui vous perturbe le plus en ce moment ? Écrivez son nom en haut de la page.

• Comment cette personne draine-t-elle votre énergie ? Expliquez-le en une ou deux phrases.

• Notez quatre ou cinq mots qui décrivent l'émotion que provoque en vous cette personne : irritation, colère, rancune, envie ? Entourez d'un cercle le sentiment qui décrit le mieux votre réaction.

• Fermez de nouveau les yeux et imaginez que vous êtes avec cette personne. Quelles sensations physiques remarquez-vous en la visualisant ? Que vous rappelez-vous à propos de votre dernière rencontre ? En y pensant sentez-vous une douleur dans la poitrine, l'estomac, la gorge ou le cou ? Notez quatre ou cinq sensations physiques associées à cette personne. Entourez la plus appropriée.

• Parlez-vous à d'autres des incidents que vous avez eus avec cette personne et abordez-vous la question en détail ? Vous montrez-vous sarcastique ou cynique à son propos ?

• Notez quatre ou cinq mots que vous avez utilisés pour la caractériser : idiot, rigide, angoissant, cinglé, grossier, intimidateur, victime ou vicieux. Entourez le mot le plus approprié. Décrivez chez vous un défaut identique, même à un degré moindre.

Sur quel type de projet – s'il en existe un – tentez-vous de travailler ensemble ? Décrivez la meilleure issue que vous puissiez imaginer et les raisons pour lesquelles elle risque de ne pas survenir à cause de votre mauvaise relation avec cette personne.

Laissez l'histoire se dérouler

Première étape : écrivez le nom de la personne en haut d'une page blanche.

Deuxième étape : sous son nom, écrivez les trois mots entourés qui traduisent le mieux vos émotions, vos sensations physiques et la description de cette personne.

Troisième étape : choisissez l'un de ces mots pour commencer votre première phrase.

Quatrième étape : commencez par écrire et utilisez les deux autres mots dans votre premier paragraphe. Écrivez sans arrêt pendant trois minutes et notez tout ce qui vous passe par la tête sur votre feuille de papier tant que cela concerne les trois mots entourés.

Cinquième étape : réfléchissez sur les messages intuitifs transmis au cours de cet exercice écrit. En laissant vos voix intérieures vous parler sur la page, vous parviendrez peut-être à mieux comprendre le processus dans lequel vous êtes engagé avec l'autre personne.

EXEMPLE D'HISTOIRE
John compétitif, en colère, narquois

Snide [narquois] rime avec *hide* [se cacher]. Et quand je me trouve avec John, j'éprouve souvent l'envie d'aller me cacher. Il est tellement compétitif que j'ai l'impression que je n'en fais jamais assez, que je ne serai jamais à sa hauteur.

Lorsque je lui rends visite, je suis *irrité* car il ne me demande jamais ce que je fais. Il ne s'intéresse qu'à lui, lui, lui. Il me lance tellement de sarcasmes quand je m'exprime que j'ai l'impression, en sa compagnie, d'être un petit garçon. Mais le plus drôle c'est que je joue mieux que lui au squash, que nos amis m'apprécient plus que lui, et que j'ai davantage le sens de l'humour. Alors pourquoi est-ce que je ne l'utilise pas ?

Réécrivez cette histoire

• Si vous le souhaitez, décrivez en deux ou trois phrases la relation que vous souhaiteriez établir avec cet ami. *Quelle serait pour vous la situation idéale ?* Expliquez clairement et simplement vos attentes. Terminez cet exercice par une méditation d'une minute durant laquelle vous visualiserez John en train de se souvenir avec joie *de son intention originelle ou de sa Vision de Naissance*. Sachez que vos pensées modifieront l'énergie entre vous deux.

EXEMPLE D'UNE NOUVELLE VERSION

Je vois que j'ai aussi l'esprit de compétition, et que je suis dur avec moi-même parce que je n'ai pas commencé à écrire le texte dont je parle tout le temps. Je suis furieux parce que John a créé sa propre entreprise et je vois combien il est impliqué dans son affaire. J'agirais sans doute comme lui si j'étais à sa place. Certaines choses me mettent en colère, mais je n'exprime jamais mes sentiments devant John. Il ne peut pourtant pas lire dans mes pensées. Si je veux avoir une meilleure relation avec lui, il faudra que je sois moins réservé, que je cesse de le juger tout le temps ! La prochaine fois que je le verrai, je l'écouterai parler pendant un moment, puis je lui demanderai s'il peut me donner un peu de feed-back à propos de mes projets actuels. Ainsi il se rendra compte que j'estime son opinion mais aussi que je veux qu'il m'écoute un peu ! Je vais de toute façon essayer, et lui dire que je vais travailler sur ces questions pour que notre amitié progresse. Je me demande ce qu'il me répondra !

ÉTUDE COLLECTIVE

Déballons tout

Si vous êtes prêt à affronter et traiter un obstacle interpersonnel dans un groupe, demandez à l'univers de vous envoyer des indications spirituelles. Souvenez-vous que votre motivation devrait être de créer une atmosphère d'amour. La gentillesse et la compassion facilitent toujours la discussion.

Si vous avez déjà essayé de débattre avec un élément perturbateur dans votre groupe et échoué à trouver une solution harmonieuse, laissez votre intuition guider vos prochains pas. Plutôt que le groupe aille à vau-l'eau, les membres peuvent méditer pour voir s'il existe un élément caché dont tous auraient besoin de prendre conscience.

Les attitudes utiles

• Soyez prêt à envisager que vous avez peut-être déjà été réunis dans une ou plusieurs vies antérieures. À côté de l'objectif que vous essayez d'atteindre, vous êtes peut-être rassemblés pour éliminer des sentiments négatifs résiduels provenant de vies antérieures.

• Souvenez-vous que l'autre est exactement comme vous : lui aussi désire être aimé, accepté et aidé pour accomplir son objectif.

• Si vous croyez être la victime de quelqu'un, il s'agit d'une illusion. Souvenez-vous que vous avez la possibilité d'effectuer des choix dans presque toutes les situations de votre vie quotidienne.

• Votre objectif est de sentir l'énergie et l'amour quand vous êtes dans votre groupe. Plongez-vous dans le sentiment d'amour qui se dissimule dans toute votre irritation extérieure.

Techniques

• Avant d'arriver aux réunions, visualisez chaque participant en train de se souvenir de ce qu'il est venu faire sur terre.

• Parlez de ce qui se passe dans le groupe. Mettez tous les problèmes sur la table.

• Exprimez honnêtement vos sentiments envers le perturbateur. Peu importe si vous êtes maladroit, évitez seulement les accusations ou les insultes. Expliquez comment *son attitude vous affecte*.

• Désignez le mécanisme de domination qui contrôle, selon vous, l'énergie collective. Par exemple, si le perturbateur agit de façon égocentrique et écrase les autres en parlant sans cesse et en ramenant tout à lui-même, alors vous pourriez lui déclarer : « Eh bien, en ce qui me concerne, ce qui m'énerve c'est que, lorsque nous essayons d'avancer dans une discussion, nous finissons toujours par parler de *tes* problèmes. J'ai l'impression qu'on est bloqués. » Ou bien : « Je ne sais pas si tu te rends compte de l'effet que tu as sur ce groupe. En ce qui me concerne, je commence à ne plus vouloir y participer » (ou « Je me sens vidé quand je suis avec toi, et je ne comprends pas pourquoi »). Demandez à la personne en question : « Que sens-tu dans ce groupe ? Que remarques-tu ? »

• Restez aussi ouvert que possible, et abandonnez votre besoin d'être sur la défensive, ou de *provoquer* un changement.

• Essayez de transformer les sentiments négatifs en un sentiment neutre. Demandez à l'univers d'imaginer la meilleure solution possible, et ne tentez plus de contrôler le résultat.

• Restez concentré sur le présent.

• Soyez prêt à envisager que cette personne pourrait rendre service au groupe en travaillant à l'extérieur pendant un certain temps.

> Cet effet est encore plus grand avec les groupes qui interagissent de cette façon avec chaque membre, parce que lorsque chacun envoie de l'énergie aux autres, tous les membres s'élèvent à un niveau de sagesse qui dispose de davantage d'énergie, et cette énergie accrue est ensuite renvoyée à chacun par une sorte d'effet d'amplification. (James Redfield, *La Dixième Prophétie*.)

Troisième partie

Se souvenir

5

Soigner, transformer et créer

LE SERPENT
LA TRANSFORMATION

Mais nous savons maintenant que le psychisme du sujet joue un rôle crucial. La peur et le stress sont des facteurs clés, ainsi que la façon dont nous les affrontons. Parfois, nous sommes conscients de notre peur, mais souvent nous la refoulons totalement.

C'est le comportement bravache, macho par excellence : nous nions le problème, l'écartons et jouons les héros – mais la peur continue à nous dévorer inconsciemment. Il est très important d'adopter une attitude positive si l'on veut rester en bonne santé, mais pour que cette attitude soit vraiment efficace, il faut agir consciemment, en ayant recours à l'amour et non à des conduites macho. Nos peurs inexprimées créent des blocages, des obstacles dans le flux d'énergie qui parcourt notre corps, et ces blocages finissent par créer des problèmes. *(La Dixième Prophétie* [1].*)*

LA FORCE DE L'ÉNERGIE DÉPEND DE NOS ATTENTES

Dans *La Dixième Prophétie*, Maya, une femme médecin, propose d'utiliser les techniques de visualisation pour soigner les problèmes physiques. Elle apprend au personnage principal que l'on soigne grâce aux mêmes processus employés pour créer notre vie.

Celui-ci dit à Maya : « Apparemment notre Vision de Naissance contient non seulement nos projets fondamentaux, mais aussi une vision plus large de ce que les hommes ont essayé d'accomplir à travers l'histoire, les détails du chemin que nous allons suivre à partir d'ici et comment nous y rendre. Nous devons d'abord amplifier notre énergie et nous communiquer nos Projets de Naissance, et ensuite nous pourrons nous souvenir [2]. »

Maya précise le souvenir de notre mission sur terre. Lorsque nous serons capables de nous rappeler ce que toute l'humanité est censée faire – vivre une vie spirituelle dans la dimension matérielle –, nous aurons éliminé notre action négative sur les autres et sur la nature. Sur la terre comme au ciel.

LES TECHNIQUES DE SOINS

Les soins bioénergétiques sont en expansion rapide : pour ces techniques, maladie et santé dépendent de la dynamique « interne » du complexe corps/esprit. Nous ne saurions trop conseiller aux personnes prudentes de consulter leur généraliste qui saura leur indiquer l'adresse et les qualifications des praticiens spécialisés dans telle ou telle médecine douce dont ils pourraient avoir besoin.

> [...] les expériences karmiques sont souvent associées à des synchronicités significatives. Par exemple, (A) a une relation difficile avec (B) ; dans une vie antérieure tous deux ont eu un violent conflit. L'un est la victime et l'autre l'agresseur. Si A revit consciemment cet incident et pardonne à B, son attitude changera et prendra une orientation positive. Déjà un tel processus est, en soi, frappant et intéressant.
>
> Cependant, le plus extraordinaire est que, exactement en même temps, un changement significatif dans le même sens se produit souvent chez B et que sa propre attitude change radicalement. Cela peut arriver même s'il n'existe aucune communication ou connexion entre les deux personnes. (Stan Grof, dans *Towards a New World View*, sous la direction de Russell E. DiCarlo.)

Dans son livre, *Ces mots qui guérissent*, le Dr Larry Dossey cite des preuves impressionnantes provenant d'études scientifiques sérieuses qui démontrent le pouvoir curatif de la prière ou d'une intention pieuse. Dans ce qu'il appelle le Troisième Âge de la médecine, les médecins traditionnels n'ignoreront probablement plus des techniques aussi anciennes – même si elles sont nouvelles pour nous – que le diagnostic intuitif ou le toucher thérapeutique sans contact. En fait, pour Dossey, le lien profond entre l'*âme* et le corps/esprit est l'un des facteurs les plus importants, sinon décisifs, de la santé. Selon lui, nous avons tous à l'intérieur de nous le pouvoir d'activer la guérison grâce à nos ressources physiques, mentales, émotionnelles et spirituelles.

Si les savants découvraient tout à coup un médicament aussi puissant que l'amour et capable de guérir, on le présenterait triomphalement comme une victoire de la médecine et on le vendrait partout du jour au lendemain – surtout s'il présentait aussi peu d'effets secondaires et était aussi peu dispendieux que l'amour [...]. Il ne s'agit pas d'une exagération romanesque. Une étude portant sur dix mille hommes ayant une maladie cardiaque a établi que les douleurs thoraciques (angine de poitrine) étaient deux fois moins fréquentes chez ceux qui considèrent que leurs femmes les soutiennent moralement et les aiment. (Larry Dossey, *Ces mots qui guérissent*.)

Il étudie aussi la façon dont « la conscience d'une personne peut affecter le substrat physique d'une autre [3] ». Bien que nous ne comprenions pas comment cela se produit, l'intention pieuse qui envoie de l'énergie curative nous relie au champ d'énergie de l'autre, quels que soient le temps ou la distance qui nous séparent. Quand nous prions pour le rétablissement complet d'un être cher, nous ignorons complètement ce qui est vraiment préférable pour l'âme de cette personne qui souffre. Parfois la guérison se déroule lentement, ce qui nous donne des indications importantes. Parfois aussi la mort est la prochaine étape appropriée pour une âme tourmentée.

« L'effet Mère Teresa »

Dossey cite des dizaines d'études prouvant le pouvoir curatif de l'amour. Par exemple, David McClelland, docteur à la faculté de médecine de Harvard, a découvert ce qu'il appelle « l'effet Mère Teresa ». Selon Dossey, « McClelland a présenté à un groupe d'étudiants licenciés de Harvard un documentaire sur Mère Teresa où on la voit soigner tendrement des malades. Il mesure le taux d'immunoglobuline A (IgA) dans leur salive avant et après la projection du film. L'IgA est un anticorps efficace contre les infections virales telles que les rhumes. Le niveau d'IgA a nettement augmenté chez les spectateurs, même parmi ceux qui considéraient que Mère Teresa était " une bigote " ou une mystificatrice. Un peu plus tard, McClelland a voulu vérifier les résultats de cette expérience en demandant cette fois à ces étudiants de penser simplement à des moments où ils avaient senti que quelqu'un s'occupait d'eux et les aimait profondément ; et à des moments où ils avaient été amoureux d'une autre personne. Dans son propre cas, McClelland a réussi à stopper des rhumes grâce à cette technique [4]. »

Une autre étude montre que, lorsque nous passons des moments agréables avec des êtres chers ou avec des collègues de travail, les effets positifs sur le système immunitaire se prolongent pendant plusieurs jours. Inversement, les interactions négatives affaiblissent notre système immunitaire, mais leurs effets ne sont habituellement pas aussi durables que les interactions positives.

Les énergies spirituelle et matérielle sont les agents de la guérison

Rosemary Altea est une médium-guérisseuse internationalement connue, qui s'est intéressée à ceux qui avaient perdu un être aimé. À cet effet elle a cherché à établir un pont entre les dimensions physique et spirituelle. Dans son livre, *The Eagle and the Rose*, elle décrit des centaines de séances au cours desquelles elle est entrée en contact avec des esprits ; elle a ainsi pu communiquer à ses patients des informations personnelles qui ont contribué à leur guérison. À partir de ce travail, elle a fondé une organisation basée en Grande-Bretagne, qui a pour tâche de soigner des patients dans le monde entier. Parmi de nombreux exemples, citons la guérison de Caroline, une petite fille de sept ans, qui ne pouvait pas lever sa jambe droite depuis l'âge de deux ans. Une équipe de guérisseurs a régulièrement travaillé sur le cas de cette enfant pendant dix-huit mois. Comme l'explique Altea : « Nous avons utilisé notre énergie, nous nous sommes branchés sur l'énergie universelle, nous nous sommes centrés nous-mêmes de façon à devenir de bons canaux pour l'énergie curative [...]. Et finalement, au bout de plusieurs mois, Caroline est entrée un soir dans le centre de soins, sans boiter comme elle le faisait habituellement [...]. Nous savions qu'elle réussirait [5]. »

Dans les années 70, à l'université d'Ohio, on a mené une étude sur les maladies cardiaques. Elle consistait à nourrir des lapins avec des aliments toxiques, comportant un taux élevé de cholestérol, pour obstruer leurs artères. Un tel régime a les mêmes effets sur les êtres humains. Des résultats significatifs sont apparus chez tous les groupes de lapins, sauf un qui, curieusement, présentait 60 % de symptômes en moins. Aucun facteur physiologique ne pouvait expliquer leur tolérance élevée à ce régime toxique. Mais on découvrit par hasard que l'étudiant chargé d'alimenter ces lapins les caressait et les chouchoutait.

Il tenait affectueusemnt chaque animal dans ses bras pendant quelques minutes avant de le nourrir ; apparemment ce facteur seul permettait aux animaux de résister à ce régime toxique. Des expériences répétées [...] aboutirent aux mêmes résultats. Une fois de plus, le mécanisme qui provoque une telle immunité est parfaitement inconnu – il est stupéfiant de penser que l'évolution a construit dans l'organisme du lapin une réponse immunitaire qui peut être déclenchée par les caresses de l'homme. (Deepak Chopra, *Le Corps quantique*.)

LES CONCEPTIONS DE LA VIE ET DE LA SANTÉ

Les nouvelles attitudes concernant la santé montrent de façon exemplaire les changements importants qui sont en train de se dérouler dans la conscience universelle. La vieille conception du monde nous incitait à nous tourner vers les autorités médicales pour prendre des décisions concernant notre santé. Évidemment nous leur faisons encore confiance, mais la relation que nous avons avec les professionnels de la santé est en train de changer. Nous sommes moins enclins à accepter aveuglément leur diagnostic. Nous connaissons mieux l'importance d'un mode de vie sain, et nous sentons responsables de notre corps. Il existe une grande variété de techniques de soins qui font appel à l'ensemble du système corps/esprit plutôt que de chercher à « réparer » des symptômes séparés. Notre être est de nature spirituelle et nous sommes faits d'énergie ; nous devons donc nous concentrer plus efficacement sur nos *attitudes intérieures*, au lieu de recourir *uniquement* à une autorité ou à un médicament externes pour soigner nos symptômes.

Et, de même que notre cœur physique entretient notre corps, l'intelligence non localisée qui à son tour gouverne le cœur entretient la synchronicité avec une « conscience globale », universelle. Par conséquent, nous avons à la fois un cœur physique et un « cœur universel » et spirituel. Comme dans tout développement, notre accès à ce second cœur est fortement subordonné au développement du premier.

De même que les connaissances traitées par le cerveau conduisent à des talents spécifiques, le cœur puise dans le royaume du discernement et de l'intelligence. Ces ordres spirituels ne s'expriment pas de façon claire et spécifique, mais apparaissent comme un mouvement général pour le bien-être et l'équilibre de toutes les opérations du complexe cerveau-esprit-corps. (Joseph Chilton Pearce, *Le futur commence aujourd'hui*.)

Ce changement de paradigme provoque chez tous les êtres humains, à un degré ou à un autre, une certaine anxiété. La façon dont nous gérons le stress est l'un des baromètres les plus importants pour la santé future, et aura un rôle crucial dans la conservation de la Vision du Monde. Le stress est dangereux lorsque nous imaginons avoir peu ou pas de contrôle sur les événements, par exemple, dans un environnement de travail rigide (ou lors d'un changement ce paradigme !).

En prenant nos distances avec nos vieux mécanismes de domination, nous découvrons généralement que nos réactions internes aux situations extérieures changent, et que nous nous *sentons* mieux, comme en témoignent plusieurs des récits précédents. De plus, lorsque nous cherchons l'objectif ou la leçon de ce qui nous arrive – qu'il s'agisse d'une maladie, d'un accident ou d'une faillite –, au lieu de vouloir *contrôler* les circonstances, nous désirons *travailler sur elles*, ce qui habituellement fait mieux circuler l'énergie. Notre travail spirituel a un effet bénéfique sur notre corps et nos émotions, que nous réfléchissions sur le mystère de la vie, notre présence dans le moment, ou les synchronicités. Nous sommes plus curieux et cherchons moins à trouver des coupables : nous commençons à sentir que nous avons plus de ressources – état d'esprit extrêmement bénéfique pour notre santé. Plus nous comprendrons comment nous avons contribué à créer notre situation actuelle, mieux nous saurons l'orienter efficacement vers notre Vision de Naissance originelle.

> Souvent les psychologues se hâtent d'enfermer les gens dans des catégories et se demandent : « Qu'est-ce qui cloche dans le comportement de cette personne ? » plutôt que de penser : « Oh ! il existe ici une difficulté ou une blessure, qui influence beaucoup cet individu, et l'empêche de devenir une totalité créatrice, d'éveiller son intuition intérieure et sa capacité d'aimer. » (Joan Borysenko, dans *Towards A New World View*, par Russell E. DiCarlo.)

Un moine tibétain expliquait : « La santé ne se réduit pas à de simples fonctions, une bonne alimentation et de l'exercice. Même si nous menons une vie exemplaire, nous pouvons tomber gravement malades. Et certaines personnes qui ont un mode de vie malsain sont pleines de vitalité. Notre santé physique reflète le karma avec lequel nous travaillons dans notre vie actuelle. Si nous tombons malades, c'est parfois parce que notre Âme doit tirer une leçon de l'expérience, leçon que notre esprit conscient est incapable de comprendre. »

NOTRE POUVOIR INTÉRIEUR

Dans *La Dixième Prophétie*, Maya souligne que si nous participons à notre propre guérison – physiquement et émotionnellement –, notre capacité d'être motivé et productif dans d'autres domaines augmentera. Elle affirme : « Nous pouvons devenir inspirés et désirer façonner un avenir supérieur, idéal, et dans ce cas *des miracles se produisent.* [...] Ne vous inquiétez pas. Avec suffisamment d'énergie on peut tout guérir, tout résoudre, la haine... la guerre. Il faut seulement que plusieurs personnes se rassemblent avec la vision correcte [6]. »

Vous penserez peut-être : « Facile à dire ! Il s'agit d'un personnage de roman ! » Demandez-vous plutôt comment, dans votre vie quotidienne, vous pouvez exploiter cette énergie et concevoir toute votre vie suivant un nouveau schéma. Certes, les livres et les ateliers de réflexion nous offrent quelques idées importantes sur le destin du monde qui prend forme sous nos yeux. Mais n'avons-nous pas besoin de quelque chose qui nous aide à rester sur la bonne voie dans notre vie *quotidienne* ?

Telle est la question qui a poussé Michael Murphy et George Leonard, deux des fondateurs du Mouvement du potentiel humain, à concevoir une pratique expérimentale intégrant le corps, l'esprit, le cœur et l'âme. Selon eux, et la plupart des gens partageront sans doute leur avis, il faut développer une pratique qui nous stabilise et intègre toutes les informations que nous recevons. Un programme à long terme qui donnera inévitablement des résultats, s'il est mené avec persévérance, et qui doit également être agréable à suivre.

Dans leur livre, *The Life We Are Given*, Murphy et Leonard décrivent, à partir des années 60, l'évolution de la réflexion sur le développement humain qui tient compte à la fois de pratiques très anciennes et des apports de la science. Leur travail, tout comme celui d'autres auteurs importants, a contribué à accélérer les processus alchimiques de la conscience spirituelle. Il a aussi contribué de façon décisive à ce qu'un public de plus en plus nombreux constate l'émergence d'une nouvelle Vision du Monde.

Parce qu'elles proviennent de la même source primordiale, la pratique transformatrice et l'évolution du monde présentent des structures semblables. Toutes deux connaissent des phases de stagnation – les longs paliers de la courbe d'apprentissage – suivies par des explosions de développement rapide. Toutes deux sacrifient certains éléments lorsqu'apparaît un phénomène nouveau. Toutes deux atteignent de nouveaux niveaux ou de nouvelles dimensions de fonctionnement qui puisent en eux-mêmes les leçons du passé, permettant ainsi à notre divinité latente de mieux s'exprimer. Toutes deux connaissent des époques durant lesquelles le processus de changement passe graduellement à un niveau supérieur. Nous vivons, apparemment, dans une phase de transition de ce type. (Michael Murphy et George Leonard, *The Life We Are Given.*)

« Chaque tradition sacrée, écrivent-ils, a une influence sur le village planétaire, et pousse un nombre incalculable d'hommes et de femmes à adopter des modes de développement personnel autrefois considérés comme ésotériques. Cet événement, qui se produit à l'échelle mondiale, marque une nouvelle étape capitale dans la diffusion de la pratique transformatrice. Car aujourd'hui, plus que jamais auparavant, la science peut nous aider à comprendre et orienter les changements humains à long terme. Et ce pour de nombreuses raisons : la psychologie moderne a réalisé de nouveaux progrès dans la compréhension de la psychodynamique ; notre capacité de procéder à des transformations très spécifiques a progressé dans de nombreux domaines : psycho-neuro-immunologie, médecine sportive, entraînement à la relaxation profonde, études sur les effets placebo et recherches sur l'hypnose ; on est parvenu à de nouvelles découvertes sur la capacité de l'esprit de remodeler les motivations, les émotions et le corps ; enfin, les sociologues ont démontré que chaque groupe social valorise seulement certaines de nos capacités tandis qu'il en néglige ou en étouffe d'autres.

« On n'a jamais, jusqu'ici, disposé d'autant de connaissances scientifiques sur les capacités de transformation de la nature humaine. Ce savoir, combiné avec les connaissances et l'inspiration des traditions sacrées, donne à la race humaine l'occasion sans précédent de faire un gigantesque progrès dans l'évolution. Nous croyons qu'il est désormais possible à l'humanité de poursuivre son destin avec plus de clarté que jamais auparavant [7]. »

Leur programme (qu'ils appellent la « pratique transformatrice intégrale ») repose sur la conviction que nous pouvons tous, malgré notre vie trépidante, développer des capacités extraordinaires : 1) si nous pratiquons régulièrement et sur une longue période ; 2) si nous intégrons les fonctions du corps, de l'esprit, des émotions et de l'âme, grâce à un régime alimentaire, à la méditation, à des exercices physiques, des lectures, des activités dans notre quartier et des stages de réflexion ; 3) si nous apprécions les bénéfices intrinsèques de cette méthode. Ils ont commencé leur programme en 1992 à Mill Valley, en Californie, avec un groupe de gens qui se sont engagés à accepter la discipline d'une pratique à long terme. « Nous étions convaincus, écrivent-ils, que les vertus discrètes de la vie – la curiosité et l'intégrité intellectuelles, le sens du spirituel, la capacité d'aimer inconditionnellement, des exercices sains et l'attachement aux pratiques spirituelles – ont un pouvoir de transformation et un caractère sacré. Nous étions partis pour une longue aventure. “ Oui, nous allons passer beaucoup de bons moments, a dit Leonard au groupe. Nous allons nous amuser. Mais il est plus important d'apprendre à aimer la régularité de la pratique, la beauté sans fard de la routine, les moments plats, durant lesquels vous ne ferez apparemment aucun progrès, tout comme les moments exaltants où vous apprendrez des choses nouvelles et connaîtrez des changements. ” [8] »

> Chacun d'entre nous peut faire appel à l'Invisible pour obtenir des transformations qui vont au-delà de la compétence de la science officielle. Quelques-uns de nos élèves, par exemple, ont connu une rémission dans certaines maladies que les médecins pensaient incurables. Mais, bien que la science ne puisse pas expliquer de tels phénomènes (et d'autres types d'expériences extraordinaires), de plus en plus de recherches rassemblent des récits vécus sur de tels changements provoqués par des pratiques transformatrices. (Michael Murphy et George Leonard, *The Life We Are Given.*)

Murphy et Leonard demandèrent aux membres de ce groupe de déclarer solennellement qu'ils désiraient quatre choses : 1) Un *changement physique mesurable* et vérifiable par des méthodes standard. Par exemple, perdre quelques kilos ou quelques centimètres de tour de taille. 2) Un *changement exceptionnel*, concernant leur corps, leur esprit, leur spiritualité ou leurs émotions – mais non mesurable par les méthodes habituelles. 3) Un résultat *extraordinaire*, excédant les capacités humaines ordinaires, et difficilement explicable par un raisonnement scientifique. 4) Enfin que tous puissent affirmer : « Mon être tout entier est équilibré, vivant et sain [9]. » Dans tous les cas, ces objectifs concernaient un processus intérieur à chaque personne, et non des changements dans le monde extérieur. Plutôt que d'exprimer le désir de gagner à la loterie, par exemple, chacun devait annoncer des changements positifs dans son propre fonctionnement.

Les études sur le premier, puis sur le deuxième groupe qui fut organisé, illustrent éloquemment l'importance d'une intention soutenue et d'une pratique disciplinée. Si l'analyse statistique montre que l'adhésion à ce programme est en corrélation étroite avec les progrès vers l'état désiré, les interviews personnelles furent encore plus positives. Par exemple, Murphy et Leonard citent une psychologue de trente-neuf ans qui avait affirmé au début : « Ma volonté est en harmonie avec la Volonté Divine de l'univers. Il n'existe pas d'obstacles. Tout coule vers et à travers moi : l'amour, la santé, la prospérité, le succès et la créativité. » À l'époque où elle avait exprimé cette intention, elle connaissait plusieurs conflits concernant à la fois ses finances, sa capacité d'écrire et sa relation amoureuse avec un de ses ex-professeurs. À la fin de l'année, elle tirait la leçon : « J'ai obtenu des résultats stupéfiants. Mes revenus ont triplé, sans doute parce que j'ai cessé de me tourmenter sur la façon de résoudre mes difficultés financières. Mon conflit interpersonnel le plus grave s'est résolu [...]. Mon attitude a beaucoup changé. Je n'essaie pas d'œuvrer pour que les choses se produisent, j'accepte tout ce qui se présente et tous mes sentiments. Je ne me sens plus coincée et, à l'intérieur de moi, je ne retrouve plus les obstacles qui me préoccupaient auparavant. Je n'ai plus l'impression d'être bloquée [10]. »

> [...] chaque fois que vous diffusez de l'énergie en dehors de vous, vous retardez l'apparition d'événements dans votre vie. Chaque fois que vous la contenez à l'intérieur de vous, vous augmentez ce que vous appelleriez, à votre niveau, la synchronicité et, à un niveau supérieur, la création instantanée. C'est aussi simple que cela. (Carolyne Lyss, dans *Towards a New World View*, par Russell E. DiCarlo.)

D'autres membres du groupe ont signalé l'amélioration de leur vue, la disparition d'une cataracte, un grossissement de leurs seins, la perte de graisse, une plus grande capacité à gérer les traumatismes et même une augmentation de taille, ainsi que bien d'autres améliorations générales que l'on ne peut mesurer aussi facilement. Le programme pour la pratique transformatrice intégrale est bien décrit dans le livre de Murphy et Leonard *The Life We Are Given* et aide considérablement ceux qui souhaitent libérer le pouvoir qu'ils ont en eux.

Notez vos sentiments

Jawes W. Pennebaker, professeur à l'Université méthodiste du Sud, à Dallas, et auteur de *The Healing Power of Confession*, s'est livré à une étude qui ouvre des perspectives intéressantes : il s'agit des changements qui interviennent lorsque l'on décrit ses sentiments dans un journal intime. Pennebaker a montré, à de nombreuses reprises, les bienfaits qu'apporte le fait d'écrire sur des événements traumatiques. Non seulement les personnes qu'il a étudiées se sont senties mieux émotionnellement après s'être épanchées sur le papier, mais leur santé physique s'est grandement améliorée.

Cet auteur a étudié trois groupes de sujets, qui tous avaient perdu leur travail. Il a demandé au premier groupe d'écrire pendant vingt minutes, cinq jours d'affilée, sur la façon dont ils pensaient dorénavant organiser leur temps et sur leurs idées pour trouver un nouveau travail. Le deuxième groupe devait écrire sur des sujets quelconques également pendant cinq jours. Dans le troisième groupe, chaque personne avait pour tâche d'analyser *ses pensées et ses sentiments les plus profonds* concernant la perte de son emploi.

Au bout de quatre mois, 35 % de ceux qui avaient décrit leurs sentiments avaient retrouvé un travail, contre seulement 5 % des membres du groupe de contrôle qui avaient écrit sur des sujets banals. *Aucun* de ceux qui avaient planifié l'aménagement de leur temps n'avait retrouvé de boulot. Pennebaker pense que l'écriture les « a aidés à mieux se présenter au cours des entretiens d'embauche, parce qu'ils avaient surmonté leur colère et leur amertume et développé une perspective équilibrée. Ils avaient réussi à dépasser leur traumatisme et étaient capables de vivre avec confiance [11] ». D'un autre côté, ceux qui s'étaient intéressés à la gestion de leur temps avaient créé « un sorte d'obsession », potentiellement destructrice. En se concentrant constamment sur leur survie quotidienne, ils étaient restés coincés dans la colère et l'anxiété. Cette étude semble confirmer les leçons de la troisième révélation qui nous adresse une recommandation apparemment paradoxale : « Désirez quelque chose très très fort, puis cessez de vouloir en contrôler les résultats. »

ÉTUDE INDIVIDUELLE

Exercice d'écriture

Si vous êtes confronté à un problème ou à une situation particulièrement difficile à résoudre, pourquoi ne pas essayer l'exercice proposé par Pennebaker ? Dépeignez tous vos sentiments, mais en ne choisissant qu'une seule situation à la fois. Écrivez pendant vingt minutes chaque jour, cinq jours d'affilée. Ensuite cessez d'y réfléchir – laissez l'univers résoudre ce problème pour vous. Notez les changements qui se produisent durant les mois suivants.

Les accidents et les maladies

Se mettre à l'écoute du message contenu dans chaque événement aiguise notre intuition et augmente notre capacité à rester en harmonie avec la Volonté Divine.

L'exercice suivant s'inspire de la technique de Maya dans *La*

Dixième Prophétie. Enregistrez ces questions et suggestions sur une cassette audio en laissant des plages de silence pour la méditation. Ou bien travaillez avec un ami qui pourra vous interroger.

1) Calmez votre esprit en respirant consciemment pendant quelques minutes.

2) Souvenez-vous de votre dernière maladie ou de votre dernier accident.

3) Quand vous avez eu cet accident, ou lorsque vous avez découvert votre maladie, comment en avez-vous estimé la gravité ? Votre réponse peut dévoiler la peur qui vous habite généralement ou votre sentiment d'être à la merci du monde.

4) Quelle est, selon vous, la cause de cette maladie ou de cet accident ? Votre attitude à propos de la cause est susceptible d'influer sur votre récupération.

5) Que faisiez-vous juste avant cet accident ou avant de découvrir cette maladie ?

6) À quoi pensiez-vous à ce moment précis ?

7) Quels autres souvenirs évoquent pour vous cette maladie ou cet accident ? Vous rappellent-ils des problèmes antérieurs ? Notez tout en vrac, même si cela vous semble n'avoir aucun rapport.

8) Qu'est-ce que cet accident ou cette maladie vous empêche de faire, d'être ou d'avoir ?

9) Que vous permettent-ils de faire, d'être ou d'avoir ?

10) Qu'y avez-vous gagné ?

11) Quel pouvoir ou quelle énergie vous procure cette situation ? (Exemple : Les gens me témoignent de la sympathie. Je me sens formidable ou important. Je n'ai plus à travailler, à m'occuper des enfants, etc.)

12) Quels sont (ou étaient) vos peurs à propos de ce problème ? Une peur irrationnelle, profondément enracinée, peut provenir d'un événement qui s'est produit dans une vie antérieure. Brian Weiss, le psychologue qui a beaucoup travaillé sur la régression dans des vies antérieures, a remarqué que parfois les événements dont nous avons peur se sont déjà produits autrefois. Un thérapeute qualifié et spécialisé dans ce domaine vous apportera une aide utile.

Si vous avez encore mal à la suite de cet accident ou de cette maladie :

13) Imaginez que la peur est un bloc d'énergie obscur, quelque part à l'intérieur de vous ou de votre champ d'énergie. Focalisez-vous sur ce point.

14) Entourez-vous d'autant de lumière, d'énergie et d'amour que possible, puis concentrez-les sur l'emplacement exact du blocage.

15) Envoyez consciemment de l'énergie divine curative à l'endroit que vous indique la douleur, en souhaitant que l'amour transforme les cellules à cet endroit précis, de façon qu'elles fonctionnent parfaitement.

16) Sentez la douleur dans tout votre être, et imaginez que l'énergie aimante se dirige droit vers le centre de la douleur et élève ce point précis de votre corps, les atomes eux-mêmes, à une vibration supérieure.

17) Voyez les particules faire un bond quantique vers la structure d'énergie pure qui est leur état optimal. Sentez littéralement un fourmillement dans cette partie du corps.

« La véritable guérison se produit quand nous réussissons à visualiser un nouvel avenir enthousiasmant. Seule l'*inspiration* nous maintient en bonne santé [12]. »

L'intention et la pratique de l'attention

Visualisez les choses que vous voudriez voir, et les exploits que vous désirez encore accomplir. Imaginez l'héritage que vous aimeriez laisser à l'humanité.

Décrivez certains des rêves que vous souhaiteriez accomplir comme si vous écriviez la notice nécrologique de votre meilleur ami. Voici un exemple d'une vie merveilleuse, paru récemment dans le *San Francisco Chronicle* :

> Evelyn Wood Glascock Allen est morte le 10 avril 1996 à l'âge de quatre-vingt-deux ans. Elle dessinait des robes du soir pour des dames de la haute société, des robes pour les remises de diplômes des étudiantes et des toilettes époustouflantes pour elle-même. Après avoir vécu de nombreuses années à Chicago, elle déménagea à San Francisco et, au bout de sept ans, elle connaissait mieux la ville que la plupart de ceux qui y étaient nés. Le studio qu'elle occupait lui offrait un poste d'observation au-dessus de Market Street et de Fox Plaza. Elle surveillait son domaine et, chaque matin, planifiait sa journée : à midi, elle déjeunait pour un dollar vingt-cinq au Club du troisième âge de la Marina, en fin d'après-midi elle dégustait gratuitement des côtelettes grillées au moment de la « happy hour » à l'hôtel Marriott, et le soir elle se rendait à l'opéra, à un concert de James Brown ou bien allait danser le quadrille au Rawhide.
>
> Cette maîtresse femme avait élevé seule son enfant tout en travaillant depuis 1953. Membre de l'association étudiante des Alpha Phi, elle aimait le jambon cuit au miel, les vêtements originaux et le champagne. Grande voyageuse, elle n'avait pas sa pareille pour évaluer la valeur des objets qu'elle trouvait dans les rues de la cité. Elle était la Florence Nightingale de beaucoup d'âmes masculines égarées [13].

Écrivez un court paragraphe sur vous-même comme si vous aviez remporté une médaille pour un haut fait, à l'exemple de ces trois personnes courageuses et déterminées qui ont été mises à l'honneur en mai 1995 par la Fondation californienne pour le bien-être [14].

- Rebecca « Maggie » Escobedo Steele a dirigé pendant cinq ans un gang d'ados de San Diego. Elle travaille maintenant sur les problèmes des femmes indiennes et mexicaines-américaines dans le comté de Humboldt. Médiatrice, elle aide à apaiser et résoudre les conflits tribaux, ainsi qu'à aplanir les divergences entre les tribus et les écologistes.
- Des tueurs qui passaient en voiture ont un jour assassiné son fils de trente-cinq ans. Depuis, Myrtle Raye Rumph lutte pour proposer aux enfants du quartier de South Central à Los Angeles d'autres choix que le trafic de drogue ou l'adhésion à un gang.

En 1990, elle a ouvert, avec douze autres personnes, une maison de jeunes qui possède maintenant une bibliothèque, une salle de jeux, un labo informatique et des salles de classe. Mme Rumph veut fabriquer une couverture, créée d'après la couverture du sida, pour les personnes dont un parent a été victime de la violence. Elle désire aussi enseigner aux jeunes comment résoudre les conflits.

- Habitant dans le quartier est de San José, Sonny Lara est entré, à quatorze ans, dans une bande qui faisait du trafic de drogue. Emprisonné à San Quentin, il a consacré son temps à aider les jeunes. Ordonné pasteur après sa libération, il a mis en place un programme de développement pour les détenus, un cours sur les gangs destiné aux adolescents, aux éducateurs et aux dirigeants de communautés, et a récemment ouvert une maison de jeunes.

Vos rêves et vos objectifs *vous aident à vous rappeler qui vous êtes*. Lisez votre « notice nécrologique » une fois par semaine et surveillez les nouveaux développements qui vous conduiront à réussir votre nouvelle vie !

Travail de prière

Certaines de vos connaissances ont besoin d'une aide supplémentaire. Chaque jour, passez-les en revue. Prenez l'habitude d'envoyer de l'énergie et de l'amour à des personnes précises, pour leur plus grand bien. Étendez votre prière d'amour à ceux qui en ont besoin en ce monde, puis à toutes les formes de vie dans les dimensions physique et spirituelle.

Pendant que nous écrivions ce chapitre, la prière ci-dessous nous a été envoyée par un ami. Il l'a trouvée dans un petit journal de Mexico et a pensé qu'il pourrait essayer de la réciter pour lui-même. À ce moment-là son vœu le plus cher était de jouer un morceau bien précis avec un orchestre. Il lut une seule fois la prière et pensa à la pièce de musique qu'il voulait jouer, puis il égara le texte par inadvertance. Cependant, trois jours plus tard, son agent l'appela. Il lui proposait de jouer avec un important orchestre du Middle West. Le morceau qu'il voulait interpréter (et qui n'est pas très connu) faisait partie du programme que cet orchestre envisageait de présenter. Si vous dites cette prière et que votre vœu soit exaucé, vous devez la faire publier en entier dans un journal, suivie des instructions.

PRIÈRE AU SAINT-ESPRIT

Saint-Esprit, toi qui résous tous les problèmes, toi qui éclaires tous les chemins pour m'aider à atteindre mon but ; toi qui me donnes le don divin de pardonner et d'oublier le mal que l'on m'a fait ; toi qui te trouves à mes côtés dans toutes les circonstances de la vie, je veux, par cette courte prière, te remercier pour tout et te confirmer, une fois de plus, que je ne voudrais jamais être séparé de toi, même et en dépit de toute tentation matérielle illusoire. Je veux être avec toi dans la gloire éternelle. Merci pour ta miséricorde envers moi et les miens.

Vous devez réciter cette prière pendant trois jours consécutifs. Ensuite, la faveur demandée vous sera accordée, même si elle vous paraît difficile à obtenir. Vous devrez alors publier cette prière, y compris ces instructions, immédiatement après que votre souhait a été exaucé, mais sans mentionner la nature de votre vœu ; seules vos initiales devront apparaître à la fin de cette annonce.

ÉTUDE COLLECTIVE

Cercles de guérison

Quand ils sont utilisés pour le bien spirituel d'autrui, les cercles créent de puissantes énergies. À chaque réunion, votre groupe peut passer quelques minutes à envoyer de l'énergie aimante, paisible, à des amis ou des parents qui souffrent. Si vous faites une prière pour la solution du problème d'une communauté, d'un quartier, d'un pays ou toute autre question spécifique, soyez constant et régulier dans vos efforts. Vous pouvez dire à voix haute un nom tandis que tous les participants prient et envoient de l'énergie et de l'amour autour d'eux.

La pratique transformatrice intégrale

Si votre groupe est intéressé par une pratique à long terme, il peut suivre le programme conçu par George Leonard et Michael Murphy dans *The Life We Are Given*. Travailler avec des personnes qui pensent comme vous augmente le pouvoir de votre intervention.

Thèmes de discussion

• Quels sont les individus qui ont besoin d'aide ou de soins, ou les problèmes à résoudre dans votre quartier ou votre communauté ? Pouvez-vous coopérer en tant que groupe et proposer un nouveau service ou améliorer ce qui est déjà en place ?

• Quelle difficulté rencontrée dans le passé vous aurait-elle apparemment préparé à comprendre un problème de votre communauté (violence des adolescents, drogue, grossesse des mineures, difficultés d'apprentissage scolaire, etc.) ?

• Y a-t-il dans votre quartier des enfants qui n'ont jamais vus la forêt ? un zoo ? Comment votre groupe pourrait-il les aider à mieux connaître la nature ?

• Votre groupe est-il intéressé par l'idée de créer un jardin dans votre quartier ? Pouvez-vous mobiliser des adolescents qui soient prêts à participer *de tout leur cœur* ?

• Posez la question suivante à votre groupe : « Quelle aide peut apporter notre groupe aux habitants du quartier ? »

Laissez chacun réfléchir seul pendant cinq ou dix minutes, et écrivez ensuite les idées énoncées. Une coïncidence se présente-t-elle ?

• Décrivez sur une feuille de papier l'objectif que vous aimeriez atteindre et qui vous coûterait un tout petit effort. Formez un groupe de trois volontaires pour trouver comment chacun d'entre vous pourrait progresser vers ce but. Cet exercice nécessite un suivi assez long, aussi préparez-vous à travailler sur une longue durée. Certains bons livres vous aideront à transformer votre vie en une aventure :

– *Wishcraft : How to Get What You Really Want*, Barbara Sher,
– *Live the Life You Love*, Barbara Sher,
– *Teamworks : Building Support Groups that Guarantee Success*, Barbara Sher et Annie Gottlieb,
– *Libérez votre créativité : osez dire oui à la vie*, Julia Cameron et Mark Bryan, trad. C. Duchêne-Gonzalez, Dangles, 1995,
– *Les Sept Lois spirituelles du succès,* Deepak Chopra, Éditions du Rocher, 1995,
– *Growing Season : A Healing Journey into the Heart of Nature*, Arlene Bernstein.

6

L'activité et l'influence de l'Après-Vie

LA MAGIE
LE CORBEAU

Tout d'abord, laisse-moi te raconter mon expérience dans l'autre dimension, ce que j'appelle l'*Après-Vie*. Au Pérou, j'ai réussi à conserver mon niveau d'énergie, alors que vous tous aviez peur et perdiez votre vibration ; j'ai été transporté dans un monde incroyable, où régnaient la beauté et la clarté. Je me trouvais toujours au même endroit mais tout était cependant différent. Ce monde de lumière m'a impressionné [...]. Par ma seule volonté je pouvais me projeter n'importe où sur la planète [...], je parvenais à créer tout ce que je voulais en le visualisant. (*La Dixième Prophétie* [1].)

QU'EST-CE QUE L'APRÈS-VIE ?

L'Après-Vie est notre foyer. C'est l'endroit d'où nous venons et où nous retournons. Selon la sagesse antique, et d'après les expériences de mort imminente (NDE) et de régressions dans des vies antérieures, l'Après-Vie est l'« endroit », ou la dimension, dans lequel notre conscience individuelle continue à exister entre nos séjours sur terre. Nous découvrons une importante vérité : notre conscience, notre âme ne meurent pas. Après la mort de notre corps physique, nous pénétrons dans l'Après-Vie. Ce royaume n'existe pas « là-haut » dans les cieux, mais ici, sur cette planète, dans une dimension que nos cinq sens ne peuvent capter. L'Après-Vie, que les chrétiens appellent l'Au-delà, est le foyer de notre âme quand elle est séparée de notre corps.

Ce qu'*est* l'Après-Vie dépend de ce que vous êtes, de ce que vous espérez de cette notion et de ce que vous attendez qu'elle sera. L'environnement *initial* que vous rencontrez dans le domaine spirituel semble être formé par les idées qui ont influencé votre comportement dans la dimension terrestre. Si vous n'emportez pas vos biens matériels avec vous, en revanche vous emportez votre conscience et vos croyances. Vous obtenez ce que vous espérez. Au début de votre séjour spirituel, vous êtes encore obsédé par ce qui vous préoccupait dans la vie que vous venez de quitter. Votre groupe d'âmes et votre volonté de « prendre conscience » vous font progresser ensuite vers des niveaux supérieurs et participer au vaste apprentissage qui se déroule dans l'Après-Vie.

Selon Robert Monroe, qui a voyagé dans ces différents univers, on pénètre d'abord dans un lieu de repos, formé d'arbres, de ruisseaux, de fleurs et de gazon, qui offre à l'âme du défunt des conditions aussi favorables que celles du monde physique. En général, le paysage de l'Après-Vie vibre de beauté et résonne de musique. Cependant, il existe aussi des dimensions où règnent la souffrance et l'obscurité, dimensions créées par ceux dont les sombres pensées et les besoins encore plus ténébreux ont élaboré leur propre version de l'Enfer.

Dans *Le Voyage hors du corps*, Robert Monroe décrit un aspect de l'Après-Vie comme une force créatrice vitale qui produit de l'énergie, assemble de la « matière » pour la façonner, et fournit des canaux de perception et de communication.

« Votre pensée détermine votre personnalité [2]. » « Votre destination (voyager dans l'Après-Vie est une expérience de sortie du corps) dépend entièrement de vos motivations, émotions et désirs les plus profonds. Même si vous ne voulez pas consciemment y " aller ", vous n'avez pas le choix. Votre âme est forte et prend généralement la décision pour vous. Les semblables s'assemblent [3]. »

S'ouvrir à l'Après-Vie, c'est accepter de chercher le sacré dans les petites choses, *absolument tout*, et savoir que chacun de vos choix sur terre compte. Vous n'emporterez peut-être pas de biens matériels dans la dimension spirituelle, mais vous y retournerez avec vos croyances et vos besoins passés.

Selon Monroe, trois facteurs expliquent l'existence, dans l'Après-Vie, de conditions semblables à celles de la terre. « Premièrement, ceux qui ont vécu dans le monde physique créent par leur pensée un environnement naturel simulé où perdurent les structures de celui-ci. Deuxièmement, ceux qui aiment certaines choses matérielles dans le monde physique les recréent apparemment pour améliorer leur environnement dans ce nouveau lieu. Troisièmement, des êtres supérieurement intelligents, plus conscients de l'environnement de l'Après-Vie que la plupart de ses habitants, simulent l'environnement matériel – au moins temporairement – en introduisant des formes et des décors familiers. Ils veulent ainsi réduire le traumatisme et le choc, au cours des premières étapes de leur transformation, pour ceux qui quittent le monde physique, juste après la " mort " [4]. »

Dans ce niveau de l'Après-Vie, votre expérience sera faite de vos peurs et de vos désirs les plus profonds. La pensée est action et vous ne pouvez rien cacher à personne. Le conditionnement sociopsychologique qui vous apprend à réprimer vos émotions dans la dimension physique n'existe plus dans la dimension spirituelle !

LA PHASE DE TRANSITION APRÈS LA MORT

Ce que nous savons de l'expérience de la mort provient de nombreuses sources fondamentales. L'une des descriptions les plus anciennes des stades de la mort est *Le Livre des morts tibétain*. Écrit par des ascètes d'une haute spiritualité qui affirment se souvenir du passage de leur âme entre la mort et la renaissance, cet ouvrage contient des descriptions du processus de la réincarnation, de plusieurs mondes non physiques distincts, et de la Revue de Vie. Le livre avait pour but d'aider les hommes à mourir avec plus de facilité, et on le lisait aux mourants pour leur fournir une sorte de carte routière pour le voyage qu'ils allaient faire. Il était aussi écrit pour aider les vivants à « avoir des pensées positives et à ne pas retenir le mourant avec leur amour et leurs soucis émotionnels, afin qu'il puisse entrer dans les différents niveaux de l'Après-Mort avec un état d'esprit adéquat, libéré de toutes les préoccupations liées au corps [5] ».

RENTRER CHEZ SOI

Les nouveaux arrivés qui se sont forgé sur terre une conception spirituelle sont suffisamment éveillés et préparés pour participer à un nombre infini d'activités spirituelles possibles dans cette dimension. Ceux qui ne sont pas encore prêts à accepter leur nouvelle existence peuvent prendre le temps de se reposer et d'ouvrir les yeux. Apparemment les prières d'amour de ceux qui sont restés sur terre facilitent considérablement la transition de la vie matérielle à la vie spirituelle.

Dans l'Après-Vie, nous avons tout le temps d'examiner les pertes et les acquis de notre âme, nos erreurs et nos succès, afin de préparer et planifier notre prochaine vie ici-bas. Notre degré de maturité dépend de la façon dont nous sommes devenus conscients de notre objectif réel sur terre, dont nous l'avons appris et intégré. Selon le degré que nous avons atteint, nous sommes autorisés à traverser certains niveaux et à travailler avec des guides et des maîtres spirituels.

Au cours des derniers siècles, le paradigme scientifique dominait, et la vie était le plus souvent réduite à ce qui se produisait dans le monde physique. On considérait la mort comme la fin de l'existence, et la plupart du temps comme une tragédie. Selon cette conception matérialiste du monde, les êtres humains n'étaient qu'une petite goutte d'éléments chimiques pourvue d'une sorte d'aspiration spirituelle qui rendait la vie supportable tant que nous étions vivants. On rejetait comme une hallucination ou une imposture tout phénomène spirituel inexplicable par la science (guérison spontanée, communication avec les morts, miracle). Même si un tel événement se produisait réellement, on l'estimait trop spécifique pour être étudié. On le mettait de côté pour s'intéresser aux progrès « plus importants », épiques, pour prolonger la vie et combattre la maladie. La plupart d'entre nous ont eu brièvement, à un moment de leur existence, un précieux aperçu de la transition par laquelle passe l'esprit quand il quitte la coquille physique et entre dans l'autre dimension – l'Après-Vie. Mais la Vision du Monde de notre société a le plus souvent maintenu une solide frontière entre les mondes visible et invisible. De nombreuses industries ont réalisé des profits juteux en exploitant notre peur de la mort.

Le guérisseur Arthur Ford, à partir de la dimension de l'Après-Vie, a communiqué à plusieurs reprises avec son amie terrestre, la journaliste Ruth Montgomery. Il lui a révélé quelques informations intéressantes sur certaines âmes. « Les frères Kennedy sont un exemple frappant du pouvoir de la prière. Une telle vague d'oraisons spontanées a déferlé de façon tumultueuse lorsque le président a été assassiné que celui-ci n'a jamais réellement perdu conscience. Presque instantanément il a été en harmonie avec ce qui l'entourait et, parce que ces prières l'entraînaient en avant dans un mouvement ascensionnel, il n'a pas eu à passer, ne serait-ce qu'une minute, par ce que les prêtres de son Église appelleraient le purgatoire : un état où les âmes errent sans but, perdues, jusqu'à ce que quelque chose leur fasse prendre conscience du potentiel de leur nouvel état. » (Ruth Montgomery, *A Search for Truth*.)

Connaître, pas seulement croire

L'existence de la dixième révélation ou du dixième niveau de conscience est prouvée maintenant par la floraison d'informations pratiques sur la dimension spirituelle qui sont acceptées par la plupart des hommes et des femmes. Des événements frappants comme les NDE ou les expériences de sortie du corps alimentent et enrichissent « les connaissances communes ». Ce mariage entre sacré et profane *prépare* l'unification des dimensions matérielle et spirituelle. Il existe des états modifiés de conscience comme les perceptions extrasensorielles ou les voyages hors du corps, la méditation transcendantale et les événements parapsychologiques (la vision de fantômes ou la communication avec les morts). Ces états font pénétrer la dimension spirituelle dans la dimension physique, et elle *devient une partie de notre vie sur terre*. À l'avenir, un tel processus va augmenter considérablement nos capacités et créera certainement des changements quantiques dans notre évolution.

Nous sommes éternels

Quel est l'événement qui pourrait changer davantage notre vie que de *savoir* – pas seulement de croire – que notre conscience survit intacte après notre mort physique ? Comme un papillon, en mourant nous émergeons du cocon de notre corps avec des ailes et une beauté iridescente – à moins que nous n'ayons commis de graves erreurs sur terre ; dans ce cas, nous serons obligés de nous livrer à une longue et pénible récapitulation personnelle des souffrances que nous avons imposées aux autres. La mort, telle que nous l'avons définie, *n'est pas le grand vide*. Dans cette nouvelle conscience, la mort et la vie représentent deux états d'un processus mystérieux, éternel.

> J'ai pensé à Huston Smith, le philosophe qui enseignait l'épistémologie et les religions comparées au MIT. Il affirmait que nous, les êtres humains, ne pouvions étudier scientifiquement que ce qui se trouve au-dessous de notre niveau de conscience, jamais les choses ou les personnes qui peuvent se trouver au-dessus. (Kyriacos C. Markides, *Riding with the Lion*.)

De nombreuses personnes dignes de foi évoquent la communication avec des âmes dans l'Après-Vie. L'une des plus fascinantes est une journaliste de Washington, Ruth Montgomery, précédemment citée, une médium qui fait autorité. Bien qu'elle se soit d'abord montrée sceptique au cours de ses premiers contacts avec ses guides spirituels invisibles, Ruth a écrit sous leur dictée plusieurs livres, grâce à l'écriture automatique, au cours des trente dernières années. Elle a aussi communiqué avec son vieil ami, le fameux guérisseur Arthur Ford, après sa mort. Tous deux nous ont laissé une somme étonnante d'informations à propos de la dimension spirituelle.

Si nous voulons mieux comprendre l'expérience de la vie dans sa totalité, il nous faudra non seulement reconnaître l'existence de l'Après-Vie, mais nous brancher consciemment sur cette dimension pour conserver une Vision du Monde positive. Le fait que nous soyons venus sur terre avec un objectif ne sera plus une connaissance intuitive, mais fera alors partie de notre réalité.

POURQUOI NE PAS RESTER LÀ-BAS ?

Dans l'Après-Vie, dans la dimension spirituelle, nous pouvons imaginer n'importe quoi et le créer, mais ce type de création non physique n'est pas aussi enrichissant que dans le monde physique. Nous choisissons de naître dans une vibration très dense de la dimension terrestre afin de pouvoir apprécier pleinement le monde matériel et connaître les conséquences de nos actions. La vie terrestre est nécessaire au développement de l'âme. La dixième révélation ouvre notre mémoire aux *causes* de notre venue sur terre.

Dans *La Dixième Prophétie*, Will déclare : « Nous apprenons à utiliser notre visualisation exactement comme elle est utilisée dans l'Après-Vie et, ce faisant, nous sommes en harmonie avec la dimension spirituelle, et cela aide à unifier le Ciel et la Terre. » Chacun de nous est une sorte d'alambic alchimique qui transmue l'énergie en actions, et unifie ces deux dimensions.

L'UNIFICATION DES DIMENSIONS

En faisant des recherches pour écrire ce chapitre, nous avons été frappés par la ressemblance entre certains points de la dixième révélation et les messages que les guides spirituels ont communiqués à Ruth Montgomery pendant vingt ans. Les messages qu'ils transmettaient à Ruth leur semblaient aussi importants pour leur avancement que pour le nôtre – point également soulevé par la dixième révélation. Ruth devait nous faire savoir que le développement de nos capacités psychiques est essentiel, quand nous sommes incarnés dans un corps physique, pour améliorer nos vies et enrichir les âmes d'autrui.

Parlant de l'Après-Vie comme de l'Inconnu, les guides déclarent à Ruth : « Le premier pas à faire pour les humains est de contacter ce qu'ils appellent l'Inconnu, afin que ce pouvoir commence à travailler en leur faveur. Ce pouvoir est une des forces les plus puissantes de l'univers. Lorsque les âmes situées du côté invisible de cette barrière imaginaire se joignent à ceux qui cherchent sincèrement à faire progresser la cause d'autrui sur terre, ce pouvoir est presque sans limites [6]. » Il s'agit exactement de l'unification des dimensions évoquée par la dixième révélation !

Les guides spirituels expliquèrent à Ruth que cette capacité à communiquer entre dimensions doit servir au bien de l'humanité, et que ne pas l'employer représenterait un regrettable gâchis. « [...] Dieu souhaite qu'elle soit utilisée et développée au maximum, afin que – comme l'annoncent les Écritures – le voile entre les deux mondes se déchire et que tout devienne un. Même si certains continueront à être incarnés sur terre à ce moment-là, ils pourront converser à volonté avec ceux qui sont passés au stade suivant. Plus l'homme envisagera ce problème avec ouverture d'esprit, plus vite ce temps viendra. Plus son esprit sera fermé, plus ce processus se déroulera lentement [7]. »

Les guides ont aussi souligné que chaque moment de notre vie terrestre est important non seulement parce qu'il nous offre la chance de connaître la richesse de cette dimension, mais aussi parce qu'il nous donne l'occasion d'aimer. Il nous permet de servir le Plan de l'Univers, et de nous brancher sur une vibration plus spirituelle. Souvent ces guides ont conseillé à Ruth de ne pas perdre son temps à poursuivre des objectifs inutiles ! « [L'existence sur terre] prépare surtout les hommes à cette phase de la vie ; et nous, bien sûr, nous nous préparons à la prochaine phase de la nôtre. C'est pourquoi nous tenons beaucoup à aider les autres dans cette dimension. Cela fait partie de notre développement spirituel ici, et vous nous retardez quand vous refusez de vous rendre disponible [8]. » Même si les âmes spirituelles conservent notre Vision de Naissance, l'unification des dimensions ne peut se réaliser sans notre intention consciente sur le plan terrestre. C'est à nous, sur terre, de poursuivre cet objectif historique. Ce concept archétypique de l'unité, cette poussée vers la spiritualisation du monde matériel, peut même être la force qui sous-tend notre nouvelle prise de conscience et notre souci de penser les systèmes et les conceptions d'« holisme » et d'« holistique ». Quand la société aura pleinement assimilé l'idée que le monde physique et le monde spirituel doivent être unis, alors la réalisation finale de la Vision du Monde sera assurée.

EXPÉRIENCES COMMUNES DES PERSONNES RÉCEMMENT DÉCÉDÉES

Dans *En route vers Oméga*, Kenneth Ring, l'un des principaux chercheurs ayant travaillé sur les NDE, nous apporte le témoignage d'un homme qui a eu un accident et a failli mourir. La description de sa mort résume bien la série d'expériences que des milliers de gens ont déjà racontée.

« [...] la première chose que j'ai remarquée c'est que j'étais mort [...]. Je flottais en l'air au-dessus de mon corps [...]. Cela ne semblait pas me chagriner le moins du monde. J'étais réellement mort, mais cela ne me troublait pas [...]. Je pouvais flotter facilement [...] et aussi voler à une vitesse terrifiante [...]. Cela me procurait une joie intense. Ensuite je remarquai une zone sombre devant moi. Au moment où je m'en approchai, je pensai qu'il s'agissait d'une sorte de tunnel. Sans hésiter, j'y entrai et ensuite je volai à l'intérieur avec une joie inouïe [...]. J'aperçus une sorte de lumière circulaire au loin et pensai qu'il s'agissait de l'extrémité du tunnel tandis que je le traversais dans un vrombissement [...]. C'était un endroit incroyablement illuminé, dans tous les sens du mot, à la fois d'une luminosité inquiétante [...] mais aussi un endroit merveilleux. Je me retrouvai dans différents décors où tout semblait également éclairé par la même lumière, et je vis d'autres choses aussi [...], pas mal de gens [...]. J'aperçus mon père au loin, qui était mort depuis vingt-cinq ans [...]. Je sentais aussi et je constatai, bien sûr, que chacun éprouvait une compassion absolue pour tout et tous [...]. L'amour était l'axiome majeur auquel tous obéissaient automatiquement. Cela produisit une émotion phénoménale chez moi [...] parce que je compris [...] qu'il n'existait rien d'autre que l'amour [9]. »

Au sujet de la transition de la mort il existe des similitudes entre *Le Livre des morts tibétain* et les souvenirs des sujets qui ont revécu des vies antérieures grâce à une régression sous hypnose. Suivant *Le Livre des morts tibétain*, les jeunes âmes, dans leurs premières incarnations, ne se rendent apparemment pas compte du processus de la réincarnation. Les âmes plus mûres, qui ont déjà connu plus d'une vie, commencent à devenir plus conscientes de leur passage à travers des mondes non physiques et essaient volontairement d'apprendre et de progresser. Les âmes plus anciennes enseignent aux âmes plus jeunes et les aident à découvrir leur nature spirituelle.

Ceux qui ne se rendent pas compte qu'ils sont morts

Beaucoup de gens racontent que, immédiatement après sa mort, une personne peut ne pas réaliser qu'elle est décédée, surtout si le décès a été brutal. Le film *Ghost*, par exemple, l'illustre bien : Patrick Swayze est tellement impliqué dans le combat au cours duquel il a été tué qu'il ne se rend pas compte qu'il a quitté son corps. Quand nous sommes morts, apparemment nous sentons encore que nous sommes dans une sorte de corps, à cause de la force de nos habitudes mentales.

Certains s'attardent

Les défunts errent parfois dans la dimension terrestre dans leurs « coins favoris » pendant plusieurs jours, ou s'attardent pour observer leur famille et leurs amis au cours de leurs funérailles. Parce qu'elles éprouvent un sentiment de perte ou d'attachement exagéré, certaines âmes ne se séparent pas complètement de la dimension physique. Elles restent coincées, errent, hantent les lieux et traînent sur terre – cette attitude ralentit le processus d'évaluation de leur dernière incarnation au cours de leur Revue de Vie. Durant les régressions dans des vies antérieures, certaines personnes assistent à des scènes chaotiques – dans un monde nébuleux où les êtres sont encore trop liés au monde physique et n'ont pas progressé.

Quelle est notre apparence dans l'Après-Vie ?

Selon la plupart des récits, au début de l'Après-Vie, nous avons généralement la même apparence qu'à notre mort. Plus tard, notre corps reprend son apparence la plus favorable et la plus robuste. Notre corps psychique est comme du plastique, malléable à nos expériences, nos émotions et nos pensées. Comme le montre le récit suivant, le corps a au départ le même aspect qu'au moment du décès, puis tandis qu'il progresse à travers les différents niveaux de l'Après-Vie, il devient de plus en plus lumineux.

Phases et niveaux

Au bout de quelque temps, l'âme se sent poussée à entamer son voyage à travers les différents niveaux spirituels d'expérience.

D'après de nombreux témoignages qui comportent des détails étonnamment similaires, les âmes franchissent plusieurs niveaux lorsqu'elles traversent les royaumes non physiques. Selon son degré de développement, chaque âme détermine le niveau où elle ira ou restera quelque temps.

Dans les niveaux inférieurs, il existe des zones de chaos et d'obscurité, où l'on entend des bruits terribles (coups de tonnerre, explosions, sifflements, cris inhumains et hurlements). Certains ont vu des êtres terrifiants ou monstrueux – des individus bloqués dans des conflits, par la souffrance ou le chagrin. Souvent, l'on traverse cette zone en ignorant les âmes tourmentées. C'est dans ces lieux que nous rejouons sans cesse nos obsessions.

Le royaume conceptuel des idées est un endroit calme et plaisant, peut-être même rempli de chants et de musique célestes. Certains ont raconté que, tandis qu'ils gravissent un à un les niveaux d'existence, leur corps devient plus léger et plus clair.

D'autres royaumes sont encore plus beaux que le royaume des idées et éclairés par une large gamme de lumières colorées et surnaturelles. Souvent ces niveaux supérieurs abritent nos chers disparus qui ont déjà réalisé leur transition vers l'esprit et ils nous saluent. On choisit parfois de se reposer pendant quelque temps dans ces niveaux plus calmes. Apparemment, lorsque notre fréquence augmente, nous avons le sentiment qu'il existe un nombre infini et inimaginable de niveaux. Plus le corps spirituel devient clair et lumineux, plus les sujets se sentent remplis d'un bonheur et d'un amour illimités – ils éprouvent la joie intense d'être « chez eux » et désirent ardemment participer à un nouvel apprentissage et une nouvelle expansion de nos horizons.

LA REVUE DE VIE EST ESSENTIELLE POUR ASSIMILER NOTRE DERNIÈRE EXPÉRIENCE DE VIE

Selon des centaines de récits de NDE, les gens voient leur vie repasser à toute vitesse sous leurs yeux. Ils revivent très clairement chaque événement significatif de l'existence qu'ils sont sur le point de quitter. Apparemment en l'espace de quelques secondes ou de quelques minutes, ils revoient les moments qui les ont marqués au cours des dizaines d'années précédentes. Cette répétition immédiate de leur vie permet de mesurer leur capacité d'amour et le degré de connaissance acquis. Fréquemment, ces personnes racontent qu'elles auraient mieux aimé rester dans le royaume spirituel, mais parce qu'elles ont un jeune enfant à élever, désirent donner plus d'amour, ou comprennent qu'elles n'ont pas totalement atteint leur objectif existentiel, elles décident de reprendre leur vie sur terre.

> Ce n'étaient pas exactement des images, plutôt un genre de pensée, je crois. Je ne peux pas vous le décrire exactement, mais tout y était. C'était (...) tout en même temps. J'ai songé à ma mère, à des mauvaises actions ou des erreurs que j'avais commises. Après, j'ai pu voir des choses minables que j'avais faites pendant mon enfance [...]. J'aurais souhaité les effacer, et je désirais retourner en arrière et en réparer les effets. (Raymond Moody, *La Vie après la vie.*)

La Revue de Vie change tout lorsque l'on revient sur terre

Dans presque tous les récits de NDE, la personne subit une transformation radicale. Dans *La Vie après la vie*, Raymond Moody décrit comment même une brève revue des événements significatifs d'une vie peut changer les valeurs et le comportement de quelqu'un pour le restant de ses jours. La Revue de Vie est habituellement, mais pas toujours, accompagnée d'un « être de lumière ». Selon Moody : « En général, dans les expériences où l'être " dirige " apparemment la Revue de Vie, celle-ci constitue une expérience encore plus puissante. Néanmoins, on la caractérise habituellement comme tout à fait frappante, rapide et précise, que cela se passe au cours du " décès " réel de quelqu'un (que l'on revit au cours d'une régression dans une vie antérieure) ou lorsqu'on frôle la mort [10]. »

Les gens (les « rémigrants ») qui font l'expérience d'une Revue de Vie pendant une régression sous hypnose trouvent le plus souvent que la leçon à en tirer est très claire. Dans un des livres les plus complets et les plus profonds sur le sujet, *Exploring Reincarnation*, le psychologue hollandais Hans TenDam passe en revue de multiples informations tirées de nombreuses études cliniques. D'après lui, les gens évoquent des objectifs existentiels « extraordinairement différents » de ce qu'ils ont réalisé. Par exemple, un rémigrant affirme que « le principal objectif de sa vie était d'apprendre à rire, parce que ses vies antérieures avaient été trop sérieuses. Un autre avait amassé d'énormes richesses durant sa vie, mais était mort pauvre comme Job [...]. Il devait apprendre que ni la richesse ni la pauvreté ne déterminent la qualité des hommes [11]. »

Parfois nous perdons complètement notre vision de l'âme, et restons coincés par un traumatisme ou refusons de progresser, comme c'était le cas d'un employé de bureau dans une entreprise désuète, cas rapporté par TenDam dans son livre. Il était resté « vissé » à son bureau pendant trente-cinq ans, et avait refusé une promotion parce qu'il préférait se contenter du travail qu'il connaissait bien.

Au cours de sa Revue de Vie, il vit devant lui le scénario de son existence comme un fil mince et brillant, qui se cassait à un certain endroit et devenait gris foncé. Lorsque le thérapeute lui demanda quelle situation avait provoqué cette coupure, le rémigrant pensa immédiatement à son refus d'être promu. En renonçant à une chance de progresser, il avait renoncé à lui-même. (Hans TenDam, *Exploring Reincarnation*.)

LA CONNAISSANCE DIRECTE

Dans presque tous les cas de contacts avec les dimensions spirituelles, il semble que les gens découvrent des *connaissances directes intérieures* comme : « Je sentais la présence de ma mère. Je devinais que c'était elle » ; « J'avais envie de rester, mais je savais que ce n'était pas encore le temps [de mourir] » ; « J'ai compris immédiatement que c'était mon père » ; ou « Je savais que je devais apprendre à être plus tendre ». Même si la dimension spirituelle est un foyer rempli d'amour à notre égard, nous continuons à renaître pour faire l'expérience de la violente incertitude de la vie dans la dimension physique ! Dans l'Après-Vie, la plupart des âmes qui ont progressé au cours de nombreuses existences affirment qu'elles se savent intuitivement immortelles. Les gens découvrent qu'ils ont une âme et que celle-ci veut qu'ils fassent des expériences spécifiques et atteignent certains objectifs.

Il existe toujours une compensation

Brian Weiss rapporte le récit de Pedro, l'un de ses patients, dans son livre *Only Love is Real*. Pedro était venu le consulter parce que son désespoir ne faisait que se renforcer depuis la mort de son frère. Les souvenirs de Pedro sur ses vies antérieures montraient qu'il avait effectué des choix intéressants et qui lui avaient apporté des connaissances appréciables. Dans une vie, sa famille l'avait forcé à devenir prêtre. Il ne voulait pas quitter la femme qu'il aimait, et pensait qu'il préférait mourir. Mais, résigné à l'inévitable, il entra dans un monastère. Au cours de sa régression, il découvrit que le père supérieur du monastère était le frère dont il regrettait tellement la mort au cours de sa vie *actuelle*.

Quand Brian Weiss lui demanda ce qu'il avait appris de cette vie, Pedro répondit : « J'ai appris que la colère est ridicule. Elle dévore l'âme. Mes parents [dans cette vie-là] ont fait ce qu'ils estimaient le mieux pour moi et pour eux. Ils ne comprenaient pas l'intensité de mes passions et me déniaient le droit de déterminer le cours de mon existence [...]. Ils étaient ignorants [...] mais moi aussi. Je me suis approprié la vie des autres. Comment puis-je donc les juger ou leur en vouloir alors que j'ai agi comme eux ? [...] C'est pourquoi il est si important que je pardonne. Nous avons tous commis des actes pour lesquels nous condamnons les autres [...]. Je n'aurais pas rencontré le père supérieur [son frère] si j'avais suivi la route que je voulais prendre, conclut-il. Il y a toujours une compensation, toujours de la grâce, de la bonté – il suffit de les chercher. Si j'étais resté rancunier et plein d'amertume, si je n'avais pas apprécié ma vie, je n'aurais pas connu l'amour et la bonté que j'ai trouvés dans ce monastère. » Après avoir vu son frère dans ce rappel d'une vie antérieure, il découvrit que l'âme est immortelle, et que, puisqu'il avait aimé son frère et avait vécu auprès de lui avant cette vie, ils seraient de nouveau réunis plus tard. Ainsi sa douleur commença à s'apaiser.

Dans une autre vie, Pedro avait été une prostituée; ses clients étaient des hommes riches et puissants. Comme elle adorait manipuler les mâles, ce mode de vie la fascinait. Elle avait rencontré un jeune homme dont elle était tombée amoureuse, mais elle l'avait quitté pour « un autre plus âgé, plus puissant et plus riche [...]. Je n'ai pas suivi mon cœur. J'ai fait une terrible erreur [12]. » Elle était finalement morte très seule, dans un hôpital misérable, parmi les plus pauvres d'entre les pauvres, sous les regards désapprobateurs des infirmières.

LA REVUE DE VIE AVANT LE RETOUR À LA DIMENSION SPIRITUELLE

La dixième révélation nous enseigne que de plus en plus d'hommes et de femmes vont passer en revue les progrès de leur âme, *alors qu'ils sont dans leur corps physique*, plutôt que d'attendre, pour ce faire, d'être passés de l'autre côté. Grâce à la méditation silencieuse, à l'écriture d'un journal, à des rêves numineux ou à des illuminations spontanées, nous commençons à nous voir à partir de la perspective plus vaste du développement de l'âme. Pour des questions qui vous préoccupent profondément, consultez un thérapeute qui soit ouvert à la spiritualité et l'utilise dans son travail psychologique.

La plupart d'entre nous se demandent déjà : « Qu'ai-je appris jusqu'ici, comment suis-je en train d'actualiser ma Vision originelle ? Dans quelle direction suis-je en train de progresser ? » Plus notre conscience individuelle s'intensifie, mieux nous comprenons ce qui est *réellement* possible, qui nous sommes *réellement*. Alors notre *être* fonde et détermine notre *action*.

Nous choisissons de quitter la dimension spirituelle, et de venir dans cette vie afin de connaître le merveilleux éventail de choix qui feront passer notre âme au niveau supérieur. Notre Vision de Naissance est une facette, une petite note, de la Vision du Monde. Ignorant la peur de la mort et le vide de l'oubli, nous pouvons vivre plus joyeusement, et en même temps plus délibérément, que jamais auparavant. Cette curiosité et ce sens de l'aventure et du jeu, qui étaient – quand nous étions plus jeunes – aussi naturels que le fait de respirer, nous encourageront alors à poursuivre des images intuitives avec encore plus de plaisir, ou à pénétrer dans les royaumes de la souffrance avec une perspective plus juste de la totalité. La Vision du Monde se manifeste chaque jour suivant les vibrations collectives de notre existence et de nos actions.

UNE MASSE CRITIQUE RECONNAÎT L'EXISTENCE DE L'APRÈS-VIE

Dans les sociétés occidentales scientifiques, quand une personne qui a vécu une NDE, ou reçu une communication posthume d'un être cher, essaie de les décrire à sa famille, à ses amis, à des infirmières ou à des médecins, les réactions expriment souvent l'indifférence ou une incrédulité à peine dissimulée. On y voit seulement un effet du chagrin. Par exemple : « Quand je me suis réveillé, j'ai essayé de raconter à mes infirmières ce qui s'était passé, mais elles m'ont recommandé le silence, parce que ce devait être le fruit de mon imagination. » Ou bien : « Je n'aime pas en parler autour de moi. Quand vous racontez ce genre d'expérience, on vous regarde comme si vous étiez fou [13]. » Bien que le monde spirituel fasse partie intégrante de la vision du monde de la plupart des cultures, pour nos esprits occidentaux la dimension spirituelle se réduit à la messe du dimanche et aux superstitions.

La dixième révélation rappelle clairement que l'existence d'une dimension spirituelle, pendant que l'on est incarné dans une forme physique, constitue le but ultime de la spirale de l'évolution. Bill et Judy Guggenheim, auteurs de *Hello from Heaven*, estiment que « cinquante millions d'Américains, soit 20 % de la population des États-Unis, ont eu une ou plusieurs communications avec les morts » – soit cinq fois plus que ceux qui ont vécu des NDE [14]. Selon Raymond Moody, ceux qui frôlent la mort puis reviennent à la vie pensent généralement qu'ils représentent un cas unique, que personne n'a eu une telle expérience. Mais ils se sentent soulagés lorsqu'ils apprennent que ce phénomène n'est pas si rare.

La première révélation nous enseignait qu'une masse critique d'individus clairvoyants devait se former pour que la transformation ébranle *toutes* les consciences. Avant que cette information puisse être communiquée, il faut qu'un nombre suffisant de personnes sentent la réalité et l'existence de l'Après-Vie. La dimension spirituelle devra devenir une idée universellement reconnue. Si nous examinons les croyances de notre société, nous savons que certaines autres hypothèses doivent corroborer cette vérité pour que les nouvelles idées deviennent acceptables. Comme l'écrit Moody : « [...] nos contemporains doutent, en général, que notre corps puisse survivre après la mort. La science et la technologie permettent de mieux comprendre et conquérir la nature.

Parler de la vie après la mort semble en quelque sorte rétrograde à de nombreuses personnes qui croient peut-être que cette idée appartient à notre passé " superstitieux " plutôt qu'à notre présent " scientifique ".

« De plus, si le grand public connaît mal les NDE, cela provient en partie d'un phénomène psychologique très répandu : l'attention sélective. Notre esprit conscient n'enregistre qu'une petite partie de ce que nous voyons et écoutons chaque jour. » Moody évoque ce qui se passe quand nous entendons un nouveau mot. Soudain, il est utilisé partout. Ce mot a toujours existé, mais nous n'étions pas conscients de sa signification et l'avons ignoré – involontairement. Le même phénomène se produit quand nous décidons d'acheter une nouvelle voiture d'une certaine couleur. Tout à coup, nous voyons des voitures semblables partout.

Voici un exemple de cette attention sélective. Au cours d'une conférence de Moody, un médecin lui demande : « Je pratique depuis longtemps. Si ces expériences sont aussi répandues que vous le dites, pourquoi n'en ai-je jamais entendu parler ? » À ce moment, la propre femme de ce praticien raconta la NDE d'un de leurs très proches amis. Explication : soit ce médecin n'y avait pas fait attention, soit il l'avait oubliée car cela ne cadrait pas avec ses conceptions. Autre exemple synchronistique : un médecin venait de lire un vieil article à propos du travail de Moody ; le lendemain, un patient vient lui raconter sa propre NDE pendant une opération. Selon Moody : « Il est fort possible que, dans ces deux cas, les médecins impliqués aient entendu parler de quelques cas auparavant. Mais ils avaient pensé qu'il s'agissait d'incidents bizarres, isolés, et non d'un phénomène très répandu [15]. »

Selon Moody, les praticiens, qui entendent parler des NDE plus souvent que le commun des mortels, sont formés à ne prendre au sérieux que les symptômes physiques « objectifs » de la maladie. « On insiste constamment auprès des carabins pour qu'ils se méfient des opinions des patients sur leur propre santé [16]. »

Nous connaissons le pouvoir d'une « idée qui arrive à son heure ». Marie-Louise von Franz, grande analyste jungienne, cite l'exemple des solutions trouvées et des découvertes faites intuitivement par de nombreux savants et prix Nobel : elles se produisent souvent de façon concomitante. La dixième révélation suggère que l'Après-Vie nous fournira une masse d'informations dès qu'un nombre suffisant de gens seront prêts à lui accorder crédit. Et alors quelqu'un la couchera sur le papier.

Mais, si le quotient de Peur dans la Vision du Monde est trop élevé, cela empêchera l'humanité de pressentir la sagesse divine. Les nombreux conflits qui ensanglantent la planète vous font peut-être douter qu'un progrès spirituel soit en train de se produire. Rappelez-vous que le développement de la conscience se produit par vagues. Nous sommes à la fois une particule dans ces vagues, et les vagues elles-mêmes. Nous accomplirons tout ce que nous pourrons pendant notre séjour sur terre.

À PROPOS DE LA RÉINCARNATION

La réincarnation est l'idée que notre âme, notre conscience éternelle, renaît dans de nombreuses vies pour apprendre, grandir et évoluer. Les connaissances sur la réincarnation nous proviennent des doctrines religieuses et ésotériques, des souvenirs spontanés sur les vies antérieures d'adultes et même d'enfants, de la régression induite dans des vies antérieures et de ceux qui, grâce à une sensibilité développée, reçoivent des informations métapsychiques.

Le souvenir spontané d'autres vies

Le souvenir spontané est souvent déclenché lorsque nous reconnaissons un endroit ou une personne au premier coup d'œil. Mais ceux qui mènent des recherches sur les vies antérieures comme Hans TenDam croient que les sensations de déjà vu, le sentiment de revivre un épisode du passé ne suffisent pas à prouver qu'il s'agit de souvenirs d'une autre vie. Des attirances immédiates, mais rares, comme le coup de foudre, dans le cas d'un véritable amour, indiquent probablement une relation dans une vie précédente.

Un souvenir peut aussi être provoqué par un objet, une image, un livre, ou une situation similaire. Ou encore par une épreuve, dans des circonstances physiques ou émotionnelles exceptionnelles. Aucune croyance antérieure en la réincarnation n'est nécessaire.

Indices physiques, habitudes et tendances

Nos vies passées laissent plusieurs types d'indices de notre personnalité lors de notre vie présente : une marque significative sur le corps, une habitude particulière, des capacités ou des talents exceptionnels, et des attitudes rigides dans la vie (des conceptions) qui ne semblent pas provenir de notre famille actuelle. Parfois une personne se souvient d'une blessure fatale dans une vie antérieure car elle se traduit par une marque de naissance sur sa personne.

Nos préférences peuvent nous donner des indices sur nos vies passées. Si vous avez un penchant pour les meubles américains des XVIIe-XVIIIe siècles ; si vous collectionnez la porcelaine chinoise ou regardez avec nostalgie les photographies des côtes grecques, une telle prédilection révèle une vie passée positive dans cette époque ou ce pays. Dans *Exploring Reincarnation*, TenDam mentionne que, chez les jeunes enfants, une conduite très particulière peut indiquer une vie antérieure. De nombreux souvenirs sur des vies passées ont été vérifiés dans des documents historiques.

> Un exemple amusant est fourni par la petite fille qui repose bruyamment sa tasse de lait sur la table et s'essuie la bouche comme si elle venait de descendre une pinte de bière avec une satisfaction ostensible. Quand ses parents la grondent, elle se met à pleurer et affirme qu'elle agit ainsi en hommage à ses amis qu'elle ne veut pas oublier. Interrogée plus en détail, elle évoque une de ses vies passées. De plus, le physique de cette petite fille tranchait avec celui du reste de sa famille. (Hans TenDam, *Exploring Reincarnation*.)

L'intervalle entre deux vies (La pause)

Les chercheurs signalent que l'intervalle entre deux vies successives sur terre peut varier de quelques années à quelques centaines ou milliers d'années. Moins notre âme a d'expérience dans la dimension matérielle, plus nous nous réincarnons fréquemment afin d'apprendre. Selon les études citées par TenDam, les intervalles moyens sont apparemment compris entre soixante et quatre-vingts années terrestres. Les âmes plus anciennes choisissent soigneusement leur incarnation pour accomplir une mission précise durant une période spécifique dans le développement de la terre.

Hans TenDam a étudié de nombreux textes sur la régression dans des vies antérieures et mené des recherches sur des personnes qui avaient fait cette expérience et sont assez conscientes après avoir connu un coma dépassé. Il suggère trois schémas et différentes causes de réincarnation. Ces niveaux se superposent parfois pour un même être.

La Première Population ou « Ouaouh, déjà de retour ? »

Selon les récits de régressions dans des vies passées, les membres de ce groupe d'âmes retournent sur terre en ayant presque oublié leur séjour dans la dimension spirituelle. Ils ont donc peu d'indications sur leur nouvelle vie et n'ont guère reçu de conseils. Suivant leurs propres témoignages, à la naissance, ces personnes ont la sensation d'être aspirées de nouveau vers la vie (« Quand on pénètre dans le fœtus on a l'impression d'être attiré par un aspirateur ») sans y réfléchir beaucoup, surtout si l'existence antérieure a été brève. Avides de nouvelles expériences, ces personnes n'apprennent que les leçons de base sur la vie terrestre, sans être très conscientes de l'objectif spirituel de leur âme. Dépourvue de projet existentiel, leur nouvelle vie est peu influencée par la motivation profonde d'atteindre un objectif. Après de courts intervalles (environ de huit ans) chaque retour sur terre suit en général la précédente de près, à la fois sur le plan temporel et spatial.

La Deuxième Population – des volontaires avides de savoir

Contrairement à la réincarnation naturelle, involontaire, de la Première Population, les membres de la Deuxième Population choisissent de retourner sur terre. Ils réfléchissent beaucoup au type de parents et à la situation qui leur donneront des conditions optimales pour apprendre et progresser. La maturité de notre âme croissant, certains maîtres suggèrent que nous gagnons le droit de concevoir un projet existentiel durant notre séjour dans l'Après-Vie. Ce projet ou Vision de Naissance définit des objectifs pour notre développement personnel et l'établissement des relations personnelles karmiques. Selon les cas de régression étudiés par TenDam, on revoit sa vie antérieure (la Revue de Vie) ; on rencontre certains guides ainsi que son groupe d'âmes pour leur demander conseil ; on voit à l'avance quelques situations et quelques personnes que l'on rencontrera (*cf.* la vision prémonitoire de Maya dans *La Dixième Prophétie*) ; et on devient conscient de la pause elle-même. L'intervalle pour cette population tourne autour de soixante ans.

La Troisième Population – la mission – ou la totale

Comme les membres de la Deuxième Population, ceux de la Troisième Population débattent consciemment durant leur séjour dans l'Après-Vie. Cependant, à ce niveau du développement de l'âme, la personne a souvent payé la plupart de ses dettes karmiques. Étant plus libres de mettre à profit toutes les tendances et capacités développées pendant des centaines ou des milliers de vies antérieures, les hommes et les femmes de la Troisième Population retournent sur terre afin d'apporter une contribution majeure au progrès de l'humanité. Ils ont des objectifs de travail pour un projet de plus grande envergure. Ils savent que leur séjour sur terre a un but, et qu'il existe une connexion divine. Poussés par cette connaissance intérieure, ils suscitent de nombreuses occasions et de nombreux défis. Des conditions extrêmes les forcent parfois à puiser profondément dans leurs ressources intérieures. Ils sont malheureux, souffrent, connaissent l'extase, mais aussi des efforts persévérants. Ils reçoivent de nombreux conseils de leur groupe d'âmes, de leur

Moi supérieur et de Dieu. Ce sont tantôt des personnes ordinaires, actives et bien intentionnées qui gardent un profil bas, tantôt des maîtres charismatiques ou des dirigeants d'importance mondiale. Selon la philosophie bouddhiste, les bodhisattvas, les seigneurs de la Compassion, « apparaissent comme des maîtres universels selon un calendrier fixe [qui assure] le retour périodique de ceux qui sont devenus parfaits [17] ». La durée moyenne entre deux vies dans la Troisième Population est de deux cent trente ans.

L'INFLUENCE DES GROUPES D'ÂMES

Les sept personnages de *La Dixième Prophétie* sont impliqués dans un projet commun : ils doivent arrêter des expériences catastrophiques dans la vallée. Leur besoin de stopper ces expériences leur sert de catalyseur et leur permet de se rappeler leurs liens passés et leurs problèmes non résolus. Ayant compris les enseignements de la neuvième révélation, ils se branchent sur une vibration supérieure pour profiter des conseils des âmes qui, dans l'autre dimension, conservent leur Vision de Naissance en espérant qu'ils ouvriront les yeux. À propos de ces groupes d'âmes désincarnés Wil affirme : « Nous sommes reliés à elles. Elles nous connaissent, partagent notre Vision de Naissance et nous accompagnent durant toute notre vie. Ensuite, dans l'autre dimension, elles restent à nos côtés quand nous revoyons notre existence. Elles agissent comme un réservoir qui contient nos souvenirs, qui conserve les informations sur les différentes étapes de notre évolution. [...] Quand nous sommes dans l'Après-Vie et que l'une d'entre elles retourne à la dimension matérielle, nous rejoignons le groupe d'âmes qui la soutient et acquérons le même pouvoir qu'elles [18]. »

La révélation nous apprend que, si nos groupes d'âmes ne nous envoient pas d'intuitions – celles qui proviennent d'une source divine –, ils nous envoient de l'énergie supplémentaire et élèvent notre esprit d'une façon particulière afin que nous nous rappelions plus efficacement ce que nous savions déjà. Ils nous envoient toujours de l'énergie et espèrent que nous nous souviendrons de notre Vision de Naissance. Ces groupes semblent augmenter de taille et « être plus heureux » quand nous commençons à nous souvenir. Bill et Judy Guggenheim ont écrit : « Les habitants [de la dimension spirituelle] apprécient énormément le savoir et sont encouragés à étudier les sujets de leur choix. Cela couvre pratiquement tout, mais il y a quelques matières favorites : les arts, la musique, la nature, les sciences, la médecine et toutes les disciplines spirituelles. À leur tour ils transmettent leurs goûts pour ces sujets en inspirant ceux qui vivent encore sur terre [19]. » Selon TenDam et d'autres chercheurs : « Parmi ceux [qui ont raconté qu'ils avaient demandé des conseils avant de naître], plus de 60 % ont eu plus d'un conseiller, et certains ont même bénéficié d'un *groupe de conseillers* [20] » (souligné par l'auteur).

Âmes sœurs ou âmes égarées ?

Certains se demanderont : « Comment ferai-je la distinction entre les âmes égarées qui traînent dans la dimension terrestre et mon groupe d'âmes ? » La différence est que les âmes égarées manquent d'énergie : elles ne réussissent ni à quitter la dimension terrestre, ni à rejoindre la dimension spirituelle. Pour une raison ou pour une autre, elles sont coincées dans un schéma mental de peur, et chercheront à drainer notre énergie.

Dans un moment de crise ou de clarté, votre guide ou votre groupe d'âmes peuvent se faire connaître par une intervention ou une inspiration. Votre intuition vous indiquera si certaines personnes vous aident en vous donnant de l'énergie ou si elles essaient de vous en soustraire et de diminuer votre confiance en vous et votre capacité de vous orienter vous-même.

L'intervention en cas de crise

Dans son livre *Lumières nouvelles sur la vie après la vie*, Raymond Moody rapporte certains témoignages de personnes qui furent sauvées d'une mort imminente grâce à l'intervention d'un être ou d'un agent spirituel.

Moody cite l'exemple d'un homme qui était coincé dans une cuve qui se remplissait d'un acide très chaud à haute pression. « Je me suis réfugié dans un coin de la cuve et j'ai plaqué mon visage contre la paroi, mais la cuve chauffait tellement que je sentais ma peau brûler malgré mes vêtements [...]. Je me suis rendu compte que dans quelques minutes j'allais mourir ébouillanté [...]. Et je me suis dit : " Ça y est. Je suis foutu. " [...] Soudain, une lumière brillante a envahi la cuve.

« Et j'ai entendu alors un vers de l'Écriture que je connaissais depuis toujours, mais qui n'avait jamais eu beaucoup de sens pour moi : " Seigneur, je suis tout le temps avec toi. " La voix venait d'un endroit qui se révéla plus tard être la seule issue possible. Il n'était pas question de garder les yeux ouverts, mais je pouvais quand même voir cette lumière, aussi l'ai-je suivie. Mes yeux sont cependant restés tout le temps fermés et, par la suite, je n'ai pas eu besoin de les faire soigner car ils n'avaient pas reçu la moindre goutte d'acide [21]. » Cet homme pense qu'il a reçu l'aide du Christ. Moody remarque : « Les personnes qui assistent à ce [type d'intervention] racontent qu'ensuite leur vie a changé, qu'ils ont été sauvés de la mort dans un but particulier [22]. »

Un autre homme se rappelle que, durant la Seconde Guerre mondiale, il a vu un avion ennemi plonger vers le bâtiment où il se trouvait et le mitrailler. Les éclats et la poussière des balles s'abattaient sur lui. « J'ai pensé que nous allions tous mourir [...]. Je n'ai rien vu, mais j'ai senti une présence réconfortante, merveilleuse, à mes côtés. Une voix douce m'a dit : " Je suis ici avec toi, Reid. Ton heure n'a pas encore sonné " [23]. »

Convictions, conseils extraordinaires et synchronicité

Kenneth Ring raconte l'histoire d'une femme, Stella, chez qui des changements intérieurs importants se sont réalisés après qu'elle a suivi les indications d'une vision. Adoptée peu après sa naissance, Stella avait grandi dans un milieu fondamentaliste. Elle s'était mariée et avait eu des responsabilités familiales ; elle se considérait comme une personne extrêmement timide, réservée et serviable. « Peu avant sa NDE de juin 1977, elle eut ce que l'on pourrait appeler une vision éveillée [...]. Elle se trouvait dans un lit mais, avant de s'endormir [...], elle vit une série de mots écrits dans une langue inconnue [...]. Longtemps après sa NDE, elle découvrit qu'il s'agissait de caractères hébraïques [...] qui signifiaient " Au-delà du point de fuite " [24]. »

Pendant sa NDE, elle rencontra un être de lumière : « J'avais l'impression qu'il avait deux visages en un seul. Ce visage était beau, reflétait la paix, et la lumière illuminait ses traits, mais en même temps il semblait avoir été battu. On aurait dit qu'un côté avait perdu toute forme. Il exprimait la douleur, tandis que l'autre était parfaitement paisible. »

« Cet être vous a-t-il communiqué un message quelconque ? demande Ring.

« – Oui, répond-elle. [...] On m'avait renvoyée sur terre pour atteindre un objectif : je devais apporter avec moi des connaissances précises [...]. Il existe une vie après notre mort, une vie à un niveau bien plus vaste [...]. Nous sommes bien davantage que des êtres humains. Nous avons la capacité et le pouvoir de savoir.

« – Avez-vous percé l'identité de cet être ?

« – Je n'essaie jamais de savoir qui sont les autres.

« – À l'intérieur de vous-même, que pensiez-vous ?

« – J'ai senti très fortement qu'il avait, lui aussi, un objectif. Je connaissais peu de chose de lui, mais je crois qu'il devait aussi transmettre un savoir, une compréhension nouvelle à l'humanité [25] [...]. »

L'être de lumière lui a dit qu'elle était juive et qu'elle l'ignorait totalement à cause d'un blocage. Il lui avait donné une clé pour comprendre sa situation. Après cet événement, Stella enquêta sur sa famille biologique. À un moment, sa recherche d'indices la mena dans une impasse. « Je me suis adressée à cet être de lumière et je lui ai dit : " Bon, j'essaie de faire ce que tu m'as conseillé, mais je n'arrive pas à mettre la main sur le moindre document ; alors si tu veux que je continue, il faudra que tu m'aides. " Et je suis revenue en ville, je me suis assise dans un restaurant. La nuit était tombée, j'ai essayé de réfléchir à une autre façon de résoudre mon problème. Deux policiers sont passés près de moi pour se diriger vers la sortie et j'ai pensé : " Je parie que c'est un signe. " » L'un d'entre eux revint sur ses pas pour récupérer quelque chose à sa table. Elle en profita pour lui expliquer qu'elle essayait de retrouver ses parents biologiques.

Il la mit en contact avec un couple qui avait dirigé un journal local pendant de nombreuses années. Cet homme et cette femme, à leur tour, la recommandèrent à un juge à la retraite qui avait habité très longtemps dans la ville où elle était née. « Quand Stella rencontra [ce juge], celui-ci fut ramené de longues années en arrière. " Quand il me vit, il eut l'impression de remonter le temps [...]. Il me regarda intensément puis il me mit en contact avec mon grand-père qui avait pris sa retraite et avait déménagé en Floride. " [26] »

Après avoir découvert ses racines familiales, Stella changea complètement de vie. Elle se convertit au judaïsme, divorça et devint une femme d'affaires prospère. Elle travailla au Conseil pour l'enfance et la jeunesse de la Maison-Blanche et s'intéressa activement aux problèmes des enfants adoptés. Dans ce cas, l'aide qu'elle reçut de l'Après-Vie – la découverte de ses racines perdues, le blocage que cela avait provoqué en elle, son expérience de la dimension spirituelle – lui révéla combien sa vie avait été limitée jusque-là. Comme au cours d'une rétrospective de l'Après-Vie, Stella vit qu'elle ne pensait pas par elle-même. « [...] d'une certaine façon, on avait implanté dans ma tête de bébé de neuf mois l'idée que ma mère biologique m'avait rejetée et que, si je n'obéissais pas à toutes ces règles, ces règlements et ces exigences, c'était ma faute. Cela érigea une barrière, et me poussa à accepter tout ce que l'on me demandait, de peur d'être rejetée une seconde fois [27]. » En fait, comme nous l'avons vu avec les recherches de TenDam, cette *croyance* (« J'ai fait quelque chose de mal, donc, j'ai intérêt à obéir, si je ne veux pas être repoussée ») était peut-être justement *le* schéma karmique qui attendait d'être traité dans la Vision de Naissance de Stella. Ainsi, elle reçut une aide extraordinaire de son Moi supérieur ou de son groupe d'âmes, qui conservait la mémoire de cet objectif.

DE GRANDES ÂMES TRAVAILLENT ENCORE POUR L'HUMANITÉ

A World Beyond, le livre de Ruth Montgomery, se présente comme le récit d'un témoin oculaire de l'Après-Vie : le médium mondialement connu Arthur Ford. Montgomery et Ford ont travaillé étroitement ensemble jusqu'à la mort de ce dernier, décès provoqué par une crise cardiaque. Après son passage dans la dimension spirituelle, il commença à contacter Ruth Montgomery, au début des années 70, au moyen de l'écriture automatique.

Ruth Montgomery lui posait des questions sur des personnes célèbres qui étaient mortes, car elle voulait savoir ce qu'elles faisaient dans l'Après-Vie, lieu où apparemment s'élaborent de nombreux projets et où l'on apprend beaucoup de choses. Le président John F. Kennedy a effectué une transition exceptionnellement rapide dans le royaume spirituel. Dans l'un de ses messages à Ruth Montgomery, Arthur Ford raconte que : « Jack [Kennedy] travaille sur les problèmes internationaux. Il cherche surtout à ce que les Israéliens et les Arabes aboutissent à un accord. Bobby [Kennedy] se passionne pour le mouvement des droits civiques [et œuvre dans ce domaine] [...]. Les deux frères ont des liens karmiques très puissants et ont été si proches au cours de nombreuses vies antérieures que, si l'un vivait sans l'autre, il se sentirait incomplet. Ils ont fait le choix de naître dans une famille étroitement soudée, chacun voulant à nouveau partager sa vie avec les siens [28]. » Arthur Ford expliqua ensuite comment des hommes qui ont influencé le destin du monde comme Eleanor et Franklin Roosevelt, Winston Churchill et Dwight Eisenhower coopèrent encore avec des groupes d'âmes dans l'Après-Vie ; ils inspirent également la conscience d'êtres humains qui luttent pour la paix. Selon Arthur Ford, « l'invention du téléphone, de l'électricité, du bateau à vapeur et bien d'autres découvertes de même portée [...] résultèrent des efforts communs d'âmes de génie dans les dimensions spirituelle et matérielle ; elles collaborèrent pour améliorer les conditions de vie sur terre. Einstein, qui faisait plusieurs siestes de quelques minutes chaque jour, en profitait en réalité pour se brancher sur des forces, dans la dimension spirituelle, qui revigoraient son objectif et lui suggéraient la prochaine étape de ses expériences. Quelle est la morale de tout cela ? Ces petits moments de repos [sont importants] pour vous, les êtres physiques, si vous voulez communier avec les êtres spirituels dans l'Après-Vie afin de vous réapprovisionner en énergie, en conseils et en objectifs [29]. »

Selon Arthur Ford, les âmes qui ont aidé l'humanité à accomplir des progrès significatifs en ce qui concerne la compassion, la dignité, la disponibilité aux autres et l'amour ne sont pas toujours obligées de subir les infirmités de l'âge. Comme Robert Monroe le dit dans *The Ultimate Journey* : « Quand vous avez atteint votre objectif et appris la leçon, vous pouvez partir ! »

DES INFORMATIONS UTILES VOUS PARVIENNENT DE VIES ANTÉRIEURES

Dans *La Dixième Prophétie*, le personnage principal se voit dans une autre vie, alors qu'il est un moine au XIIIe siècle. Il comprend qu'à cette époque il a pris connaissance des révélations et les a copiées pour les conserver. Il voulait les rendre publiques mais ses compagnons d'ascèse refusaient de s'opposer à l'Église.

À quoi servent les informations provenant de vies antérieures ? À nous aider à nous libérer, à vivre, aimer et nous former plus complètement aujourd'hui. Les contraintes, les chagrins qui nous accablent et les peurs qui nous affaiblissent nuisent à notre santé et à notre bien-être. Une thérapie fondée sur la régression contribue parfois à la guérison quand d'autres techniques plus traditionnelles ont échoué.

Brian Weiss cite le cas d'une femme qui avait participé, à Mexico, à l'un de ses ateliers sur les vies antérieures. « Elle venait juste de se souvenir d'une vie dans laquelle son mari actuel était son fils. Au Moyen Âge, elle avait été un homme et avait abandonné son fils. Dans sa vie présente, son mari avait toujours craint qu'elle ne le quittât. Cette peur n'avait aucune base rationnelle aujourd'hui. Elle n'avait jamais menacé de partir. Bien qu'elle le rassurât constamment, l'insécurité totale de son époux avait des effets dévastateurs sur lui et empoisonnait leur relation. Maintenant elle comprenait l'origine véritable de ces terreurs. Elle lui téléphona aussitôt pour lui expliquer ce qui s'était passé dans leur vie antérieure et pourquoi elle ne le quitterait jamais une seconde fois [30]. »

Des traumatismes non soignés dans une vie passée se manifestent parfois sous la forme d'une hypersensibilité dans la vie actuelle. Selon TenDam : « Les traumatismes sont comme des bouches d'égout cachées, les postulats (suppositions permanentes émises à la suite d'un événement traumatique) sont comme des manèges de discipline, des tourbillons, des nœuds ou des cercles vicieux disposés sur les chemins de notre jardin psychique. Ils sont enracinés en nous comme des programmes inébranlables : " Si je perds le contrôle de la situation, je suis fichu ", " Si je m'échappe, je serai libre ", " Je ne peux pas réfléchir, parce que je suis une femme " [31]. » Si, dans une vie antérieure vous avez travaillé sept jours sur sept, vous arriverez dans votre nouvelle existence avec le postulat suivant : « La vie est épuisante. » Si vous êtes mort en tombant d'un train ou en vous noyant, cela vous marquera dans votre nouvelle existence et vous aurez sans doute une peur irrationnelle des trains ou des eaux profondes.

LES SCHÉMAS QUI SE RÉPÈTENT À CHAQUE INCARNATION

Le personnage de *La Dixième Prophétie* voit une autre de ses vies au XIXe siècle. Il comprend alors que l'issue négative de son expérience au XIIIe siècle a créé sa peur et sa réticence à soutenir la lutte de Charlène pour la paix. Ces deux vies l'ont incité à éviter constamment la confrontation. Mais alors il s'aperçoit que son choix de sa mère et de son père l'a aidé à vaincre sa peur de la confrontation.

Il comprend aussi que sa découverte, au XIIIe siècle, des vérités spirituelles contenues dans les révélations a engendré la curiosité et la passion qu'il éprouve dans sa vie *actuelle*. Un individu peut avoir une Vision de Naissance qui influence directement la Vision collective – le héros est sur la piste des révélations parce que cela fait partie de son karma personnel, mais aussi parce qu'il contribue ainsi à l'évolution de la conscience universelle. Évidemment, sa Vision de Naissance indique que *sa* quête des révélations doit se dérouler au moment où elles refont surface et aboutissent à unc prise de conscience de masse. La synchronisation (le timing) est capitale. Le héros de *La Dixième Prophétie* a l'occasion maintenant de défendre ses convictions, ce qu'il a échoué à faire auparavant. S'il ne réussit pas ce test, il devra probablement affronter une situation similaire dans sa prochaine vie.

Les cicatrices psychiques

Les expériences restent parfois stériles quand il y a trop de douleur à gérer, ou lorsque la personne meurt avant d'avoir la chance d'en tirer la leçon. Les morts traumatiques laissent parfois une peur permanente – par exemple, de l'eau, de l'obscurité, des grottes, du vide, quelle que soit l'association faite avec la *douleur* qui entoure la mort. Parfois la situation terrifie tellement le sujet qu'il se jure inconsciemment : « Je ne veux plus être dans cette position », « Je ne serai plus jamais humilié publiquement », « Il est impossible de résister à l'autorité », « C'est sans espoir ».

Une femme qui avait du mal à répartir équitablement son temps entre son compagnon et sa société décrivait ainsi son malaise : « Je me sens un peu comme un samouraï. J'ai l'impression que je suis parfaitement connectée et que je dois me montrer ultrasensible à tout changement de l'ambiance, afin de prendre rapidement des mesures, si nécessaire. » Quelle façon unique d'établir une analogie ! Son postulat provient peut-être du fait qu'elle a vécu une telle situation dans une autre vie. Ces raisonnements se cristallisent dans la personnalité et se répercutent d'une vie à l'autre. Le héros de *La Dixième Prophétie*, par exemple, doit apprendre à faire confiance à son intuition, à guérir d'une connaissance spirituelle malgré ses traumatismes passés à propos de ces problèmes. Selon TenDam, ce report d'une question d'une existence à l'autre est l'une des trois dynamiques qui contribuent à façonner la qualité d'une vie : la conservation, la répercussion et la concrétisation.

La conservation de traits

La conservation se traduit par la persistance, dans chaque incarnation, de certains traits physiques ou de caractère. Des aptitudes comme le talent musical ou la virtuosité intellectuelle peuvent se développer au cours de plusieurs vies successives et se manifester encore dans l'existence actuelle, comme c'est le cas des enfants prodiges, des génies précoces. TenDam croit que les capacités paranormales sont le résultat d'un entraînement intensif au cours de vies passées. « La méditation [...], les expériences de sortie du corps, la voyance [...], tous les dons paranormaux s'expliquent quand, à la suite d'un entraînement intensif, on remonte dans le temps pour explorer une ou plusieurs vies antérieures [32]. » Les tendances, les défauts et même les dépendances puisent leur origine dans des vies antérieures où ces traits de caractère ont été profondément enracinés.

Répercussions des vies antérieures

Les répercussions d'événements traumatiques, comme dans les exemples ci-dessus, continuent parfois à tourmenter les incarnations successives jusqu'à ce que le sujet les identifie et s'en libère. Ces énergies lourdes et inconscientes peuvent provoquer des phobies, des obsessions et des problèmes physiques dont l'explication défie les diagnostics communément admis.

Dans *La Dixième Prophétie*, Maya résiste, même si elle devine ce qu'elle est venue accomplir sur terre. Elle repousse l'idée qu'elle appartient à un groupe de gens destiné à se rassembler et à vaincre la Peur afin de stopper les expériences dans la vallée. Il s'agit du résultat de son expérience négative lorsqu'elle avait essayé d'arrêter la guerre entre les Indiens et les Blancs, au cours d'une existence précédente. Elle ne s'est pas encore vraiment connectée à cette vie antérieure, aussi des *souvenirs inconscients* suscitent-ils sa peur et ses réticences.

Vous récoltez ce que vous avez semé

Vous récoltez toujours les conséquences de vos actions passées – bonnes ou mauvaises. Par exemple, si vous avez eu une vie antérieure merveilleuse en Espagne, vous serez fortement attiré par ce pays aujourd'hui sans savoir pourquoi. De même, si, au cours d'une ou de plusieurs existences antérieures, vous avez été le père de nombreux enfants et qu'à chaque fois vous avez échoué à les nourrir, vous hésiterez sans doute beaucoup à fonder une famille aujourd'hui. Si vous développez vos qualités ou de bonnes relations, vous bénéficierez de davantage d'harmonie et de relations d'amour dans votre prochaine vie.

Au fond du terrier

Certaines ouvertures dimensionnelles nous attirent littéralement vers des rencontres métanormales. De tels phénomènes sont largement acceptés dans les sociétés traditionnelles. Malidoma Patrice Somé, chamane africain et auteur d'*Of Water and the Spirit*, décrit une expérience qu'il eut à l'âge de trois ans. Il ramassait du petit bois avec sa mère quand il tomba sur un lièvre. « L'animal surgit de l'endroit où il s'était caché et une poursuite sauvage s'ensuivit. » Plongeant dans les broussailles derrière le lièvre, l'enfant inspecta une partie des buissons où il savait que se trouvait un terrier : « Il y avait un nid creusé dans une petite éminence : l'ouverture était dissimulée par l'herbe et l'intérieur tapissé d'une paille douce. J'enlevai l'herbe et j'allai sauter tête baissée sur ce pauvre levraut, quand brusquement je m'arrêtai comme si j'avais reçu une décharge électrique.

« À l'endroit où je croyais attraper le lièvre se trouvait un petit homme de la même taille que l'animal que je pourchassais. Assis sur une chaise presque invisible, il tenait une canne minuscule dans sa main droite [...]. Une lumière l'entourait, un arc-en-ciel brillant, comme le cadre rond d'une fenêtre ou d'un portail ouvrant sur une autre réalité. Bien que son corps bouchât presque l'entrée, je pus quand même apercevoir un monde immense à l'intérieur.

> Notre éducation traditionnelle se fixe trois objectifs principaux : élargir nos capacités de vision ; obliger notre corps à ne plus fonctionner uniquement sur un seul niveau existentiel ; nous apprendre à voyager à travers les dimensions et à en revenir. Élargir sa vision et ses capacités n'a rien de surnaturel. Au contraire, il me semble plutôt « naturel » de faire partie de la nature et de rechercher une compréhension plus large de la réalité. (Malidoma Patrice Somé, *Of Water and the Spirit*.)

« Mais ce qui m'a surpris le plus c'était que, dans ce monde, les lois de la nature semblaient opérer d'une façon totalement inattendue. La chaise du petit homme reposait sur une pente abrupte, mais il ne tombait pas car quelque chose ressemblant à un mur très fin le soutenait. » Pétrifié, Somé entendit le petit homme lui déclarer : « " Je t'observe depuis longtemps, depuis le premier jour où ta mère a commencé à t'amener ici. Pourquoi veux-tu maltraiter ce lièvre, ton frère ? Que t'a-t-il fait à toi, mon petit ? " Ses lèvres minuscules bougeaient à peine quand il parlait, et sa voix était presque imperceptible [...] " Désormais, sois gentil avec lui. Lui aussi aime la fraîcheur de cet endroit, lui aussi a une mère qui s'occupe de lui [...]. " Pendant que le nain parlait, je repérai le lièvre, qui s'était caché dans le cercle magique, derrière le vieil homme. J'entendis alors un craquement sonore, comme si la terre se refermait derrière lui, et une brise légère m'effleura le visage. »

À ce moment Somé entendit la voix de sa mère qui l'appelait. Apparemment elle le cherchait depuis des heures. Pourtant il avait l'impression d'avoir seulement parlé quelques minutes avec le petit homme. Quand il raconta cette histoire à sa mère, elle s'alarma parce qu'elle savait qu'il avait vu un *kontomblé*, un esprit. Les membres de sa tribu, les Dagaras, croient que les contacts avec l'autre monde provoquent toujours d'importantes transformations. Les mères ont peur que leurs enfants ne le découvrent trop tôt, car, quand cela se produit, elles les perdent. « Un enfant qui est continuellement exposé à l'autre monde commencera à se souvenir de sa mission existentielle trop tôt. Dans ce cas, il doit être initié prématurément. Une fois initié, il est considéré comme un adulte et sa relation avec ses parents doit changer [33]. »

Un autre type d'ouverture dimensionnelle

Une partie de l'attirance que les Occidentaux éprouvent pour les pratiques chamaniques ou néochamaniques provient certainement du désir de connaître personnellement les autres dimensions – idée au centre de la cinquième révélation et du message des mystiques. Selon cette révélation, un nombre de plus en plus important d'hommes pourront voyager dans d'autres dimensions en apprenant à élever leur niveau vibratoire. Hank Wesselman, paléo-écologiste de formation, a écrit *Celui qui marchait avec les esprits* *, un livre décrivant ses propres expériences d'incursions dans le futur. Alors qu'il passait sa maîtrise dans les années 80, il commença à sortir involontairement de son corps. Pendant quelques mois il eut d'abord peur d'être malade ou fou, puis il commença à comprendre ce qui lui arrivait. Il se retrouva cinq mille ans

* Robert Laffont, 1997.

plus tard sur la nouvelle côte occidentale des États-Unis. Il comprit qu'il voyait le monde à travers la présence physique de son futur descendant, un homme nommé Nainoa, originaire des îles Hawaii, et que de grands changements planétaires s'étaient produits. À présent, Wesselman pense que tous les êtres humains ont la capacité d'entrer dans d'autres dimensions temporelles ou spatiales. Il croit que nous avons tous un « programme » en sommeil dans notre champ énergétique jusqu'à ce que nous apprenions à l'activer spontanément ou intentionnellement.

ÉTUDE INDIVIDUELLE

Notation de l'amour

Réfléchissez à votre vie. Si vous deviez noter votre capacité d'aimer autrui – *tous les autres* – et votre envie d'acquérir des connaissances nouvelles, quelle note vous donneriez-vous entre 1 et 100 ?

> Et la création de ce nouveau consensus peut, à son tour, avoir des implications pour l'évolution. Car si un besoin fusionne dans une dynamique de groupe, si un nouveau « champ morphogénétique » d'intentions prend forme, certaines habitudes ou lois de la nature seront peut-être « brisées », ou changées, rendant ainsi possibles de nouvelles formes de vie.
>
> Chaque vie sauvée, libérée, mise en valeur, participe à la construction de la nouvelle terre et du nouveau paradis. C'est là, dans la libération et la transformation de l'existence terrestre, que l'on peut prouver l'Après-Vie – au sens du mot italien *provare* : expérimenter. (Michael Grosso, *What Survives ? Contemporary Explorations of Life After Death.*)

La Revue de Vie

Sachant que chaque pensée et chaque action, même si elle semble insignifiante, va figurer dans votre Revue de Vie, que ferez-vous de différent demain ?

Les obstacles

Quels sont les domaines dans lesquels vous avez le plus lutté ? Choisissez l'idée ou les deux idées les plus importantes dans la table ci-dessous, ou un problème qui n'y est pas mentionné. Écrivez pendant cinq minutes sur la façon dont vous avez vécu cet obstacle dans le passé.

TABLEAU DES OBSTACLES OU DES HANDICAPS

PHYSIQUES ET MATÉRIELS	MENTAUX	ÉMOTIONNELS	SPIRITUELS
Taille	Confiance en soi	Amour aveugle	Racisme
Poids	Handicap d'apprentissage	Dysfonctionnement familial	Ostracisme
Excès d'argent	Barrière de la langue	Dépression	Trahison
Manque d'argent	Maladie mentale	Peur	Aliénation
Manque de beauté		Perte	Méfiance
Manque de générosité		Douleur	
Excès de beauté			
Excès de générosité			
Dépendances			
Sexualité			

Avez-vous bénéficié de ces handicaps apparents ? Si oui, de quelle façon ? Comment ont-ils augmenté votre capacité d'aimer ? Si l'un de vos amis avait le même problème, quel avis ou suggestion lui donneriez-vous ?

Succès

Laissez tomber toute modestie. Quelle est la réalisation dont vous êtes le plus fier ? Décrivez pendant cinq minutes comment vous y êtes parvenu, ce qui vous a le plus aidé et ce que vous auriez aimé, rétrospectivement, savoir.

Les petits moments agréables

• Demain et après-demain, notez les occasions qui se présentent à vous d'aider discrètement quelqu'un ou de vous montrer gentil envers lui, *sans en parler jamais à personne* par la suite.

• La semaine prochaine, observez combien d'individus sympathiques vous rencontrez dans les magasins, les stations-service, au coin des rues, dans votre famille, partout où vous vous rendez. Remarquez en silence leur gentillesse, et sentez l'énergie aimante qui passe entre vous.

• Visualisez l'âme des autres – en faisant appel à une image qui vous inspire, quelle qu'elle soit. Nous ignorons toujours la destinée d'autrui, aussi essayez d'éviter d'analyser les gens pour découvrir leur Vision de Naissance. Envoyez-leur plutôt de l'énergie et de l'amour (en silence) pour les aider à se souvenir de leur Vision.

• Avez-vous déjà observé une intervention inexplicable au cours d'une situation de crise ?

• Un ami ou un parent décédé au cours de votre vie actuelle cherche à vous contacter. Qui cela peut-il être ?

• Quelles sont les trois ou quatre personnalités célèbres du passé qui vous attirent le plus ? Comment leur vie ou leur philosophie ont-elles influencé votre existence ?

ÉTUDE DE GROUPE

• Étudiez quelques-uns des livres auxquels nous avons fait référence dans ce chapitre. Ou amenez-en d'autres que vous avez découverts sur la réincarnation, la thérapie par la régression dans des vies antérieures, les NDE, les expériences de sortie du corps, ou la communication avec les morts. Lisez à tour de rôle des passages que vous trouvez intéressants et utilisez-les pour la discussion de groupe.

• Suggérez aux participants de raconter leurs expériences, quelles qu'elles soient, si cela ne gêne personne.

• Choisissez une des suggestions indiquées dans l'étude individuelle pour écrire et échanger des idées. N'oubliez pas de clarifier l'énergie et rappelez gentiment aux participants de ne pas se complaire dans une position de Victime. Mais faites attention : ne qualifiez pas immédiatement quelqu'un de Victime s'il cherche véritablement à surmonter une perte ou faire face à un défi important. Étiqueter les autres ne les aide pas.

• Évoquez les personnalités ou les maîtres spirituels célèbres d'autres époques qui ont le plus influencé votre vie ou votre philosophie personnelle.

Quatrième partie

Dans l'obscurité

7

Se souvenir de sa Vision de Naissance

LE CHEVAL
LA PUISSANCE

Lorsqu'une intuition ou un rêve nous indique une direction à suivre et que nous nous y conformons, certains événements se produisent et nous apparaissent comme des coïncidences magiques. Nous nous sentons plus vivants et enthousiastes [...]. Nos intuitions, nos images mentales d'un avenir possible proviennent en fait de notre Vision de Naissance, de ce que nous voulions faire de notre vie à cette étape précise de notre voyage. Cela ne se réalisera peut-être pas, car chacun de nous a son libre arbitre ; mais lorsque nous agissons conformément à notre vision originelle, nous nous sentons inspirés ; nous sommes persuadés d'être sur le chemin de la destinée que nous avions l'intention de suivre fidèlement. (*La Dixième Prophétie* [1].)

S'ÉVEILLER À SOI-MÊME

Les mots lus dans un livre ne peuvent remplacer l'expérience personnelle des mystères de la vie. Après avoir parcouru un aussi long chemin existentiel, vous connaissez l'excitation éprouvée quand vous *tombez sur* une facette de la vérité que vous cherchez. Aucun principe, aucune théorie n'ouvrira les portes que vous désirez franchir avant que vous ne soyez prêt à le faire.

Supposons que votre question soit : « Qui suis-je ? Quelle est ma Vision de Naissance ? » Vous saurez que vous aurez la bonne réponse car, chaque fois que vous serez connecté et qu'une idée vous semblera juste, qu'une relation s'épanouira, ou que vous aurez aidé quelqu'un discrètement, voire en secret, un « oui ! » retentira à l'intérieur de vous-même.

Dans son livre sur les âmes sœurs *(Les Âmes sœurs : honorez les mystères de l'amour et de la relation)*, Thomas Moore écrit : « Je suis convaincu que de légères modifications dans les images mentales ont plus d'impact sur la vie réelle que d'énormes efforts de changement [...]. Les bouleversements profonds dans la vie suivent les fluctuations des idées [...]. Il faut nous libérer des stéréotypes, des idées rigides très anciennes sur la signification de l'amour, du mariage, de l'amitié ou de la vie en société [2]. »

Selon la dixième révélation, « nous sommes en train de redécouvrir un processus inconscient depuis les débuts de l'humanité. Avant d'apparaître sur terre, les hommes ont perçu une Vision de Naissance, mais une fois nés ils l'ont perdue, ne conservant que des intuitions extrêmement vagues [...]. Maintenant nous sommes sur le point de nous souvenir de tout [3] ».

La prise de conscience accroît l'énergie et les intuitions

L'Histoire est le scénario que nous nous racontons nous-mêmes à propos des événements dont nous croyons qu'ils se sont déroulés. L'Histoire est la chronique de nos croyances, le récit en spirale de nos choix, mais elle n'est pas le seul fondement de notre avenir. Le personnage principal de *La Dixième Prophétie*, par exemple, se rend compte que : « Désormais, l'histoire n'était plus cette lutte sanglante de l'animal humain, qui avait appris égoïstement à dominer la nature et à vivre dans un confort toujours plus grand, commençant par habiter dans la jungle, puis créant une civilisation de plus en plus complexe. L'histoire humaine était en réalité un processus spirituel : pendant des générations et pendant des millénaires, des âmes avaient systématiquement tenté, à travers leurs vies successives, de lutter pour un seul objectif : se souvenir de ce que nous connaissions déjà dans l'Après-Vie et introduire cette connaissance sur terre [4]. » Les Visions de Naissance résultent du besoin spécifique de chaque âme de se développer, mais incluent également le but collectif de devenir conscientes. *Les Visions de Naissance sont la force motrice de l'évolution à l'intérieur de chacun de nous.*

CHOISIR SES PARENTS ET SON MILIEU AVANT DE NAÎTRE

Selon plusieurs maîtres spirituels, à un certain niveau d'évolution de l'âme, nous acquérons le droit de choisir les moyens de retourner sur terre (les parents). Dans *La Dixième Prophétie*, Maya, la femme médecin et guérisseuse, réfléchit longuement avec son groupe d'âmes, dans l'Après-Vie, aux parents qu'elle choisira pour sa prochaine existence. Elle analyse les avantages qu'elle aurait à subir l'influence d'un certain type de parents, et répertorie les tendances négatives ou peu claires qui l'ont suivie d'une incarnation à l'autre. Dans cette vision, elle découvre aussi que son objectif existentiel s'intègre à la Vision du Monde et que son groupe d'âmes l'aide à conserver le souvenir de son projet de vie.

> Maya avait vécu une revue complète de la sixième révélation et était sur le point de se souvenir des raisons pour lesquelles elle était née. (*La Dixième Prophétie.*)

« Avant de naître », Maya voit comment sa vie évoluera et aperçoit aussi tous ceux qui croiseront son chemin pour l'aider à tirer les leçons de ses expériences et stimuler son développement personnel. Elle apprend que, à un certain moment de son existence, la découverte des révélations la conduira à se joindre à un groupe particulier. Se fondant sur la perspective de l'Après-Vie, elle comprend clairement que son groupe et d'autres groupes indépendants se formeront pour « se rappeler qu'ils étaient dans l'autre dimension et contribueront à vaincre la polarisation de la Peur [5] ». Cette connaissance de sa Vision de Naissance originelle stimule son enthousiasme pour son existence actuelle et l'aide à valider les choix qu'elle a faits. Elle découvre que jusqu'ici sa vie, même si elle n'était pas déterminée à l'avance, s'est déroulée selon son projet originel. Les compagnons de Maya la voient pénétrer par un portail qui donne accès aux autres dimensions, et elle éprouve une sensation aussi intense qu'un orgasme quand ses parents font l'amour pour la concevoir.

Rendez-vous, projets et objectifs

La plupart d'entre nous ne réfléchissent guère au déroulement de leur existence. Nous nous passionnons pour de nouvelles idées en ignorant où elles nous mèneront. Et il en est de même pour certains lorsqu'ils choisissent une nouvelle incarnation. Comme nous l'avons vu dans le chapitre précédent, il semble y avoir trois populations d'âmes distinctes – celles qui se réincarnent sans aucun projet ou avec un projet très vague ; celles, comme Maya, qui ont un projet ; et celles dont la mission marquera leur époque. Les récits des régressions conduites en 1979 par Helen Wambach, psychologue qui mène des recherches sur les vies antérieures, ont révélé quelques informations statistiques intéressantes sur les motivations des différentes incarnations. Onze pour cent des personnes interrogées affirmaient avoir refusé ou eu peur de se réincarner, et 55 % avoir hésité au moins un moment. Huit pour cent sont arrivées sans aucun projet. Vingt-trois pour cent avaient un objectif et avaient consulté leurs guides spirituels avant de revenir sur terre.

Trois pour cent sentaient qu'elles s'étaient « trop hâtées » ou qu'elles avaient agi contre l'avis de leurs guides spirituels ou de leurs groupes d'âmes [6]. L'éventail de ces attitudes reflète certainement la diversité d'opinions de la majorité d'entre nous quand nous arrivons dans la dimension physique ! On peut en déduire que 20 % des interviewés semblaient s'être réincarnés sans l'avoir voulu ou sans l'avoir planifié. Les autres acceptaient leur nouvelle vie sans regret.

Apparemment les âmes font le projet d'accomplir beaucoup de choses, des plus petites aux plus grandes. Des âmes que nous avons connues au cours de nombreuses vies antérieures se portent volontaires pour interpréter avec nous la nouvelle pièce de la vie à laquelle nous voulons participer. Dans la dimension spirituelle, elles prennent rendez-vous pour se retrouver plus tard et agir ensemble. Réfléchissez un moment aux gens qui ont eu un rôle spécial dans votre vie. Imaginez que vous avez planifié de les rencontrer sur terre. Comment avez-vous rencontré votre meilleur ami ? votre épouse ? une personne qui est arrivée à un moment décisif de votre vie ? À cette époque, connaissiez-vous l'importance du « destin » ou de la synchronicité ?

Ni trop d'ambition, ni trop d'humilité

S'inspirant des récits de ceux qui ont vu leurs vies antérieures selon la perspective de l'Après-Vie, TenDam a fait quelques observations dont nous devrons tenir compte la prochaine fois que, dans la dimension spirituelle, nous projetterons une nouvelle vie sur terre. Puisque nous ne pouvons échapper aux conséquences de nos choix et de nos actions, il suggère : « Soyez extrêmement prudent quand votre volonté ou votre jugement sera guidé par une idée précise. Apparemment, des intentions fermes et des jugements rigides peuvent influencer tout le cours d'une incarnation. Ne soyez ni trop ambitieux, ni trop humble dans votre projet de vie. Quand vous élaborez ce nouveau projet de vie, examinez d'abord les attitudes et les capacités que vous avez déjà, et les prochains objectifs d'évolution les plus évidents. Ensuite vient la question de l'héritage des traumatismes et des postulats. Souvent vous ne trouvez pas une situation idéale sur tous les plans : parents, sexe, conditions de vie. En dehors de ce que vous voulez et de ce que vous pouvez gérer, les conditions réelles (de votre vie sur terre) limitent habituellement l'épanouissement de vos compétences et l'accomplissement de votre karma.

Essayez de trouver des conditions pré-et postnatales qui mettent au jour certains traumatismes, mais pas d'autres. De plus, cherchez des situations adéquates et instructives. Vous ne pouvez pas résoudre à la fois tous les problèmes accumulés dans vos vies antérieures [7]. »

Pouvons-nous avoir tout ce que nous voulons ?

Le choix de notre incarnation semble limité par le niveau de développement de notre âme. Peut-être des âmes plus jeunes, qui n'ont pas encore acquis le droit d'échafauder un projet de vie, doivent-elles prendre les parents qu'on leur donne, quels qu'ils soient ! D'après les récits de régressions, les jeunes âmes semblent passer moins de temps dans la dimension spirituelle, entre deux réincarnations, car leur désir d'expériences dans la dimension matérielle les renvoie rapidement sur terre. Les âmes qui ont causé beaucoup de mal et de souffrance peuvent végéter des milliers d'années dans les dimensions obscures, tandis qu'elles revivent toutes les souffrances qu'elles ont provoquées et luttent pour découvrir leur nature spirituelle. Certes, aucun dieu courroucé, vengeur ou justicier ne nous bannit ni ne nous punit, mais nous ne pouvons échapper aux répercussions de nos actes. Cependant, lorsque quelqu'un demande une aide spirituelle, certaines âmes se portent volontaires pour remplir cette tâche.

Le futur vivant, avec l'avis de son guide ou de son groupe d'âmes, choisira son environnement de naissance et ses parents. Ensuite, selon certaines conceptions, le Saint-Esprit devra l'« interviewer » pour s'assurer que les choix envisagés correspondent au développement de cette âme. Apparemment l'âme « réserve » la mère qu'elle a choisie, et pénètre ensuite dans le fœtus soit immédiatement, soit à n'importe quel moment avant la naissance, soit même quelques jours après.

Libre arbitre et projet de vie

Ces visions avant la naissance sont les scénarios *idéaux*, qui se réaliseraient dans le meilleur des cas, c'est-à-dire si nous suivions tous parfaitement nos intuitions. Même si en principe nous nous fixons le type de chemin que nous voulons suivre, et nous mettons d'accord avec d'autres âmes pour les retrouver pendant notre réincarnation suivante, notre vie n'est pas pour autant déterminée à l'avance. Si nous nous réincarnons, c'est pour apprendre, faire des choix et mûrir en exerçant notre libre arbitre. *Combiner projet de vie et libre arbitre* peut sembler difficile. Pourtant, c'est un peu comme décider d'aller dîner et choisir le lieu où nous mangerons. Voulez-vous un vrai dîner ou une collation dans un drive-in ? Un restaurant élégant ou une gargote sans façon ? Et quel type de cuisine : chinoise, américaine, française ? Vous prenez votre décision finale en tenant compte de divers facteurs : l'emplacement, le type de nourriture, le menu, le prix. Mais une fois dans l'endroit choisi, vous ne contrôlez plus totalement la situation. Vous faites des choix fondés sur les circonstances : un ou deux plats, de la viande ou un menu végétarien, un dessert, un café ou un thé ? Il vous arrive d'entamer une conversation avec un serveur, de sympathiser avec d'autres clients ou de rencontrer un vieil ami. Vous devez parfois attendre assez longtemps, une mouche tombe dans votre soupe, ou la nourriture déclenche chez vous une allergie. Si tout se passe bien, votre plaisir sera complet. Vous avez fait le projet de dîner dehors, mais le cadre, l'ambiance et les plats que vous allez déguster dépendent de choix que vous avez librement effectués dans l'instant. Il en va de même dans la vie. Vous avez des occasions, vous profitez de certaines d'entre elles, vous en laissez passer d'autres – et cela change le cours de votre vie. Même si vous définissez un objectif général que vous voulez approfondir, vous avez une grande liberté de manœuvre pour organiser votre existence. La façon dont vous tirez profit de vos expériences n'est pas toujours prévisible.

LA VISION DE NAISSANCE

Dans *La Dixième Prophétie*, les personnages comprennent qu'« apparemment, avant que nous naissions, chacun de nous a une vision de ce que sa vie peut être, de ce que seront ses parents, ses mécanismes de domination, et même de la façon dont il pourra dépasser ces scénarios préétablis avec ses parents et se préparer à ce qu'il veut accomplir [8] ».

> Vous choisissez de naître à l'intérieur d'une famille spécifique pour atteindre plus facilement votre objectif. Tandis que vous êtes encore dans le ventre de votre mère, vous dites aux vivants certaines choses qu'ils doivent se rappeler. Mais même s'ils vous disaient ces choses, les croiriez-vous ? Leur feriez-vous suffisamment confiance ? Non, parce que lorsque nous arrivons sur terre et prenons forme humaine, nous changeons d'opinion souvent. Quand nous ne savons pas qui nous sommes, nous suivons la connaissance du vent. (Malidoma Patrice Somé, *Of Water and the Spirit.*)

Quelqu'un raconte son désir de rester conscient de son objectif et de sa Vision de Naissance : « J'ai senti que je m'éveillais d'un long rêve. Je m'étais reposé pendant si longtemps. J'avais l'impression qu'il était temps de [...] retourner au champ de la vie. J'étais persuadé d'avoir beaucoup de choses à accomplir dans ma prochaine vie. Je ne voulais pas échouer comme autrefois. Je devais absolument m'efforcer d'être plus conscient de tout, une fois que je serais réincarné [...]. Je savais que, lorsque je retournerais dans le monde, je serais plongé dans une amnésie temporaire. J'oublierais mon objectif et ma mission. Cela m'était arrivé à chaque fois. Cette fois-ci, je pressentais que la mémoire me reviendrait plus rapidement. Alors que je me trouvais encore dans la dimension spirituelle, je décidai de devenir totalement lucide dans ma prochaine vie, pour maîtriser mes imperfections, lutter pour quelque chose de plus élevé, de plus profond, et de plus pur que ma série d'expériences habituelles. J'avais vécu de nombreuses vies. J'avais connu l'amour, la haine, la peur, la mort, la maladie, les privations et l'abondance. Mais à travers toutes ces péripéties dans mes différentes incarnations sur terre, je n'avais trouvé ni joie ni satisfaction durables [...]. Je voulais être dans la dimension physique comme j'étais dans l'Après-Vie, totalement conscient de mon existence. Comprendre que je n'étais pas simplement une personne, mais une extension de Dieu, que je faisais partie de lui. Je l'oublierais en arrivant sur terre. *Mais j'étais déterminé à lutter pour cette conscience supérieure*[9]. » (C'est nous qui soulignons.)

Un employé dans un magasin d'appareils photo d'une petite ville du Delaware décrit la vision de Dieu qu'il eut peu avant sa réincarnation : « J'ai vu Dieu [...]. Aucun mot, aucune image, aucune langue ne pourra jamais Le décrire. Toutes les formes émanaient de Lui ; j'ai vu tous les univers, toutes les personnes, tous les mondes contenus en Lui. Je Lui exprimai mes sentiments, ma tristesse d'avoir échoué auparavant. Il ne semblait pas troublé par mes échecs. Il m'encourageait à réessayer. Grâce à cette nouvelle source d'inspiration je revins à la vie, déterminé cette fois à aider les autres, pour servir l'humanité, et *devenir pleinement conscient de mon existence à la fois intérieure et extérieure*[10]. » (C'est nous qui soulignons.) Dans les profonds mouvements qui agitent les âmes de ces hommes, nous décelons le courant sous-jacent de la Vision du Monde – le désir de faire pénétrer la conscience spirituelle dans le monde matériel.

Il est intéressant de remarquer que 60 % des personnes qui ont évoqué leurs souvenirs prénatals grâce à une régression sous hypnose pouvaient répondre à la question d'Helen Wambach à propos de leur objectif existentiel et de la raison de leur réincarnation. Les 40 % restants, qui ne signalaient aucun projet particulier, n'avaient en général pas choisi de revenir sur terre (ils faisaient partie de la Première Population – ceux qui retournent naturellement au monde physique). Après avoir étudié les souvenirs concernant le projet de vie, TenDam a dégagé les statistiques suivantes [11] :

- 27 % reviennent pour aider les autres et mûrir spirituellement,
- 26 % pour acquérir une expérience supplémentaire ou corriger leurs défauts,
- 18 % pour devenir plus sociables,
- 18 % pour résoudre des relations karmiques personnelles,
- et 11 % pour des raisons diverses.

Parmi ceux qui ont pu observer leurs vies antérieures, beaucoup comprenaient clairement la raison de leur réincarnation. En voici quelques exemples : « Il me restait encore beaucoup de questions à résoudre avec ma mère. » « Je devais éclaircir et terminer tout ce que j'avais laissé inachevé dans ma vie antérieure. » « Je voulais être un homme faible et gâté et corriger mes défauts. » « Je désirais revenir parce que ma vie précédente avait été très courte. » « Je suis revenu pour pouvoir sentir les choses et les toucher. » « Je savais que mes parents avaient besoin de moi, parce qu'ils avaient perdu leur petite fille de quinze mois dans un incendie [12]. »

CHOISIR UN CHEMIN DIFFICILE

Apparemment certaines âmes décident de se mettre à l'épreuve en naissant dans des environnements où elles seront maltraitées, élevées dans des familles dysfonctionnelles, autoritaires ou étouffantes. De telles réincarnations testent les limites de leur endurance, leur patience et leur capacité de pardon. Ces âmes sont celles qui envisageaient avec le plus d'optimisme les problèmes qu'elles voulaient affronter dans leur vie sur terre. Avant la naissance, elles étaient convaincues d'être assez solides pour s'éveiller, vaincre leur colère et leur ressentiment contre d'éventuelles privations, et aider à guérir leur famille – afin de se préparer pour leur mission future.

Si une personne subit un événement traumatique, est-ce parce que son âme voulait en faire l'expérience ? Si une femme est violée, son âme a-t-elle choisi cette agression ? Si un homme perd son fils, a-t-il planifié ce malheur ? Certains ont pu juger leur vie selon l'optique de l'Après-Vie au cours de régressions. Leur conclusion est que, habituellement, on ne planifie pas des événements spécifiques dans l'Après-Vie. Une âme peut vouloir se lancer un défi et se tester. Si elle souhaite accélérer son développement en s'ouvrant à son karma qui attend d'être vécu et réglé, elle ne choisira pas pour autant un moment, une circonstance, ou un traumatisme particuliers.

> Il n'existe pas de potion magique (...) qui nous donnerait la sagesse. Seule notre expérience peut nous apporter des enseignements – à condition que nous désirions vraiment en prendre connaissance. Des milliers de livres peuvent nous inspirer, voire nous indiquer une direction à suivre. Mais seule l'expérience leur donnera un sens véritable. (Rosemary Altea, *The Eagle and the Rose.*)

Quand un enfant meurt, c'est habituellement parce que les deux âmes ont décidé, d'un commun accord, de vivre cette expérience pour le bien supérieur de chacun. Si un sujet a intentionnellement causé la mort d'un autre, les conséquences de cette action doivent être compensées. Une âme peut choisir de se sacrifier dans une vie pour payer sa dette karmique. Parfois une âme qui ne veut pas rester dans un corps physique interviendra volontairement dans un événement pour donner la vie à quelqu'un d'autre. Certains bébés meurent parce que leur corps physique n'est pas assez solide pour grandir ; ou parce que, dès le départ, ils ne voulaient pas vivre longtemps, pour une raison ou pour une autre. Un enfant peut vivre suffisamment longtemps pour apporter de la joie à ses parents, mais une mort précoce peut donner à ses géniteurs la chance de connaître un profond réveil spirituel, qui n'aurait pas eu lieu sans cette épreuve. Derrière chaque événement, se cachent des objectifs spirituels dont nous n'avons pas conscience ou que nous ne sommes pas préparés à comprendre.

LA REVUE DE VIE *AUJOURD'HUI*

Aucun d'entre nous ne réalise parfaitement sa Vision de Naissance. Mais plus nous deviendrons conscients, plus il nous sera facile de rester ouverts, en suivant nos intuitions. Connectés à notre source d'énergie, nous pouvons donner davantage d'amour et surmonter nos mécanismes de domination. Si nous sommes plus réfléchis, nous nous montrerons moins stricts envers nous-mêmes et profiterons des plaisirs de la vie. Dans *La Dixième Prophétie*, Wil explique : « Tu ne saisis pas ? Il s'agit certainement d'un enseignement fondamental de la dixième révélation. Nous avons d'abord découvert que nos intuitions et notre conception de notre destin existentiel provenaient du souvenir de nos Visions de Naissance. Et plus nous comprenons la sixième révélation, plus nous pouvons analyser nos décisions erronées, les occasions que nous avons manquées. Nous pouvons donc reprendre immédiatement un chemin conforme à notre objectif sur terre. En d'autres termes, nous rendons ce processus plus conscient dans notre vie quotidienne. Autrefois, nous devions attendre notre mort pour assister à notre Revue de Vie, mais maintenant nous pouvons prendre conscience plus tôt et finalement rendre la mort obsolète comme le prédit la neuvième révélation [13]. »

Une femme du Texas nous a récemment raconté une anecdote significative. Dans son cas, on constate une combinaison rarissime entre un observateur caché et une mémoire de cellule cible. Un tel processus, évidemment très rare, pourrait jouer un rôle important dans nos vies si nous savions en tirer profit. Le jour où son mari lui a annoncé qu'il la quittait, elle se trouvait à son bureau. Les détails de leur relation, qui avait duré vingt ans, ont commencé à « défiler » dans sa tête. La revue était complète, et les séquences se suivaient dans l'ordre. Elles étaient centrées exclusivement sur leur vie commune, les incompréhensions et les erreurs des deux côtés qui l'avaient minée.

Le phénomène s'est poursuivi pendant des heures, les souvenirs « apparaissaient et disparaissaient comme si une cassette vidéo s'enclenchait puis s'arrêtait plusieurs fois de suite [...]. Je me sentais incrédule, accablée, effrayée [...]. C'était fascinant et stupéfiant. Néanmoins, pendant que je vivais cette expérience, j'étais sensible à [...] la chaleur de cette journée car je suis sortie à midi et j'ai marché en plein soleil ». Mais elle n'était que vaguement consciente des endroits où elle se trouvait tout en vaquant à ses occupations. De nouveau [...] un témoin a vécu deux réalités parallèles en même temps. (Joseph Chilton Pearce, *Le futur commence aujourd'hui*.)

Dans *A Search for Truth*, Ruth Montgomery rapporte les propos des guides spirituels : « Chacun doit penser à son futur quand il vit ce qui deviendra son passé. Considérez chaque jour comme une page immaculée du livre de la vie. Ne laissez aucune tache d'encre ou de boue, aucune trace de poussière souiller ces pages. Emportez-les avec vous, vierges, jusqu'à votre prochaine étape et vous aurez progressé bien au-delà de vos rêves les plus fous. Le plus important c'est de vous souvenir qu'il faut accueillir chaque jour comme le futur sans tache, et le manier aussi prudemment que s'il était déjà un précieux parchemin, témoin de votre passé [14]. »

L'ENGAGEMENT POUR UN OBJECTIF EXISTENTIEL, LA DISPONIBILITÉ AUX AUTRES ET L'ÊTRE

Quelle est la meilleure façon d'attirer ce que vous voulez ? C'est, paradoxalement, de projeter intensément la réalisation de ce désir, puis de *renoncer à « l'imaginer dans les moindres détails » ou à contrôler le résultat.* Moins vous lutterez, plus vite votre désir commencera à se concrétiser.

Trop souvent, nous nous disons que nous devrons « travailler dur » pour atteindre notre objectif. Nous finissons par adopter un air froid, plutôt sinistre, pour « faire le bien », ou nous avons l'impression d'avoir raté une grande action. Une « rémigrante » affirmait à propos d'une vie passée en Égypte où elle avait beaucoup souffert : « Beaucoup de choses viennent de ce genre de vie, vraiment [...], l'endurance, la patience, beaucoup de choses. Cela semble banal, vain – mais l'âme apprend beaucoup de choses [15]. » Quand on lui demanda si tous ceux qui se trouvaient dans le royaume des âmes étaient conscients de ce qu'ils avaient appris au cours d'une vie terrestre, elle répondit : « Oui, dans le royaume des âmes. » Même les personnes qui semblent ignorer leurs vies antérieures quand elles se réincarnent en deviennent conscientes une fois parvenues dans la dimension spirituelle [16].

La pratique est la perfection

Créer des conditions harmonieuses pour que la chance vous sourie peut vous aider. Chaque jour, vous devez vous plonger dans certains états vibratoires comme la reconnaissance, la gratitude, le pardon, le détachement de vos ambitions, l'humour, l'amour, l'ouverture et l'espoir. Si vous êtes votre moi authentique, et utilisez vos talents avec générosité et reconnaissance, vous êtes bien engagé dans le flux d'énergie. De plus, il est important de faire circuler les richesses et de ne voir chez les autres que le meilleur, de sorte que vous flotterez dans un élément où s'équilibrent le donner et le recevoir.

Une personne peut-elle changer sa Vision du Monde simplement en lisant un livre qui l'incite à adopter de nouvelles conceptions sur le fonctionnement de l'univers ?

Si vous désirez convaincre quelqu'un de la signification de la dimension spirituelle – surtout s'il s'agit d'un Occidental –, la lecture d'un livre ne suffira pas. Seule une expérience personnelle directe emportera sa conviction et permettra une véritable ouverture spirituelle [...]. Il lira quelques ouvrages et assistera à des conférences, participera à des groupes de réflexion sur la spiritualité, et passera par toute une série de transformations subtiles grâce à la méditation et à d'autres pratiques spirituelles. (Stan Grof, dans *Towards a New World View*, sous la direction de Russell E. DiCarlo.)

Une vieille dame essayait de résoudre un différend qui l'opposait à sa famille depuis cinquante-cinq ans. Elle n'avait cessé de se demander comment récupérer sa part d'héritage et désirait absolument rentrer en possession de ce qu'on lui devait. Progressivement, après avoir connu de grands remous intérieurs, elle comprit qu'en fait elle désirait avoir l'esprit en paix et être connectée à l'énergie divine. À l'âge de quatre-vingt-six ans elle s'aperçut finalement que, telle une héroïne de cinéma, elle avait toujours lutté contre tous pour défendre ses droits. Mais, du coup, elle avait vécu seule et isolée pendant de nombreuses années. Elle avait oublié que sa source d'énergie et sa force se trouvaient en Dieu.

Faites le silence autour de vous et écoutez les conseils intérieurs qui *vous* concernent.

Une seule voie : la disponibilité aux autres

Comme nous l'avons mentionné dans le chapitre précédent à propos de Ruth Montgomery, les guides de l'Après-Vie soulignaient constamment l'importance d'être disponible pour les autres si l'on veut accomplir sa destinée. Pour que nos âmes progressent de façon significative, il nous faut aider les êtres qui croisent notre route. Dans *A Search for Truth,* Ruth Montgomery écrit : « Constamment les guides spirituels insistaient sur la disponibilité envers autrui : " Ce n'est pas seulement l'expression d'un esprit charitable, mais aussi d'un besoin brûlant de remplir sa propre mission. " Nous devons, disaient-ils en substance, nous soucier davantage d'aider les autres que nous-mêmes. En agissant ainsi, nous ferons progresser automatiquement notre propre cause. " Tel était le message qui fut apporté il y a des centaines d'années par le Christ et par d'autres chefs religieux, écrivaient-ils. Le message n'a pas changé d'un iota. Il reste le même qu'à l'époque où le Christ proclamait : ' Aimez-vous les uns les autres. ' Ce n'est pas *une* des façons de progresser spirituellement, mais l'*unique* façon d'y arriver [17]. " »

Le mystère de votre vie veut se révéler. Le Mystère se dévoile au moment où vous lisez ces mots.

> Sachez seulement que lorsque sonnera votre heure de quitter la dimension terrestre et de recommencer votre vie, la richesse que vous emporterez avec vous proviendra du savoir que vous avez acquis, et elle se trouve dans votre cœur. (Aigle Gris, dans *The Eagle and the Rose* de Rosemary Altea.)

ÉTUDE INDIVIDUELLE ET COLLECTIVE

Vous pouvez réaliser les exercices suivants individuellement, avec des amis, ou dans un groupe d'étude. Chacun remplira le questionnaire chez soi et les réponses seront ensuite discutées par équipe de deux ou devant le groupe tout entier, si les participants n'éprouvent aucune gêne à parler d'eux-mêmes devant les autres.

Pensez à vos parents selon une optique spirituelle

Prenez un moment pour réfléchir à la signification profonde de votre choix de vos parents (ou des personnes qui vous ont élevé) et à leur influence dans votre vie actuelle.

Le père

• Imaginez, sous la photographie de votre père, le texte d'une légende qui résumerait sa vie.

• Qu'est-ce qui a manqué dans la vie de votre père ? A-t-il conçu un projet (ou des projets) qu'il n'a pas réalisé(s) ? Quelles qualités étaient peu développées ou absentes chez lui ?

• Quelles sont les valeurs les plus importantes qu'il vous a enseignées ?

• En quoi lui ressemblez-vous ?

• En quoi votre évolution est-elle différente de la sienne ?

• Quelle influence a-t-il eue sur votre chemin existentiel ?

La mère

• Imaginez, sous la photographie de votre mère, le texte d'une légende qui résumerait sa vie.

• Qu'est-ce qui a manqué dans la vie de votre mère ? A-t-elle conçu un projet (ou des projets) qu'elle n'a pu réaliser ? Quelles qualités étaient peu développées ou absentes chez elle ?

• Quelles sont les valeurs les plus importantes que vous a enseignées votre mère ?

• En quoi lui ressemblez-vous ?

- En quoi votre évolution est-elle différente de la sienne ?
- Quelle influence a-t-elle eue sur votre chemin existentiel ?

Réflexion sur votre philosophie spirituelle

Prenez un moment pour vous demander :
– Que pensaient mes parents à propos de Dieu ?
Mon père
Ma mère
– Que pensaient mes parents de la vie après la mort ?
Mon père
Ma mère
– Quelles étaient les trois valeurs les plus importantes pour mes parents ?
Mon père
Ma mère
– Quelle(s) idée(s) mes parents ont-ils le plus fortement gravée(s) dans mon esprit ?
Mon père
Ma mère
– Quel héritage mes parents ont-ils laissé à l'humanité ?
Mon père
Ma mère
– En observant la vie de mes parents, qu'ai-je appris à faire et à ne pas faire ?
Mon père
Ma mère
– Qu'est-ce qui a le plus manqué dans la vie de mes parents (la santé, le succès, l'estime de soi, l'affection, le sens de l'humour, les réalisations créatrices, etc.) ?
Mon père
Ma mère
– En quoi suis-je exactement comme mes parents ?
Mon père
Ma mère
– En quoi suis-je différent d'eux ou ai-je suivi une évolution différente de la leur ?
Mon père
Ma mère
– Supposez qu'ils aient été des parents parfaits pour votre vie présente. Expliquez pourquoi.
Mon père
Ma mère

Définition de la Vision de Naissance

Fermez les yeux pendant un moment et respirez profondément plusieurs fois. Détendez votre corps. Imaginez que vous êtes sur une colline en train de regarder une route qui passe en dessous de vous. Sur cette route vous vous voyez en train de marcher. Quelles images distinguez-vous concernant votre vie à certains points sur cette route ? Quelles sortes d'images ou de messages vous attendent à la fin de cette route ? Complétez les phrases ci-dessous avec les images ou les intuitions que vous recevez :

Au début de mon chemin, je vois...
Au milieu de mon chemin, je vois...
À la fin de mon chemin, je vois...

Comment vous décririez-vous en complétant les affirmations ci-dessous ? Datez vos réponses et relisez-les dans six mois, un an, cinq ans.

Mes points forts sont...
J'ai du talent pour...
L'occupation ou l'activité la plus enrichissante pour moi a été...
J'ai apporté quelque chose à l'humanité en...
J'ai relevé trois défis importants dans ma vie...
Ces défis m'ont aidé à...
Je vois la vie comme...
Dans la vie j'apprécie plus que tout la...
Je suis passionné par...
Je suis heureux quand...
Je suis fier de...
Je travaille dans...
Jamais on ne m'enlèvera ma (mon)...
Ma prochaine expérience sera de...
L'héritage que j'aimerais le plus laisser à l'humanité c'est...
J'ai l'impression que ma Vision de Naissance...
Ma Vision de Naissance est...

Suivre la Vision

Nous savons que les aspirations et les images d'une vie idéale proviennent de notre Vision de Naissance très profonde. Acceptez vos rêves éveillés comme de réels désirs qui, *d'une certaine façon,* veulent se réaliser à travers vous. Bien sûr, vous ne serez peut-être jamais une étoile de l'opéra, mais vous pouvez tenter d'y parvenir tant que vous en aurez le courage. Ou vous vous distrairez encore plus (n'est-ce pas en partie ce que vous cherchez ?) en organisant une chorale dans une école ou dans votre quartier. Des visions persistantes plutôt qu'obsessionnelles, claires plutôt que vagues, devraient vous amener à agir. Et l'action vous met sur le chemin de la complétude. Les êtres humains ne sont pas seulement des mécanismes capables de dépister des difficultés données et d'y réagir afin de survivre : ils sont des fabricants de rêves.

La Vision est une sorte de pièce de théâtre

• Quelle image vous revient constamment à l'esprit ? Que voudriez-vous avoir que vous n'avez pas ?

• Que possédez-vous que vous ne voudriez pas perdre ?

• Supposons que demain vous vous réveilliez dans des conditions de vie et de travail idéales où vous exprimeriez vos plus grandes qualités. Écrivez quelques phrases à ce sujet.

• Désignez votre plus grande compétence à l'aide d'*un seul* mot. De quelle façon cette qualité est-elle utile à l'humanité ? Comment l'utilisez-vous maintenant ? Écrivez quelques phrases à ce sujet. Laissez s'exprimer tout ce qui tend à apparaître.

• Commencez à lire les notices nécrologiques dans votre quotidien, surtout les plus longues, sur les personnes qui ont accompli quelque chose de marquant. Loin d'être déprimantes ces « Revues de Vie » vous racontent les actions vertueuses et les nobles épreuves remportées par quelqu'un. Même des notices nécrologiques courtes vous donnent une vue d'ensemble sur des personnes qui, durant de longues années, ont fait face à leurs responsabilités, ont mis au point des inventions, ont vu leurs talents récompensés, et surtout ont donné de l'amour sans compter. Certains ont mené une existence toute simple, faite de patience, de désintéressement, d'autres ont vécu de nombreux épisodes bizarres qui ont façonné l'histoire familiale pendant des générations. Il y a de la poésie dans des textes comme ceux-ci :

> • Travailleur social, contrôleur judiciaire à la retraite, guitariste de flamenco ; sa sagesse, sa gentillesse et sa musique danseront toujours dans nos cœurs et toucheront toujours nos âmes [18].
>
> • M.R. a fondé trois crémeries et vous servait dans votre voiture. Il achetait le lait directement aux producteurs [...] et vendait le lait le plus frais que vous puissiez trouver [...]. Il s'était remis à utiliser des bouteilles en verre parce qu'il se souciait de l'environnement et de l'élimination des déchets [19].
>
> • Brownie McGhee, chanteur et guitariste, a conservé et popularisé le style du blues de la région du Piedmont, qui se trouve à cheval sur la Caroline du Nord et la Caroline du Sud. Pour jouer le blues du Piedmont il faut à la fois pincer et racler les cordes de la

guitare tout en se servant d'un harmonica pour marquer le rythme ; sa voix convaincue venait du plus profond du terroir [20].

• Eleanor Clark, une styliste exceptionnelle, [...] écrivit une série de réflexions sophistiquées sur toute une série de sujets, allant de l'histoire de l'Antiquité et de la poésie romaine aux conditions sociales actuelles [21].

• Elle participait très activement aux Happy Belles and Telephone Pionneers [22].

• E.P., un Indien Maya dont les techniques de soins très anciennes ont attiré l'attention du monde entier, utilisait seulement les plantes et la prière pour soigner. Il est mort à l'âge de cent trois ans [...] dans une humble cabane située sur une colline dans le minuscule village de San Antonio, à l'ouest de Belize [...]. Tous les guérisseurs traditionnels mayas le considéraient comme leur maître [23].

Un homme et une femme d'environ soixante-dix ans, apparemment deux âmes sœurs, moururent du cancer à quelques heures d'intervalle :

Les deux éléments de ce couple excentrique et plein d'humour ont marqué les professions qu'ils avaient choisies (lui était écrivain et professeur d'histoire ; elle, artiste connue, prônait l'éducation artistique dans les écoles publiques). Il « était profondément convaincu que l'enseignement devait pousser les étudiants à remettre en question les idées admises par la société ». Il fonda l'université Penny, qui organisait des débats académiques gratuits chaque semaine. Elle créa des cours d'art pour les prisonniers de Californie, ce qui amena des créateurs très cotés à professer dans les établissements pénitentiaires [24].

Et sur un karma en train de s'accomplir :

• B.O. Né en Mandchourie, cet immigré parti des bas-fonds new-yorkais avait fini par devenir, selon la police, le dirigeant du gang le plus puissant à Chinatown. [...] Il fut condamné à dix-sept ans de prison. [...] Les spécialistes considèrent qu'il se laissa accuser et emprisonner pour protéger son supérieur hiérarchique dans l'organisation [25].

Progrès, problèmes et objectifs actuels

Choisissez chaque jour ou chaque semaine l'une des questions suivantes et réfléchissez-y. *N'essayez pas de les étudier toutes en même temps.*

Écrivez quelques phrases ou paragraphes pour répondre à la *question qui correspond à la situation où vous êtes en ce moment.*

Ces questions peuvent aussi servir de base à une discussion de groupe.

Exercices de vérification

• Existe-t-il une situation ou une relation – *quelle qu'en soit l'importance* – dans laquelle vous vous sentiez indécis ou inquiet ?

Nous savons que, si nous devons une explication à quelqu'un, une excuse, ou un appel téléphonique, cette situation ponctionnera régulièrement de petites portions de notre énergie tant que nous n'y aurons pas mis fin. C'est également vrai si vous avez décidé de mener à bien un projet, mais que vous sentiez qu'il ne marchera pas. Refouler vos sentiments ou retarder le moment d'affronter une difficulté augmente seulement le drainage d'énergie. Prenez conscience de ces problèmes. Demandez de l'aide à l'univers pour les résoudre. Suivez à fond vos intuitions. Quelque chose vous mènera à votre prochaine étape.

• Quelque chose draine-t-il votre énergie, même en quantité *minime* ?

Faites une liste de *tout* ce que vous souhaiteriez modifier dans votre vie (ex. : J'aimerais ne pas aller à la réunion des parents d'élèves la semaine prochaine ; j'aimerais savoir ce qui va de travers avec mon chien, mon ordinateur, ma voiture, etc.). Repérez le souci qui vous soustrait de l'énergie et notez-le. Vous obtiendrez peut-être une réponse ou vous observerez un changement très bientôt.

• Quels obstacles se dressent sur votre chemin en ce moment ?

Les obstacles vous forcent à étudier plus en profondeur les difficultés, à recourir davantage à votre créativité. Quels sont pour vous les avantages cachés de ces obstacles ? Vous empêchent-ils de faire quelque chose qui vous effraie ? Par exemple, si vous sentez que le manque d'argent représente un obstacle pour agrandir vos affaires, craignez-vous inconsciemment d'aller jusqu'à la prochaine étape ?

• Quels sont les secteurs de votre vie qui fonctionnent bien ?

Ils font partie de votre Vision de Naissance. Pensez à une période faste de votre vie. Dans quel état d'esprit étiez-vous à l'époque ? Combien de projets avez-vous réalisés ? Combien de succès avez-vous remportés ? Exprimez chaque jour de la gratitude pour ces succès.

• Dans quelles situations sentez-vous maintenant une grande énergie ?

Recevoir de l'énergie est un bon signe : vous êtes en train de vous brancher sur une vérité intérieure qui vous maintient connecté à votre Vision de Naissance.

• Quels buts prometteurs semblent émerger ?

• Si vous deviez prévoir les événements des six prochains mois, quelles sont les trois prédictions que vous feriez ? Y compris pour la journée d'aujourd'hui.

• Quelle est la question qui vous préoccupe le plus en ce moment ?

Après avoir écrit votre question, définissez le souhait sous-jacent à cette question. Par exemple, si vous vous demandez : « Dois-je me marier avec Joe ? » votre désir sous-jacent est de faire un mariage heureux avec le partenaire parfait (Joe ou un autre homme). Donc récrivez votre question sous la forme d'une déclaration positive : « Je suis maintenant mariée à l'homme qui me convient le mieux. »

8

Un enfer intérieur

LE HIBOU
L'OBSCURITÉ

Tout cela est une réaction contre la Peur. Les gens là-bas seraient paralysés par la Peur s'ils ne trouvaient pas une façon de la contourner, de la refouler dans l'inconscient. Ils ne font que répéter les mêmes scénarios existentiels, les mêmes astuces pour s'en sortir que celles qu'ils ont utilisées durant leur vie, et ils ne peuvent pas s'arrêter. (*La Dixième Prophétie* [1].)

DIEU OU DIEU *ET* LE DIABLE ?

La question du bien et du mal a occupé l'esprit de l'humanité pendant des millénaires. De tout temps, de nombreux philosophes ont prétendu – ainsi que la dixième révélation – qu'il n'y a qu'une Seule Force, un unique champ d'énergie, la force de Dieu – Tout-ce-qui-Est. Il n'existe ni seconde force, ni diable, ni entité *incarnée* du mal ayant le pouvoir de nous punir durant notre vie ou après notre mort.

Dieu a créé les êtres humains, Il nous a dotés du libre arbitre, afin de se connaître Lui-même grâce à notre créativité sans fin. Chacune de nos facettes est un visage de Dieu. Pour continuer à évoluer et à diversifier notre divinité, nous devons exercer notre libre arbitre sans nous séparer de Lui. Si nous restons connectés à nos qualités divines qui servent le bien général : amour, compassion, joie, jeu, disponibilité aux autres et créativité, nos choix créent le bien, jamais le mal. Seules nos peurs alimentent le mal qui existe dans le monde. Nous lui attribuons un pouvoir quand nous affirmons que les hommes sont « naturellement mauvais », ou quand nous dédaignons la spiritualité et la traitons comme une philosophie soporifique dénuée de sens. Historiquement, le diable a été utilisé pour expliquer le mal d'une façon simpliste ; en fait, pour le comprendre vraiment, nous devons explorer la psychologie très complexe des êtres humains.

L'ENFER EXISTE-T-Il ?

S'il n'existe ni seconde force, ni force séparée, ni force du mal opposée à Tout-ce-qui-Est, existe-t-il un enfer ? On le représente souvent comme une procession d'âmes condamnées, nues, privées de toute chance de salut, qui marchent, désespérées, vers des fosses ardentes ou crient de terreur. Aujourd'hui, grâce à nos connaissances sophistiquées, une image aussi littérale nous fait sourire, et nous croyons qu'un tel destin nous sera épargné. Pourtant, chacun d'entre nous a déjà vécu une heure, un jour, voire une vie entière de souffrance intérieure, comme si le feu dévorait nos entrailles. Nous nous sommes sentis pris au piège, dévastés par la colère, l'horreur, la culpabilité, l'envie, la jalousie ou la peur. Qui n'a jamais expérimenté un enfer intérieur ?

Certains vivent en enfer depuis leur premier souffle, ou même avant, alors qu'ils se sentaient déjà non désirés ou méprisés dans le ventre de leur mère. L'enfer intérieur commence ici, sur terre. Dès les premiers jours de l'enfance, certains êtres sont pincés et frappés à coups de pied, giflés et griffés, enfermés dans des placards, terrifiés par ceux qui sont supposés s'occuper d'eux. Maltraitées, humiliées, violées, battues, ou négligées et traumatisées par la toxicomanie de leurs parents, les âmes de ces êtres, dans les pires des cas, ne connaîtront jamais le sens de l'unicité avec Dieu et de sa bonté. Pourtant, en dépit d'une incroyable adversité, certaines âmes grandissent malgré le mal qui les a encerclées. Dans certains cas, le traumatisme est trop grave. Comme si leur humanité s'était consumée, des individus vivent pour infliger leur enfer intérieur à d'autres et le leur transmettre, en perpétrant des actes condamnables. Le cycle continue. L'enfer intérieur se résume à deux convictions : l'amour n'existe pas ; le pouvoir ne s'obtient qu'en faisant souffrir autrui.

Notre propre enfer intérieur se traduit souvent par une insécurité et une rigidité qui nous maintiennent éloignés de l'amour. L'enfer est peuplé de sentiments comme le désir sans frein, l'avidité, l'envie, la paranoïa, la maladie mentale, la peur, la rage, le dégoût de soi-même, l'obsession ou l'orgueil. Ces hantises nous séparent du flux de la vie, paralysent notre créativité, et nous enferment dans une frustration répétitive qui va à l'encontre du but recherché. L'enfer est pesant, interminable, synonyme de froid, d'obscurité, de solitude et de désespoir.

Vous emportez avec vous vos propres schémas mentaux

Si nous vivons selon la règle « Tel ciel, telle terre », ce qui entraîne également « Telle terre, tel ciel », nous découvrons que, quelle que soit notre conception de la mort, la transition est la *conscience* avec laquelle nous pénétrons dans l'Après-Vie – et *avec laquelle nous y créons notre réalité*. Vous *pouvez* l'emporter avec vous. Vous emmenez avec vous votre capacité de créer votre monde. De même que nous naissons avec certaines capacités et tendances provenant d'expériences antérieures, de même nous pénétrons dans l'Après-Vie avec les capacités et les schémas mentaux développés sur terre. Il n'existe ni diable ni force du mal, externe, personnifiée. Notre enfer est donc celui que nous emportons avec nous, dans la dimension spirituelle, sous la forme de notre énergie négative.

En outre, si nous ne comprenons pas tout de suite que nous avons quitté la dimension matérielle, que nous sommes vraiment « morts », nous continuerons à recréer indéfiniment ces obsessions mentales dans l'Après-Vie. Souvenez-vous que, dans la dimension spirituelle, la pensée crée chaque chose instantanément. Si vous pensez à faire l'amour, vous vous livrez immédiatement à cette activité. Si vous voulez voir quelqu'un que vous connaissez, vous êtes instantanément transporté vers le champ d'énergie de cette personne (à condition qu'elle accepte les rencontres). Donc « l'enfer » se bâtit à partir des constructions mentales élaborées par des âmes qui n'ont que peu de capacité à réfléchir sur elles-mêmes, et ne prennent pas conscience de la dimension spirituelle après leur mort physique.

La peur n'a pas de lieu où se cacher

Robert Monroe parle de ses rencontres avec la Peur au moment où il voyageait dans le royaume spirituel. À travers une expérience directe il apprend que chacune de ses pensées, y compris la peur, se révélera immédiatement dans la dimension spirituelle. On ne peut plus cacher ses jugements et ses sentiments derrière un vernis social, comme on le fait tous les jours sur terre. Tout le monde est nu. Monroe raconte comment il a appris à gérer les émotions qu'il avait réussi à réprimer dans sa vie physique au cours de ses visites à ce qu'il apelle le Lieu n° II dans l'Après-Vie. « Un par un, douloureusement et laborieusement, les schémas émotionnels incontrôlables et explosifs devaient être maîtrisés... Si cela ne se produit pas durant la vie physique, [j'ai le sentiment] que cela devient la première tâche à accomplir après la mort. »

« [Les zones du Lieu n° II] sont peuplées surtout par des êtres fous ou presque fous, menés par leurs émotions [...]. Elles abritent ceux qui sont vivants mais endormis ou drogués et se trouvent à l'extérieur de leur deuxième corps (le " corps " que nous avons dans la dimension spirituelle), et probablement ceux qui sont " morts " mais encore dominés par leurs sentiments [2]. »

> Si nous choisissons de vivre dans l'obscurité, pendant que nous sommes sur la terre ou après la « mort », si nous préférons nous passer de lumière, alors nous choisissons un endroit sombre. Mais c'est toujours notre choix. Les feux de l'enfer n'existent que si nous décidons de les créer. (Rosemary Altea, *The Eagle and the Rose.*)

Le jour de l'autojugement dernier

Selon les guides dans l'Après-Vie et les récits de NDE, quelle que soit la souffrance que nous ayons imposée aux autres durant notre vie terrestre, nous souffrirons nous-mêmes encore plus intensément quand nous reviendrons dans la dimension spirituelle. Même s'il n'y a pas de « jour du jugement dernier » au cours duquel Dieu passe nos actes en revue, nous paierons pour *tout* le mal que nous avons causé aux autres, en souffrance dans l'Après-Vie. Les âmes qui nous guident dans cette dimension nous aident à voir ce que nous avons appris dans l'existence qui vient de se terminer et dans quelle mesure nous avons été capables d'aimer afin que nous puissions progresser dans notre prochaine incarnation.

Si nous avons accompli ne serait-ce qu'une seule bonne action, elle peut annuler beaucoup d'actions négatives que nous avons commises. Au lieu de nous préoccuper des aspects négatifs de notre passé, mieux vaut nous concentrer désormais sur un seul objectif : le bien.

Dès que nous avons atteint le niveau de conscience de la dixième révélation, nous sommes capables d'évaluer nos conceptions et nos comportements et d'essayer de prendre conscience. En examinant la « pathologie » de nos mécanismes de domination peu judicieux et nos réalisations, nous avons une chance de comprendre notre mythologie intérieure – notre histoire. Si nous ne prenons pas conscience dans cette dimension physique, nous aurons du mal à le faire dans l'Après-Vie.

ICI ET MAINTENANT

À un degré plus ou moins grand, dans la *vie physique*, nous construisons notre propre version de l'enfer en restant attachés à certains mécanismes de domination que nous utilisons inconsciemment. Quand nous oublions notre connexion à notre source divine, nous élaborons un échantillon très étroit de conduites afin de réduire le monde à un niveau contrôlable. Dans la mesure où nous vivons dans une zone fortifiée et entourée par une barrière de peur, nous ne sommes pas ouverts à la totalité du mystère de la vie. Nous nous sentons contractés, sur la défensive, craintifs et séparés de la source de vie. Nous employons constamment des expressions qui expriment nos limites : « Je suis un salaud. » « Je ne ferai jamais rien de ma vie. » « Personne ne m'aime. »

Ayant oublié que *nous* avons installé nous-mêmes ces limites dans notre esprit, nous projetons ce carcan inconscient sur le monde extérieur. Ce point a une importance capitale parce qu'il est au cœur de nos prétendus problèmes dans notre vie quotidienne. Nous voyons-vivons-sentons nos rencontres quotidiennes à travers le filtre de nos expériences passées. Le désir consiste à vouloir ce que l'on ne possède pas. Par exemple, la jeune Juanita, petite et boulotte, pense que les femmes grandes et minces sont avantagées. Frank a l'air studieux et fragile. Comme il a une riche vie intérieure et refuse d'entrer en compétition avec les autres, il cultive une image de marginal. Shantara est la troisième de cinq sœurs et sent qu'elle n'existe pas, qu'elle est égarée au milieu de la foule. À un certain niveau de conscience, nous craignons constamment de ne plus contrôler la situation, d'échouer dans nos tentatives, de perdre notre gagne-pain, d'être un *looser* qui ne rencontrera jamais le succès, ni le bonheur. Ce n'est pas un hasard si le Christ s'est présenté comme notre berger. En effet, le sentiment d'être perdu est une peur archétypale chez les êtres humains. Si nous nous définissons d'une certaine façon, nous nous limitons à un certain chemin. Nous pouvons être l'artiste incompris ou le fainéant sans talent, le raté permanent ou le spécialiste efficace. Nous peignons une image de nous-mêmes dans un coin et ensuite nous disons à tout le monde que Dieu a fait notre portrait.

Remplir le vide avec Dieu

Une fois que ces convictions sont gravées dans notre esprit comme une réalité, le niveau de notre peur est si élevé que nous ne pouvons nous en débarrasser sans éprouver de l'angoisse. Aucune pensée positive ne va nous rendre plus grand ou plus mince. Aucune rationalisation ne va nous transformer en vedette de football. Nous aurons beau récrire mille fois notre CV, cela ne fera pas de nous une personne exceptionnelle. Si vous vous considérez comme un minable sans talent et paresseux, vous ne pouvez pas brusquement chasser cette vision négative de vous-même. Nous ne pouvons pas éliminer une grande quantité de peur sans faire un trou béant qui doit être rempli par quelque chose d'autre – la confiance, la sagesse nouvelle et la connexion à Dieu.

Le terreau de la Peur

Les racines du dogmatisme et des idéologies ont poussé dans le terreau de la Peur. Notre propre dogme, nos propres insuffisances deviennent un enfer, à chacune de nos vies, si nous ne recevons pas le don de l'amour, de la compassion, et d'une plus grande compréhension de notre véritable nature. Avec le temps, une peur intense ressemble à une fièvre qui envahit insidieusement notre pensée, entrave nos perceptions, et limite nos choix. Une femme qui avait revécu une vie antérieure explique : « Au cours d'une [de mes vies] j'ai connu une grande évolution spirituelle, mais dans l'isolement, car à cette époque on torturait à mort. C'était près de Jérusalem. [À cause de mes croyances religieuses] j'étais très inquiète et je n'affichais pas mes opinions [...]. Je craignais la violence, je n'osais pas défendre mes idées [...]. Il faut chasser la Peur. Elle ne doit plus bloquer notre chemin, afin que nous puissions progresser en vivant de nouvelles expériences qui nous font évoluer. Si la peur ne s'était pas mise en travers de mon chemin, j'aurais pu tirer beaucoup plus de profit de mes expériences. Les blocages que l'on s'impose à soi-même nous font seulement perdre du temps. Il en existe suffisamment sans que nous en inventions [3]. » Cette femme voyait que la peur avait créé chez elle des manques au cours de plusieurs existences. Peut-être devrions-nous considérer chaque incarnation comme un tableau. Pourquoi pas ? Quelles couleurs allez-vous utiliser la prochaine fois ?

Tout est Dieu

Dans notre existence spirituelle entre deux incarnations, nous baignons dans la véritable vibration de l'univers – nous baignons dans l'énergie et l'amour. Mais si nous ne pouvons pas percevoir cette énergie aimante, parce que nous sommes dépendants vis-à-vis de nos fausses perceptions, nous sommes comme le poisson rouge qui, transféré de son bocal dans l'océan, continue à décrire dans la mer des cercles aussi petits que ceux permis par son habitat précédent. La véritable libération s'opère quand nous perdons notre sensation de séparation, notre besoin de contrôler les situations, et notre peur de la mort physique. Cette libération se produit quand nous utilisons toutes les nuances de notre palette – rouge rubis, rouge cramoisi, orange, ocre jaune, vert olive, violet, havane, noir de jais, bleu outremer, doré, argenté et turquoise. Nous serons véritablement libérés quand nous pourrons sentir le vomi, le soufre, l'argent, le chèvrefeuille, le cou des bébés, l'ail, les tomates fraîches, l'encens, les pêches et le sperme, et savoir que tout cela est Dieu.

> Il n'existe pas de mal à part celui que nous créons, car je n'ai pas vu la moindre trace de diable de ce côté-ci du voile. Nous sommes nos propres démons, grâce à nos pensées et aux actes qui en découlent [...]. Ce mal se renforce au fur et à mesure que chaque génération projette sa propre vision du mal sur la force que nous appelons le diable [...]. Pour détruire le mal, l'homme devra commencer par prendre conscience que même les pensées sont des actes et que la taille du « diable » diminue chaque fois que nous remplaçons une pensée ou une action mauvaise par l'amour et la tendresse. Ainsi nous pourrons nous préparer au prétendu millénium durant lequel le bien se substituera au mal dans les cœurs de ceux qui habitent la terre, non seulement dans leur chair mais dans leur esprit, comme nous sommes en train de le faire en ce moment. (Arthur Ford à Ruth Montgomery, *A World Beyond*.)

NI MORT NI VIVANT

Robert Monroe cite l'exemple de quelqu'un qui ne se rend pas compte qu'il est mort et qui est encore prisonnier de son comportement obsessionnel. Il l'a rencontré lors d'une de ses nombreuses incursions hors du corps dans les dimensions non physiques. Après avoir voyagé durant de nombreuses années dans le royaume spirituel et avoir reçu de nombreux conseils de guides désincarnés, Monroe a commencé à être attiré vers des âmes qui éprouvaient des difficultés au cours de leur transition après la mort. Dans un cas, il se trouva en train d'observer un jeune soldat dans une bataille où les deux armées étaient équipées d'épées et de lances. Le jeune homme luttait pour se relever, sans se rendre compte qu'une lance l'avait totalement transpercé, au point de pénétrer profondément dans la terre sous sa poitrine. Monroe raconte : « Je vis sa tête – non, pas sa tête physique – sortir de son corps. Alors je tendis le bras vers lui, l'attrapai et tirai. Il réussit à se dégager aisément de son enveloppe corporelle [...]. Il redescendit et essaya de ramasser [son épée], mais sa main la traversa. Perplexe, il réessaya [...]. Je lui dis de ne pas s'inquiéter [...] et l'informai qu'il était mort. » Incrédule, le jeune homme reprit le combat. « Un moment plus tard, un petit soldat barbu l'attaqua par-derrière et tous deux roulèrent par terre en se donnant des coups de poing et en tentant de se crever les yeux. Il me fallut une seconde ou deux pour me rendre compte que *tous deux* étaient morts [...]. Ils allaient peut-être se rouler par terre et essayer de se tuer *pendant des siècles* [4] ! » Par la suite il comprit que ce jeune soldat c'était lui-même dans une vie antérieure, et cette rencontre lui donna un aperçu intéressant de sa propre personnalité.

À une autre occasion, il rencontra une femme qui était physiquement morte. Incapable d'admettre qu'elle n'habitait plus la dimension physique, elle refusait de quitter la maison construite par son mari. Cette maison représentait sa vie, le symbole de l'amour de son époux, et à ce moment-là elle n'avait rien d'autre. Robert Monroe l'aida à reconnaître qu'elle était morte et que son mari l'attendait. Libérée de cette perception erronée, elle abandonna la zone de son illusion et commença son voyage d'apprentissage supplémentaire, son voyage de retour à l'amour. Une autre fois, Monroe offrit de l'aide à un homme en colère qui voulait absolument comprendre pourquoi il n'existait ni paradis ni enfer comme il l'avait cru. Avec une agressivité certainement caractéristique de la vie de cet homme sur terre (« Allez, débarrassez-moi le plancher ! Chaque fois que quelqu'un a essayé de m'aider, cela ne m'a apporté que des ennuis ! »), l'homme refusa l'aide de Monroe [5]. Cet exemple illustre parfaitement comment une attitude perpétuellement coléreuse peut se figer et se transformer en un postulat pour la prochaine incarnation. Dans ce cas, le postulat était : « Chaque fois que quelqu'un essaye de m'aider, cela ne m'apporte que des ennuis. »

À son retour dans le royaume grisâtre des âmes à la conscience plus faible, Monroe voit un groupe d'âmes prisonnières d'un cycle de dépendance répétitive vis-à-vis de la sexualité. Finalement, il commence à comprendre que les convictions inébranlables de quelqu'un perdurent durant la phase transitoire entre la mort et l'Après-Vie, et l'amènent à échafauder des constructions mentales d'une « vie apparemment réelle ». Ceux qui ne peuvent accepter leur décès ont tendance à recréer les constructions mentales qu'ils utilisaient dans la vie physique. Faute d'une base spirituelle et face à leur peur, que peuvent-ils faire d'autre que refouler le mystère et l'insécurité de la vie ? Ces réalités illusoires sont des formes graves de mécanismes de domination, encore plus intenses et inconscientes que celles déployées sur terre.

Piégée dans un ou plusieurs mécanismes de domination pour obtenir de l'énergie, l'âme continue à se prouver que le monde est rempli de menaces et que les autres vont lui chercher noise. Grâce à la loi de cause à effet, nos croyances et nos attentes attirent ou créent exactement ces genres de situations et de gens afin que notre vision mentale s'accomplisse. Si nous ne prenons pas conscience de l'ampleur de notre liberté et de nos possibilités, nous reproduisons les mêmes schémas dans l'Après-Vie que durant notre vie sur terre. Nous étions ou nous sentions en sécurité dans ces constructions, aussi continuons-nous à faire ce que nous savons faire, même si cela n'aboutit pas à ce que nous voulons réellement.

Puisque la loi de cause à effet construit si bien notre enfer intérieur, nous n'avons pas besoin d'une seconde force, de la force externe du diable !

EFFRAYÉ PAR UN REVENANT

La dixième révélation suggère que si nous rencontrons un poltergeist (esprit frappeur) ou un « fantôme », nous devons savoir qu'il s'agit d'âmes perdues. Inutile d'avoir peur ou de nous sentir vulnérables devant eux. Mieux vaut leur envoyer de l'énergie et de l'amour pour les aider à reprendre la route. Ils essaient d'obtenir de l'énergie de ceux qui sont sur terre et ont besoin de progresser pour se connecter à leur source spirituelle d'énergie. Nous ne devons pas diaboliser ces âmes qui sont coincées parce qu'elles pensent être des démons. Elles sont engagées dans un processus de croissance, exactement comme nous. Sur terre, certaines personnes travaillent parfois avec leur groupe d'âmes, durant leur temps de sommeil, pour aider à éveiller ces âmes qui reproduisent sans cesse les mêmes comportements, dans l'espoir qu'un vivant leur répondra.

Suivant la dixième révélation, les âmes connectées à Dieu dans l'Après-Vie n'essaient jamais de vous attirer dans leur champ d'énergie. Si vous entrez en contact avec des guides spirituels pendant votre méditation ou spontanément durant une communication avec un défunt, ouvrez-vous et écoutez-les sans pour autant abandonner votre sens critique, comme s'ils avaient toutes les réponses.

LE SUICIDE

Le suicide est l'un des actes les plus graves que puisse commettre un être humain. Quel que soit le problème qui a suscité le désir de quitter la terre avant que le chemin de la vie soit totalement parcouru, ce problème ne sera pas résolu non plus dans l'Après-Vie. Tous les conseils des maîtres désincarnés sont très clairs : tout suicide commis sans de très sérieuses circonstances atténuantes – maladies terminales, certaines formes d'emprisonnement ou de torture – a de cruelles conséquences dans la dimension spirituelle. En effet, si le suicide rejette avant terme le cadeau de la vie, il retarde considérablement son retour sur terre.

Selon certains chercheurs qui se sont intéressés aux vies antérieures, les suicidés doivent attendre longtemps avant de pouvoir se réincarner, beaucoup plus longtemps que les personnes décédées de mort naturelle. Étant donné qu'ils retournent à un stade moins évolué, ils passeront par plusieurs incarnations éprouvantes avant de revenir au niveau de développement atteint au moment de s'ôter la vie. Ces existences supplémentaires sont parfois très pénibles, mais elles leur permettront d'accomplir leur « peine » et de mener à nouveau des vies normales.

Cependant, la grâce divine constitue une énergie qui sait pardonner si l'on exprime un remords sincère. Apparemment, si la personne qui s'est donné la mort fait l'effort dans l'Après-Vie de demander l'aide de Dieu, les âmes anciennes se rassemblent autour d'elle pour lui montrer sa véritable existence et l'aider à entamer son éducation spirituelle. De plus, les prières des vivants franchissent certainement le seuil de l'Après-Vie pour aider l'âme à se connecter avec l'énergie et l'amour pendant qu'elle séjourne dans l'obscurité.

Si quelqu'un que vous connaissiez ou aimiez s'est suicidé, priez tous les jours pour qu'il s'éveille à l'énergie aimante de la dimension spirituelle. Priez avec ferveur pour que cet être aimé soit vu et entendu par les âmes dont le travail est de guérir et de conseiller les autres. Rien n'est impossible dans notre existence spirituelle si nous nous préoccupons les uns des autres. L'amour abolit toute distance entre vous et celui ou celle que vous aimez.

CEUX QUI FONT DU MAL

D'un point de vue spirituel, la véritable nature d'un être humain est Dieu – une étincelle de lumière divine, fondamentalement bonne. Dans ces conditions, pourquoi alors les gens commettent-ils des actes ignobles ? Dans *La Dixième Prophétie* le personnage principal se pose cette très ancienne question et Wil lui répond : « La peur les rend fous et les pousse à commettre d'horribles erreurs [...], ces actions abominables sont en partie causées par notre tendance à considérer certains hommes comme naturellement mauvais. Notre conception erronée alimente la polarisation. [...] Chacun déshumanise l'autre, aliène l'autre. Cela accroît la Peur et fait émerger le pire en chacun de nous. [...] Nous ne pourrons pas introduire sur terre la Vision du Monde, ni mettre un terme à la polarisation, tant que nous ne comprendrons pas la véritable nature du mal et la réalité de l'enfer [6]. »

Ne faites aucun reproche – travaillez pour le bien

Si nous désirons créer un monde où régneront plus d'amour et plus d'harmonie qu'aujourd'hui, alors nous devrons nous débarrasser de notre croyance profondément enracinée que le mal provient de ceux qui ne partagent pas nos opinions. Dans notre vie quotidienne, nous devons cesser de juger et d'étiqueter automatiquement les autres. Nous émettons des jugements quand nous cherchons une solution rapide ou voulons appliquer la loi du talion, sans prendre la peine de nous mettre dans la peau de l'autre. Au lieu de classifier les autres (untel est un conservateur, un progressiste, un fondamentaliste, un partisan du Nouvel Âge ou un... péquenot !), pourquoi plutôt ne pas observer l'âme de la personne qui a commis une action que nous désapprouvons ?

> La revue de votre vie antérieure serait bien plus facile, expliqua-t-il, si vous viviez chaque jour comme si cet unique jour allait figurer sur le grand livre des bienfaits et des méfaits. Gardez cette page propre et ordonnée, empreinte d'amour et d'attention aux autres, au point que si votre existence prenait fin ce soir, à minuit, votre page serait sans tache, impeccable. Si vous décidez de vivre seulement un jour à la fois, en essayant de respecter cette morale, vous progresserez plus facilement. En effet, même le pire d'entre nous est capable de vivre vingt-quatre heures dans une harmonie presque parfaite avec tout ce qui l'entoure. (Ruth Montgomery, *A Search for Truth.*)

Quand nous arriverons à comprendre que l'énergie suit la pensée, nous n'aurons même plus besoin de formuler ces jugements péjoratifs sur autrui. Nous n'essaierons plus de changer le monde, car nous le changerons naturellement en choisissant de ne plus condamner les autres. « Présente l'autre joue » ne signifiera plus « Frappe-moi encore », mais « Voyons l'autre face de la question ». Chaque fois que nous sommes *automatiquement* soupçonneux, chaque fois que nous nous séparons *automatiquement* des autres qui sont apparemment différents, nous perdons un petit peu de Dieu. Puisque nous désirons *tous* créer une réalité collective commune, chacune de nos pensées épice le ragoût. Le diable devient alors la métaphore qu'il a toujours été, un ego humain poussé par la peur et privé de sa connexion à la source divine. L'enfer que nous craignons n'est pas un lieu où nous serons bannis par les ruses d'un diable vengeur, mais un mythe que nous n'avons absolument pas besoin de créer. Si notre propre conscience crée l'enfer, alors nous avons immédiatement le pouvoir de briser notre schéma de pensée compulsif et négatif – tout de suite.

ÉTUDE INDIVIDUELLE

Le jour du non-jugement dernier

Arriver à ne plus juger autrui ni soi-même est l'un des actes spirituels les plus importants que nous puissions accomplir. Chaque fois que nous émettons un jugement négatif, il subsiste dans notre subsconscient et détruit notre stock d'énergie. Habituellement, nous sommes nos pires juges... et pour quelle raison ? Nous juger n'améliorera pas notre conduite, mais accroîtra notre peu d'estime pour nous-mêmes. Pendant une journée entière, essayez de ne juger personne, ni les autres ni vous-même. Si vous vous surprenez à critiquer quelqu'un, décidez de ne plus verser d'engrais négatifs dans votre jardin intérieur. Quelle sorte d'observation pourriez-vous faire à propos de vous-même ou de quelqu'un d'autre pour neutraliser votre tendance à émettre des jugements ?

Se placer du même côté

Si vous êtes en désaccord avec quelqu'un, essayez de l'écouter avec *votre cœur*. Écoutez ce que l'âme essaie de dire au-delà des mots. Votre but ici est de trouver un moyen de vous placer, momentanément, du même côté que votre interlocuteur sans pour autant approuver des idées auxquelles vous ne croyez pas. Par exemple, si Bob essaie de vous convaincre que les écologistes n'analysent pas de façon réaliste les besoins de l'économie, peut-être pourriez-vous lui demander, avec un intérêt sincère, quel type de problèmes d'environnement rencontre son entreprise. Il est probablement partagé entre ses idéaux et sa capacité à trouver une solution concrète. Au fond de son cœur, il désire probablement que la situation s'améliore.

Imaginez que vous êtes installé dans le corps de Bob, avec ses peurs, ses espoirs et ses rêves. Quand il essaie de réfuter l'un de vos propos, observez vos sentiments à l'intérieur de votre corps. Soyez prêt à lui répondre que ses idées vous ont attristé, irrité, effrayé ou que vous vous êtes senti idiot. Évitez de l'accabler en lui lançant : « Tu me rends fou. » Il est plus habile de dire : « Quand nous discutons comme cela, je me sens vraiment frustré et en colère. Peut-être ces problèmes nous dépassent-ils tous les deux et n'arriverons-nous pas à les résoudre. Qu'en penses-tu ? » Être ouvert avec quelqu'un ne signifie pas lui permettre de vous marcher sur les pieds.

Faites comprendre à votre interlocuteur que vous écoutez véritablement son point de vue. Suggérez-lui : « Ce doit être difficile d'avoir un travail aussi stressant. » Ou : « Ce doit être difficile d'être aussi peu soutenu par sa famille. » La phrase « Ce doit être difficile » vous place immédiatement de son côté. Vous n'avez pas besoin de partager ses opinions. Recherchez un terrain d'entente plutôt que les divergences. Dans un tel climat, il vous sera plus facile ensuite de discuter d'un problème. Souvenez-vous que vous voulez tous deux être aimés et acceptés. Si Dieu apparaissait en face de vous, vous seriez à la fois effrayés et reconnaissants.

Marchez avec Dieu

Imaginez que vous marchez avec Dieu, le Christ, Bouddha ou Mahomet, et la réaction bienveillante qu'ils auraient devant chaque situation. Prenez un moment pour leur demander de rester auprès de vous avant d'aborder une situation difficile.

Aspirez la souffrance

Quand vous lisez un article sur un événement dramatique ou voyez un reportage sur un fait divers attristant, apprenez à aspirer la souffrance jusque dans votre cœur : sentez qu'elle nettoie cet événement et rétablit une énergie pacifique. Expirez cette énergie pacifique et envoyez de la lumière à ceux qui souffrent. Souvenez-vous que Dieu est disponible pour chacun d'entre nous.

Une thérapie ou l'autoguérison

Souvent nous entendons dire : « Quel soulagement ! Je pensais être le seul dans ce cas ! » Si vous avez un comportement obsessionnel que vous n'arrivez pas à « contrôler », parlez-en à quelqu'un. Il n'y a pas de raison de penser que vous êtes le seul à avoir ce problème ou que vous êtes trop malade pour être soigné. Suffisamment de miracles se sont produits quand des gens se tendaient la main, pour que vous ne souffriez pas dans l'enfer que vous vous êtes imposé. Ne l'emportez pas avec vous ! Décidez d'être conseillé par quelqu'un qui peut vous aider. Si le premier groupe ou le premier thérapeute que vous rencontrez ne vous convient pas, cherchez-en un qui vous plaise davantage.

Soyez honnête. Quelle habitude aimeriez-vous changer ?

Un jour de silence

Pouvez-vous passer un jour (ou un après-midi) seul avec vous-même, de préférence à l'extérieur de chez vous ? Durant une journée tous les deux mois, débranchez votre téléphone, votre télévision et votre radio, et n'ouvrez ni livre ni journal. Si vous ne voulez pas parler, n'oubliez pas que vous pouvez communiquer énormément en souriant et en faisant des signes de tête. Surveillez ce qui se passe. Cet exercice vous semble facile, mais il peut changer votre vie.

TRAVAIL COLLECTIF

La confiance met du temps à s'installer entre les membres d'un groupe. Plutôt que d'être mené par un dirigeant désigné, il fonctionnera mieux si chaque participant l'anime à tour de rôle. Les groupes de la huitième révélation sont performants quand tous les membres émettent des idées au moment où l'énergie les stimule.

Un physicien de Montréal, Fadel Behmann, a participé pendant quatre ans à un groupe qui se réunit chaque semaine, possède un noyau fixe depuis le début, mais s'est adjoint régulièrement de nouveaux membres. Il nous raconte : « Quand les liens se fortifient au sein d'un groupe, on a l'impression qu'il existe une entité du groupe qui fonctionne comme l'*autre* dans nos dialogues. Chacun se préoccupe de cette entité et y participe activement *comme lui* en écoutant, parlant, pensant, faisant travailler son intuition – toutes choses que nous faisons en tant qu'individu. Quand nous sommes tous absorbés par l'entité du groupe, nous avons des idées – nous trouvons de nouvelles significations que nous n'aurions pas trouvées seuls. » Que ressentez-vous ? avons-nous demandé. « Au moment où les participants se séparent pour rentrer chez eux, ils affirment qu'ils ont “ encore plus d'énergie ” qu'à leur arrivée ! ou qu'ils se sentent “ revigorés ”. Ils ont l'impression qu'ils peuvent prendre la vie plus ouvertement, et mieux percevoir les autres sans les juger ni les critiquer. Ils se sentent connectés à quelque chose. À ce stade, vous savez que l'entité du groupe est forte. »

Les exercices suivants ne sont indiqués que si votre groupe est suffisamment soudé.

Guérir l'enfer

Dans votre groupe, essayez d'écrire pendant quelques minutes sur la façon dont vous imaginez l'enfer : être enfermé dans une pâtisserie pendant deux semaines ? coincé dans un ascenseur avec les dix membres les plus pénibles de votre famille ? vous trouver dans un pays en guerre ? vivre sur une planète sans arbres ? Laissez chacun lire ou s'expliquer oralement. Qu'est-ce qui leur fait vraiment peur, leur paraît dangereux, impensable ou impardonnable ? *Attention* : laissez chaque personne s'exprimer *sans faire le moindre commentaire*. Recevez leurs opinions, aspirez-les dans votre cœur, et relâchez les peurs dans la lumière de l'amour de Dieu. Observez vos sentiments tout en écoutant avec votre cœur. L'énergie peut devenir très dense pendant cet exercice ; aussi, après avoir décrit votre enfer intérieur, faites circuler l'énergie en écoutant de la musique qui vous stimule, en dansant sur des airs de jazz, ou en vous installant en cercle et en vous massant mutuellement la nuque.

La semaine de l'enfer

À tour de rôle, racontez toutes les choses terribles qui vous sont arrivées cette semaine, ou celles que vous redoutiez. Ne faites aucun commentaire après chaque contribution. Écoutez surtout avec votre cœur, aspirez les commentaires et les souffrances des autres, envoyez de la lumière dans ce que vous entendez, et laissez le tout aller vers Dieu. N'offrez ni sympathie ni conseil, mais envoyez de l'énergie aimante silencieusement à telle ou telle personne. Donnez-vous le luxe d'être ouvert sans devoir vous expliquer, vous justifier ou vous comporter d'une façon spéciale.

Après avoir écouté en commun tous les événements désagréables qui vous sont arrivés, à tour de rôle racontez les choses agréables, les bienfaits, les anecdotes comiques, les plaisirs inattendus qui ont aussi marqué votre semaine. De nouveau, aucun commentaire ni discussion. Laissez l'énergie vous envahir tous pour vous suggérer la meilleure façon de terminer votre séance sur une note joyeuse. De la musique ? des petits gâteaux ? un massage ? des embrassades ?

Aider vos voisins

Voyez si vous avez suffisamment d'énergie pour organiser un groupe de discussion dans une institution locale, un centre de jeunes, un hôpital, une maison de retraite ou une prison. Pourquoi ne pas constituer un groupe qui rencontrerait les familles de détenus ? N'entreprenez rien tant que vous ne vous sentez pas totalement libre dans votre cœur pour participer à une telle activité sans pour autant vouloir « coincer » quelqu'un. Ne le faites que si *vous* pensez avoir besoin de ce contact ou d'une occasion pour offrir votre amour !

9

Vaincre la peur

LE LAPIN
LA PEUR

Pourquoi a-t-il fallu tant de temps pour que quelqu'un perçoive le message de la dixième révélation ? [...] Cela s'explique sans doute par le fait que les hommes ont de plus en plus peur. Nous vivons dans un monde qui évolue du matérialisme vers une nouvelle conception spirituelle globale. (*La Dixième Prophétie* [1].)

COMMENT NOUS NOUS FAISONS PEUR

Dans *La Dixième Prophétie*, Joël, un journaliste cynique, se fait l'avocat de quelques-unes des idées qui provoquent la Peur sur la planète. Joël représente cette partie de la population qui craint que le monde soit déjà totalement incontrôlable et que la situation empire encore. Pour Joël, la pensée positive apparaît utopique, naïve et en outre sans utilité face aux réalités qu'il perçoit. Tous les systèmes socio-économiques et culturels s'achemineraient vers une explosion finale : de multiples preuves irréfutables viendraient à l'appui de cette théorie.

Avez-vous remarqué que, lorsque vous avez peur, vous avez tendance à adopter des conclusions hâtives ? Vous donnez à cette peur une issue apparemment logique, parce qu'à ce moment précis votre angoisse vous sépare de Dieu. Privé de tout espoir, vous vous sentez paralysé, incapable d'effectuer le moindre changement. Les prévisions fondées sur la peur aboutissent toujours à des conclusions hâtives. Lorsque l'on fait un grand effort pour croire, on saute à une conclusion pour contrôler une situation. Comme nous-mêmes lorsque nous raisonnons ainsi, Joël défend sa vision pessimiste en invoquant un certain nombre d'arguments que nous allons maintenant examiner. Nous expliquerons en même temps certaines des croyances et peurs sous-jacentes qui nous empêchent de voir d'autres possibilités créatrices.

• *La population de la Terre croît à une vitesse exponentielle.* Peur : « Nous allons être envahis par une foule anonyme et toutes nos ressources seront détruites. » Croyance : « On n'exerce plus aucun contrôle sur la sexualité et la procréation. »

• *La classe moyenne se réduit à toute vitesse et nous perdons foi dans le système que nous avons créé.* Peur : « C'est nous ou eux. » Croyance : « Seule une excellente position sociale et un bon compte en banque nous permettront de nous en sortir. »

• *L'enseignement ne répond pas à nos exigences.* Peur : « Nous allons perdre notre position dominante. » Croyance : « Nous ne disposons pas d'un budget suffisant pour améliorer la qualité du système éducatif parce que trop de parents ne veulent rien payer. Les enfants n'apprendront rien si on ne les y force pas. »

• *Il faut travailler de plus en plus dur pour survivre.* Peur : « La morale puritaine avait raison, et nous sommes coupables de ne pas la suivre. » Croyance : « Même si notre ligne de conduite ne donne aucun résultat, nous devons persévérer encore plus. »

• *La criminalité et la drogue montent en flèche tandis que nos normes sociales s'écroulent.* Peur : « Le père Fouettard t'aura. » Notre angoisse devant la criminalité n'est qu'une nouvelle forme de l'antique peur de l'obscurité. La criminalité est le côté sombre de notre propre cupidité exprimée par des individus déshérités. La dépendance par rapport aux drogues traduit le désir de se voiler la face devant l'abîme d'une existence vécue sans objectif. Nous essayons tous de faire la sourde oreille, d'une façon ou d'une autre.

• *Les fondamentalistes auront le pouvoir de condamner à mort ceux qu'ils considèrent comme des hérétiques.* Peur : « Je suis impuissant. » Le fondamentalisme exprime la colère de Dieu qui se comporte comme un Intimidateur. La peur du fondamentalisme se rapproche de notre peur de ne pouvoir tenir tête à notre père ni devenir une personne autosuffisante.

• *Les foules sont possédées par l'envie et le désir de revanche.* Peur : « Je me sens petit, divisé et seul. » Croyance : « Mon frère veut mes jouets. Tous mes jouets. Personne ne peut l'arrêter. »

• *Les politiciens ne se soucient que d'être réélus.* Peur : « Au secours, Papa ne nous sauvera pas. » Cette réflexion ressemble à l'étape du développement personnel durant laquelle nous découvrons les faiblesses humaines de nos parents et réalisons que nous sommes seuls.

• *Le monde change trop vite ; nous ne devons nous préoccuper que de nous-mêmes.* Peur : comme notre peur instinctive de tomber, cette peur nous installe dans une mentalité de survie. Croyance : « Dieu n'existe pas. Le monde n'a pas de sens prédéterminé. Patientez. Saisissez l'occasion quand elle se présente. »

• *Nous maximisons les avantages à court terme au lieu de planifier pour le long terme parce que, consciemment ou non, nous ne pensons pas que notre succès peut durer.* Peur : « Le temps me manque. » Croyance : « Seul le résultat financier compte. » Cette conception montre que nous agissons rarement sans l'assurance d'une satisfaction immédiate.

• *Tous les consensus subtils et les idées qui maintiennent la cohésion sociale seront remis en cause.* Peur : « Le chaos va m'engloutir. » Croyance : « La civilisation doit être contrôlée par une source extérieure. Nous ne pouvons pas faire confiance à la société pour qu'elle s'autoorganise car la nature humaine est fondamentalement mauvaise. »

• *Tout ce baratin sur la spiritualité n'est que pure rhétorique.* Peur : « En fin de compte, nous sommes seuls. Nous disparaîtrons après notre mort. » Croyance : « Nous ne sommes guère plus que des animaux, nous allons mourir, et nous n'avons aucun objectif précis sur terre. »

• *Peut-être n'est-ce qu'un plan de Dieu pour séparer les bons des méchants.* Peur : « Je suis à l'extérieur du royaume de Dieu. » Croyance : « Le mal est une force égale à Dieu. »

Les avertissements des Écritures

• *Selon la Bible, nous vivons les derniers jours précédant le retour du Christ sur terre.* Peur : « Notre destruction a été programmée. » Croyance : « La Bible décrit exactement notre avenir, et rien de ce que nous avons fait jusqu'ici n'a réussi à changer ses prédictions. »

• *Nous devons subir des guerres, des catastrophes naturelles, et d'autres événements apocalyptiques tels que le réchauffement de l'atmosphère, des émeutes, des pillages, la criminalité et le chaos.* Peur : « Nous serons punis. » Croyance : « Nous avons péché. » Cette peur reflète une attitude collective de victime qui veut susciter la pitié et empêche une réaction créative.

• *La guerre va se déclencher. Les anges de Dieu interviendront et instaureront une utopie spirituelle qui durera mille ans.* Peur : « Notre côté sombre prévaudra et nous aurons ce que nous méritons. » Croyance : « Vous ne pouvez pas avoir le bon sans le mauvais. » Selon cette conception, l'obscurité et le mal sont inévitables ; elle nie l'aspect cocréateur de Dieu, de l'homme et de la femme, en donnant tout le pouvoir rédempteur aux anges divins.

Les avertissements de la conspiration

• *Un politicien apparaîtra et obtiendra le pouvoir suprême en instituant une économie mondiale électroniquement centralisée.* Peur :

« L'autoritarisme de l'État tout-puissant assujettira l'individu. Nous perdrons notre moi. » Croyance : « Nous serons manipulés par un dictateur qui nous fera greffer une puce dans la main. » Dans ce genre de fantasme mettant en scène un Interrogateur qui domine la planète, une autorité centralisée contrôlera totalement nos mouvements et nos actions, et nous aurons perdu toute liberté.

> Ce que nous ne formulons pas consciemment apparaît dans notre vie comme le destin. (C.G. Jung)

L'OMBRE INDIVIDUELLE

Au début du XXe siècle, pendant que la culture occidentale cherchait à maîtriser les forces de la nature et construisait activement un avenir épique, le psychologue des profondeurs Carl Jung sonda, dans la zone la plus obscure de l'inconscient humain, un endroit qu'il appela l' « ombre » : le lieu où nous cachons les informations nous concernant, rejetées par notre ego. Nous commençons très tôt à y entasser des sentiments. Si votre mère vous a souvent reproché d'être « trop bruyant », vous avez appris qu'un aspect de votre personnalité dérangeait les autres. Si votre grand-mère vous a dit : « Hum ! Tu as encore fait pipi dans ton pyjama. Ce n'est pas bien ! », vous avez eu honte de votre incontinence. Si votre frère vous a lancé : « T'es trop gros pour prendre des leçons de danse », vous l'avez cru puisqu'il était plus âgé et beaucoup plus super que vous. Vous vous êtes persuadé que vous seriez ridicule sur la piste d'une boîte de nuit. Si votre père a grommelé : « Hé, imbécile, arrête de frimer ! », et même si vous pensiez que vous récitiez parfaitement un poème de mémoire, vous vous êtes aperçu que, malheureusement, cela vous rendait trop différent de lui, ce qui n'était pas souhaitable.

Dans notre famille comme dans notre environnement scolaire, religieux et social, nos éducateurs nous ridiculisent, nous harcèlent et nous réprimandent souvent pour nos innombrables défauts : ils nous reprochent d'être trop bruyants, paresseux, égoïstes, lascifs, bêcheurs ou difficiles à satisfaire. Nous apprenons aussi que certaines attitudes peuvent être tournées en dérision ou ne pas être récompensées, aussi réprimons-nous le désir d'écrire de la poésie, d'être acteur ou de rêver parce que nous voulons nous intégrer aux autres. On nous dit que nous avons l'esprit trop critique, que nous manquons de coordination, que nous sommes trop faibles, trop grands, trop lents ou illogiques. Naturellement, nous essayons de nous défendre contre la souffrance que nous causerait la perte de leur amour. Soit nous nions nos traits de caractère que les autres n'admettent pas, soit nous acceptons les jugements qui nous accablent, et les poussons dans l'ombre afin de ne pas avoir à affronter notre peine.

Notre cupidité, notre colère contre l'injustice du monde, nos vanités et nos préjugés se tapissent dans l'ombre. Là s'entasse tout ce que nous ne voulions jamais être – égoïste, petit, idiot, lascif, laid, minable, peureux. Ainsi que les décisions que nous avons prises à propos de *nous-mêmes* et nos capacités que nous avons niées : « Je ne suis pas créatif. » « Je n'ai jamais été bon en maths. » « Je ne sais pas papoter. » « J'ai grandi dans un quartier défavorisé. » « Mon Dieu, si seulement mon nez était moins long, plus grand, plus fin, épais ou retroussé. » Dans cet entrepôt souterrain de l'ombre gisent nos talents inexploités, nos attachements infantiles, et les racines de nos obsessions. Les plus infimes critiques et les peurs commencent à se regrouper et à se transformer en des hypothèses plus globales et des peurs du monde effrayantes. Dans l'ombre se glissent nos peurs de l'inconnu – notre peur et notre méfiance devant ceux qui ont des idées, des comportements ou un aspect différents des nôtres, et qui peuvent vouloir nous blesser ou nous dominer. Dans l'ombre se nichent notre peur de la mort et l'angoisse de disparaître à jamais sans laisser de traces.

Le débarras et le projecteur

Dans les coulisses de notre conscience qui s'éveille, l'ombre a deux fonctions majeures. Premièrement, servir de lieu de rangement pour nos objets superflus et nos détritus – un débarras pour les traits de caractère que nous rejetons. C'est aussi l'endroit où nous conservons nos capacités inexploitées ou nos désirs inassouvis qui s'expriment ainsi : « J'ai toujours voulu être un photographe, mais... » ou : « J'étais vraiment un bon danseur de claquettes quand j'avais trois ans, mais... » Vous comprenez ?

Deuxièmement, l'ombre fonctionne comme un projecteur de films : elle transporte nos peurs et nos imperfections en dehors de nous-mêmes, et les projette sur le monde extérieur. À l'intérieur de notre psyché, elle conserve l'énergie que nous avons jugée inutilisable ou indésirable. Nous avons parfois entassé tellement de choses dans notre ombre qu'elle se met à bouillir et à gonfler, à suinter ou à entrer en éruption. La plupart d'entre nous savent aujourd'hui que les lapsus et les explosions de sentiments inattendus, tels que la rage ou la douleur, dévoilent l'existence de cette énergie stockée. Quand nous déversons dans le monde extérieur une partie de l'énergie sombre de notre monde intérieur – énergie qui peut être polluée par la culpabilité, le dégoût de soi-même ou le remords –, nous sentons souvent une baisse de tension qui nous soulage. Mais si nous ne sommes pas conscients de ce transfert d'énergie de notre monde intérieur vers le monde extérieur, nous ignorons l'existence même de ce processus. Une fois qu'elles sont détectées, nous analysons nos propres imperfections comme des fautes, ou même comme le mal, *chez les autres.* Maintenant que ces jugements et ces sentiments sont dans notre for extérieur, ils semblent réels – du moins le croyons-nous. Étant inconscients que nous observons le monde à travers le filtre de notre ombre, nous voyons le mal – que nous ne décelons pas en nous – chez les *autres*, et nous nous créons des ennemis. Dopés pour vaincre cette menace maintenant évidente contre notre survie ou notre mode de vie, nous entreprenons de combattre le mal et de corriger les méfaits que nous voyons partout. Un exemple évident de cette projection de l'ombre nous est fourni par le dirigeant politique ou religieux qui dénonce telle ou telle perversion sexuelle, tout en la pratiquant en secret. Nous connaissons tous des personnes qui disent une chose et en font une autre, ou qui ont été surprises en train de commettre le délit qu'elles dénonçaient.

Les signaux d'alarme

Certes, vous ne pourrez jamais connaître tout le contenu de votre inconscient. Mais il est important au moins de réaliser que votre monde se construit sur la base de certaines croyances que vous pouvez constater, de certains jugements et idées que vous avez adoptés sans même y prêter attention. Quels sont les signaux d'alarme de l'ombre ? Comment repérer les impasses où vous vous êtes enfermé ? Comment déceler les idées désormais inutiles ? Puisque notre objectif est d'expérimenter la vie dans son sens le plus large et le plus profond, travailler avec notre ombre nous aidera à lâcher la bride à une partie de notre puissante créativité intérieure. Vous serez en mesure de regarder votre propre ombre quand vous vous poserez des questions au sujet de vos réactions :

• Vous vous préoccupez énormément de la conduite de quelqu'un d'autre et, par exemple, vous dites : « C'est la personne la plus autoritaire que j'aie jamais vue ! » Demandez-vous : Quel est *mon* besoin de domination ?

• On vous adresse des commentaires qui vous irritent à propos de votre attitude, tels que : « Vous laissez les gens vous marcher dessus. Vous devriez vous défendre davantage. » Y a-t-il un grain de vérité dans cette remarque ?

• Vous commettez des lapsus ou faites des mauvais choix évidents. « Comment ai-je pu raconter cette blague idiote sur les gros à ma belle-mère, alors qu'elle parle tout le temps de son régime ! » Ou vous agissez d'une façon inhabituelle qui ne correspond pas à votre idée de vous-même : « Je n'aurais jamais dû acheter cette robe rouge fendue sur le côté. » Votre réflexion étourdie devant votre belle-mère dévoile-t-elle une hostilité inconsciente à son égard ? Dans le deuxième exemple, la partie dévoilée par la robe rouge essaie d'attirer votre attention sur un besoin d'exprimer votre individualité et votre sensualité plus complètement. Ou de changer certaines règles dans votre vie ou de libérer des aspects de votre personnalité que vous avez abandonnés.

• Vous pensez : « Evelyn est tellement créative ! Ah, comme j'aimerais avoir son talent ! » Qui vous a dit que vous n'étiez pas créative ? Pourquoi vous êtes-vous limitée ?

• Vous vous livrez à de vastes généralisations sur une personne ou sur un groupe de gens : « Les individus petits sont arrogants » ou « Les sans-abri ne veulent pas travailler pour gagner leur vie. »

Comment nous enfouissons nos parties « sombres »

L'ombre se forme dès la première enfance, quand nous commençons à cacher tout ce que nous n'aimons pas à propos de nous-mêmes et à souffrir de toutes les critiques qui nous sont adressées. Au cours de nos deux premières années, nous apprenons à connaître *l'ombre de notre famille*, tous les sentiments et actions inconscients que nous ne devons pas exprimer. Au moment de notre venue au monde, nous avions la faculté de développer et d'exprimer complètement notre personnalité. L'énergie irradiait de toutes les fibres de notre corps et de notre psyché. Mais, très rapidement, nos parents, les membres de notre famille, et d'autres personnes de notre entourage commencent à émettre des jugements sur nous : « Ne peux-tu rester assis tranquille ? » Ou : « Ce n'est pas gentil d'essayer de tuer le chat. » Ou, sans le vouloir, en toute innocence, nous les avons entendus dire à quelqu'un : « Elle est trop silencieuse. J'espère que cela ne signifie pas qu'elle est muette. » Tout d'un coup, nos réactions naturelles d'enthousiasme et de curiosité devant le monde ont été paralysées, et nous avons voulu nous débarrasser des traits de caractère que les autres n'aimaient pas. Pour assurer notre position dans notre famille, notre voisinage et nos amis, nous avons essayé de désavouer ou de nier les aspects « inacceptables » de notre personnalité. Nos professeurs contribuent aussi à façonner puissamment notre image de nous-mêmes. Ils disent parfois : « Un enfant sage ne se met pas en colère pour de telles peccadilles. » Alors nous apprenons à ligoter notre colère et à l'engloutir, avec notre culpabilité et notre rancune de voir nos sentiments méconnus. Combien d'entre nous ont menti à l'école pour essayer de ressembler un peu aux élèves les plus populaires ? Combien de fois sommes-nous restés éveillés, allongés dans notre lit, en recréant nos conversations de la journée pour montrer combien en réalité nous étions super, intelligents, drôles ou indifférents ?

Les conflits extérieurs offrent une image de votre division intérieure

Tant que nous vivrons sans analyser notre vie et que nous ignorerons notre ombre personnelle, notre vision du monde continuera à créer la polarisation entre un « bon » et un « mauvais » avenir. Le monde extérieur nous renverra la division intérieure que nous établissons entre le bien et le mal. Généralement, votre conception de la vision du monde dépend de la façon dont vous avez vécu jusqu'ici. Andrew Bard Schmooker écrit : « Notre division intérieure nous pousse à approuver la guerre du bien contre le mal. Mais si nous croyons que *les conflits eux-mêmes sont le mal*, alors nous sommes mis au défi de trouver une nouvelle dynamique morale qui incarne la paix pour laquelle nous luttons. Si la moralité livre des combats, nous serons obligés de prendre parti, de nous identifier avec une part de nous-mêmes tout en en répudiant une autre. En empruntant ce chemin guerrier, nous nous élevons au-dessus du vide [2]. » Quand nous sommes menacés, nous nous figeons sur place, ou bien nous filons à toute allure, courons pour nous cacher, ou nous débattons. Nous prenons une position pour pouvoir dominer.

Qu'est-ce qui vit à travers moi ?

L'ombre est probablement une partie inévitable et nécessaire de la psyché humaine, au moins à ce stade du développement humain, car, sinon, nous serions accablés à l'idée de devoir affronter certaines difficultés avant d'avoir atteint la maturité ou de posséder un ego suffisamment fort. De même que nous avons besoin d'éteindre les lumières et de dormir pendant huit heures chaque nuit, nous avons besoin d'avoir un lieu pour y transporter ce que nous voulons laisser en sécurité. Mais au fur et à mesure que notre compréhension mûrit, nous développons de nouvelles facettes de nous-mêmes afin de progresser vers notre Vision originelle. Plus nous serons conscients de l'existence indistincte de nos peurs dans notre ombre, moins nous aurons tendance à nous laisser abattre par elles. Une fois que nous saurons reconnaître nos capacités inexploitées, nous serons impatients de les mettre à contribution.

Car l'inconscient essaie toujours de créer une situation impossible pour nous forcer à nous montrer sous notre meilleur jour. Si nous restons un peu en dessous de notre maximum, nous éprouvons une sensation d'incomplétude, nous avons l'impression de ne pas nous être réalisés. Il faudrait que nous soyons obligés un jour de renoncer à notre propre volonté, à notre propre intelligence : nous n'aurions alors qu'à attendre et nous fier au pouvoir impersonnel de la croissance et du développement. Quand vous êtes coincés contre un mur, restez immobiles et prenez racine, comme un arbre, jusqu'à ce que la clarté provenant de vos sources profondes vous aide à voir au-delà de ce mur. (C. G. Jung.)

Penser seulement – au lieu de penser/sentir/deviner

Nous sommes le plus enclins à l'ombre quand nous *pensons* à la façon de contrôler quelque chose. Quand nous utilisons seulement notre capacité de réflexion, nous ne vivons probablement pas la vie aussi intensément que si nous usions de tous nos sens et obtenions un feedback à partir de tous ces points de vue. Penser est seulement l'une des quatre activités mentales – sentir, deviner et comprendre étant les trois autres. Ces trois activités réunies nous montrent que nous sommes vivants, et pleinement *associés* à la vie – par opposition aux moments où nous sommes dissociés, ou dans l'ombre. Si nous nous disons : « Je suis curieux de ce qui vit à travers moi », nous sommes constamment réceptifs à tout ce que la vie nous apporte. Alors nous sommes ouvert à la possibilité de nous connecter à notre Vision de Naissance, comme un récepteur radio qui peut se brancher sur l'information en provenance de nos sens, de notre intuition, de notre esprit rationnel et de nos sentiments.

Considérez votre ombre comme une force qui déforme vos perceptions ou limite la compréhension de votre potentiel. Une ombre trop vaste, contenant une grande quantité d'énergie qui n'a pas été analysée, peut entraver le flux d'énergie des synchronicités destinées à nous conduire jusqu'à notre Vision de Naissance.

Comme un poisson immergé dans l'eau, nous n'avons aucune raison de questionner les éléments de notre environnement tant qu'ils nous alimentent. Lorsque nous ouvrons nos yeux de poisson à l'idée qu'il existe plus de choses en nous que ce que nous savons, notre persévérance, notre raisonnement logique, notre cœur et la puissance de feu de notre esprit nous mèneront là où nous avons besoin d'aller.

SENTIR L'OMBRE ET SES PEURS LIMITANTES SANS EN AVOIR CONSCIENCE

Que se passe-t-il quand vous décidez de vous attaquer à un nouveau projet ? Si vous savez bien organiser vos pensées, vous vous asseyez et établissez une liste de toutes les démarches à faire avant de commencer à le réaliser. Cela peut sembler une démarche logique. Pourtant, chaque fois que nous mettons le pied dans des eaux inconnues, nous avons besoin de nager plus vite que nos peurs.

Marjorie, une administratrice de lycée, décida que, parmi les objectifs de sa Vision de Naissance, il lui fallait promouvoir l'information écologique. Un de ses amis connaissait un célèbre écrivain et professeur écologiste. Marjorie le contacta donc pour lui demander d'organiser un séminaire public dans la ville où elle vivait. Il accepta son offre. Mais son enthousiasme initial s'éteignit bientôt et elle commença à se sentir nerveuse en pensant à l'engagement qu'elle avait pris. Elle avait fait imprimer des tracts pour annoncer l'événement, mais remettait sans cesse au lendemain les autres démarches prévues. Un mois avant le colloque, très inquiète, elle appela l'auteur pour l'informer du petit nombre de réservations. Que se passait-il ? Marjorie était en train de se confronter à son ombre.

Quand Marjorie était petite, sa mère soulignait sans cesse l'importance de faire ce qui était bien – mais aussi sans risque. Elle lui disait : « Pourquoi veux-tu toujours te distinguer ? Calme-toi. Vois ce que tes commentaires intempestifs t'ont rapporté. Mieux vaut être en sécurité que désolé. » Jusqu'alors, Marjorie s'en était tirée, mais elle manquait de confiance en elle-même. Elle ne s'était jamais considérée comme un leader, ni comme une personne vraiment créative. Organiser la promotion de ce séminaire et faire les démarches pour assurer son succès l'obligèrent à se regarder sous un jour différent et à faire appel à des traits inexploités de sa personnalité. L'esprit rationnel de Marjorie avait conçu un plan, mais les peurs et les réprobations de son ombre minaient ses efforts pratiques. Tandis que ses craintes croissaient, sa conscience et son ego luttaient pour « imaginer » un moyen d'obtenir de la publicité pour son séminaire, mais elle continuait à atermoyer. Elle tournait en rond, se jugeait durement pour ne pas avoir réussi à obtenir davantage, et pensait que personne ne se présenterait à ce colloque. Profondément engluée dans la pensée de son ombre, elle ne combattait, contrôlait et visualisait que le négatif.

Comment agir ? En travaillant avec elle, nous lui fîmes quelques suggestions pour l'aider à devenir plus présente, et à engager tous ses sens. Quels sentiments avait-elle à propos de cette manifestation ? Quel était, selon elle, le pire événement qui pouvait se produire ? Comment envisageait-elle l'idée d'appeler les journaux et les stations de radio ? Quelles intuitions ou images obtenait-elle ? Pour entrer en contact avec son corps et se centrer, nous lui suggérâmes même de se rendre dans la nature, dans un endroit qui élève son esprit, et de se reconnecter avec la terre, les arbres, l'eau et l'air. Selon la pratique chamanique, parfois, face à une grande peur il suffit de « presser notre ventre contre la terre comme si nous voulions l'y enfoncer ».

Ensuite nous lui avons suggéré de suivre le courant de sa conscience pendant vingt minutes par jour durant cinq jours, et de noter tous les sentiments – peurs, espoirs, etc. – qu'elle avait éprouvés en préparant le séminaire. Nous lui avons aussi rappelé de transcrire tous les rêves qu'elle avait faits durant cette période.

Enfin nous lui avons conseillé de ne plus se focaliser sur la réalisation ou la non-réalisation de ce séminaire. Elle devait décider de ne plus chercher à contrôler les résultats.

Conclusion : après avoir effectué certains de ces exercices, Marjorie dut finalement admettre qu'elle était trop éloignée de sa zone de confort, et elle annula le séminaire.

SE RÉAPPROPRIER L'OMBRE

L'étape de la réappropriation de l'ombre, quelle que soit sa puissance, comporte aussi ses épreuves. Les caractéristiques ou les attitudes que nous devons observer en développant notre Vision de Naissance peuvent créer des conflits. Au lieu de brandir notre poing face à l'univers, souvenons-nous que nos *attitudes* créent une large portion de notre monde. Quelqu'un affirme, par exemple : « Je veux organiser une colonie de vacances pour les enfants défavorisés. » Mais, pour une raison ou une autre, le projet ne démarre jamais parce que tout à coup votre voiture tombe en panne, votre fils est arrêté par la police, vous vous cassez le pied, ou vous oubliez de rappeler l'administration des parcs nationaux pour savoir si l'autorisation de camper est accordée. Chaque fois que vous vous mobilisez pour entreprendre quelque chose de nouveau, observez les obstacles qui se dressent sur votre chemin. Ils signalent probablement le problème auquel vous devez faire face de façon urgente, un élément probablement enterré depuis longtemps, que vous avez oublié ou que vous n'avez jamais affronté. Ne vous inquiétez pas. Il s'agit seulement de la prochaine étape, et cela ne signifie pas que votre rêve d'organiser une colonie de vacances était stupide. Chaque obstacle fait partie du processus. Pensez à vos difficultés comme à des façons de vous « régler au quart de tour » !

Je me sens égoïste chaque fois que je demande quelque chose pour moi

Les aspects dissimulés de notre personnalité peuvent être révélés par une autre personne que nous percevons comme hostile ou immature – parce que *nous* sommes en colère d'avoir amputé des parts de nous-mêmes pour complaire aux autres. Prenons un exemple : vous pensez que votre conjoint passe trop de temps à jouer au golf, à chasser ou à participer à des stages. Votre animosité contre votre mari ou votre femme ne serait-elle pas un sentiment refoulé provenant d'une partie de vous-même qui veut disposer de davantage de temps personnel ? Un homme nous a raconté : « Je vais bientôt obtenir le divorce. Je suis furieux que ma femme passe tellement de temps à suivre des cours, et que je doive garder les enfants tous les week-ends. Elle est tellement égoïste, je ne le supporte plus. » Nous lui avons alors dit : « Cela doit être difficile d'être un père célibataire et de disposer de si peu de loisirs. Souhaitez-vous avoir plus de temps pour suivre des cours ou jouer au tennis ? » Il a réfléchi quelques instants, puis nous a répondu calmement : « C'est exactement ce qu'il me faudrait en ce moment même, mais j'ai l'impression d'être égoïste en demandant quelque chose pour moi. » Ce simple échange d'opinions a amené quelque lumière à cet homme : il a entrevu qu'il projetait ses propres besoins sur sa femme ; il la jugeait mal parce qu'elle prenait soin d'elle, alors que jusqu'ici il n'avait même pas pris conscience de ses propres besoins.

> Chaque minorité ethnique ou chaque groupe minoritaire porte la projection de l'ombre de la majorité, qu'il soit noir, blanc, gentil, juif, italien, irlandais, chinois ou français.
>
> En outre, puisque l'ombre est l'archétype de l'ennemi, sa projection risque de nous entraîner dans la pire des guerres, précisément au moment où nous sommes le plus contents de nous-mêmes en ce qui concerne la paix et notre propre vertu.
>
> L'ennemi et le conflit avec l'ennemi sont des facteurs archétypaux, des projections de notre propre séparation intérieure, et personne ne peut ni légiférer à leur propos ni les chasser par un simple vœu. Il est possible de les affronter mais seulement comme des produits de l'ombre et en soignant la séparation de notre personnalité.
>
> Les moments les plus dangereux, à la fois pour la collectivité et pour les individus, sont ceux durant lesquels nous pensions avoir éliminé l'ombre. (Edward C. Whitmont dans *Meeting the Shadow*, sous la direction de Connie Zweig et Jeremiah Abrams.)

Quelle que soit la part de notre personnalité que nous avons étouffée, elle ne se développera pas – notre côté artiste, musicien ou danseur est réduit et atrophié parce qu'il manque d'exercice. Les traits de caractère désavoués sont restés sous-développés comme les enfants enfermés dans un placard. Peut-être une partie de notre Vision de Naissance est-elle contenue dans ce que nous avons mis au rebut quand nous avons commencé à nous adapter à notre environnement physique et émotionnel pour faire plaisir aux autres.

L'OMBRE COLLECTIVE

L'ombre n'existe pas seulement dans nos psychés personnelles mais aussi dans la psyché collective de l'humanité. Il existe une énergie collective dans votre village, votre ville, votre capitale ou votre pays. Pensez au quartier dans lequel vous vivez. A-t-il une tournure d'esprit particulière ? Comment les habitants de votre quartier se considèrent-ils ? Comme des « gens très croyants », des « paysans qui travaillent dur » ou des « intellectuels raffinés ? » Le poète Robert Bly remarque, par exemple : « J'ai vécu pendant des années près d'une petite ville agricole du Montana. Chaque habitant était censé avoir les mêmes objets dans sa musette (son ombre) ; une petite ville grecque n'aurait certainement pas les mêmes. C'est comme si cette ville, par une décision collective (méta)psychique, mettait certaines énergies dans sa musette, et essayait d'empêcher quiconque de les en sortir [...]. Il existe aussi une musette nationale [...]. Si un citoyen américain désire savoir ce qu'elle contient en ce moment, il lui suffit d'écouter attentivement les critiques des représentants du ministère des Affaires étrangères contre l'URSS [...]. D'*autres* nations [...] traitent brutalement leurs minorités, lavent le cerveau de la jeunesse et ne respectent pas les traités qu'elles signent [3]. »

> Comme l'a remarqué Rudolph Steiner, le métaphysicien inspiré, les nationalistes chauvins qui haïssent les autres pays ont en fait le pressentiment qu'ils auront une nationalité différente dans leur prochaine vie. Leur Moi supérieur le sait, mais leur personnalité y résiste. (Corinne McLaughlin et Gordon Davidson, *Spiritual Politics*.)

Quand nous examinons le drame national provoqué par le procès d'O.J. Simpson, nous voyons une partie de ce qui se trouve dans notre musette. Notre fascination pour ce procès, ainsi que pour toute *violence*, comme en témoigne notre préférence pour les divertissements violents, traduit la profondeur de nos sentiments collectifs d'impuissance et de rage. À un certain niveau, nous nous sentons tous victimes de quelque chose ; chacun de nous sait que nous contribuons à aggraver nos problèmes, étant donné la façon dont nous agissons tous les jours. Nous utilisons des voitures individuelles au lieu de transports en commun, nous jetons beaucoup d'objets, nous portons des vêtements provenant de l'exploitation d'autres hommes, utilisons des cosmétiques fabriqués grâce à l'extermination massive d'animaux, etc. Nous entretenons une mentalité de victimes collectives en nous gavant de reportages sur les tragédies locales et internationales, les guerres, les catastrophes écologiques et économiques. Si nous pensons comme des victimes, nous renforçons l'idée qu'il existe un Intimidateur et que nous sommes impuissants. Nous avons créé un modèle, « C'est eux ou nous », qui maintient la lutte pour le pouvoir. Rationnellement, nous pouvons nier nos sentiments d'impuissance et décider d'arborer une moue méprisante, comme si nous considérions malsain d'être désespéré, ou de voir les autres souffrir sans agir. Mais si nous voulons conserver notre humanité et puiser dans nos cœurs, nous ne pouvons pas nous permettre de cacher notre désespoir dans la musette de notre ombre. Ce désespoir nous permettra de rester connectés à ce qui compte pour nous. Il nous maintiendra connectés et vivants afin que nous nous occupions de nous-mêmes. C'est seulement à ce moment-là que nous pourrons utiliser le flux de la créativité et de l'intuition dont nous avons besoin pour résoudre nos problèmes.

DES DÉSIRS CONFLICTUELS NOUS TRAVERSENT

Nous pouvons choisir d'être bloqués et paralysés par notre Peur, en créant des ennemis et des situations impossibles, ou décider de nous ouvrir à notre souffrance. Ayons confiance : notre Vision de Naissance nous montrera le chemin à suivre. Nous voulons tous réussir. Si nous avons peur de quelque chose ou de nous-mêmes, nous ne sommes pas pour autant voués à l'échec. Sentir les vrilles glacées de la peur autour de notre gorge, de notre poitrine, ou un terrible creux dans l'estomac ne signifie pas que nous n'avons pas de vie spirituelle. Seulement, en ce moment, nous nous sentons séparés de la source d'énergie et égarés, nous ne sommes pas sûrs de notre capacité de nous en tirer. Si nous décidons que nous pouvons réussir uniquement en arborant un visage héroïque, parfait, nous serons certainement remis à notre place, ramenés à notre visage humain – plein de boutons, de cicatrices, fronçant les sourcils ou souriant. Nous sommes le plus voués à l'échec quand :

a. Nous cherchons à tout prix à nous « protéger » contre tout ce qui est différent ou inconnu.

b. Nous perdons de vue notre objectif.
c. Nous faisons des choix dans un état d'esprit angoissé.
d. Nous nous sentons séparés des autres et de Dieu.
e. Nous luttons pour le pouvoir.
f. Nous volons de l'énergie aux autres.
g. Nous résistons au changement.
h. Nous rejetons automatiquement toute information nouvelle qui ne correspond pas à nos conceptions.

La dixième révélation nous rappelle que nous pouvons surmonter la Peur quand :

a. Nous nous harmonisons avec Dieu en lui demandant conseil.
b. Nous croyons à l'objectif caché de nos intuitions.
c. Nous conservons fermement les images mentales de notre idéal.
d. Nous suivons l'exemple des individus courageux et sages qui nous inspirent.
e. Nous nous souvenons d'autres occasions durant lesquelles nous nous sommes sentis connectés et inspirés.
f. Nous nous souvenons que, même si l'incertitude nous ronge, nous ne sommes *pas* seuls.
g. Nous nous souvenons qu'un objectif spirituel se trouve derrière le mystère de l'existence.

NOTRE PLUS GRANDE MENACE : LA POLARISATION DES POINTS DE VUE

Que pensez-vous de l'avenir ? Êtes-vous un optimiste ? Un pessimiste ? Pourquoi ? Plus que tout autre facteur, une polarisation des points de vue sur la direction que le monde va prendre – vers le haut ou vers le bas – entraîne la division et a le pouvoir de créer l'avenir même que nous voulons éviter. Dans *La Dixième Prophétie*, Wil explique : « Toute forme de violence ne fait qu'empirer la situation. [...] Si nous les combattons avec colère, avec haine, ils ne verront en nous que des ennemis. Cela les bloquera encore plus. Ils auront peur. [...] Nous sommes censés nous rappeler complètement notre Vision de Naissance et ensuite nous pourrons nous souvenir de la Vision du Monde [4]. »

> Notre meilleur espoir de survie est de changer notre façon de considérer l'ennemi et la guerre. Plutôt que d'être hypnotisés par l'adversaire, nous devons commencer par nous demander avec quels yeux nous le regardons. [...] Il me semble peu probable que nous réussissions à contrôler un tant soit peu les guerres, tant que nous ne

comprendrons pas la logique de la paranoïa politique, c'est-à-dire la manière dont nous fabriquons la propagande qui justifie notre hostilité. (Sam Keen dans *Meeting the Shadow*, sous la direction de Connie Zweig et Jeremiah Abrams.)

LE SOUVENIR DE NOTRE OBJECTIF NOUS DONNE L'ÉNERGIE DE SURMONTER LA PEUR

Vous souvenez-vous à quel point vous étiez enthousiaste à l'idée de déménager dans une nouvelle ville ? d'entrer en fac ? de commencer un nouveau boulot ? d'obtenir un diplôme ? Quand vous étiez en contact avec votre objectif, vous receviez beaucoup d'énergie et probablement vous ne laissiez pas vos peurs vous empêcher de progresser. La même hausse d'énergie (ressentie comme de l'optimisme) se produira si nous nous rappelons collectivement votre Vision de Naissance. Souvenez-vous, nous sommes tous interconnectés, et l'élévation du niveau d'énergie intervenant à n'importe quel point du champ affectera le niveau d'énergie de tous, même de ceux qui vivent dans la peur. Comme le personnage principal le dit dans *La Dixième Prophétie* : « [...] nous pouvons nous souvenir non seulement de nos Projets de naissance mais aussi d'une conception plus large du but de l'humanité et de notre propre contribution à cet objectif. Apparemment, lorsque nous nous rappellerons ces informations, nous introduirons sur terre une énergie accrue qui pourra mettre fin à la Peur [5] ».

Les âmes sages sur terre et dans l'Après-Vie ont toujours su que prendre parti est une attitude simpliste, non créatrice, voire destructrice. La peur constitue une puissante énergie ayant pour effet de fragmenter et de s'opposer à l'unification. Si la peur nous pousse à nous enfuir, nous serons prisonniers du combat pour avoir toujours raison ; *nous oublierons que nous voulons tous des libertés et des joies similaires et que nous ne les obtiendrons que si nous travaillons ensemble.* Si la perspective d'être du côté des vainqueurs ne nous séduit pas, mais qu'en même temps nous nous sentions secrètement impuissants à entreprendre quoi que ce soit pour effectuer une transformation, nous abdiquerons probablement toutes nos responsabilités. Nous penserons : « Oublions tout cela. Laissons quelqu'un d'autre s'en charger. Ce n'est que du baratin. Rien de ce que je ferai ne changera quoi que ce soit. »

Vous devez reconnaître que votre pensée non seulement affecte le monde, mais est le monde. (Fred Alan Wolf dans *Towards a New World View*, de Russell E. DiCarlo.)

Dans son livre *La Force du bouddhisme. Entretiens avec le dalaï-lama*, le scénarise et écrivain Jean-Claude Carrière a demandé au grand dirigeant spirituel tibétain s'il avait un point de vue optimiste ou pessimiste sur le monde. « Sans hésiter, a répondu le dalaï-lama, un point de vue optimiste. Et ce pour au moins trois raisons. D'abord, il me semble que le concept de guerre s'est récemment modifié. Au XXe siècle, jusqu'aux années 60, 70, nous pensions encore que la décision finale et indiscutable viendrait d'une guerre. Il s'agit d'une loi très ancienne : le vainqueur a toujours raison ; la victoire est le signe que Dieu, ou les dieux, est de son côté. En conséquence, le vainqueur impose sa loi au vaincu, le plus souvent au moyen d'un traité, qui ne sera jamais qu'un prétexte à revanche. De là l'importance de l'armement et surtout de l'armement nucléaire [...]. Cette course à la bombe a fait peser sur la terre une vraie menace d'anéantissement. [Je suis convaincu] que ce danger est en train de diminuer. »

Le plus important : sentir et croire que tout ce qui nous arrive est positif, à un certain niveau. À la question qu'Einstein jugeait la plus importante au monde : « L'univers est-il fraternel ? », je réponds fondamentalement : « Oui. »

Il existe un schéma, un processus et un dessein dans l'univers. Je crois qu'il y a place dans l'univers pour une conscience humaine durable [...]. Cette conviction a contribué d'une façon extraordinaire à assurer la paix de mon esprit et ma sérénité. Pour moi, l'idée que tout événement, quel qu'il soit, est positif me pousse à être encore plus actif. (Larry Dossey, dans *Towards a New World View*, de Russell E. DiCarlo.)

« Deuxièmement, je crois, malgré certaines apparences, que le concept d'*ahimsa*, ou de non-violence, marque des points. Au temps du mahatma Gandi, un homme que je révère, la non-violence passait le plus souvent pour une faiblesse, un refus d'agir, presque pour une lâcheté. Ce n'est plus le cas. Le choix de la non-violence est aujourd'hui un acte positif, qui évoque une vraie force [...]. Je crois que, par l'effet même de la presse, des médias, de tout ce que nous appelons la communication, les groupes religieux se visitent plus souvent, se connaissent mieux qu'autrefois [6]. »

Quand on interroge le dalaï-lama sur les tendances de certains pays musulmans à se couper des autres nations, à rejeter toute influence étrangère, il répond : « L'isolement n'est jamais bon pour un pays. Et il est devenu impraticable. [...] Quant aux pays musulmans, même si certains maintiennent voire renforcent leur fermeture, dans l'ensemble, si on regarde le monde entier, l'isolement perd du terrain. Depuis une vingtaine d'années j'ai visité beaucoup de pays. On me dit partout : nous nous connaissons mieux [...]. Pour ma part, aussi souvent que possible, je rencontre d'autres chefs religieux, nous marchons ensemble, nous visitons tel ou tel lieu sacré, quelle que soit la tradition à laquelle il se rattache, et là nous méditons ensemble, nous partageons un moment de silence. J'en retire un très grand bien-être. Je continue à croire que, sur le terrain religieux, nous sommes en progrès par rapport au début de ce siècle. »

Enfin, voici la troisième raison de son optimisme : « Quand je rencontre des jeunes, surtout en Europe, je crois aussi que le concept de l'*humanité comme une* est beaucoup plus fort aujourd'hui qu'hier. Vous le savez, c'est un sentiment nouveau qui n'existait que très rarement dans le passé. L'Autre était le barbare, le différent [7]. »

Remarquez que le dalaï-lama n'est pas seulement optimiste à propos de l'avenir de l'humanité, mais qu'il nous donne des preuves de changements positifs dans la vie réelle. Relisez ses propos, et observez s'ils provoquent des sensations dans votre corps.

Voici un grand dirigeant spirituel mondial, un exemple vivant de la façon de conserver la Vision du Monde. Il n'exhorte ni ne menace les autres de la damnation, s'ils ne réussissent pas à prendre conscience. Il fait des choses simples comme marcher, visiter divers lieux sacrés avec respect, écouter et méditer, qu'il soit en compagnie de dirigeants internationaux ou de personnes ordinaires. Il répond à la question sur les pays qui se referment sur eux-mêmes en expliquant que l'isolement est impraticable, plutôt que de *juger* ou de dénoncer leur politique. Un sentiment de sérénité se dégage de ses mots et de ses actions, à tout moment. Le dalaï-lama nous montre comment garder toujours en tête notre idéal, et comment le laisser se manifester.

SE CONCENTRER SUR LA PEUR OU SUR L'IDÉAL ?

Conserver une Vision du Monde positive, c'est donner de l'énergie à un idéal. Nombre des messages d'Edgar Cayce nous rappellent que nous devons fixer dans notre esprit un objectif idéal, et que cela nous maintiendra sur la bonne voie. D'énormes possibilités existent dans la vie quotidienne d'offrir de l'amour, de la compassion et de la patience. Un idéal n'est pas une sorte de perfection inaccessible, mais une énergie qui à la fois nous attire et nous guide. Pensez à l'idéal comme un ami cher et sage qui marche quelques pas devant vous. Il regarde derrière son épaule pour voir si vous suivez le rythme, vous sourit et vous fait signe avec le doigt.

> Nous pensons que nous avons besoin d'un ennemi. Les gouvernements se démènent pour instiller en nous la peur et la haine afin de nous rallier derrière eux. Si nous n'avions pas d'ennemi réel, ils en inventeraient un pour nous mobiliser.
>
> Le sort du monde repose-t-il entre les mains du gouvernement ? Si le président menait la bonne politique, la paix régnerait-elle ? Non.
>
> Notre vie quotidienne peut influer sur la situation mondiale. Si nous réussissons à modifier notre quotidien, nous changerons nos gouvernements et bouleverserons le monde.
>
> Présidents et gouvernements émanent de nous-mêmes. Ils reflètent notre mode de vie et notre façon de penser. Notre manière de tenir une tasse de thé, de ramasser un journal, et même d'utiliser du papier toilette a un rapport avec la paix. (Thich Nhat Hanh, *Love in Action : Writings on Nonviolent Social Change.*)

Chercher le positif

À l'exemple du dalaï-lama qui a observé des changements positifs dans la jeunesse internationale, si vous voulez conserver la Vision du Monde, il vous faudra repérer même les petits changements dans un but précis. Cherchez, par exemple, les nouvelles positives dans les médias. Est-ce possible ? Bien sûr. Selon un article récent paru dans le *San Francisco Chronicle*, un nouveau rapport fédéral montre qu'en 2050 la population des États-Unis comptera probablement 50 % de Blancs et 50 % de membres des minorités. Le reportage citait les propos de Cheryl Russell, une démographe qui a beaucoup étudié les enfants du baby-boom et leur influence future sur différentes industries. Plus intéressant encore, elle a déclaré : « Les conflits actuels ne doivent pas servir à mesurer les effets à long terme du bouleversement qui s'opère dans la composition raciale de notre pays. [...] Nous sommes manifestement dans une période de transition et certains, lorsqu'ils observent les polémiques autour de la discrimination positive, pensent que de graves conflits nous attendent. Mais, en réalité, le niveau de tolérance envers les autres s'élève constamment aux États-Unis. On ne le dit jamais, mais toutes les enquêtes le montrent. Les jeunes sont déjà habitués à vivre dans une société pluraliste, et leurs enfants y seront encore plus à l'aise [8]. » Dans le même esprit, certains scientifiques soulignent que le trou de la couche d'ozone se réduit, et que, si tout va bien, il se refermera dans dix ou vingt ans. En Afrique, dans certains pays, des familles commencent à pratiquer le contrôle des naissances, et à n'avoir plus que deux enfants car elles se rendent compte qu'elles n'ont pas les moyens d'en élever davantage. Alors que nous écrivons ces lignes, se déroule une marche sur Washington pour protester contre la pauvreté qui frappe les jeunes aux États-Unis. Notre société, notre planète peuvent guérir si nous nous fixons un idéal et suivons les conseils de notre intuition pour être disponibles, quel que soit l'endroit où nous avons été « placés ».

LES FEUX DE ROUTE DE L'ÉNERGIE AIMANTE

La huitième révélation nous enseignait à élever le moral des autres en envoyant de l'énergie divine et de l'amour à une autre personne pour que se développent ses qualités spirituelles. Avec la dixième révélation, nous envoyons la même énergie aimante *tout en visualisant que la personne en question se souvient de son projet existentiel.* Adresser des pensées positives à quelqu'un le rend plus fort, nous avons pu le constater empiriquement. Si nous croyons que nous pouvons faire quelque chose, c'est probablement que nous en sommes capables.

Fran Peavey, professeur, militante et comédienne, nous a raconté comment, en 1970, elle avait fondé une association pour organiser une action contre une usine. Celle-ci fabriquait du napalm à Long Beach, en Californie. « Au lieu de me fixer sur les 52 % supposés “ diaboliques ” de mon adversaire, j'ai choisi de m'intéresser aux 48 % restants, en partant du postulat que, chez chacun de mes adversaires, un allié sommeille. Il peut se montrer silencieux, hésitant ou je peux avoir du mal à l'identifier. Il éprouve peut-être seulement des sentiments ambivalents, des doutes, sur la moralité de son travail. De tels doutes ont rarement la chance de s'épanouir car le contexte social pèse lourdement sur cet interlocuteur et qu'il doit rendre des comptes. *Ma* capacité d'être *son* allié est donc également limitée par de telles pressions [9]. »

> Il faut donc éduquer les populations du tiers monde. [...] Et il faut le faire énergiquement, sans réticence sentimentale. C'est une nécessité immédiate, une urgence. Il faut leur dire, avec tout ce que cela suppose de malentendus : vous faites fausse route, votre accroissement démographique beaucoup trop fort vous conduit à une misère plus terrible encore.
>
> D'autres pays [...] n'ont rien, et demain ils auront moins que

rien. Nous devons lutter contre cet écart grandissant [...]. Cela devrait être notre cible. Rapprocher les deux mondes l'un de l'autre jusqu'à les rendre comparables, et si possible égaux.

Tous les problèmes – la famine, le chômage, la délinquance, l'insécurité, les déviations psychologiques, les épidémies, la drogue, la folie, le désespoir, le terrorisme –, tout cela est étroitement lié à ce fossé qui va s'élargissant entre les peuples, et qu'on retrouve bien entendu [...] à l'intérieur même des pays riches. [...] Tout se tient, tout est inséparable. En conséquence, il faut réduire cet écart. (Le dalaï-lama interviewé par Jean-Claude Carrière dans *La Force du bouddhisme*.

Fran Peavey avait établi une stratégie pour son association. Voulant recueillir le soutien de la population locale, les membres du groupe organisèrent des piquets d'information à l'entrée de l'usine et de nombreuses réunions dans les environs où ils projetèrent des diapositives. Ils collectèrent aussi des renseignements détaillés sur le président de la compagnie. Pendant trois semaines, ils préparèrent leur rencontre avec lui et enquêtèrent sur les avoirs et les participations de la société. En petit comité, ils exprimèrent longuement leur colère contre le dirigeant de la firme car le napalm qu'elle fabriquait avait tué et mutilé de nombreux enfants au Viêtnam. Ils décidèrent cependant de ne pas manifester leur réprobation car cela ne ferait que le mettre sur la défensive et diminuerait leurs chances d'être entendus. « Nous voulions avant tout qu'il nous considère comme des individus en chair et en os, assez semblables à lui. Si nous avions eu l'air de gauchistes enflammés, il nous aurait probablement éconduits et n'aurait pas voulu entendre parler de nos inquiétudes [10]. »

L'association recueillit aussi « le maximum de données sur sa vie personnelle : sa famille, son église, son country club, ses hobbies. Nous étudiâmes sa photographie en pensant aux personnes qu'il aimait et dont il était aimé, en essayant de deviner sa Vision du Monde et le cadre dont il dépendait. Quand trois d'entre nous le rencontrèrent, il n'était plus un étranger pour nous. Nous pensions que certains doutes s'étaient déjà insinués en lui. Notre rôle était donc de permettre à ces doutes de s'exprimer. Il fallait que nos personnes et nos perspectives lui deviennent familières, afin qu'il se souvienne de nous et tienne compte de nos positions quand il devrait se décider.

« Sans le critiquer personnellement, ni attaquer sa société, nous lui demandâmes de fermer l'usine, de ne pas renouveler son contrat cette année-là, et de penser aux conséquences des opérations de sa compagnie [11]. » Les membres de l'association lui expliquèrent calmement comment ils pensaient qu'il fallait traiter le problème du rôle économique de l'industrie d'armement et de la guerre. Résultat : « Lorsque l'échéance du contrat est venue à terme deux mois plus tard, sa société n'a pas présenté d'offre [12]. »

Une voie entre cynisme et naïveté

Peavey sait parfaitement que « pactiser avec l'ennemi » ne paye pas à tous les coups. Mais elle pose des questions importantes, notamment sur notre colère contre nos ennemis. Pouvons-nous dissocier les actions haïssables de ceux qui les commettent ou les commanditent ? Notre empathie pour nos adversaires ne mine-t-elle pas notre détermination de créer le changement ? Soyons clairs : « Traiter nos adversaires comme des alliés potentiels ne signifie pas pour autant accepter aveuglément leurs actions. Nous nous sommes fixé un défi : nous désirons faire appel à l'humanité à l'intérieur de chacun d'eux, tout en nous préparant à toutes les réactions possibles. Nous voulons trouver une voie entre le cynisme et la naïveté [13]. » La façon dont des personnes comme Peavey voient le changement social nous aide et nous incite à inventer de nouvelles approches.

COMMENT NOUS DÉLIVRER DE NOS PEURS LORSQUE NOUS SOMMES ENCORE DANS LA DIMENSION SPIRITUELLE

Avant de piloter un avion, l'homme avait déjà le désir de voler. Avant de parler au téléphone, il pouvait déjà communiquer par télépathie. Nous ignorons quelle magie émergera des évolutions jumelles de la technologie et de nos capacités innées, non encore exploitées. Lorsque nous saurons mieux voyager dans la dimension spirituelle, ce qui nous effraie aujourd'hui ne posera peut-être plus de problème. En effet, notre intuition nous fera découvrir de nouvelles méthodes de guérison en appliquant la sagesse emmagasinée dans l'intelligence universelle.

Robert Monroe, après avoir été en contact pendant des années avec la dimension spirituelle, découvrit qu'il pouvait essayer de se débarrasser de ses peurs – peurs dont il ignorait l'existence. « Je me suis aperçu que j'étais loin d'être courageux. Peut-être n'avais-je pas conscience de ces peurs, mais elles étaient bien là, et se traduisaient par d'énormes explosions d'énergie brute [...]. Il y avait les anciennes peurs, mais aussi de nouvelles qui affluaient constamment. Cela pouvait concerner de petits problèmes, par exemple, devant une journée de pluie, en pensant aux conséquences sur mes projets de construction, mais aussi des questions majeures comme mes appréhensions concernant l'évolution du monde [14]. » Au fil des années, cependant, il remarqua que ces peurs se dissipaient. « J'avais davantage de peurs qui disparaissaient que de peurs nouvelles suscitées par mon activité actuelle. En même temps vint une révélation majeure : [quand j'étais dans la dimension spirituelle] j'avais institué ce processus et cherché à faire disparaître la peur. Aucune source extérieure ne m'aidait, comme j'avais eu le tort de le supposer. Je m'aidais moi-même [15] ! »

Lorsque l'on se sent triste, découragé, en colère, ou préoccupé par le sort de la planète, on dépense des quantités d'énergie importantes. Nous avons tendance à résister au changement ! À moins que notre situation devienne véritablement pénible, nous prenons rarement les mesures nécessaires. Mais nos sentiments mènent à la complétude. Lorsque la peur nous fait perdre notre humanité, nous devenons prisonniers d'une lutte qui peut difficilement conduire au résultat que nous désirons. Quand nous n'éprouvons aucun sentiment, quand nous sommes déshumanisés, quand nous rejetons quelqu'un, nous perdons notre connexion avec ce qui compte vraiment – passer un après-midi au soleil avec nos enfants, faire une balade en mer sur un bateau, ou tenir la main de notre grand-mère au coucher du soleil.

ÉTUDE INDIVIDUELLE

L'exercice de l'ombre

Le but de cet exercice est de vous aider à vous mettre dans la peau de l'autre afin de développer votre empathie et votre compassion *à l'intérieur de vous-même*. Il s'agit d'un des exercices spirituels les plus importants pour conserver la Vision du Monde.

Première étape

Notez sur une feuille de papier trois ou quatre noms de personnes que vous n'appréciez pas, ou avec lesquelles vous êtes en désaccord. À côté de ces noms, écrivez vos critiques et vos points de mésentente. Par exemple, Carl, père célibataire et homme d'affaires, a noté ceci à propos des personnes qu'il n'aime pas :

1. Mon beau-frère George. Il me rappelle toujours que ses affaires marchent bien grâce aux nouvelles technologies qu'il emploie. Il pense que je devrais me moderniser davantage.
2. Les hommes politiques ne sont pas francs. On ne peut pas leur faire confiance. Ils ne tiennent aucune de leurs promesses.
3. La gauche larmoyante n'est pas réaliste.

Deuxième étape

Pour les trois ou quatre personnes que vous avez choisies, demandez-vous quel est leur objectif spirituel. Imaginez le but *positif*, profond, qui se cache derrière les caractéristiques extérieures négatives que vous voyez et jugez. Voici ce que Carl a écrit à ce propos :

1. George semble très intéressé par les effets de la technologie au xxe siècle. Il forme toujours de nouveaux projets. Peut-être, dans une autre vie, n'a-t-il pas eu l'occasion d'utiliser pleinement ses capacités. George aime partager ses connaissances avec les autres. C'est un professeur-né.

2. Les hommes politiques ont un idéal qu'ils pensent réaliser et sont persévérants. Ils prennent le risque d'être descendus en flammes par les critiques. Comme ils doivent faire partie d'un système, ils s'adaptent à des conditions constamment changeantes afin d'apprendre à faire bon usage du pouvoir et à servir la communauté.

3. La gauche larmoyante veut aider l'humanité. Ses partisans ont des principes solides sur la justice et l'injustice. Ils consacrent une grande partie de leurs loisirs à essayer d'améliorer la situation dans les domaines qui les intéressent particulièrement. Ils ont peut-être souffert dans une vie antérieure, et émis le vœu de faire du bien à autrui dans cette vie.

Dans la deuxième étape, vous vous détachez de votre façon habituelle de percevoir les personnes de votre entourage et vous vous interrogez sur leur intention originelle et leur projet existentiel. En prenant une position différente, en cherchant une explication positive à leur comportement, *vous* profitez d'une occasion de croître personnellement. Percevoir quelqu'un sous plusieurs angles vous ouvre à une interaction plus créative avec lui.

Troisième étape

Revenez à ce que vous avez écrit en premier lieu. Rayez le nom de l'une des personnes que vous n'aimez pas et insérez votre propre nom. Décrivez un de *vos* traits de caractère semblable à ce que vous n'appréciez pas chez cette personne. Observez comment vous vous sentez quand vous lisez la phrase *à haute voix*. Carl a lu *à haute voix* le texte suivant : « [Tout comme George] je sermonne parfois les autres. Par exemple, j'ai dit à mon ex-femme : " Je t'avais pourtant prévenue : il fallait t'occuper de la prime d'assurance ; maintenant elle est périmée. " » Carl a éprouvé une petite sensation de « tranquillité » dans son cœur quand il s'est rendu compte que, parfois, il se comportait un peu comme ce « bon vieux George ».

Et en ce qui concerne les politiciens, quels étaient les sentiments de Carl ? Au cours de la première étape, il a écrit qu'il ne les aime pas parce qu'ils ne sont pas sincères, qu'on ne peut pas leur faire confiance et qu'ils ne tiennent jamais leurs promesses. Maintenant, en analysant son propre comportement, il a écrit : « Parfois, je manque de franchise, moi aussi. L'autre jour, par exemple, Bill est venu chez moi et je lui ai dit que j'étais content de le voir. En fait, je n'apprécie pas du tout sa présence, mais comme c'est l'un de mes clients, je ne voulais pas l'offenser. Moi-même, *je* ne tiens pas toujours toutes mes promesses. Un jour, par exemple, j'ai affirmé à Barbara que j'avais commandé les nouveaux matériaux, mais en réalité je ne voulais pas lui avouer que j'avais oublié. » Carl se souvint alors que son père dénigrait toujours, comme lui, les hommes politiques. Quand Carl était adolescent, il voulait se présenter aux élections de l'association des lycéens pour en devenir président. Mais son père lui expliqua que cela l'empêcherait de travailler à mi-temps. Comme les politiciens qu'il méprisait parce que apparemment ils n'accomplissaient pas leurs objectifs, Carl sentait à propos de *lui-même* . « Je souhaiterais avoir accompli davantage de choses dans mon activité professionnelle jusqu'ici. »

En examinant ses sentiments sur les gens de gauche, il écrivit : « Parfois, moi aussi, je ne me montre pas très réaliste. Personne n'a jamais aidé ma famille quand nous étions pauvres. Pourquoi devrais-je maintenant me soucier de gens qui ne veulent pas travailler, alors que moi-même j'ai du mal à faire fonctionner mon affaire ? » Carl commença à entrevoir le lien entre plusieurs aspects de sa personnalité, mais aussi entre les projections qu'il effectuait sur ceux qu'il n'aimait pas ou avec lesquels il n'était pas d'accord. Il rechignait à admettre qu'il éprouvait un grand besoin de tendre la main (« comme les sympathisants de la gauche larmoyante ») et d'aider ceux qui avaient moins de chance que lui. Il restait convaincu que les hommes de gauche se berçaient d'illusions sur le monde réel.

Dans cet exercice, nous voyons comment le mépris de Carl à l'encontre de George, des hommes politiques et des hommes de gauche reflète une partie de son ombre, qu'il niait. Quand nous apprenons à nous « réadmettre » ou à nous reconnaître dans les attitudes que nous jugeons mauvaises, nous commençons à nous ouvrir à l'intégralité de notre âme. Plus nous dépensons d'énergie pour dissimuler nos qualités négatives, moins nous en avons pour créer à partir de notre *moi* total.

Par exemple, les miracles se produiront pour Carl quand :

1) Il se libérera des ressentiments qu'il conserve à propos de sa pauvreté durant sa jeunesse ; 2) il reconnaîtra que son désir de progresser dans ses affaires est la voix de sa Vision de Naissance ; et 3) il se donnera la permission de servir une cause humanitaire plus grande que lui-même. Non seulement il contribuera à la conservation de la Vision du Monde, mais aussi il se sentira plus vivant, il se divertira davantage, il vivra une grande aventure et éprouvera un sentiment d'accomplissement !

ÉTUDE DE GROUPE

Dialoguez avec la Peur

Si votre groupe est très uni et que vous avez créé une atmosphère sécurisante qui permette de confier des problèmes plutôt intimes, il sera plus facile aux participants d'explorer leurs sentiments sur certaines des peurs et des croyances répertoriées au début de ce chapitre. Tandis que l'énergie traverse le groupe, sans que personne ne donne son avis, ou ne réagisse, jusqu'à ce que vous soyez prêt à débattre collectivement des sentiments de chacun.

Méditation

Le groupe peut clore la réunion par une méditation collective centrée sur l'une des peurs ou des croyances les plus fortes parmi les participants. Par exemple, si certains sont convaincus que la planète va être bientôt surpeuplée et que cela les angoisse, essayez de visualiser des hommes et des femmes en âge de procréer. Imaginez qu'ils se souviennent de leur Vision de Naissance leur indiquant qu'ils doivent vivre sur la terre en respectant son équilibre démographique.

Si vous souhaitez travailler avec la peur des foules, visualisez des hommes et des femmes qui se donnent l'accolade, se tiennent par la main, s'aident à traverser un pont, dansent dans leurs arrière-cours, ou votent ensemble pour des changements sociaux positifs. Soyez créatif, mais n'oubliez pas que vos méditations ont un grand pouvoir.

Des méditations collectives ont été organisées, portant sur le long terme, et dirigées par des personnes qualifiées. D'après une enquête, ces méditations ont donné des effets positifs, statistiquement significatifs, dans les villes où elles avaient eu lieu. Surnommée l'« effet Maharishi », la méditation collective a provoqué une baisse de la criminalité et de la mortalité dans les hôpitaux.

Projets

Si vous avez un projet en vue et que vous pensez qu'il marchera, que voudriez-vous faire ensemble en tant que groupe ? Si vous décidez d'entreprendre quelque chose, demandez à chacun d'exprimer ses appréhensions sur la façon dont le projet peut échouer et notez-les sur une feuille de papier. Dans quelle mesure ces craintes sont-elles réalistes ? Que pourriez-vous faire, soit pour que cette peur vous apprenne quelque chose, soit pour la transformer en une force positive ?

Cinquième partie

L'action adéquate

10

Les transformations dans le travail et les entreprises

LE DAUPHIN
LE LIEN

Tous les dirigeants impliqués dans l'économie, industrie par industrie, opteraient pour un capitalisme éclairé, orienté non seulement vers le profit, mais vers la satisfaction des besoins spirituels ; ils rendraient les produits accessibles au prix le plus bas possible. Cette nouvelle éthique économique provoquerait une déflation massive ; elle faciliterait la généralisation de l'automatisation – et finalement la gratuité totale – des services et produits indispensables. Cela libérerait alors les êtres humains et leur permettrait d'adopter l'économie de la « dîme spirituelle » qu'annonce la neuvième révélation. *(La Dixième Prophétie* [1]*.)*

UN CHEMIN SPIRITUEL POUR L'ÉCONOMIE

« Certains cadres s'intéressent beaucoup à cette nouvelle façon de faire des affaires – à la spiritualité dans les entreprises, dit l'entrepreneur californien Mark Bryant, mais ils ne peuvent pas toujours la mettre en pratique étant donné la nature des mécanismes en place. Ils subissent aussi une énorme pression car on exige qu'ils obtiennent des résultats à court terme. Si les résultats d'une société sont mauvais durant deux trimestres, le PDG sera probablement licencié par le conseil d'administration. Le pouvoir réel de la compagnie réside en fait entre les mains des actionnaires. »

Mark a déjà fondé cinq entreprises florissantes. Il réussit à maintenir l'équilibre entre le temps qu'il consacre à ses activités spirituelles, à sa maison, à sa famille et maintenant à trois de ses entreprises très absorbantes. Il s'est demandé : « Comment puis-je faire des affaires et, en même temps, progresser spirituellement, psychologiquement et financièrement ? » Il s'est donné environ dix-huit mois pour lire toutes sortes de livres sur les changements de paradigme, les techniques et les modèles novateurs, les grands systèmes philosophiques et métaphysiques, les guérisseurs, et la façon dont ces idées pourraient accroître l'intuition dans les affaires. « Il y a vingt ans, je travaillais dans une très grosse société, et j'utilisais tous les outils psychologiques disponibles dans le département des ressources humaines – surtout les profils de personnalité – pour mieux me comprendre. Mais je sentais que j'avais besoin d'autres types de méthodes qui me donneraient une image plus ample de moi-même. Mon intuition m'a conduit à la métaphysique. Je sais que cela peut paraître bizarre pour un chrétien et un cadre qui a toujours travaillé dans le milieu des grandes entreprises, mais la métaphysique m'a semblé plus profonde que la psychologie. Tout en étant intéressé par un regard intérieur, je trouvais utile de travailler avec d'autres gens pour m'évaluer. C'est ce qui a déclenché ma passion pour la métaphysique. Il faut savoir que l'on n'est pas obligé de suivre cette route tout seul. »

Quel a été le résultat de la quête de Mark ? « Tout d'abord, nous a-t-il expliqué, mon sentiment de vitalité et de finalité a considérablement augmenté. Je me connais davantage maintenant, et donc je sais mieux si une affaire va marcher pour moi à long terme. Aujourd'hui je laisse passer des occasions sur lesquelles je me serais précipité il y a quelques années ou bien que j'aurais regrettées. Je fais davantage confiance à mon intuition, et cela m'a rendu plus efficace. Bien que j'aie du mal à exprimer avec des mots ce que je ressens, j'ai l'impression d'être beaucoup plus à l'aise dans tout ce que je fais. »

Quel conseil donnerait Mark à d'autres hommes d'affaires ? « Eh bien, beaucoup de cadres dans les grandes entreprises commencent à se sentir piégés. Avec les menaces permanentes de dégraissage, ils ont le sentiment de ne plus avoir aucun contrôle sur leur destinée, quelles que soient leurs performances ou compétences. Ils sont extrêmement déçus par le monde des grosses entreprises, et commencent à se demander s'ils ne vont pas monter une affaire en franchise, fonder leur propre société ou exercer en indépendants comme consultants d'entreprises. Mais il ne suffit pas de changer sa situation externe. Si l'on ne change pas la façon de se voir soi-même, on risque de ne pas se sentir totalement satisfait. Il faut travailler sur soi-même – se créer un sentiment de sécurité intérieure en découvrant qui l'on est réellement –, sinon on sera de nouveau déçu, même si l'on est cadre dans une petite société, quelle qu'elle soit. Aucune entreprise n'est à l'abri de la rigidité, d'une hiérarchisation excessive ou d'une ambiance malsaine. Quelqu'un qui veut devenir son propre patron peut en même temps éprouver le désir contradictoire d'être pris en charge. » Quels sont les facteurs qui ont assuré le succès de Mark ? « D'abord vous devez prendre conscience de vos talents, et découvrir comment les exploiter, plutôt que souhaiter devenir quelqu'un d'autre. Je remarque que beaucoup d'individus tendent à sous-estimer leur personnalité et leurs capacités. Ils voient leurs *manques extérieurs*, du type " Je ne peux pas créer une entreprise, parce que je n'ai pas de diplômes ", au lieu de se demander : " Qu'est-ce que je veux vraiment ? " Ils se laissent circonscrire par leurs jugements sur eux-mêmes, par leur ombre. Ils n'observent pas leur vrai moi, ils ne voient que leur image extérieure.

« Deuxièmement, j'ai découvert que le fait d'utiliser ses talents est un processus évolutif. Par exemple, je sais que je suis plutôt du genre " visionnaire/réalisateur ", mais que je ne suis pas un bon " producteur ". Donc, je me suis associé avec quelqu'un qui est un très bon organisateur. C'est une association quasi matrimoniale qui marche très bien car nous sommes tous deux conscients de nos points forts. Analysez vos forces et vos faiblesses, cherchez quelqu'un qui vous complète, pour parachever le tableau, et votre travail atteindra une efficacité maximale.

« Troisièmement, et je sais que cela peut paraître bizarre, j'ai découvert que, depuis que je me pense comme une âme, je ne me sens plus piégé par la culture économique dominante. Vous devez ressusciter l'âme que vous aviez durant votre jeunesse. Lorsque vous étiez un enfant, vous pensiez de façon beaucoup plus libre à propos de vous-même. Tout était possible. Les enfants n'ont pas de limites parce qu'ils raisonnent encore au niveau de l'âme sans que leur esprit soit encombré par tous les dogmes institutionnels et culturels.

Je fais la distinction entre boulot et travail. Un boulot est une activité à laquelle nous nous livrons pour gagner notre vie et payer les factures, mais un travail représente la raison pour laquelle nous sommes sur terre. Cela concerne notre cœur et la joie, et tous les mystiques l'ont dit. Orientaux et Occidentaux ont écrit à ce sujet. Le *Tao-te ching*, les Écritures chinoises, conseille : « Dans le travail fais ce qui te plaît. » L'idée qu'il existe une connexion entre le travail et la joie est nouvelle pour beaucoup de gens parce que, dans l'univers mécanique de l'âge industriel, la joie était loin de représenter l'une des valeurs principales [...].

Nous avons défini le travail d'une façon si étroite pendant l'époque de l'industrialisation que nous avons négligé ses autres aspects : le travail sur ses émotions, l'art, les soins, les fêtes et les rituels ; dans les communautés saines, toutes les activités sont considérées comme du travail. Dans les sociétés primitives, les hommes passent au moins la moitié de leur temps à faire la fête et organiser des rituels. Nous y avons renoncé et la violence s'est largement répandue dans notre civilisation.

Je m'occupe beaucoup aujourd'hui de jeunes [...], j'utilise le rap, la house, la techno et la danse – et ces formes d'expression actuelles, aux marges de la culture jeunes et de la culture urbaine, permettent de redécouvrir les vertus de la fête. C'est un phénomène positif, très utile. La fête est à la fois la manière la plus amusante et la plus économique de soigner les gens. (Matthew Fox dans *Towards a New World View*, sous la direction de Russell E. DiCarlo.)

« Je pense que les conceptions métaphysiques et spirituelles modifient certainement notre façon de travailler et de penser notre gagne-pain. Mais ce langage est nouveau pour la plupart des hommes d'affaires. Au cours des dernières années nous avons reçu beaucoup d'informations sur la façon de devenir de bons managers (de bons contrôleurs de gestion) et sur les vertus de la décentralisation. Tout cela est très pragmatique. Mais ce qui compte le plus, c'est de procéder à des changements à l'intérieur de soi – non d'*utiliser*, de l'extérieur, les techniques spirituelles pour gagner encore davantage d'argent. La véritable transformation s'opère dans la façon dont vous vivez votre vie au travail et dont vous travaillez *avec* la vie. »

Si vous désirez introduire la spiritualité dans le travail et les affaires, vous devrez consulter l'*intérieur* de vous-même chaque fois que vous avez une décision à prendre. Au lieu d'examiner seulement votre bilan financier, penchez-vous sur votre bilan intérieur. Ce que vous faites est-il en harmonie avec votre objectif et ce que vous représentez en tant qu'âme ? Vous seul pouvez vous poser des questions comme : « Est-ce juste ? Quelle est l'implication spirituelle de cette action ? » Personne ne peut répondre à votre place. Diffuser la spiritualité dans les affaires implique que l'on prête attention à l'esprit à l'intérieur de soi-même, que l'on cultive le désir de servir le bien général.

Évidemment, les entreprises actuelles ne sont pas organisées démocratiquement pour donner à chaque salarié une autonomie créative et une responsabilité personnelle. Elles ont l'œil tourné seulement vers les critères *extérieurs*, et croient en la primauté du contrôle et de la prévisibilité. Elles ne visent absolument pas, bien au contraire, à donner à leurs employés la liberté de produire des biens et d'assurer des services en se fondant sur leur flux intuitif et les indications spirituelles afin de réagir correctement face à une situation donnée. La plupart d'entre nous servent un but extérieur, un objectif extrinsèque. Celui dont la perception n'a pas encore changé pensera, en nous lisant, qu'encourager l'autoréflexion dans les entreprises est une notion excentrique, loufoque, dangereuse et anarchiste. Même ceux d'entre nous qui considèrent que ces nouvelles idées sont intellectuellement stimulantes doutent, au plus profond d'eux-mêmes, que des êtres humains puissent un jour surmonter leur paresse, leur cupidité, voire leurs mauvaises intentions habituelles. La plupart d'entre nous sont parfaitement conscients du manque d'intégrité et d'autonomie personnelle, à l'étape actuelle de la conscience humaine. Pourtant, nous avons toujours disposé de modèles, qui nous ont montré que Dieu travaille de façon mystérieuse. Dieu a toujours été présent. Actuellement, la conscience subit d'importants changements dans tous les domaines, et pas seulement le dimanche matin, sur les bancs des églises. Les aspirations existent, même si les structures ne sont pas en place sur les lieux de travail. Nos seuls ennemis sont la peur et l'inertie.

L'IMPUISSANCE ACQUISE – COMMENT S'EN DÉBARRASSER SUR LES LIEUX DE TRAVAIL

Au cours d'une récente conférence à Montréal, organisée par l'Institut international des sciences humaines intégrales, le Dr Miron Borysenko a évoqué le concept de l' « impuissance acquise ». Ce médecin mène des recherches dans le domaine de la biologie cellulaire ; il étudie la connexion esprit-corps et l'effet du stress sur le système immunitaire. Il a rapporté quelques découvertes biologiques fascinantes qui stimulent notre réflexion dans tous les domaines, y compris l'économie. Au cours de son allocution il a donné un exemple amusant en montrant une diapositive d'un petit oiseau qui restait immobile dans sa cage, bien que la porte en fût grande ouverte. « Si vous élevez des oiseaux dans une cage et que vous ouvriez la porte, expliqua-t-il, ils ne la quitteront pas. C'est également vrai pour les êtres humains qui désirent fortement changer, mais ne se font pas suffisamment confiance pour accomplir les efforts demandés par ce changement. L'endroit où vous vous trouvez est peut-être minable, mais au moins vous vous y sentez en sécurité. »

Le Dr Borysenko a expliqué le principe de l'impuissance acquise en procédant à l'expérience suivante avec trois rats : il a administré, au hasard, des décharges électriques aux deux premiers mais pas au troisième, le rat témoin. Le rat n° 1 était capable de tourner un volant qui stoppait les décharges électriques pour lui-même et pour le rat n° 2. Bien que les rats n°s 1 et 2 aient reçu la même quantité de stress pendant un laps de temps équivalent, le rat n° 2 (qui recevait des décharges électriques auxquelles il ne pouvait échapper) a souffert d'un ulcère hémorragique ; quant au rat n° 1 (qui recevait des décharges électriques auxquelles il pouvait échapper en manipulant le volant), il était en meilleure santé encore que le rat n° 3, qui n'avait reçu aucune décharge. Borysenko expliqua ensuite que, lorsque les rats étaient placés dans un labyrinthe, le rat n° 1 était le premier à trouver le point d'eau. Il avait déjà appris à se débrouiller. Le rat n° 2 était le plus lent, parce qu'il avait appris à être impuissant devant un phénomène et avait étendu cette impuissance à une nouvelle situation. Des découvertes provenant d'études similaires et d'autres recherches effectuées sur des humains indiquent que le stress en soi n'est pas nocif tant que l'individu sent qu'il peut changer quelque chose dans son univers – c'est-à-dire avoir un certain contrôle sur son environnement. En fait, les épreuves, s'accompagnant d'un sentiment positif de contrôle, nourrissent l'estime de soi et la créativité.

Les exemples du Dr Borysenko correspondent à ce que nous avons appris à propos de nos mécanismes conditionnés de domination que nous utilisons depuis l'enfance. L'oiseau libre de voler mais qui reste immobile dans sa cage illustre bien le mécanisme de l'Indifférent qui en effet déclare : « Je n'ai pas besoin de dire aux autres ce qui m'arrive. Mieux vaut rester tranquille et s'écraser. Ne pas créer de vagues. » Les rats qui ont appris à se considérer comme impuissants illustrent parfaitement le mécanisme de domination de la Victime : « Je n'ai pas mon mot à dire sur ce qui se passe à mon travail. Je ne suis qu'un pion. Je ne peux rien changer parce que personne ne m'y autorisera. »

Réfléchissez aussi aux implications de cette étude sur les rats en vous demandant : « Comment saurais-je si je suis en harmonie avec moi-même intérieurement ? » Le rat n° 2 (si on compare cet infortuné rongeur avec l'employé conditionné) semble avoir pris une décision le concernant, décision fondée sur une source externe (des décharges électriques inévitables) qui a créé un message global, du genre : « Je suis faible et je ne contrôle pas ce qui m'arrive », message qui a été transmis à ses cellules. Les cellules, qui se définissent alors, également, par le message : « Je suis faible et je ne contrôle pas ce qui m'arrive », perdent, dans une large mesure, leur capacité de rester saines. Nos réactions dépressives affaiblissent notre système immunitaire. Les sentiments négatifs (frustration, colère, reproche, ressentiment, impuissance) se déclenchent quand nous nous séparons de Dieu. Si vous vivez la frustration et la colère tous les jours, si vous passez beaucoup de temps à vouer aux gémonies vos chefs, vos collègues ou vos clients, comme s'ils gâchaient votre vie – vous n'êtes pas en harmonie avec vous-même. Borysenko cite l'exemple d'un automobiliste coincé dans un embouteillage et qui martelait son volant à coups de poing. « Quand j'ai vu cet homme aussi stressé, je me suis dit : Ce n'est pas ce qui se passe à l'extérieur qui est important, mais ce qui se passe *ici,* à l'intérieur de nous. »

Pour mon test, je pose deux questions très simples : « Quel plaisir retirez-vous de votre travail ? » et « Quel plaisir les autres retirent-ils de votre travail ? » [...]. Nous avons besoin d'emplois, mais le principal est de savoir comment les autres tirent profit des bienfaits de notre travail. Parce que c'est vraiment cela le travail, pour les êtres humains – c'est un bienfait rendu pour un bienfait.

C'est notre façon de remercier la communauté pour son soutien, et c'est pourquoi le chômage a des effets si catastrophiques sur l'âme humaine. Il crée le désespoir, et qui dit désespoir dit haine de soi, violence et criminalité.

Contre ces fléaux nous construisons beaucoup de prisons dans ce pays. Il serait beaucoup plus économique et plus simple d'organiser un grand débat national pour se demander ce que Gaia, la terre, nous demande. Il y a toutes sortes de tâches – de nouvelles tâches – à accomplir sur nos émotions collectives, si nous voulons introduire la justice écologique et sociale dans notre monde. (Matthew Fox dans *Towards a World View,* par Russell E. DiCarlo.)

Vous fixer une ligne de conduite

Faire des affaires, gagner sa vie, avoir un métier utile et gratifiant, tout cela vous offre une chance (comme toutes vos autres activités) de faire l'expérience de Dieu, de l'esprit, de l'intelligence universelle – quel que soit le nom de votre source spirituelle. Étant l'un de ceux qui détiennent la Vision du Monde, vous vous fixez une ligne de conduite par vos actions, vos objectifs, et le processus synergétique avec les autres.

Larry Leigon, cofondateur de la société Ariel qui fabrique du vin non alcoolisé, maintenant associé de Global Insights à Novato, en Californie, est aussi diplômé en programmation neurolinguistique et s'est spécialisé dans les techniques de guérison. Leigon fait partie de ces nouveaux hommes d'affaires qui ont effectué un changement de paradigme, en troquant leurs valeurs extérieures contre des valeurs intérieures. Au cours d'une interview il nous a décrit son parcours : élevé dans un grand ranch au Texas, il organise aujourd'hui des conférences et donne des conseils sur la façon de faire pénétrer la spiritualité dans les affaires. « La plupart des hommes et des femmes ne se sont pas encore rendu compte de ce qu'est la spiritualité dans l'économie. Ils essayent d'intégrer cette conception dans de vieilles catégories de perception du genre : " Comment pouvons-nous *utiliser* la spiritualité pour être plus performants en affaires ? " Ou bien ils confondent la spiritualité avec l'éthique commerciale, qui est encore un problème extérieur. Ou alors ils essaient de rendre les entreprises plus écologiques. Ce sont des valeurs très respectables, mais elles sont centrées *vers l'extérieur.* »

> Quel est l'objectif de l'économie ? La plupart des gens répondront : « le profit ». Si vous regardez autour de vous, vous ne trouverez que des *critères extérieurs* – les résultats financiers, l'action sur l'environnement, la lutte contre toutes les formes de discrimination, la politique des quotas pour les minorités, les droits des femmes – pour mesurer l'impact de la spiritualité sur une entreprise. Mais ces critères ne sont que les *effets* et non les *causes* de l'influence spirituelle. Si vos critères sont *intérieurs,* alors vous comprendrez que les profits intérieurs sont obtenus quand l'individu vit une relation directe avec Dieu. (Larry Leigon.)

« Vous savez que vous atteignez le cœur du changement de paradigme, insiste Leigon, lorsque, au lieu de vous concentrer sur des facteurs *extérieurs* contrôlés, mesurables et prévisibles, vous fonctionnez à partir d'une harmonie *intérieure,* avec un objectif spirituel ou plus profond. Lorsque j'explore et respecte ce qui est vraiment important pour moi, il en résulte une série de comportements extérieurs totalement différents. Les bouddhistes l'appellent le mode de vie juste ou le *dharma,* ou le chemin personnel. Je me demande : Dieu veut-il que je fasse ceci ? Est-ce en harmonie avec mes valeurs ? Je vérifie à l'intérieur de moi si je respecte mes valeurs, puis je décide avec quel client je vais travailler, quel produit je vais développer, quelle ligne de conduite je vais adopter. J'agis exactement à l'opposé de la procédure traditionnelle dans les entreprises où l'on analyse le marché, la concurrence, puis on imagine une stratégie pour trouver un créneau et l'exploiter.

« Dans le passé, je voulais seulement occuper une position solidement défendable sur le marché et m'y maintenir malgré la menace des autres prédateurs. J'étais dans la situation d'un petit animal en Afrique qui se met à côté d'un plan d'eau et attend qu'un animal plus gros arrive et le mange. »

LES CHASSEURS, LES CUEILLEURS, LES PAYSANS, LES CONSTRUCTEURS ET LES ORGANISATEURS

De même que les vers de terre, en creusant, améliorent les sols en permettant à un plus grand volume d'air et d'eau de pénétrer plus profondément dans le sol, de même nos espoirs spirituels créent des réactions plus profondes vis-à-vis de notre environnement – y compris notre environnement économique et financier. L'inquiétude générale décrite dans la première révélation est un symptôme de la transition actuelle, mais aussi une force qui nous rassemble ; elle nous incite, sur le plan personnel et professionnel, à travailler pour l'unité du monde. Les entreprises sont à la fois les organisatrices et l'effet du changement. Nos efforts pour développer la technologie tout en nous maintenant à la hauteur de nos créations constituent une combinaison puissante et éphémère parce que nous essayons toujours de « contrôler » ce processus d'un point de vue extérieur. Nous avons vraiment déclenché quelque chose dont nous ne sommes plus les maîtres. Demandons-nous pourquoi nous voulons rester dans cette situation. Cette question fera peut-être apparaître le point de vue intérieur.

Oh, c'est pour s'amuser !

Imaginez que vous vous leviez un matin en disant : « Eh bien, je suis un être spirituel ! » Cela vous fera-t-il rire ou pleurer ? Imaginez que vous entrez dans votre bureau, l'attaché-case à la main, le portable sonnant dans votre poche, et que vous saluez vos collègues d'un grand geste en lançant : « Bonjour, chers êtres spirituels ! » Imaginez que vous venez de raccrocher avec colère, mais soudain vous vous rappelez que vous venez de parler avec un être spirituel – et que vous en êtes un, vous aussi !

Ces exemples vous semblent certainement cocasses, mais la dixième révélation apporte un niveau de conscience dans les situations quotidiennes qui changera la qualité de votre vie, maintenant. Sans attendre. Inutile pour autant d'agir de façon voyante, de vous couvrir de ridicule en brandissant constamment votre drapeau spirituel. Écoutez et suivez les intentions qui proviennent de votre cœur. Cherchez les âmes avec lesquelles vous vibrez, et renforcez vos liens avec elles. Souvenez-vous que votre temps sur terre a été soigneusement choisi afin que vous puissiez travailler tranquillement de concert avec d'autres groupes d'âmes qui participent aux développements planétaires. Observez comment d'autres travaillent. Cherchent-ils à construire un empire personnel, ou agissent-ils dans un esprit d'ouverture totale et de générosité ? Ne jugez personne, et laissez-les continuer leur chemin. Rapprochez-vous de ceux avec lesquels vous avez un éclair d'identification ou un profond sentiment de résonance. Votre réceptivité vous permettra de rencontrer d'autres personnes sur une voie spirituelle et les attirera vers vous, tandis que votre quote-part de conscience vous aidera télépathiquement à atteindre des buts humanitaires à l'échelle mondiale, même si vous vous sentez frustré dans votre bureau !

Vous récolterez ce que vous pensez

Les progrès du troc, des échanges, du commerce, des affaires – pierre angulaire des sociétés civilisées – ont toujours coïncidé avec l'évolution des valeurs et des croyances. Les valeurs qui sous-tendent le capitalisme en Occident, telles que l'individualisme et l'acharnement au travail, ont dégénéré en de féroces prises de contrôle, une concurrence sans pitié et ont fabriqué des drogués du travail. D'autres pays aspirent à imiter nos dysfonctionnements. L'efficacité, l'autosuffisance et les prouesses technologiques ont progressivement conduit à des obsessions qui vont à l'encontre du but recherché : la planification de l'obsolescence, la constitution de sociétés gigantesques, la prise en compte du seul intérêt personnel, et la complaisance à l'égard des actionnaires. Cependant toutes ces tendances apparemment « négatives » servent à nous faire sentir notre suffisance, et, bizarrement, stimulent la connaissance spirituelle de l'humanité. La prédominance du matérialisme n'a été qu'une étape dans un continuum de perspectives, une étape nécessaire dans l'évolution vers l'unification des deux sphères.

> James Rouse, considéré par le magazine *Time* comme le « reconstructeur numéro un aux États-Unis », est l'un des nombreux individus qui s'efforcent de rendre le contrôle des ressources aux communautés locales [...] « Le profit ne représente pas l'objectif légitime des entreprises, dit-il. Leur objectif est de fournir un service dont la société ait besoin. Si vous faites cela bien et avec efficacité, vous obtiendrez un profit. » (Corinne McLaughlin et Gordon Davidson, *Spiritual Politics*.)

Les interconnectés, le modèle en spirale des affaires

Certes, ces idées ne seront pas appliquées immédiatement dans tous les lieux de travail. Cependant les changements se produisent si rapidement que, dans quelques années, le tableau de la page 254 sera sans doute totalement dépassé. Pour modifier une partie de l'énergie hiérarchique dans les entreprises, on peut avoir recours à un modèle spirituel d'écologie. Chacune de nos décisions et de nos actions affecte tout ce qui nous entoure. Mais ce modèle économique, s'il est plus éclairé que le modèle traditionnel prédateur-proie parce qu'il vise à une croissance durable au lieu de piller nos ressources, est encore centré sur les conditions extérieures. Le modèle écologique est le *résultat* d'une démarche interne centrée sur une harmonie spirituelle, et non la *cause* de l'influence spirituelle sur l'économie. Si nous suivons notre intuition, si nous écoutons nos cœurs, nous ferons certains choix. L'énergie créée par ces choix coulera à travers un réseau, se développera avec l'aide d'autres systèmes. Les changements surviendront au fur et à mesure que nous nous adapterons intuitivement au feed-back. Le feed-back suscitera de nouvelles questions et nous nous mettrons de nouveau à l'écoute de nos connaissances spirituelles, nous réglant sur les besoins à long terme de l'humanité.

Comme le suggère la neuvième révélation, nous sommes à un tournant critique dans l'histoire, où les hommes vont exiger que les entreprises se donnent des objectifs plus vastes, et ne se contentent plus d'enrichir quelques individus. L'un des objectifs spirituels de l'économie est de rassembler, d'influencer toute la famille humaine. Les hommes d'affaires noueront constamment des contacts, constitueront des réseaux, concluront des alliances, créeront de nouvelles formes, de façon synergique.

> L'argent [...] est seulement de l'énergie ou de la vitalité cristallisée [...], une concrétisation de force éthérique. Cette énergie vitale extériorisée [...] est canalisée par les financiers. Ils représentent le groupe d'âmes le plus récent, et leur travail (nous devons le garder à l'esprit) a certainement été programmé par la Hiérarchie Spirituelle. [Les groupes d'âmes financiers] font apparaître des phénomènes qui auront à long terme d'énormes conséquences sur terre. (Alice A. Bailey, *Traité sur la magie blanche.*)

Nous parviendrons progressivement à changer l'image de l'entreprise. Au lieu d'être une machine univoque à faire de l'argent, elle deviendra un système vivant dont l'objectif est de nous rapprocher de Dieu. Et l'économie prendra de nouvelles formes. Par exemple, de plus en plus d'hommes et de femmes travaillent à domicile car ils sont insatisfaits des grandes organisations impersonnelles et hiérarchisées; celles-ci traitent leurs employés comme du matériel qu'il faut user jusqu'à la corde. Ils cherchent donc leur propre créneau, soit parce qu'ils y sont obligés après un licenciement, soit parce qu'ils font confiance à leurs instincts et à leur cœur pour se créer un mode de vie qui leur permettra de se lever le matin avec plaisir. Cette tendance favorise les éléments archétypiques d'adaptabilité et de diversification (qui sont si importants dans le modèle écologique du développement durable). Se dispersant tout en formant des unités interconnectées, les êtres humains unifient l'humanité de façon non hiérarchique et la démocratisent intuitivement. Ces personnes qui décident elles-mêmes ce qui est judicieux pour elles servent un objectif spirituel, et ce qui apparaît comme une décision commerciale peut être une réponse télépathique au mouvement universel. Nous ne suggérons pas que chacun de nous quitte son travail ou change de métier, parce que chaque individu sert un besoin dans chaque situation jusqu'au moment où il est appelé à jouer un rôle plus important. Mais est-ce une coïncidence si des technologies comme le téléphone, les ordinateurs personnels, les télécopieurs, les photocopieurs et les messageries sont arrivées à une époque où nombre d'entre nous désirent avoir une certaine autonomie – tout en appartenant à un réseau qui nous apporte son soutien ?

Les « profits » spirituels : la confiance, la disponibilité, l'estime de soi, l'enthousiasme, la facilité, la prospérité et la joie

Karen Burns Thiessen, consultante en marketing à Sausalito, en Californie, a été licenciée quand son département, dans une grande société, a été restructuré. Elle nous a dit : « Jusqu'à l'année dernière, j'avais toujours travaillé pour un patron. Quand j'ai été licenciée au bout de dix ans, j'ai décidé que je voulais être indépendante. Le jour où j'ai créé mon entreprise, une très importante société m'a appelée et m'a offert un poste avec tous les avantages dont je pouvais rêver – un salaire élevé, une voiture de fonction, plusieurs semaines de vacances, etc. J'ai compris qu'il s'agissait là d'une mise à l'épreuve ! » Au lieu de reprendre son ancien mode de vie, Karen est allée de l'avant, même si elle n'était pas du tout certaine de sa réussite. « Je me suis donné un an pour m'implanter, et je me suis mise à prospecter. J'ai commencé à méditer et à lire toutes sortes de livres. Mon intuition me faisait trouver les ouvrages dont j'avais besoin. On me donnait des conseils, et certains me prédisaient que ça ne marcherait pas, mais je continuais à croire que ma créativité me conduisait quelque part. Quelque chose a bougé au début de 1996, quand j'ai rédigé une “ liste de desiderata ” pour les six prochains mois. En un mois j'ai accompli tout ce que j'avais noté sur cette liste – y compris le niveau de revenus que je voulais atteindre et le genre de clients avec lequel je voulais travailler. »

Karen encourage ses clients à faire confiance à leur intuition et à prendre des risques. Elle les aide à trouver un équilibre entre vie personnelle et vie professionnelle. Comme elle l'explique : « Quand vous possédez une petite entreprise, c'est toute votre vie. Vous devez donc repérer ce qui vous procure du plaisir, que ce soit faire de la voile, être souvent à l'extérieur, ou toute autre activité que vous aimez, et agir en sorte que ce plaisir soit intégré dans votre métier. »

Karen rappelle aussi aux entrepreneurs que les blocages émotionnels drainent de l'énergie et peuvent bloquer les flux d'argent. « Si votre flux financier est insuffisant, dit-elle, demandez-vous : " Quels sont les problèmes personnels non résolus qui minent mon énergie ? " Je leur dis aussi qu'ils ne doivent pas hésiter à laisser tomber des clients déplaisants. Si vos énergies ne sont pas en synchronisation, laissez-les choir. Cela fait de la place pour ceux avec qui vous aimeriez vraiment faire des affaires ! »

Ces commentaires de Mark Bryant, Larry Leigon et Karen Burns Thiessen illustrent bien les nouveaux comportements qui émergent du vieux modèle hiérarchisé, orienté vers le conflit, encore en vigueur dans les entreprises et qui trop souvent déçoit les salariés et les use complètement.

Les défaillances cardiaques

Au cours de la conférence de Montréal que nous avons mentionnée au début de ce chapitre, le Dr Borysenko a demandé à tous ceux qui connaissaient quelqu'un ayant eu une crise cardiaque au cours des derniers mois de lever la main. Sur environ sept cents personnes, une centaine de mains se sont levées !

D'après les statistiques, la plupart des crises cardiaques se produisent le lundi matin. Pourquoi ? Le Dr Larry Dossey, l'un des plus brillants penseurs qui aient écrit sur le nouveau paradigme, a bien résumé le blues du lundi matin en le décrivant comme un « effort sans joie ». À quel point cette attitude est-elle endémique dans notre culture – dans quelle mesure travaillons-nous sans nous fixer un objectif plus vaste que nous ?

En définissant le principal critère de santé dans les quatre domaines de notre vie (physique, émotionnel, mental et spirituel), le Dr Borysenko estime que, sur le plan physique, le plus important est la « résistance face aux épreuves ». Dans les expériences avec les rats que nous avons mentionnées, les animaux qui avaient un certain contrôle sur le stress provoqué par les décharges électriques avaient une santé florissante ou de meilleurs résultats que ceux qui n'avaient pas été stressés du tout. Le stress peut effectivement stimuler en nous une plus grande créativité, à condition que nous soyons sûrs de contrôler partiellement ce qui nous arrive. Mais nous ne devons pas pour autant tout contrôler. Borysenko cite des études menées par la chercheuse Suzanne Kobasa de l'université d'État de New York. En menant une enquête sur une société en pleine restructuration, elle s'est rendu compte que les employés subissaient un stress énorme. Ceux qui craquaient déclaraient qu'ils se sentaient impuissants et que *le changement avait provoqué une véritable crise personnelle.* Ils rencontraient des problèmes dans leur famille, présentaient des troubles du sommeil, s'étaient mis à consommer de l'alcool ou des drogues, et en général avaient l'impression de ne plus rien maîtriser. Apparemment, ils appartenaient au modèle de l'effort sans joie.

Le changement est une opportunité

Cependant, d'autres personnes dans la même situation prenaient les changements comme un défi et pensaient qu'on leur donnait une grande chance. Ceux qui considèrent le changement comme une opportunité sont, selon Kobasa, les individus « psychologiquement robustes ». Ils ont l'impression d'avoir barre sur leur vie, malgré ce qui leur arrive. Ils comprennent que, pour dominer une situation, il faut parfois la *laisser évoluer toute seule*. Ils se sentent aussi fortement engagés – vis-à-vis d'un idéal, d'une communauté, d'une famille, d'un objectif plus important –, engagement qui est à l'opposé de l'effort sans joie.

Borysenko pense que, en plus de la résistance physique, la *maturité émotionnelle* est nécessaire pour une santé optimale. Qu'est-ce que la maturité émotionnelle ? Il croit que nous devons tous nous défaire de nos attitudes immatures que nous avons créées durant notre enfance pour maintenir la connexion d'amour avec nos parents. Sa description de ces différentes attitudes ressemble beaucoup aux quatre mécanismes de domination décrits dans *La Prophétie des Andes*, mécanismes également développés pour survivre.

La santé intellectuelle, dit le Dr Borysenko, nécessite une *curiosité* à propos du monde, curiosité trop souvent réprimée dans la vie des institutions. Le quatrième critère de la santé, croit-il, est l'*optimisme spirituel* – exactement ce que la dixième révélation prône pour conserver une Vision du Monde positive !

Le mystère de notre vie *veut* se dévoiler, et il se manifeste quand nous écoutons notre intuition et permettons à l'ordre de s'épanouir, même s'il ressemble d'abord au chaos – y compris en économie. Encore une fois nous avons le choix : soit nous considérons que le monde est une œuvre en construction – présentant des contradictions, des incertitudes *et* d'incroyables opportunités ; soit nous croyons qu'il se dirige vers une catastrophe planétaire incontrôlable.

FAIRE DES AFFAIRES : UNE ACTIVITÉ INTÉRIEURE ET EXTÉRIEURE QUI DÉPASSE LES MURS DE LA SALLE DU CONSEIL D'ADMINISTRATION

L'économie est connue pour sa nature cyclique. Selon la vieille optique mécaniste, nous employions des mots comme se brancher, exécuter, mesurer, contrôler la qualité, remesurer, calibrer, définir des politiques (mais « avec flexibilité »), et recycler (même les gens). Seule comptait l'augmentation du chiffre d'affaires. On n'évaluait ni les dommages causés à l'esprit humain ou à l'environnement, ni l'héritage désastreux que nous laissions à nos enfants. En revanche, lorsqu'on a une approche spirituelle de l'économie, on considère les implications à long terme de ses choix. On s'engage d'abord à faire ce qui est important pour soi-même, à respecter son intégrité et à essayer – le mieux possible – de servir les autres comme on aimerait être servi.

Margaret Wheatley évoque de façon éloquente ce que la « créativité émergente » de la nature peut nous apprendre. Selon elle, nous devons vivre dans le monde avec l'objectif d' « explorer ce qui est possible, de trouver de nouvelles combinaisons – non de lutter pour survivre, mais de jouer, de bricoler, de trouver ce qui est possible ». Changer la façon dont nous considérons « le problème » modifie notre façon de chercher la solution. Si nous nous donnons la permission d'être « désordonnés », ce que l'âme préfère, alors nous jouissons de la richesse de la vie et, de tout cela, surgira l'ordre. Elle écrit : « Les scientifiques affirment qu'il faut beaucoup de gâchis pour découvrir finalement ce qui marchera. Mais, derrière cette idée, réside la conscience que tous ces désordres tendent à la découverte d'une forme d'organisation qui fonctionnera pour de multiples espèces. La vie a recours au désordre mais elle tend toujours à s'organiser ; tout se dirige toujours vers l'ordre [2]. » Cette méthode n'est pas la méthode linéaire, qui se fixe des objectifs, et que la plupart d'entre nous ont toujours prônée (même si nous n'avons jamais élaboré de plan quinquennal). Si nous nous mettons à l'écoute de nos valeurs et nous alignons sur une force positive, nous recevrons davantage d'énergie et serons plus attentifs aux « opportunités » envoyées par la vie. Lorsque notre conscience atteint le niveau de la dixième révélation, les réunions de conseil d'administration deviennent des lieux où l'on peut explorer les intentions, les intuitions et les objectifs communs afin de trouver l'ordre supérieur ou d'exprimer les valeurs profondes d'une situation donnée. La métaphore de la salle du conseil d'administration sera le cercle, et non l'échelle ; le berceau et le creuset, et non la prison ou la cour de l'empereur.

LES CROYANCES ÉCONOMIQUES CRÉENT LA RÉALITÉ

Les anciennes croyances à propos des entreprises	Conséquences	Nouvelles façons de penser	Conséquences
Les entreprises fonctionnent comme une machine	Rigidité	Les affaires sont une autre façon de vivre Dieu	Flexibilité, joie, confiance, optimisme, créativité
Croissance illimitée	Avidité, échec final	Chaque action a un but Croissance soutenue	Harmonie, prospérité physique
Hiérarchie	Peur, rigidité, turn-over important	Auto-organisation autour d'une mission	Apporter le meilleur pour tous
La concurrence est saine, nécessaire, et souhaitable	Peur, rareté, et utilisation inefficace des ressources	Mode de vie sain et action juste	Bénéfices mutuels, confiance, créativité, efficacité
Individualisme forcené	Avidité, restructurations permanentes	Direction démocratique, partenariat	Solutions synergiques
Seuls comptent les résultats financiers	Profits à court terme Vision limitée	Prospérité financière, émotionnelle, physique et spirituelle	Communauté stable Unicité
Ne pensez qu'à vos affaires Oubliez votre vie privée	La fragmentation nourrit la déloyauté et une vision irréaliste de la vie	Travail harmonieux, connexion authentique, tout le soi travaille	Réaliser la fraternité entre les êtres humains
Il faut gérer des objectifs	Rigidité, incapacité de voir la synchronicité, manque d'adaptation	Avoir des intentions précises, suivre son intuition, rendre des comptes, croire que tout événement a une raison d'être	Action juste, créativité supérieure, soutien universel, miracles

LE CYCLE DE RENAISSANCE

Le sociologue Paul H. Ray avance l'hypothèse qu'actuellement la structure culturelle dominante est en train de changer, revitalisation qui se produit peut-être une ou deux fois par millénaire. Nos inquiétudes intérieures indiquent que ni les théories conservatrices et nostalgiques, *ni* les conceptions techno-modernes (dont le leitmotiv est « la technologie prime tout ! ») ne fournissent une nourriture physique ou spirituelle adéquate. Une Culture Intégrale va peut-être apparaître. Cette nouvelle culture n'est pas le sous-produit d'un système philosophique, mais plutôt une aspiration – centrée sur le cœur – d'intégrité personnelle. Elle change les vieilles structures des villes, des métiers, des lieux de travail, des marchés, des entreprises, des universités et des gouvernements. Poussés par notre besoin intérieur de nous sentir en harmonie avec nos croyances, nous lisons ce qui est écrit en tout petits caractères sur les emballages ; nous posons des questions sur l'origine des produits ; nous organisons des réunions avec des personnes qui partagent nos opinions pour discuter de la santé, des techniques de soins, de l'écologie, des droits de l'homme, des problèmes de l'enfance, et de toutes sortes de sujets. « La revitalisation culturelle nous incite à inventer une nouvelle façon de nous voir nous-mêmes, et d'utiliser les idées et technologies anciennes, écrit Ray. C'est une période pleine d'espoir et créative dans la vie d'une société, période qui succède habituellement à une époque de débâcle et de désespoir [3]. » Ray nous avertit que cette transformation actuelle de la culture ne parviendra pas à remettre en cause le paradigme dominant, si nous ne *conservons* pas une volonté profonde de changements positifs et une perspective optimiste.

Nous semblons nous situer entre deux moments de l'histoire et, à un niveau personnel, nous ignorons ce qui va advenir. Cependant, au niveau planétaire, les préparatifs pour cette étape historique progressent depuis des siècles, grâce au travail de nombreuses personnes à l'écoute de la spiritualité, qui servent discrètement l'humanité, de façon désintéressée et sans aucune ambition terrestre.

INSPIRER ET EXPIRER

Pourquoi parler de respiration alors que nous traitons d'économie ? Les idées les plus simples sont souvent celles que nous négligeons, tant nous sommes pressés de contrôler nos vies et de discourir du haut de notre « compétence ». Demandons-nous plutôt comment adopter une attitude plus éclairée dans nos emplois et en affaires.

Si le travail nous pousse à faire des efforts sans joie, voire parfois à mourir des effets du stress (comme cela se produit dans les pays où abondent les drogués du boulot comme les États-Unis et le Japon), comment pouvons-nous nous réapproprier nos vies ? Si l'optimisme et l'objectif spirituel sont le nouveau paradigme de notre santé, comment pouvons-nous pratiquement agir à l'intérieur de ce nouveau paradigme ? Le Dr Borysenko et d'autres spécialistes du stress nous rappellent que nous disposons d'une réponse innée : la relaxation – l'opposé de la réaction : « Je m'enfuis ou je me bats. » « Si vous désirez maîtriser en partie votre vie, affirme-t-il, apprenez à respirer à partir de votre diaphragme. Cela vous met automatiquement en position de relaxation. Quand vous provoquez cet état, votre fréquence cardiaque et votre tension diminuent, tandis que le taux de cholestérol et celui des lactates dans le sang augmentent. Vous diminuez la douleur, les possibilités d'allergies et d'infections. Vous accroissez le flux du sang vers le cerveau et sa périphérie [équivalent biologique du fait d'être “ dans le flux ” !]. Vous êtes mieux connecté, plus conscient, et plus attentif – tout en restant calme. Il s'agit d'un moment parfait pour une introspection. Cet état vous aide à affronter les difficultés parce que votre angoisse s'atténue, vous devancez la dépression, et générez une auto-affirmation positive qui vous stimule pour effectuer des changements. Vous êtes capable de vous *déconditionner* et de vous *reconditionner*. Tel est le sens du changement de paradigme. »

UN NOUVEL APERÇU DU « TRAVAIL D'ÉQUIPE » LES GROUPES D'ÂMES DANS LA DIMENSION SPIRITUELLE

Dans *La Dixième Prophétie*, les personnages atteignent un niveau supérieur d'énergie qui leur permet de redécouvrir leur Vision de Naissance originelle. Grâce à cette vibration supérieure, ils deviennent conscients de la présence, dans l'Après-Vie, de groupes d'âmes qui leur envoient de l'énergie. L'un après l'autre, ils se rendent compte que chacun d'eux a son propre groupe – qui les accompagne peut-être depuis des siècles. Ces groupes conservent le souvenir de la Vision de Naissance de chacun et aident la personne sur terre en lui fournissant de l'énergie, quand elle le demande. Les personnages du roman commencent à comprendre qu'ils ont choisi différents métiers pour que se manifestent leurs Visions originelles.

Il faut admettre que les hommes d'affaires risquent de trouver fantaisiste l'idée qu'un groupe d'âmes, agissant à partir d'un autre monde, les aide dans leur travail quotidien au bureau. Mais s'ils essayaient d'y croire ? Que se passerait-il si nous appliquions *effectivement* à notre vie les enseignements spirituels qui nous ont été révélés – en sachant que chaque action, chaque domaine de la vie nous offre une occasion de faire l'expérience de Dieu ? Si nous avons atteint le niveau de compréhension de la dixième révélation, nous savons déjà nous mettre à l'écoute de notre intuition, suivre nos pressentiments et reconnaître que les coïncidences ne se produisent pas « par accident ». Même si nous ne le remarquons pas ou l'ignorons, une telle conscience nous vient de l'intelligence du champ universel. En méditant, nous élevons le niveau de notre vibration et nous rapprochons de celui de notre groupe d'âmes, mais la plupart d'entre nous sont incapables de distinguer une connexion télépathique quand nous en avons une. Nous ne faisons pas le lien entre notre inspiration, notre créativité et une connexion spirituelle ; nous ne remarquons pas non plus l'existence d'autres dimensions terrestres quand nous expérimentons la magie d'un travail de groupe inspiré. Cependant, selon les enseignements ésotériques, si nous travaillons en harmonie avec l'objectif planétaire et notre propre Vision de Naissance, nous sommes considérablement aidés par des êtres dans une dimension supérieure. En revanche, si nous ne sommes pas à l'écoute de cet objectif supérieur, aucun jugement n'est prononcé contre nous, car la loi de cause à effet crée nos propres conséquences.

NOUS DEVONS ÉLIMINER NOS SENTIMENTS NÉGATIFS AVANT DE TRAVAILLER EN ÉQUIPE

Le groupe des sept personnages dans *La Dixième Prophétie* sait qu'ils sont sur le point de découvrir pourquoi ils ont tous été attirés au même moment dans cette vallée. Mais certaines réactions interpersonnelles semblent faire fluctuer leur énergie et rendent leurs contacts avec l'Après-Vie sporadiques. Ils devinent alors qu'ils ont été réunis dans des vies antérieures, que leur groupe avait d'autres objectifs à atteindre, et qu'ils ont échoué.

« Le sourire de Charlène m'indiqua qu'elle s'en souvenait.

« – Nous nous sommes remémoré la plupart des événements passés, dis-je. Mais jusqu'ici nous n'avons pas pu nous rappeler comment nous avions l'intention de procéder cette fois-ci. T'en souviens-tu ?

« Charlène secoua la tête.

« – Seulement en partie. Je sais que nous devons découvrir nos sentiments inconscients les uns envers les autres avant de pouvoir poursuivre. (Elle me regarda droit dans les yeux et marqua une pause.) Tout cela fait partie de la dixième révélation... seulement cela n'a été écrit nulle part jusqu'à maintenant. Cela nous parvient de façon intuitive.[...]

« – Une partie de la dixième révélation prolonge la huitième. Seul un groupe qui maîtrise complètement la huitième révélation peut procéder à cet examen de conscience [4]. »

> Chacun de nous – y compris les hommes d'affaires – a besoin de temps pour faire une pause, une halte. Peut-être les hommes d'affaires devraient-ils pratiquer la méditation téléphonique. Chaque fois que le téléphone sonne, ils pourraient inspirer et expirer pour installer la paix à l'intérieur d'eux-mêmes, en utilisant la sonnerie comme un signal pour rentrer en eux-mêmes.
>
> Si la personne qui appelle a quelque chose de très important à vous dire, elle ne raccrochera pas après les deux premières sonneries. À la troisième, décrochez. Vous êtes maintenant plus calme : c'est excellent pour vous, mais aussi pour votre correspondant. Voici une des façons de pratiquer la paix. (Thich Nhat Hanh, *Inquiring Mind.*)

Dans *La Prophétie des Andes*, la huitième révélation souligne que nous avons le pouvoir d'élever spirituellement les autres en les enveloppant d'amour, en créant la vibration d'amour qui libérera leur sagesse spirituelle. Beaucoup d'entre nous y parviennent très bien avec certaines personnes. Mais, dans d'autres circonstances, nous ne sommes pas capables de manifester longuement ou même d'éprouver de l'amour pour quelqu'un et de lui donner de l'énergie. Souvent cela se produit précisément dans des situations très importantes, par exemple, lorsque vous concevez un projet avec d'autres personnes, qu'il s'agisse de lancer un nouveau produit, de construire une autoroute, ou de récrire un manuel de police. Pourquoi ?

De nombreuses études sur la réincarnation montrent que nous tendons à nous réincarner régulièrement avec les mêmes âmes. Peut-être travaillez-vous en ce moment aux côtés d'une ou de plusieurs personnes avec lesquelles vous avez déjà vécu au cours d'une existence antérieure. Cela vous semble abracadabrant ? Pensez à une transaction ou à une opération commerciale qui vous a particulièrement marqué. Vous rappelez-vous des événements étranges ? Avez-vous rencontré votre client ou votre collègue de façon synchronistique ? Avez-vous éprouvé immédiatement de la sympathie ou de l'animosité ? Avez-vous tiré une leçon importante de cette expérience ?

Chacun se fixe un but dans la vie – par exemple, devenir plus patient, indépendant ou confiant. Ceux qui désirent faire progresser certaines activités professionnelles se réincarneront dans ces métiers ; ils seront attirés les uns par les autres pour développer le domaine qu'ils ont choisi. Cependant, les âmes peuvent aussi décider de rembourser une dette qu'elles ont contractée envers quelqu'un depuis plusieurs vies.

Parmi vos collègues, vous découvrez que vous partagez des objectifs communs avec certains, tandis que vous vous heurtez avec d'autres, pour des raisons inconscientes. Nous sommes tous placés dans une situation particulière pour affronter et résoudre telle ou telle question. Les problèmes négatifs se *manifesteront* sous la forme de conflits, d'attirances ou de répulsions fortes. Par conséquent, le fait d'envoyer à ces gens de l'énergie et de l'amour sera souvent plus malaisé, et nous nous sentirons bloqués. Même si nous sommes en colère ou frustrés par notre situation, les nécessités pécuniaires qui nous maintiennent à notre poste nous *obligeront* peut-être à traiter avec un individu que nous préférerions ignorer.

> Quel que soit votre métier, parlez de la façon dont vous l'exercez. Pendant un temps, oubliez que vous cherchez des solutions, réfléchissez plutôt aux raisons pour lesquelles vous essayez d'en trouver. Si une réunion sur un problème n'aboutit à rien, intéressez-vous à la façon dont elle s'est déroulée. Si vous ne réussissez pas à avoir des idées, demandez-vous comment vous avez réalisé, par le passé, des choses merveilleuses. Si vous avez du mal à communiquer avec quelqu'un, pensez à vos conversations habituelles avec cette personne. Les dauphins s'entretiennent beaucoup du *processus* et, en récompense, ils trouvent souvent la solution *à l'intérieur de ce processus*, là où elle se trouvait déjà. (Dudley Lynch et Paul L. Kordis, *La Statégie du dauphin : les idées gagnantes du XXIe siècle.*)

Dans *La Dixième Prophétie*, les sept personnages du groupe découvrent, grâce à Maya, que, s'ils veulent fonctionner au plus haut niveau de résonance nécessaire pour atteindre leur objectif, ils doivent devenir conscients des émotions négatives qui subsistent entre eux, et en parler franchement, même si cela doit prendre du temps. Maya dit : « Il faut d'abord reconnaître nos émotions, devenir pleinement conscients de nos sentiments, puis nous les communiquer honnêtement, sans avoir peur d'être discourtois. Une fois les émotions introduites dans notre conscience présente, nous pouvons alors les reléguer dans le passé auquel elles appartiennent. Nous devons passer par un long processus : avouer nos sentiments et ressentiments, en discuter, mettre cartes sur table. Ce processus nous éclaire et nous permettra ensuite de retourner à un état d'amour, qui est l'état le plus élevé [5]. »

L'écoute active

À ce point du roman, tous les personnages exposent leurs sentiments réciproques, examinent leurs réactions spontanées pour vérifier qu'ils n'éprouvent aucune animosité. L'un après l'autre, ils expriment le mieux possible ce qu'ils ressentent à un instant donné, sans s'adresser de reproches. À un moment, notre intrépide aventurier adopte une attitude défensive quand Charlène lui dit qu'il était « toujours si terre à terre et indifférent ». Cette remarque, bien sûr, souligne l'indifférence récurrente qu'il a utilisée comme un mécanisme de domination dans *La Prophétie des Andes*. Maya lui explique que, chaque fois que nous adoptons une attitude défensive vis-à-vis de quelqu'un, l'autre personne a l'impression de n'avoir pas été entendue. « L'émotion qu'elle ressent subsiste ensuite dans son esprit, parce qu'elle continue à réfléchir à un moyen de vous faire comprendre, de vous convaincre. Ou bien elle passe dans l'inconscient et alors la rancune sape l'énergie entre vous deux. Dans un cas comme dans l'autre, l'émotion reste un problème et fait obstruction [6]. » Le personnage principal reconnaît alors que sa façon d'être « terre à terre et indifférent » l'a empêché d'aider Charlène. Le fait d'admettre honnêtement sa réaction totalement inadéquate lui permet de prendre en charge ses vieux traumatismes et d'assainir l'ambiance entre eux. Dans la mesure où Charlène sent que son message a été honnêtement reçu, elle n'a plus à se préoccuper de le lui transmettre.

NOUS SOMMES TOUS DES ÂMES EN CROISSANCE

Nous pouvons estimer qu'un de nos collègues a « un sale caractère », est « égoïste », « a une tête de cochon », ou pis. Que faire ? Nous ne vous suggérons pas de déclarer à votre patron : « Voyez-vous, Frank, votre entêtement me pose un vrai problème, mais cela s'explique : vous étiez mon père dans une vie antérieure. Vous ne m'avez jamais permis de vous quitter et d'épouser cette fille qui appartenait à une tribu de vendeurs d'ânes en Égypte. » Même si c'est vrai, vous ne lui ferez certainement pas cette confidence !

Vous seul savez, en ce moment, ce que votre cœur vous murmure – même sur votre lieu de travail. Vous seul pouvez trouver ou deviner l'action juste que la situation exige. Si cela ne marche pas, écoutez de nouveau. C'est en ayant confiance et en assimilant la leçon d'une expérience ou d'une erreur que nous apprenons à marcher, courir et danser quand nous sommes enfants. Trop souvent, nous essayons de maintenir une *position* face à un conflit écrasant (« nous nous couvrons les fesses »)! Si nous sommes coincés, mus par la peur ou un sentiment d'impuissance, nous recréerons et renforcerons ce que nous craignons. Le stress nous poussera à employer nos vieilles méthodes – intimider les autres, essayer de *leur* faire sentir qu'ils ont tort (la technique de l'Interrogateur), jouer à l'Indifférent, ou pleurnicher en se faisant passer pour une Victime.

ATTEINDRE LE POTENTIEL DE GROUPE

Rappelez-vous ce que nous disions à propos des processus de l'évolution. Si vous vous précipitez tête baissée pour tout éclaircir quand votre cœur et votre esprit ne sont pas encore totalement éveillés, vous risquez de vous sentir frustré ou d'avoir envie d'abandonner. Soyez patient avec vous-même. Si vous vous heurtez systématiquement à un mur quand vous avez affaire à d'autres personnes, ne cherchez plus à provoquer tel ou tel événement, mais gardez votre idéal en tête. Souvenez-vous des huit principaux points sur lesquels vous travaillez au fur et à mesure que vous élargissez votre conscience : 1) sachez que derrière toutes les interactions il existe un niveau spirituel ; 2) au lieu de vous adresser des reproches ou d'en adresser aux autres, essayez de trouver les raisons ou l'objectif spirituels qui vous ont amené dans cette situation ; 3) écoutez les messages que la situation vous apporte ; 4) demandez de l'aide à l'intelligence universelle pour affronter et surmonter les conflits ; 5) visualisez-vous en train de communiquer télépathiquement avec votre groupe d'âmes ; 6) surveillez les synchronicités qui semblent offrir une piste inattendue ; 7) maintenez stable votre énergie ; et 8) visualisez que vous et l'autre personne vous souvenez de vos Visions de Naissance.

Dans *La Dixième Prophétie*, l'énergie lumineuse des groupes d'âmes commence à scintiller autour d'eux, amplifiant leur énergie. Les âmes humaines reçoivent alors un flot d'informations intuitives. Cela se produit quand votre groupe est vraiment mû par l'inspiration. Beaucoup d'équipes de travail ou de collaborateurs ont ressenti cette synchronisation, mais ne l'ont sans doute pas associée au soutien de Dieu !

Maya explique que les relations humaines ne s'épanouiront vraiment que lorsque nous décèlerons consciemment l'expression du Moi supérieur dans chacun de nos interlocuteurs. Ce processus est en cours (et nous ne réussissons pas à le mettre en pratique à chaque fois), mais notre croissance personnelle dépend de notre détermination à conserver notre idéal. Même si nous n'avons pas toujours l'impression de progresser, nous contribuons pourtant à créer la masse critique nécessaire pour modifier la conscience dans tous les aspects de la culture. Maya nous rappelle : « Les grands maîtres ont toujours dispensé ce type d'énergie à leurs élèves – et c'est ce qui faisait leur valeur. Mais l'impact augmente encore avec des groupes qui interagissent ainsi avec chaque membre. Chacun envoie de l'énergie aux autres, et tous s'élèvent à un nouveau niveau de sagesse qui dispose de plus d'énergie. Cette énergie accrue est alors répercutée sur chaque participant, ce qui provoque un effet d'amplification [7]. »

LA VISION DE NAISSANCE

Dans le roman, Curtis se rend compte que, d'après sa Vision de Naissance, il est venu sur terre pour contribuer à transformer la gestion des entreprises. Il a choisi de naître à un moment où le champ technologique se dirige à toute allure vers l'objectif planétaire auquel il est destiné – la première étape étant d'unifier la conscience de l'humanité pour qu'elle reconnaisse sa fraternité et son unité avec la Force Unique de Dieu. Curtis fait partie d'un groupe d'âmes qui veut modifier l'actuelle vision étroite de la croissance et du commerce. Ceux qui partagent cette conception préconisent d'exploiter les ressources naturelles afin d'en tirer un profit maximum à court terme. Mais sa Vision lui commande de rejoindre un groupe de citoyens plus conscients et concernés qui *prendront en charge* la protection des animaux sauvages et des ressources naturelles, plutôt que de combattre pour ou contre l'intervention de l'État. Pensez aux dirigeants et aux hommes d'affaires qui ont déjà réussi à infléchir considérablement la politique des grandes sociétés. La volonté de fonder la spiritualité repose sur un processus véritablement démocratique qui nous donne à tous la possibilité de faire entendre notre voix, quel que soit le lieu où la vie nous a placés.

UNE AUTRE FORME DE POLARISATION

Selon Benjamin R. Barber, professeur de sciences politiques de l'université Rutgers, la polarisation actuelle, qui oppose des dirigeants religieux rigides à des sociétés multinationales qui veulent coloniser la planète en utilisant leur puissance commerciale, cette polarisation fait peser une menace sur le processus démocratique. Dans son livre, *Djihad versus McWorld*, Barber décrit les forces du provincialisme fondamentaliste, rétrograde et tribal (ce qu'il appelle le Djihad) qui se dressent contre la « ruée des forces économiques, technologiques et écologiques qui exigent l'intégration et l'uniformité et fascinent partout les populations. Elles proposent des musiques, des ordinateurs et de la restauration rapide, en faisant pression sur les nations pour qu'elles s'intègrent dans un grand parc à thèmes homogène et international, et qu'elles soient reliées par les mêmes réseaux de communication, les mêmes informations, les mêmes divertissements et, bien sûr, les échanges commerciaux ». Barber est préoccupé par le fait que, aux deux extrêmes de cette polarisation, on soit indifférent aux libertés démocratiques – voire prêt à les suspendre. La course à l'abolition des frontières nationales pour créer des marchés donne naissance à une nouvelle culture mondiale orchestrée par les banques multinationales, les associations professionnelles, les agences de presse et les groupes de pression. Tous ces lobbies ignorent les habitants de la planète dont l'existence a été affectée par des décisions qui ont laminé le processus démocratique.

La Véritable Démocratie est encore inconnue ; elle attend l'époque où une opinion publique éclairée et informée l'amènera au pouvoir ; l'humanité se rapproche de plus en plus de cet événement spirituel. (Alice A. Bailey, *Les Rayons et les initiations*.)

« Les marchés ne sont pas conçus pour faire les choses que des communautés démocratiques peuvent réaliser. Ils nous permettent, à nous consommateurs, de dire aux producteurs ce que nous voulons, mais nous empêchent de parler des conséquences sociales de nos choix. En tant que consommateur, je peux désirer une voiture qui roule à deux cent vingt kilomètres à l'heure, mais en tant que citoyen je peux voter pour une limitation de vitesse raisonnable qui économisera l'essence et assurera la sécurité dans les rues. En tant que consommateur, je peux payer pour voir les films policiers saturés de violence produits par Hollywood et écouter les paroles des chansons de rap, misogynes et haineuses envers les femmes. Mais, en tant que citoyen, je peux demander à ce que l'on place des logos pour mettre en garde nos enfants ; je veux en effet les aider à employer des critères moraux et à faire preuve de prudence dans leurs choix. Les marchés ne veulent ni que “ nous ” pensions, ni que “ nous ” agissions. Ils fonctionnent sur des contrats plutôt qu'au service de la communauté ; ils offrent des biens durables et des rêves éphémères, mais pas une identité commune ou une appartenance collective. Ils peuvent donc ouvrir la voie à des revendications identitaires plus sauvages et antidémocratiques comme le tribalisme (le Djihad sous toutes ses formes). Si nous ne pouvons pas obtenir que les sociétés démocratiques expriment notre besoin d'appartenance, des sociétés antidémocratiques s'imposeront rapidement à nous [8]. »

Même si l'histoire est du côté des cyniques et que leurs traumatismes sont réels, ils peuvent choisir d'avoir foi en cette expérience. C'est l'invitation que nous leur lançons. Nous pouvons essayer de comprendre leur version de l'histoire et les soutenir dans leurs doutes. Nous remplaçons la coercition et la persuasion par l'invitation.

En même temps, nous devons proclamer le choix que nous avons fait. Nous avons choisi d'être des personnes actives et de lutter pour une réforme politique face à nos propres traumatismes résultant de nos propres doutes. Nous disons aux cyniques : « Nous comprenons ce que vous dites. Vos doutes et peut-être même l'amertume que vous exprimez, nous les partageons dans une certaine mesure. Nous avons cependant décidé de croire que cette fois-ci nous allons faire quelque chose d'important sur terre. Nous espérons que vous ferez le même choix et nous rejoindrez dans nos efforts. » Cela ne les convaincra pas, cela ne changera pas leur position. Mais cela neutralisera le pouvoir qu'ils ont sur la société. Certes, ils ont le droit de défendre leurs opinions, mais ils ne peuvent pour autant empêcher les autres de chercher une autre voie. (Peter Block, *Stewardship : Choosing Service Over Self-Interest.*)

Entre ces deux pôles existe donc une tension dynamique. Chacun, dans une certaine mesure, crée le besoin d'existence de l'autre. La mentalité conservatrice du Djihad cherche à préserver l'identité tribale, quel qu'en soit le prix, à une époque où la mondialisation du commerce permet à Nike de vendre ses chaussures partout et à Kentucky Fried Chicken de proposer ses poulets aux quatre coins de la planète. Aucune des deux positions ne laisse de place à ce que Barber appelle la « voix du citoyen », la voix du processus démocratique. En dehors des devoirs civiques que nous accomplissons (voter, payer nos impôts), en dehors de notre travail, nous allons aussi à l'église ou à la synagogue, nous participons aux réunions d'associations de parents d'élèves, à des actions bénévoles dans notre quartier, et à d'autres mouvements sociaux qui nous permettent d'exprimer nos idées. Quand nous restons éveillés dans notre lit en réfléchissant à notre avenir, que nous nous interrogeons sur l'évolution du monde, nous devons nous souvenir que c'est encore notre cœur, notre esprit et notre âme – notre voix de citoyen – qui expriment notre Vision de Naissance individuelle et créent la Vision du Monde. Les chefs d'entreprise traditionnels nous demandent de laisser notre voix « au vestiaire » – de nous séparer de nos valeurs « personnelles » qui font de nous ce que nous sommes – et de faire preuve de complaisance.

ASSIMILER L'ÂGE DE L'INFORMATION

Dans *La Dixième Prophétie*, Maya formule deux questions que beaucoup d'entre nous se posent : « Qu'en est-il de tous ces ouvriers qui perdent leur travail au fur et à mesure que progresse l'automatisation ? Comment peuvent-ils trouver de quoi subsister [9] ? » Curtis, en travaillant avec l'énergie du groupe des sept, apporte quelques idées à ce sujet qui lui ont été inspirées par son groupe d'âmes. Il nous rappelle que nous vivons à l'âge de l'information. Plus nous écouterons notre intuition, et vivrons de façon synchronistique, plus nous obtiendrons les informations dont nous avons besoin au moment adéquat. Il nous faut absolument apprendre à maîtriser notre Peur et à rester attachés à une Vision du Monde positive afin de supporter l'inévitable incertitude de cette époque mouvante. Nous devons nous former nous-mêmes dans un créneau qui convienne à nos talents et à nos intérêts, afin d'être à l'endroit qu'il faut pour rendre service aux autres ou les conseiller. Le fait de choisir un domaine qui nous intéresse naturellement élève notre vibration, bien sûr, et aussi libère le flux d'énergie jusqu'au pas de notre porte. La méditation constitue notre lien avec l'esprit, le savoir et la sagesse spirituels.

La dixième révélation souligne aussi que plus le monde change rapidement, plus nous devons disposer, au bon moment, d'informations adéquates de la personne adéquate.

LA LISTE DE CONTRÔLE DE L'ÉTAPE NATURELLE

Le Dr Robert remarque qu'aucun d'entre nous n'est capable, en prenant des décisions quotidiennes sur des problèmes quotidiens, de saisir leurs implications pour tout le système vivant. Il a donc établi une liste de contrôle, qu'il appelle « les quatre conditions non négociables pour le système », conditions nécessaires pour que la vie se perpétue.

1. La nature ne peut « tolérer » l'accumulation systématique de matières premières extraites de la croûte terrestre (minéraux, pétrole, etc.).

2. La nature ne peut supporter l'accumulation systématique de composés chimiques non dégradables fabriqués par l'homme (*cf.* les polychlorures de biphényle, etc.)

3. La nature ne peut supporter la détérioration systématique de sa capacité de renouvellement (par exemple, le fait de pêcher des poissons plus rapidement qu'ils ne peuvent se reproduire, de convertir des terres fertiles en déserts ou de les couvrir d'asphalte, etc.).

4. Par conséquent, si nous voulons que la vie continue, nous devons : *a*) utiliser efficacement les ressources naturelles et *b*) nous montrer justes (c'est-à-dire promouvoir la justice), parce que le fait d'ignorer la pauvreté amènera les déshérités, pour survivre à court terme, à détruire les ressources dont nous avons tous besoin pour survivre à long terme (*cf.* les forêts tropicales). (Walt Hays, « The Natural Step, What One Person Can Do », dans le magazine *Timeline* de la Fondation pour une communauté mondiale.)

Pour créer la Vision du Monde que nous voulions originellement, les objectifs de l'économie se transformeront au fur et à mesure que les individus, l'un après l'autre, évolueront vers une masse critique (de 15 % ?). Au lieu de nous demander « Que puis-je faire pour gagner le maximum d'argent ? » nous nous poserons des questions comme : « Mon travail va-t-il apporter quelque chose dans ma vie et va-t-il rendre le monde meilleur ? Vais-je faire du bien ou blesser quelqu'un en effectuant ce nouveau choix ? Existe-t-il une meilleure façon d'agir qui serait en harmonie avec un emploi adéquat des ressources, un gain honnête et le bien de tous ? »

L'ÉTAPE NATURELLE

Les questions ci-dessus ont dû inspirer le Dr Karl-Henrik Robert en Suède. Walt Hays raconte dans *Timeline*, le bulletin d'information de la Fondation pour une communauté mondiale, une innovation passionnante. Dans un article intitulé « L'Étape naturelle : ce qu'une personne peut faire », la Fondation a cofinancé un « événement public interactif » avec le Dr Robert, fondateur de Det Naturliga Steget (L'Étape naturelle) en Suède. En 1988, le Dr Robert dirigeait le principal institut de recherche sur le cancer en Suède. « Travaillant tous les jours avec des cellules humaines, il comprit instinctivement deux choses fondamentales : *a*) les conditions de la vie dans les cellules ne sont " pas négociables " ; *b*) les cellules végétales, animales et humaines sont semblables dans pratiquement tous les domaines [10]. » Réfléchissant à la façon dont les scientifiques tendent à chicaner sur des problèmes mineurs concernant la détérioration de l'environnement, et se sentant particulièrement frustré par ces comportements, le Dr Robert commença à examiner comment les principaux problèmes de la vie reflétaient les conditions d'une cellule. Pendant plusieurs mois il eut des « rêves éveillés » sur la façon de contourner les murs de la complexité et de trouver des points d'accord fondamentaux. « Finalement, décidé à agir même si son initiative aboutissait à " se cogner la tête contre un mur ", il écrivit un article sur les conditions de base pour que s'établisse une société humaine durable. » Après avoir sollicité les commentaires de ses collègues et l'avoir récrit vingt et une fois, il rêva qu'il devait envoyer ce texte dans chaque foyer et chaque école en Suède.

Après une longue série de réunions avec des groupes d'éducateurs, des hommes politiques, des journalistes et des dirigeants de grandes entreprises, il mit au point une liste de contrôle, une série de lignes directrices simples, qu'il appela les « quatre conditions du système ». Ces conditions, explique-t-il lorsqu'il s'adresse à de grandes entreprises, ne sont pas négociables si l'on veut que la vie se perpétue.

QUATRE QUESTIONS À POSER

1. Votre entreprise diminue-t-elle systématiquement sa dépendance économique envers les métaux, les combustibles et les autres minéraux extraits du (sous-)sol ?
2. Votre entreprise diminue-t-elle systématiquement sa dépendance économique envers les substances non dégradables ?
3. Votre entreprise diminue-t-elle systématiquement sa dépendance économique envers des activités qui nuisent à la productivité de la nature, comme la pêche trop intensive ?
4. Votre entreprise diminue-t-elle systématiquement sa dépendance économique envers l'utilisation trop intensive des ressources par rapport à la valeur humaine ajoutée ?

Adresse sur le Net : *natstepa@nature.org*

Suite à son initiative, dix-sept réseaux pour l'environnement se sont créés. Ils regroupent différents professionnels (huit mille personnes jusqu'à présent) et sponsorisent un réseau de télévision interactif pour cent cinquante mille jeunes. Des industries de pointe ont commencé à appliquer ses quatre conditions pour un développement durable et forment leurs employés selon cet idéal. Voici certainement un homme qui a eu un « rêve éveillé » de sa Vision de Naissance. Il est allé au cœur du sujet avec de nouvelles informations qui écartent toute critique taxant son projet d'« impossible ».

Comment a-t-il procédé ? D'abord, il a eu une vision et il l'a poursuivie jusqu'au bout en cherchant les quatre conditions non négociables. Il a demandé conseil et aide à des gens qui partagent ses préoccupations et a conservé son idéal de diffuser l'information au plus grand nombre possible. Son enthousiasme et la clarté de ses idées ont attiré d'autres personnes. Il a utilisé le langage des hommes d'affaires en montrant, à des entreprises, le bénéfice qu'elles pourraient tirer si elles procédaient à des changements qui, en fin de compte, transformeraient leur impact sur l'environnement. Au lieu de plaider pour sauver la nature, il leur a demandé de s'intéresser à des problèmes comme l'efficacité, l'utilisation des ressources, la productivité, les bénéfices à long terme. Les consultants pour l'Étape naturelle parlent d'« investir pour l'avenir ». Au lieu de dire aux patrons comment ils doivent gérer leurs entreprises suivant ces nouvelles lignes directrices, ils affirment que les « dirigeants d'entreprise sont les plus qualifiés pour les appliquer à leurs compagnies [11] ». Ils croient profondément que la sagesse spirituelle des individus concernés leur apportera l'intuition et la créativité nécessaires dans chaque situation spécifique. Le modèle se concentre sur les conditions indispensables à un développement durable sans lesquelles la société sera certainement en danger un jour, aussi le modèle utilise-t-il comme motivation l'intérêt personnel éclairé plutôt que les reproches, la réglementation ou les condamnations légales.

Deuxièmement, quand ils ont affaire à une forte opposition, les consultants de l'Étape naturelle ne ripostent pas. Au contraire, ils demandent conseil à leurs adversaires pour que leurs propositions soient mieux comprises et plus adaptées. « Selon le Dr Robert, cette attitude aboutit presque toujours à une contribution constructive et à un meilleur résultat – soit la proposition est erronée et doit être corrigée ; soit elle est correcte, mais confuse, et donc mal comprise ; soit [...] on la rejette, parce que *l'avis d'une personne particulière n'a pas été sollicité* » (c'est nous qui soulignons). Dans environ 10 % des cas, les opposants continuent à s'y refuser, et alors le Dr Robert conseille de ne pas insister. En effet, « *les scientifiques estiment qu'il suffit de convaincre 15 % de la population pour réaliser un changement de paradigme* » (c'est nous qui soulignons).

Une section de l'Étape naturelle vient de s'ouvrir à Sausalito, en Californie. Nous nous sommes entretenus avec son directeur de la formation, Steve Goldfinger. Celui-ci est déjà assailli de demandes de stage provenant des entreprises. Selon Goldfinger, « les entreprises réagissent positivement parce qu'elles comprennent que ce programme, en fin de compte, les aide à réduire leurs risques dans certains domaines qui à long terme sont bénéfiques pour l'environnement. Nous n'essayons pas de leur dicter comment elles doivent gérer leurs affaires, mais je suis stupéfait de l'ampleur de leur créativité : elle dépasse tout ce que nous attendions. L'Étape naturelle semble avoir touché une corde sensible ».

L'impact de l'initiative du Dr Robert sur les grandes compagnies nous montre comment un nouveau code éthique peut à la fois améliorer les résultats financiers et susciter des décisions moralement justes. En dernière analyse, si elles ont suffisamment d'informations sur les conséquences de leurs choix actuels, les sociétés seraient déraisonnables de ne pas anticiper l'avenir. Même si le choix de procéder à des changements n'est pas dicté par l'altruisme pur, une nouvelle vision peut néanmoins survenir. Il est intéressant que le Dr Robert soit un spécialiste du cancer, et non un homme d'affaires. Il a néanmoins proposé cette méthode décisive et pratique pour aider les chefs d'entreprise à gérer eux-mêmes les dommages causés à l'environnement. Cette nouvelle morale économique fait écho au message de la dixième révélation : « Où que nous soyons, nous devons rester vigilants et nous interroger : " Que sommes-nous en train de créer ? Servons-nous consciemment l'objectif global pour lequel la technologie a été créée au départ : assurer le pain quotidien de chaque homme, afin que l'orientation dominante de sa vie puisse passer de la simple subsistance et du confort matériel à l'échange d'informations spirituelles [12] ? " »

LA BAISSE DES PRIX

Selon la dixième révélation, la nouvelle morale économique prônera aussi la baisse des prix : nous prendrons cette mesure pour affirmer consciemment la direction que nous voulons voir suivre à l'économie. Cela correspondrait, sur le plan économique, à la mise en œuvre de la « dîme spirituelle » dans la neuvième révélation.

Ces idées semblent des projets utopiques, et souvenez-vous que, étant donné le niveau de conscience actuel, probablement peu d'hommes d'affaires adopteront cette nouvelle éthique. La dîme ne peut naître d'une mentalité cupide. Il faut d'abord qu'un nombre suffisant de gens découvrent la neuvième et la dixième révélation, et comprennent que la vie est une évolution spirituelle, avec des responsabilités spirituelles. Dans le climat actuel où, pour augmenter les profits, on prend toutes sortes de mesures d'économie, une baisse volontaire des prix en faveur de tous serait un défi considérable. Mais si le Dr Robert peut convaincre de grandes sociétés qu'il est dans leur intérêt de ne plus employer de produits chimiques toxiques, qui sait si la nouvelle éthique ne prendra pas forme ? Un rêveur éveillé mû par l'inspiration la fera certainement surgir parmi nous !

« Si nous gérons notre vie économique dans le sens du plan global, nous rencontrons de façon synchronistique tous ceux qui ont les mêmes projets, et soudain la prospérité s'épanouit devant nous. » En nous ouvrant et en suivant nos intuitions et coïncidences, « nous nous souviendrons mieux de nos Visions de Naissance et de la contribution que nous voulions apporter à l'humanité ». Dans le cas contraire, nous nous sentirons moins magiques, moins vivants, « et, plus tard au cours de notre Revue de Vie, nous serons obligés d'affronter nos actions et nos échecs [13] ».

CRÉER À PARTIR DE LA TOTALITÉ DE NOTRE MOI

En faisant nôtre cette nouvelle conception du monde, nous apprécierons les qualités uniques de chacun et serons plus disposés à voir chaque être humain comme une âme en pleine croissance, exactement comme nous. De même, nous devons être prêts à nous accepter nous-mêmes comme tels, à manifester sur notre lieu de travail notre authenticité, nos capacités intuitives et rationnelles, et les valeurs qui nous tiennent profondément à cœur. Cessons de nous demander : « Comment puis-je vivre mes valeurs spirituelles sur mon lieu de travail ? » Nous interroger sur le comment nous amène à chercher des réponses extérieures, alors que la véritable réponse – la promesse silencieuse que nous sommes venus accomplir – attend à l'intérieur de nous.

> Pour nous, en tant qu'individus, notre objectif ne repose plus sur ce qui compte mais sur ce qui fonctionne. L'intensité du « comment ? » (pour mettre en pratique la prise de responsabilités et la participation) provient du fait que nous avons abandonné certaines parties de nous-mêmes, cessé de lutter pour notre objectif et notre destin, en nous inclinant constamment devant l'autel de l'intérêt personnel.
>
> Si nous devenions responsables de notre liberté, nous engagions à servir les autres et étions persuadés que notre sécurité repose à l'intérieur de nous-mêmes [...], nous pourrions ne plus nous demander « comment ? ». Nous nous apercevrions que nous détenons la réponse. Dans tous les cas, la réponse est « oui ». Une telle attitude place la solution à sa juste place. Chez celui qui pose la question. (Peter Block, *Stewardship*.)

LES OBJECTIFS SPIRITUELS SONT LES NOUVEAUX RÉSULTATS FINANCIERS

Vivre notre objectif existentiel représente davantage que nous définir par notre activité professionnelle, nos diplômes universitaires ou nos réalisations terrestres. Pour la plupart d'entre nous, vivre notre objectif signifie vivre en harmonie avec notre tête et notre cœur, gagner notre vie dans la joie en déployant nos capacités et nos talents qui contribuent au bien commun. Nous nous sentons récompensés par la valeur intrinsèque de ce que nous faisons. En prenant cette attitude sur notre lieu de travail, nous risquons fort de nous sentir plus centrés, plus créatifs et plus satisfaits.

ÉTUDE INDIVIDUELLE

Visualisez le succès

Quand, pour la dernière fois, vous êtes-vous senti « en harmonie » avec un groupe d'amis ou de collègues ? Avez-vous déjà participé à un projet humanitaire qui ait parfaitement fonctionné ? Pouvez-vous expliquer ce qui a permis à votre projet d'être aussi réussi ou aussi satisfaisant ? Fermez les yeux et recréez votre état d'âme quand vous étiez vraiment content de quelque chose que vous aviez accompli. Plongez-vous dans les sons, les odeurs, le goût ou le contact de ce moment qui vous donne l'impression d'être puissant.

Donnez-le à l'inconscient

Travaillez-vous actuellement à un projet que vous aimeriez réaliser ? Pensez à votre objectif ou notez la meilleure issue possible. Fermez les yeux et plongez-vous dans une scène très spécifique où vous pouvez goûter, voir et sentir le succès, la reconnaissance, l'autoestime et la prospérité que vous désirez. Notez le maximum de détails et recréez cette scène une ou deux fois par jour, de préférence avant de vous endormir et en vous réveillant. Concentrez-vous sur cette image pendant cinq minutes maximum et ensuite laissez aller, tout en affirmant en silence : « Ceci ou quelque chose de mieux. » Souvenez-vous : votre monde intérieur crée les circonstances qui vous entourent ; vous êtes un être autonome et connecté à l'intelligence universelle.

Vérification

À quel point votre métier actuel vous passionne-t-il ? Si l'argent n'avait pas d'importance, quel type de travail vous ferait bondir de votre lit tous les matins ?

L'oiseau dans la cage

Écrivez quelques phrases sur la façon dont vous vous voyez vous-même comme un oiseau dans une cage à la porte ouverte. Qu'est-ce qui vous y retient prisonnier ? Pourquoi ? Où voleriez-vous si vous la quittiez ? Vous convient-elle pour le moment ? Avez-vous essayé de l'agrandir et comment ? Avez-vous besoin de repenser toute l'idée de votre cage ?

L'impuissance acquise

Pendant les jours qui viennent, surveillez votre langage et vos monologues intérieurs. Quelles sont, parmi les expressions que vous utilisez fréquemment, celles qui subtilement vous soustraient de l'énergie, déprécient vos qualités ou dénotent que vous avez l'impression de manquer de liberté ? (« Je suis un piètre gestionnaire. » « Je veux seulement rester à mon poste jusqu'à la retraite. » « J'aimerais donner immédiatement ma démission, mais j'ai trop d'ancienneté. » « Ceux qui ont des diplômes n'ont aucun mérite à parler de liberté. Moi, je suis obligé de prendre ce qu'on me donne. »)

Exercice écrit

Remarquez quand votre travail provoque en vous de l'anxiété ou des frustrations. Notez vos sentiments à ce sujet, avant de partir au bureau ou au retour, pendant vingt minutes, cinq jours d'affilée. Répondez par écrit à la question : « Qu'est-ce que je veux ? » Ensuite, oubliez tout.

EXERCICE COLLECTIF

Sujets de discussion

Tous les thèmes ci-dessous peuvent être traités par écrit en quelques minutes et vous pouvez ensuite partager vos réflexions avec les autres membres du groupe.

• « L'oiseau dans la cage » (voir l'exercice écrit mentionné cidessus) – expliquez comment vous voyez votre oiseau.

• Les limites que vous vous imposez vous-même.

• « Imaginez que vous faites ce qui vous plaît en travaillant pour une entreprise ou en étant votre propre patron. »

• Imaginez que, demain, votre vie sera parfaite sur tous les plans : métier, logement, collègues, salaire, résultats de votre activité. Écrivez ce scénario idéal. Revenez ensuite au moment présent, et décrivez ce que vous feriez juste avant d'atteindre votre objectif final, puis ce que vous feriez auparavant, et ainsi de suite. Supposons, par exemple, que vous vouliez cultiver des légumes et des fruits biologiques en Floride et désiriez que vos produits soient primés. Juste avant de recevoir ce prix, vous auriez cueilli des tomates extraordinaires qui poussent dans votre serre. Auparavant, vous les auriez plantées, avant vous auriez sélectionné les graines, avant vous auriez construit la serre, avant vous l'auriez dessinée, avant vous auriez acheté le terrain, avant vous auriez signé les papiers chez le notaire, avant vous auriez cherché un terrain avec votre agent immobilier, avant vous vous seriez baladé en Floride en quête d'un coin qui vous plaise, avant vous seriez monté dans votre voiture, avant vous auriez atterri à l'aéroport en Floride, avant vous auriez acheté votre billet d'avion dans la ville où vous viviez, avant vous auriez décidé de faire un voyage exploratoire, avant vous auriez exposé vos idées à quelques amis, et juste avant cela vous auriez décrit ce que serait pour vous une vie idéale dans le stage auquel vous participez maintenant. Certes, le déroulement des faits n'est pas aussi linéaire que cela, mais, chaque fois que vous entreprenez un projet, vous vous mettez vous-même sur le chemin des opportunités. Essayez cet exercice avec le soutien de votre groupe, et amusez-vous à partager vos rêves et à écouter les autres ! (Pour plus de détails sur cette technique de planification inversée, consultez l'ouvrage de Barbara Sher, *Wishcraft.*)

• Écrivez la liste de tous les emplois que vous avez occupés. Quels sont les services, les inventions et les produits que vous avez apportés à l'humanité ? Quelle a été l'activité la plus importante de toute votre vie, y compris en tenant compte de vos activités bénévoles ? Ne soyez pas modeste ! Quelle est la chose la plus drôle que vous ayez faite pour de l'argent ? Quelle a été la plus ennuyeuse ? Racontez à vos amis tout ce que vous avez réalisé jusqu'ici. En principe, un tel exercice fonctionne parfaitement dans des groupes de trois ou quatre personnes, pas plus, mais à vous d'estimer ce qui vous convient le mieux. Le but est simplement d'écouter les autres et de leur transmettre de l'énergie, en laissant votre inconscient recueillir tout ce qui lui semble opportun. Quelque chose déclenchera un sentiment, une pensée ou une possibilité qui attendait de se manifester.

• Quelles sont les trois conditions vitales pour que votre travail vous rende heureux ? Quelles sont les trois valeurs les plus importantes dans votre travail ? Pourquoi ?

11

L'action collective pour la dixième révélation

LE LOUP
L'ÉCLAIREUR

Comprenez-vous ce qui se passe ? demanda Charlène. Nous voyons notre nature véritable, à notre niveau le plus élevé, sans les projections émotionnelles de nos vieilles peurs. (*La Dixième Prophétie* [1].)

COMME LES ESPRITS, CRÉEZ DE L'ÉNERGIE

Vous souvenez-vous que Christ a dit « Si deux personnes ou plus se rassemblent, je serai parmi elles » ? Quand nous rencontrons ne serait-ce qu'une personne qui pense comme nous, voire deux ou trois, nous sentons une mystérieuse connexion. Ce courant d'énergie est l'esprit divin. Comme *La Prophétie des Andes* l'a annoncé, des gens intéressés par la spiritualité se retrouvent un peu partout, de façon indépendante, parfois seulement pour un après-midi ou pendant quelques jours, et se rassemblent de façon spontanée et informelle dans tous les pays, dans des salles de séjour, des conférences, des stages ou sur des aires de jeux. Nous nous réunissons, et nous dispersons ensuite, tout en maintenant une connexion télépathique grâce à notre objectif commun. Nous échangeons de petits bulletins d'information, des articles et des livres. Nous sommes une grande famille.

LES SERVITEURS DE L'HUMANITÉ

En étudiant l'histoire, nous avons senti l'impact de grands esprits, hommes et femmes de génie, ou de groupes tels que les fondateurs des États-Unis, personnages brillants, passionnés par la spiritualité et l'ésotérisme, qui ont modifié le cours du destin de millions d'individus. À côté de ces célébrités, d'autres serviteurs de la planète ont délibérément choisi de rester anonymes pour compléter, orienter et conserver la Vision du Monde. Les âmes qui choisissent d'œuvrer à l'élévation spirituelle de l'humanité doivent être capables de suivre chacune *indépendamment* leur propre mission spirituelle. Elles doivent aussi puiser dans leur sagesse intérieure et leur lien personnel avec l'esprit sans avoir recours à une autorité ou unc organisation extérieures pour définir leur cap. Parfois ces personnes consultent des maîtres spirituels, lisent des livres, apprennent différentes techniques et méthodes, mais elles restent concentrées sur l'unité du monde et des vérités simples, refusant le sectarisme et le dogmatisme. Dans l'Après-Vie, les êtres spirituels sont conscients des efforts et de la contribution de ces serviteurs de l'humanité, bien que ceux-ci ne cherchent pas la consécration. Vous les connaissez aussi, même si vous n'en êtes pas conscient, et vous avez été attiré vers cette voie vous-même. Sinon vous ne liriez pas des livres comme celui-ci.

> Lorsque vous êtes à l'unisson avec votre Moi supérieur, vous devenez conscient des dimensions dans lesquelles celui-ci fonctionne. Vous pouvez consciemment vous joindre à la communauté spirituelle des êtres dont il fait déjà partie.
>
> Les êtres spirituels ont notamment pour objectif de travailler avec l'Esprit Universel et la Volonté Supérieure pour aider la vie à évoluer. Ils s'efforcent continuellement d'aider les hommes et les femmes à prendre conscience [...]. Ils répondent à tous les appels [...]. Quand vous demandez une assistance, ils mettent toutes leurs ressources à votre disposition et n'épargnent aucun effort.
>
> Dans les royaumes supérieurs on ne se sent jamais isolé. Tous les êtres apportent leur contribution dans le domaine où ils peuvent créer le plus de bien, exactement comme vous travaillez ensemble les uns avec les autres pour créer des choses importantes dans votre réalité. (Sanaya Roman, *Spiritual Growth.*)

Alice A. Bailey, en discutant de l'évolution de la planète dans les années 1940, a écrit : « [Les serviteurs de l'humanité] sont choisis dans chaque nation et rassemblés, non par une Hiérarchie ou un Maître qui les surveille, *mais selon l'intensité de leur réaction devant l'opportunité spirituelle* [c'est nous qui soulignons] [...]; ils émergent de chaque groupe, de chaque Église et de chaque parti, et seront donc vraiment représentatifs. Nullement poussés par l'ambition, ou par l'orgueil, ils sont désintéressés et ont la volonté de servir les autres. Ils cherchent à atteindre le point culminant dans chaque champ de la connaissance humaine, non parce qu'ils défendent bruyamment leurs idées, leurs découvertes et leurs théories, mais parce que leur perspective et leur interprétation de la vérité sont amples et justes et qu'ils voient la main de Dieu dans tous les événements [...]. Ils se caractérisent par leur esprit de synthèse, de compréhension globale, leur intelligence et leur subtilité. Ils n'acceptent aucun principe, sauf celui de la Fraternité, fondée sur l'unicité de la Vie. Ils ne reconnaissent aucune autorité, à part celle de leurs propres âmes, et aucun Maître à part le groupe qu'ils s'efforcent de servir et l'humanité qu'ils aiment profondément. Ils ne dressent pas de barrières autour d'eux, et sont guidés par une grande tolérance, une mentalité saine et le sens de la mesure. Ils reconnaissent leurs pairs et leurs égaux quand ils rencontrent et côtoient ceux qui travaillent comme eux à sauver l'humanité [...]. Ils repèrent les membres de leur groupe dans tous les domaines – politique, scientifique, religieux et économique –, leur adressent un signe de ralliement fraternel et leur tendent la main [2]. »

Jung a décrit le cadre idéal du travail de l'âme, comme un alambic alchimique, un récipient en verre qui pourra contenir tout le fatras de l'âme. L'amitié est un récipient de ce type, qui conserve ce fatras et lui permet de passer par de multiples opérations et processus.

Dans les moments de conflits émotionnels, notre premier recours peut être de parler avec des amis, car nous savons que nos biens les plus fragiles seront en sécurité entre leurs mains, et que l'amitié peut conserver nos pensées et nos sentiments, même s'ils sont douloureux et inhabituels, pendant que nous les passerons au crible et observerons leur évolution. (Thomas Moore, *Les Âmes sœurs : honorez les mystères de l'amour et de la relation.*)

Dès que nous saisissons que nous ne sommes pas seuls et qu'apparemment nous progressons *vraiment* vers notre objectif de naissance, nous sommes unis à l'intelligence universelle. Quel est le sens de ce mot ? Le concept d'un esprit universel pourra vous sembler abstrait jusqu'au moment où vous comprendrez qu'il s'agit du courant sous-jacent à nos vies. Nous faisons l'expérience de l'esprit divin à travers les intuitions et coïncidences que nous percevons, et habituellement *à travers les messages d'autres personnes.* À ce point, dit la septième révélation, nous sommes vraiment dans le flux. Le fait de savoir qu'il existe des cycles de « progression » et des cycles d'intégration (des plateaux) nous aide quand les situations deviennent difficiles ou que nous progressons plus lentement. Tout cela fait partie du flux.

L'objectif nous inspire

Et si, brusquement, vous connaissiez exactement votre projet de naissance originel, que ressentiriez-vous ? Vous imagineriez probablement avec enthousiasme le point où cet objectif vous amènerait, les personnes que vous rencontreriez, et l'aide dont vous auriez besoin pour meubler certains blancs. *La perception au niveau de la dixième révélation est aiguisée par le filtre de notre résolution.* Inspirés, nous commençons « à suivre [notre] chemin synchronistique exactement vers les positions adéquates dans [notre] société [3] ». Conscients que nous sommes sur la bonne voie, nous n'avons pas besoin que quelqu'un nous le confirme.

Êtes-vous déjà allé voir une diseuse de bonne aventure qui vous aurait prédit : « Vous allez rencontrer un mystérieux étranger ? » Même si vous étiez un peu sceptique, n'avez-vous pas été secrètement intrigué ? N'avez-vous pas espéré, en votre for intérieur, que cet inconnu ouvrirait les portes de votre destin ? Même si vous avez ri en entendant la prédiction de la cartomancienne, vous avez déjà rencontré un inconnu, que ce soit dans la rue, un café, une banque, sur le banc d'un parc, dans un concert de rock, sur un paquebot en direction des Seychelles, ou dans un magasin de chaussures, un inconnu qui vous a semblé détenir une clé. Parfois nous apercevons ces mystérieux serviteurs du monde, parfois même nous leur parlons, et ensuite ils disparaissent.

Reliés par un objectif commun

Comme nous sommes reliés par un objectif commun et par la communication télépathique, ce n'est pas toujours dans un groupe constitué que nous retrouverons ceux qui pensent comme nous. Dans l'un des stages au mont Shasta organisés par Carol Adrienne et la thérapeute Donna Hale, une femme d'une quarantaine d'années, Janice, a raconté une de ses expériences. Elle était partie en excursion avec son amie à la montagne et s'était arrêtée sur un parking qui offrait une belle vue. À cette époque de l'année, l'endroit était désert mais quand elle se tourna vers la droite pour regarder par la vitre de sa voiture, un homme s'approcha d'elle. Ne ressentant ni crainte ni inquiétude à l'idée de parler avec un étranger dans un lieu aussi isolé, Janice écouta ce qu'il avait à lui dire. « Il m'affirma que j'étais ici sur terre avec un objectif, et que je prendrais bientôt une direction différente de celle que je suivais en ce moment. Il m'expliqua combien il était important de ne pas avoir peur, de garder mon cœur ouvert, et m'annonça que j'allais bientôt rencontrer de nouvelles personnes. Pour je ne sais quelle raison, je pensais que tout cela était très naturel, mais j'étais surprise qu'il sache autant de choses sur moi ! » Janice continua son récit passionnant : « Mon amie était assise au volant, et écoutait cette conversation en silence. J'étais vaguement consciente qu'elle regardait le paysage, mais elle n'a pas prononcé un mot jusqu'à ce que je tourne de nouveau la tête à droite pour constater que l'homme avait disparu. Pourtant il n'y avait pas le moindre buisson ou le moindre arbre où il aurait pu se cacher. Il avait tout simplement disparu. Des larmes coulaient sur mon visage, tandis que je me souvenais de la gentillesse avec laquelle il m'avait parlé. » Nous ne savons jamais ni quand ni comment des miracles interviendront dans nos vies, mais ils se produisent souvent à travers les autres.

> L'âme a besoin de nombreuses variétés de récipients et de nombreuses catégories d'espaces pour travailler quotidiennement avec les matières premières que la vie nous offre. L'amitié est l'un des récipients les plus efficaces et précieux. (Thomas Moore, *Les Âmes sœurs.*)

QU'EST-CE QU'UN GROUPE DE LA DIXIÈME RÉVÉLATION ?

Quand nous parlons de groupes de la dixième révélation, nous faisons allusion à un *processus* plutôt qu'à une forme organisationnelle. Beaucoup de gens, après avoir lu *La Prophétie des Andes*, ont créé des groupes d'étude. Cependant, un groupe de la dixième révélation n'a pas pour fonction d'étudier les principes de la Prophétie des Andes, bien que certains veuillent le faire. Comme nous l'avons déjà expliqué, certains groupes d'âmes naissent à la même période *pour travailler ensemble*. Cela peut concerner un projet ambitieux comme la construction d'un centre de santé, la protection de l'environnement, la promotion d'une nouvelle vision politique ou économique. Mais également un objectif plus limité : étudier des livres, soutenir les efforts de chacun pour s'aider lui-même, ou trouver de nouvelles solutions à l'aide d'un brainstorming.

> [...] la véritable grandeur ne s'exprime pas dans les réalisations d'Alexandre le Grand, Jules César ou Napoléon, mais chez ceux qui voient la vie, l'humanité et le monde comme une totalité unifiée, dont les éléments sont harmonieusement reliés entre eux et coopèrent les uns avec les autres. Ceux qui luttent pour cette unité du monde, et cherchent à former l'espèce humaine selon les Principes de l'Harmonie et de relations justes, seront un jour reconnus comme de véritables héros. (Alice A. Bailey, *Les Rayons et les initiations.*)

Deuxièmement, pour accomplir leur mission, les groupes de la dixième révélation devront vouloir et pouvoir fonctionner plus *consciemment* quand ils sont ensemble et *de façon plus télépathique* quand ils sont dispersés. Leurs membres doivent vouloir se former eux-mêmes et communiquer la vérité quand ils en font l'expérience, en ayant la certitude que chacune de leurs contributions s'intégrera dans la Vision du Monde. Chaque participant sentira naturellement le besoin de consacrer davantage de temps à se créer des moments de tranquillité, pour réfléchir, méditer (liaison montante à l'intelligence universelle), car le fait de recevoir des indices deviendra bien plus amusant que nos activités habituelles !

DES RÉSEAUX INSPIRÉS

Une grande partie des changements qui se produiront pendant les prochaines décennies proviendront d'actions collectives et non d'initiatives d'individus isolés se forgeant leur propre chemin. Avez-vous souhaité ouvrir un centre de santé ? Apprendre le japonais ? Travailler avec des enfants ? Brûlez-vous d'exercer une activité utile, mais sans savoir laquelle ni par où commencer ?

Si vous cherchez une méthode pratique pour vous aider à découvrir votre objectif existentiel, ou créer un groupe de soutien, plusieurs livres vous seront utiles : *Libérez votre créativité : osez dire oui à la vie* (de Julia Cameron et Mark Bryant) ; *Wishcraft : How to Get What You Really Want* et *Teamworks ! Building Support Groups That Guarantee Success* (de Barbara Sher et Annie Gottlieb) ; ainsi que le dernier ouvrage de Barbara Sher : *Live the Life You Love in Ten Easy Step-by-Step Lessons*. Ce dernier explique en détail comment former vos propres groupes pour vous aider à découvrir et réaliser ce que souhaite votre cœur. Leurs méthodes brisent les barrières entre des inconnus car le travail en réseaux doit être un échange honnête et enthousiasmant d'énergie et de talent. Cette activité de groupe vous amène à être précis lorsque vous exprimez ce que vous désirez obtenir de la vie ; elle vous soutient et vous insuffle de l'énergie pour mettre en application des projets spécifiques. Un groupe vous donne du feed-back et le sens des responsabilités, il vous encourage à poursuivre ce que vous essayez d'accomplir.

Ces livres contiennent de nombreux récits édifiants sur des individus ordinaires qui ont réalisé leurs rêves, publié des livres, découvert des talents inexploités, sont partis vivre dans des pays lointains, ont créé des entreprises ou construit une communauté d'amis. Les méthodes de Cameron, Bryant ou Sher élèvent l'énergie, stimulent la créativité (certaines des meilleures solutions proviennent des suggestions les plus invraisemblables surgies au cours de séances de réflexion collective), et ouvrent les lecteurs au flux et à la synchronicité.

> Chaque fois que vous donnez un coup de téléphone, tombez par hasard sur un ami, prenez un café avec un collègue, parlez-lui de votre rêve. Demandez-lui des idées. (Barbara Sher et Annie Gottlieb, *Teamworks !*)

Dans *Teamworks !* Barbara Sher cite un exemple qui montre le pouvoir de l'intention et la façon dont elle attire des solutions synchronistiques. « La directrice de la publicité dans une maison d'édition universitaire avait décidé de passer ses vacances d'été en Yougoslavie. Elle voulait emporter un manuel de conversation serbo-croate, afin de pouvoir au moins saluer les habitants dans leur propre langue. Une recherche menée dans plusieurs librairies et à la bibliothèque locale demeura sans résultats. En dernier recours, elle mentionna son problème à ses collègues de bureau, persuadée que personne ne saurait où trouver un tel livre. Pourtant, en l'espace de quelques jours, ce n'est pas une, mais deux méthodes de serbo-croate qui atterrirent sur son bureau.

« Vous croyez qu'aucune de vos relations n'a les connaissances spécifiques dont vous avez besoin, mais vous serez étonné par ce que les personnes les plus inattendues peuvent vous offrir : demandez à tous ceux qui vous entourent – pas seulement à ceux qui sont censés savoir. Souvenez-vous, les experts sont parfois très doués pour vous expliquer... ce qui est impossible à réaliser [4]. »

L'histoire d'Andrea illustre comment un projet ne saurait être achevé sans un réseau de relations : « J'ai trouvé que le plus important était de parler – parler sans arrêt de mon projet, chaque fois que j'en avais la possibilité ; certains surprenaient mes propos et me disaient : " Oh oui ! " [...] et les gens les plus inattendus savent des choses [...]. J'ai essayé de fabriquer notre première brochure [...] et je n'y arrivais pas [...]. Alors cet ami a soudain surgi par miracle et m'a aidée à concevoir le logo [...], un de mes collègues m'a donné une liste de maisons de retraite, [une personne qui travaille à la comptabilité] m'a donné une liste des maisons de retraite en Floride [...]. Je suis allée au siège de la Fondation où l'on remplit les demandes de bourse, et j'ai trouvé la situation très intimidante. J'étais assise, la tête dans les mains et mes livres empilés autour de moi, quand j'ai aperçu quelqu'un que je n'avais pas vu depuis cinq ans, et dont le travail consiste maintenant à obtenir des bourses pour les artistes ! *Ce* genre de choses bizarres [...] se produit tout le temps. Et j'ai découvert que les gens apprécient vraiment que vous sollicitiez leur avis. Souvent personne ne leur a demandé leur opinion auparavant. Ils sont très flattés [5]. »

SERVIR ET AIDER LES AUTRES

Si l'idée de travailler avec les autres pour un objectif commun vous attire mais que vous ne sachiez pas exactement quelle activité vous convient, formulez le souhait d'être sur le chemin de la *découverte*. Demandez que des inspirations et des exemples vous parviennent par le truchement d'articles de journaux, de petits bulletins d'informations, d'émissions de radio, ou d'autres sources. Des milliers de gens ont repéré un besoin et entrepris des démarches pour y répondre. Le plus souvent, le changement commence quand la communauté exprime franchement ce qu'elle veut, pas lorsqu'un décret législatif est promulgué.

> Les dauphins s'entretiennent juste sous la surface de l'eau avant d'entreprendre une action collective. Les chercheurs disent que chaque membre d'une troupe de dauphins apporte sa contribution. (L.M. Boyd, *The Grab Bag.*)

Si un problème concerne votre vie quotidienne, vous prendrez probablement des mesures. Beverly Rubik, interviewée dans *Towards a New World View*, cite un exemple de la façon dont un public informé peut agir sur les autorités gouvernementales et scientifiques. Dans les années 1970, Robert Becker mena des recherches qui démontrèrent les effets biologiques importants de champs magnétiques faibles. Becker pensait que le fait de vivre près de lignes à haute tension présentait des risques, mais il ne pouvait obtenir aucune subvention gouvernementale pour ses investigations, et les résultats des recherches étaient souvent mis sous le boisseau par l'armée. « Il décida alors d'écrire sur ce sujet plusieurs livres qui émurent et passionnèrent l'opinion, explique Rubik. Les gens commencèrent à exprimer ouvertement leurs préoccupations à propos des risques de cancer et contactèrent leurs députés. Des crédits de recherche furent bientôt débloqués. Quand les groupes de consommateurs commencent à réclamer bruyamment et à créer de l'agitation, alors les réformes se produisent. C'est une bonne stratégie pour réaliser un changement de paradigme aujourd'hui, que ce soit dans le domaine médical ou dans une nouvelle technologie de l'énergie [6]. »

> Toute une communauté spirituelle, regroupant de nombreux êtres spirituels, travaille en commun sur les problèmes intérieurs. Si quelqu'un œuvre à un projet, tous s'y intéressent. Personne n'a l'impression qu'il doit tout faire tout seul. (Sanaya Roman, *Spiritual Growth.*)

Voici un autre exemple de changement fondamental survenu au bord du Rhin, à la suite des préoccupations et de la mobilisation des consommateurs. Depuis des décennies, ce fleuve était « l'égout de l'Europe » et en 1970 on le considérait déjà comme irrécupérable. En 1986, une catastrophe faillit se produire lorsque des tonnes de poissons moururent. L'alerte fut déclenchée au sujet de l'eau potable que buvaient cinquante millions de personnes. À ce moment seulement, les problèmes d'environnement devinrent un sujet politique brûlant. « Les entreprises se rendaient compte qu'elles allaient devoir changer de stratégie ou affronter les consommateurs dont le boycott annulerait leurs profits [...]. Comprenant que la protection de l'environnement améliorait leur réputation auprès des consommateurs, les sociétés chimiques opérant le long du Rhin [...] distribuèrent des centaines de millions de dollars à des centres de recherche universitaires qui s'efforcent désormais de trouver de nouvelles méthodes pour protéger le fleuve. " Aujourd'hui ils veulent tous qu'on les considère comme de braves types, dit Gobillon [le directeur du service des Eaux pour le Rhin et la Meuse]. Cela représente un grand progrès par rapport à l'époque où les entreprises essayaient de réaliser des économies en trichant avec l'environnement. " [7] » Ces changements se sont produits à la suite d'une prise de conscience collective, mais pas nécessairement à partir d'une structure de groupe formalisée.

DES PAS DE GÉANT

L'activité collective informelle est en plein essor. Selon un article paru récemment dans la *Noetic Sciences Review*, il existe un formidable réseau de gens qui discutent de sujets personnels, locaux et internationaux. L'Institut des sciences noétiques a recensé ces groupes dont le nombre a triplé en deux ans pour atteindre le chiffre de deux cent soixante-quinze. « Robert Wuthnow, de l'université Princeton, suggère que 40 % des Américains adultes participent à de petites associations de bénévoles. Cela représente approximativement soixante-quinze millions de citoyens et trois millions de petits groupes, y compris les groupes d'étude de la Bible, les stages en douze étapes, les groupes d'entraide, etc. Comme d'autres personnes favorables à l'expression démocratique, Wuthnow remarque : « Le grand nombre de gens impliqués dans des petits groupes, la profondeur de leur engagement, l'étendue de leur souci pour chacun et l'aide qu'ils apportent aux autres dans une communauté plus large [...] montrent de façon significative le ciment qui relie les membres de notre société [8]. »

Nous avons appelé Carrie Timberlake, une infirmière diplômée qui pratique le jin shin jyutsu, à Mill Valley, en Californie. Depuis quatre ans, Timberlake a organisé un groupe informel de relations qui a exploré de multiples sujets : le feng shui, les techniques orientales de soin, les principes spirituels, l'évolution de la terre, les sites païens, l'analyse des rêves, etc. Elle nous a déclaré : « Je me réjouis toujours quand, dans un groupe, la force de chaque individu peut s'exprimer. Lorsque vous formez un groupe, il possède presque sa propre identité. Bien que nous soyons favorables à l'expression de points de vue différents, nous sommes plus souvent en accord qu'en désaccord. Participer à ces réunions me permet de m'assurer de mes propres progrès, et j'apprends bien davantage que je ne le ferais toute seule. »

Les révélations vous fournissent des informations sur la réalité plus vaste dont vous faites partie, le niveau supérieur que doit atteindre l'humanité et votre objectif spirituel. Grâce à une série d'indices, vous approfondirez graduellement vos connaissances sur votre voie, votre mission et vos prochaines étapes.

Les révélations vous montreront, à partir d'une perspective plus élevée, plus sage, pourquoi les événements se produisent [...]. Vous découvrirez graduellement le sens de la vie, le dessein de l'univers et le « pourquoi » qui se cache derrière le « quoi ». Chaque révélation soulèvera les voiles qui séparent votre dimension des dimensions supérieures et vous donnera de nouveaux éléments du tableau global. (Sanaya Roman, *Spiritual Growth.*)

Le groupe de Carrie Timberlake est mentionné, ainsi que bien d'autres, dans le bulletin de l'Institut des sciences noétiques, une organisation à but non lucratif fondée en 1973 par l'astronaute Edgar Mitchell. Cet institut souhaite étendre la connaissance de la nature, les pouvoirs du mental et de l'esprit, mais aussi appliquer cette connaissance pour faire progresser la santé et le bien-être de l'humanité et de la planète. Le mot « noétique » dérive du grec *nous* (esprit) et a une relation avec les chemins de la connaissance. Cet organisme, qui comptait deux mille membres en 1984, en regroupe maintenant cinquante mille à l'échelle de la planète. Si vous souhaitez rencontrer des âmes qui pensent comme vous, consultez notre liste d'organisations à la fin de ce livre, p. 407-8. Le seul fait de lire les petites notices personnelles des membres de l'Institut des sciences noétiques donne de l'énergie. Timberlake poursuit : « La synchronicité entre les préoccupations de ceux qui viennent assister à une réunion et le thème choisi ce jour-là m'étonnera toujours. Souvent une personne qui nous rend visite une seule fois, par curiosité, vient justement le jour où nous avons un orateur ou un thème qui la concerne tout particulièrement, et *sa* contribution ajoute quelque chose de spécial à la réunion. »

L'auto-organisation

Le principe de l'auto-organisation régit les groupes qui fonctionnent au niveau des huitième et dixième révélations. Lorsque les gens qui se réunissent sont mus par un véritable intérêt personnel, qu'ils désirent mettre leurs forces en commun et créer une vision partagée, la magie opère. Les synchronicités se multiplient et les portes s'ouvrent. La vie se développe naturellement à partir du chaos et du désordre, pour atteindre un niveau supérieur d'organisation. Nous n'avons besoin d'aucun dirigeant quand nous suivons notre propre vision et que nous sommes attirés les uns vers les autres par des intérêts communs. La vision, l'intention conduisent chacun d'entre nous là où il a besoin d'aller. Des groupes nous attirent parfois au moment précis où nous avons besoin de faire pousser les racines d'une nouvelle intention.

> Chaque fois que vous formulez dans votre tête les phrases que vous direz plus tard à quelqu'un, vous envoyez de l'énergie vers la future interaction que vous établirez avec cette personne. Souvent vous vous préparez à un entretien de façon à puiser de l'énergie et une plus grande compassion à un niveau plus profond, afin de faciliter votre prochaine communication. Si vous réussissez à en faire le but de votre répétition mentale, vos relations s'éclairciront.
>
> Si vous préparez votre intervention pour vous protéger, vous justifier ou obtenir quelque chose de l'autre, vous vous trouverez dans une position inconfortable au moment de lui parler. Votre communication sera incomplète ; elle vous amènera à dépenser plus d'énergie et peut-être à lutter davantage. (Sanaya Roman, *Personal Power Through Awareness*.)

Selon Dee Hock, le fondateur de VISA International, la forme d'organisation sociale la plus puissante et la plus créative est ce qu'il appelle le système « chaordonné », combinant chaos et ordre. Ce type de groupes, comme ceux de la huitième révélation, est flexible et non hiérarchique. Margaret Wheatley, auteur de *Leadership and the New Science*, affirme : « Beaucoup d'organisations de quartier importantes naissent dans des groupes informels. Dans un monde auto-organisé, nous avons besoin de penser beaucoup plus aux connexions locales entre les gens et aux façons de trouver des solutions qui restent à leur niveau. Il suffit de créer les conditions pour qu'ils se rencontrent, afin qu'ils acquièrent un sentiment du moi, un sens du but. Ensuite, ils feront ce qu'ils considèrent comme juste pour eux [9]. »

Peter Senge, auteur de *La Cinquième Discipline*, parle des aspects de la direction spirituelle au-delà de ce que nous comprenons normalement par la vision, la conviction profonde et l'engagement : « Le véritable leadership qui compte est en fait la direction de groupes. J'en suis intimement convaincu. Les héros-dirigeants " individuels " sont dépassés, ils correspondaient à un phénomène valable pour une certaine époque et certains pays. Nous n'avons plus besoin de super-héros, mais de groupes de gens qui puissent gérer, progresser ensemble. Et dans ce cas, il existe une autre manière de diriger : en se branchant sur l'intelligence collective et en exploitant ses possibilités. Alors ce qui compte, ce n'est plus mon idée, ma vision et ma conviction, mais notre idée, notre vision et notre conviction [10]. »

> Comment un groupe efficace peut-il gérer [...] des problèmes sans s'enliser dans l'écoute de confessions et d'obsessions – ou s'égarer dans des zones risquées qui nécessitent un doigté professionnel [...] ? La stratégie, ici, se fonde sur l'empathie. Donc vous écoutez pendant quelques minutes, puis vous posez trois questions : « Que voulez-vous faire ? » « Qu'est-ce qui vous arrête ? » et « Comment pouvons-nous vous aider ? » (Barbara Sher et Annie Gottlieb, *Teamworks! Building Support Groups That Guarantee Success*.)

LES CERCLES D'ÉTUDE

« Il y a deux ans, nous avions des cercles d'étude dans quatre villes, dit Molly Barrett, coordinatrice de projets et assistante éditrice pour le Centre de ressources des cercles d'étude. Aujourd'hui il existe des cercles dans quatre-vingts villes. » Fondés par Paul Aicher, ingénieur et homme d'affaires (« un philanthrope visionnaire », selon Barrett), les cercles d'étude sont des groupes de discussion locaux, ouverts à tous, qui promeuvent ce qu'ils appellent la « démocratie délibérante ». « Bien que ces cercles ne reposent pas sur le consensus, les gens en comprennent d'eux-mêmes la nécessité. Ils trouvent un terrain d'entente, y compris sur des questions aussi controversées que les relations interraciales. Ils construisent une communauté. »

> Vous comprendrez mieux l'effet que les autres ont sur vous en examinant vos pensées. Soyez conscient des sujets qui vous préoccupent dès que vous êtes avec plusieurs personnes.
>
> Avec X, vous pensez constamment à l'amour, à la transformation et à la beauté de l'univers. Avec Y, vous réfléchissez à la difficulté de votre situation, de votre vie, aux nombreuses tâches qui vous attendent.
>
> Contrôlez vos pensées quand vous êtes en compagnie et quand vous êtes seul. Si vous ne savez pas comment fonctionne votre intellect lorsque vous êtes seul, vous ne réussirez pas à détecter l'effet que d'autres personnes ont sur votre mental. (Sanaya Roman, *Personal Power Through Awareness*.)

Il y a environ deux ans, le maire de Lima, en Ohio, savait que sa ville avait un problème – un problème racial. Même les pasteurs et les curés ne s'adressaient plus la parole. En utilisant la méthode des cercles d'étude, il a réussi à organiser des rencontres entre les différentes communautés religieuses et à faire dialoguer environ mille cinq cents personnes. Les changements qui se sont produits à partir de ces groupes ont été si positifs que la municipalité y a ensuite inclus les forces de police. Ces cercles d'étude remontent aux débuts du mouvement Chautauqua, à la fin du XIXe siècle, quand les États-Unis essayaient d'informer et d'éduquer une population majoritairement rurale et souvent illettrée. « Dans les cercles d'étude toutes les voix pèsent le même poids, dit Barrett, et la discussion se fonde sur la place qu'occupe un problème particulier dans la vie de chacun. Par exemple, si le sujet abordé est la réforme de l'enseignement, nous suggérons aux gens de parler de leur propre expérience scolaire, de ce qu'ils aimaient étudier, ou de ce qu'ils auraient souhaité changer. Des personnes très diverses, de tout âge et de toute profession, assistent aux réunions. Phénomène intéressant, la participation à ces cercles étant volontaire, les problèmes discutés ne suscitent généralement pas une grande polarisation. Environ cent cinquante cercles d'étude ont été organisés à Los Angeles après le premier procès d'O.J. Simpson pour faire baisser la tension. Dans la mesure où les participants reconnaissaient que les sessions d'une heure et demie n'étaient pas suffisamment longues pour traiter ces problèmes de rapports entre les communautés, un programme est en cours d'élaboration. Selon Barrett, tout le département des services sociaux de l'Ohio organise maintenant des cercles d'étude ; il a conçu un plan biennal pour impliquer tous les citoyens et invite à des réunions-pique-niques où l'on amène son déjeuner. « Chacun agit d'une façon un peu différente, nous explique Barrett. Il faut du temps pour que la confiance s'établisse, mais quelques événements étonnants se sont produits. Par exemple, à Utica, dans l'État de New York, des habitants ont organisé une série de débats sur les relations raciales, et nous ne savions pas exactement quel était leur programme. Mais, un jour, ils nous ont appelés pour nous remercier de leur avoir fait connaître les cercles d'étude. Ils ont déjà permis à des centaines de personnes de discuter des relations interraciales, et le jour où un incident racial particulièrement grave s'est produit, ils savaient comment agir. Ils avaient déjà communiqué les uns avec les autres. Ils ont donc décidé une réunion avec le maire, et les cinq cents personnes présentes, au lieu de s'affronter, ont trouvé une solution. »

QU'EST-CE QUI ASSURE LE SUCCÈS D'UN GROUPE CONSCIENT ?

Avez-vous déjà appartenu à un groupe orienté vers un projet et finalement l'avez-vous abandonné parce que vous vous sentiez frustré pour une raison ou pour une autre ? Peut-être une personne drainait-elle l'énergie du groupe en parlant trop, en demandant trop d'attention, ou en faisant de l'obstruction. Peut-être le groupe manquait-il de direction et de concentration, et chaque problème était-il débattu jusqu'à épuisement sans qu'aucune décision ne fût prise. Raisonnablement vous pouvez vous demander : « Si nous vivons nos principes spirituels, comment pouvons-nous créer un groupe qui travaille de façon harmonieuse et efficace ? Qu'avons-nous besoin de faire ou de chercher ? »

La force irrésistible de l'intérêt personnel

Adopter un comportement « spirituel » dans un groupe implique d'avoir l'esprit complètement présent. Votre propre *besoin* intérieur d'y participer vous donnera un sentiment d'engagement. À moins qu'un intérêt puissant vous y oblige, votre esprit conscient cherchera d'autres façons d'occuper votre temps. Nous faisons ce que nous sommes contraints de faire – ou d'être. Francine est représentante pour une maison d'édition. La fille de sa sœur jumelle a du mal à lire. Francine a donc créé un centre qui donne des cours de soutien aux enfants après l'école, avec la collaboration de leurs parents. Elle nous déclare : « Regarder les visages de ces gamins quand ils lisent un texte ou gloussent à propos des histoires qu'ils entendent valorise chaque minute que j'investis dans ce groupe. Je peux aider ces parents, qui sont souvent fatigués et débordés, et cela me permet de me sentir contente de moi. » Bien que ces actions soient évidemment altruistes, Francine affirme : « J'ai toujours aimé les livres et les idées ; je ne voulais pas que ma nièce passe à côté de ces plaisirs essentiels. J'adore me débattre avec des problèmes pour les résoudre. » Plus que tout, c'est le besoin inné de Francine de travailler avec le langage, la lecture et l'enseignement, joint à son amour pour sa sœur et sa nièce, qui l'a amenée à s'engager dans ce groupe.

Nos besoins innés nous désignent notre objectif – ou ce pour quoi nous sommes prédisposés. Observez ce que *vous* êtes poussé à choisir comme métier ou comme hobby – qu'il s'agisse de jardiner, redécorer votre maison, faire du rangement, recycler vos vieux papiers ou vos bouteilles, faire des randonnées, jouer la comédie, plaisanter, marquer des paniers au basket, parler de spiritualité, chanter du gospel, ou courir les soldes. Au fond de cet intérêt se niche votre Vision de Naissance – et un service qui peut être bénéfique aux autres.

Avoir une attitude ouverte, donner de l'énergie, vouloir écouter, apprendre ou diriger

Dans *La Dixième Prophétie*, les personnages essaient d'adopter une attitude totalement ouverte et honnête. Ils tentent de se rappeler leur propre intention de servir l'humanité – leur Vision de Naissance – et *ils se concentrent sur ce que leur Vision de Naissance représente pour chacun d'eux*. Ils se recueillent pour voir Maya dans sa gloire – en sachant qui elle est réellement – et l'imaginer en train d'accomplir son projet existentiel. Remplie de l'énergie universelle, Maya suggère que ses amis « sentent comment les atomes de [leur] corps vibrent à un niveau supérieur ». Grâce à l'énergie collective positive qu'elle reçoit, sa mission devient encore plus claire. Certes, cette scène provient d'un roman, mais l'idée s'applique à tout groupe où nous sommes amenés à travailler. Apprécier les progrès de ceux qui nous entourent, les encourager sans éprouver le besoin de changer leur personnalité, leur envoyer de l'amour et de l'énergie pour qu'ils utilisent leur Moi supérieur, tout cela représente des façons concrètes de pratiquer la spiritualité.

Nous nous dirigions vers un petit parc et constituions un groupe vraiment étrange : six adultes (trois Blanches, deux Blancs, une Noire) et quinze jeunes Noirs, de huit à dix-huit ans. « Que faites-vous contre la violence ? » m'a demandé le psychologue pendant que nous marchions devant les jeunes qui descendaient la rue dans le plus grand désordre, en criant, en se donnant des coups de pied et de poing [...].

Quand nous sommes entrés dans le parc, j'ai aperçu [...] un arroseur automatique qui aspergeait une pelouse. Soudain, j'ai traversé en courant les gouttes projetées par l'appareil pour rejoindre une zone recouverte d'herbe [...]. Je suis tombée exprès par terre ; [les garçons] se sont précipités sur moi. Nous avons sauté les uns sur les autres comme des acrobates dans un cirque. Notre jeu bruyant a été interrompu par des moments de silence et de détente durant lesquels nos corps gisaient les uns sur les autres comme des spaghetti.

À ma grande joie, la responsable de leur groupe a ri de tout son cœur et a roulé sur moi, exactement comme les garçons. Nous étions ravis par son rire et son énergie. Ensuite, de sous la pile des gamins, j'ai fait signe à Marian et Liz de nous rejoindre. Elles ont rampé jusqu'à nous et se sont introduites dans notre montagne vivante. Les jeunes ont adoré. Notre communication était très physique, mais ils n'ont pas abusé de leur force. Et ils savaient adapter leur jeu à chacun des adultes. (O. Fred Donaldson, *Playing by Heart : The Vision! Practice of Belonging*.)

Les groupes de la dixième révélation ne montreront aucun sens de l'exclusivité ni aucune ambition collective. Ils seront en harmonie avec la beauté, pratiqueront le partage démocratique, l'amitié et la coopération. Ils n'auront aucun désir d'impressionner les autres ou de recruter de nombreux membres. Ils se réuniront pour accroître leur propre compréhension et chercher des idées et méthodes nouvelles. Ils se familiariseront avec le métier de chacun et ses types de connaissances. Ils répondront aux besoins de leur communauté et s'efforceront de rendre service aux autres sans être envahissants et sans s'opposer à tel ou tel parti ou administration. Ils chercheront des terrains d'entente, en sachant que chaque personne apprend à son rythme.

Michael Chamberlain, pasteur d'un temple protestant à Vincennes, en Indiana, aide un groupe local qui se concentre sur la guérison. « Je sais que certaines personnes préféreraient quitter un groupe plutôt que d'exprimer leurs sentiments, s'ils sentaient que quelqu'un allait ne pas en tenir compte, dit-il. Mais, dans la guérison des attitudes, l'un des facteurs les plus importants est d'apprendre à exprimer vos sentiments envers les autres. Pouvoir pratiquer cela dans un groupe représente un vrai bienfait. » Chamberlain pense que les participants viennent à ce groupe parce qu'ils « veulent se sentir connectés à des gens qui pensent comme eux. Ils disent qu'ils avaient l'impression de ne plus exister pour leur famille, mais que dans le groupe en question ils ont trouvé une véritable famille ».

LES INTERACTIONS COLLECTIVES CONSCIENTES

Participer à un groupe conscient ne doit pas vous sembler obligatoire. Si vous ne désirez pas vraiment être là, vous n'avez rien à y faire. Normalement, vous attendrez avec impatience la prochaine réunion, ferez le maximum pour arriver à l'heure et, quand vous en sortirez, vous vous sentirez plein d'énergie et relié aux autres. À part vous demander d'être totalement présent, aucun effort n'est exigé de chacun pour que le groupe « fonctionne » ou se déroule en douceur.

Quand nous avons une intention précise, lorsque nous faisons quelque chose qui nourrit notre âme, nous sommes en contact le plus souvent avec nos groupes d'âmes. Grâce à cette fusion mutuelle nous sommes entraînés par l'énergie universelle ou connectés avec elle. Quand cela se produit dans *La Dixième Prophétie*, le personnage principal s'exclame : « Ça y est [...]. Nous atteignons l'étape suivante ; nous avons devant nous une vision plus complète de l'histoire humaine. » À ce moment, ils commencent à apercevoir rien moins que l'histoire de l'univers. Sentir que l'on fait partie d'un tableau plus vaste nous donne de l'énergie et nous permet d'être brillants, désintéressés et novateurs, comme le sont les personnes confrontées à des circonstances extraordinaires.

Michael Murphy et Rhea W. White racontent dans leur livre *In the Zone : Transcendent Experiences in Sports* de nombreux exemples d'états apparemment mystiques atteints dans des sports individuels ou d'équipe. Par exemple, en 1951, les New York Giants « remontèrent toutes les places de la sélection au cours des dernières semaines de la saison et finirent par remporter le championnat de la National League de base-ball [...]. Pendant cette période, l'équipe joua de façon extraordinaire et l'enthousiasme fut porté à son point culminant par le fameux *home run* de Bobby Thompson [...]. Thomas Kiernan a écrit un livre à ce sujet, *The Miracle at Coogan's Bluff*, [...] où il pose des questions aux membres de l'équipe, en essayant de répondre à la question essentielle – en clair : « Une sorte d'énergie extraterrestre [...] s'est-elle emparée de l'équipe, qui lui aurait permis d'accomplir des exploits dépassant les capacités humaines ordinaires [11] ? »

Autre exemple d'intention et de concentration : Murphy et White rapportent les propos qu'a tenus John Brodie aux San Francisco Fourtyniners : « [Parfois] une équipe entière se met à jouer de façon merveilleuse. Ensuite vous sentez une fantastique poussée d'énergie traverser le terrain [...]. Quand onze hommes qui se connaissent très bien concentrent toute leur attention – et leur intention – sur un objectif commun, et que toute leur énergie coule dans la même direction, cela crée une concentration de pouvoir très spéciale. Tout le monde le sent. Les spectateurs dans les tribunes le sentent toujours et y réagissent, même s'ils ne savent pas toujours la nommer [12]. »

Nulle part on ne ressent davantage la présence de l'énergie que lors d'événements sportifs, par exemple, impliquant des êtres qui ont consacré leur vie à se surpasser. Murphy et White citent l'exemple de Joan Benoit, qui a établi un nouveau record américain quand elle courut le mille mètres en deux minutes vingt-six secondes onze centièmes. « Elle pensait qu'elle n'y était pas arrivée toute seule. “ Je percevais que les supporters me communiquaient leur énergie. [...] J'ai dû réagir quand j'ai senti s'élever leur émotion collective ” [13]. » Et « Boulderer John Gill a suggéré que l'amitié qui se développe dans une cordée d'alpinistes “ peut fabriquer, aussi bien que transmettre, de l'énergie psychique ” [14] ».

LA FUSION AVEC LE POUVOIR DES GROUPES D'ÂMES DANS L'APRÈS-VIE

Quand nous sommes capables de comprendre la vie au niveau de la dixième révélation, « il faut commencer par nous souvenir de nos Visions de Naissance et les intégrer toutes ensemble dans le cadre de notre groupe ; puis *fusionner* le pouvoir de nos groupes d'âmes respectifs dans l'autre dimension. Cela stimulera nos souvenirs et ainsi nous arriverons finalement à la Vision globale du Monde [15] ».

> Les messages télépathiques sont reçus instantanément [...]. Comment repérer que vous recevez télépathiquement des conseils spirituels ? Je ne peux vous l'expliquer car ce n'est pas un processus conscient.
>
> Soudain, vous découvrez une nouvelle manière d'affronter un problème, ou bien un changement se produit dans votre conscience. Cette première indication vous signale la réception d'un message [...]. Vous comprenez bientôt que de vieilles situations ne déclenchent plus les réactions émotionnelles qu'elles déclenchaient habituellement. [...] Vous commencez à communiquer des idées aux autres de façon nouvelle et différente. (Sanaya Roman, *Personal Power Through Awareness*.)

Pouvez-vous le faire dès maintenant ? Vous vous approchez de ce niveau si vous êtes conscient que vous représentez davantage que votre corps physique. Si vous ressentez une communion extatique avec l'autre dimension, vous interagirez à un niveau supérieur au niveau physique de la réalité. Vous fusionnerez avec votre groupe d'âmes durant votre sommeil, même en n'étant pas conscient de vos aventures lorsque vous vous réveillerez. Selon les spécialistes qui mènent des recherches dans les champs métapsychiques et paranormaux, beaucoup d'entre nous quittent leur corps à l'état endormi. Ils travaillent alors et rendent des services dans d'autres dimensions.

Un élément intéressant : Ruth Montgomery, qui a tellement fait pour révéler les communications qu'envoient des âmes à partir de l'Après-Vie, semble avoir été choisie précisément parce qu'elle était journaliste. Dans son livre *A Search for Truth*, elle écrit : « Un matin, tandis que la mystérieuse frappe [l'écriture automatique] continuait ses prédications, j'osai à nouveau demander aux Guides qui ils étaient. Sur un ton de reproche, ils me répondirent : “ Cette question qui vous intéresse tellement n'a aucune importance. Tout ce que nous vous demandons est de nous aider à aider les autres. Nous étions des écrivains, et c'est pourquoi nous voulons œuvrer avec vous, qui appartenez à notre profession. Nos intérêts sont suffisamment semblables pour que nous puissions bien agir à travers vous, si chaque jour vous consacrez un temps régulier à notre entreprise commune [...]. En tant qu'écrivains nous avons remporté beaucoup de succès sur le plan matériel ; cependant, nous avons été incapables d'aider les autres. Nous étions trop occupés à publier nos torrents de mots et à profiter des applaudissements du public. Nous aurions dû moins nous soucier de notre éphémère renommée terrestre, et davantage de la survie de nos âmes [...]. Comprenez bien ceci : nous faisons partie de la même progression. Nous sommes comme vous serez, et vous êtes ce que nous avons été – et il n'y a pas très longtemps de ça, en plus. Rien ne nous sépare en ce moment, à part la fine barrière du mental. Nous vous voyons telle que vous êtes, mais vous ne possédez pas encore la capacité de nous voir tels que nous sommes [...]. Nous désirons ardemment que vous tiriez une leçon de nos erreurs au cours de votre vie présente ; *car en vous aidant nous pouvons progresser*, de même que vous progresserez en aidant les autres durant votre propre existence. Retenez bien la leçon la plus importante : *Vivre seulement pour soi aboutit à se détruire soi-même* [16]. ” »

Selon la dixième révélation, nos intentions et actions positives dans ce monde (ici et maintenant) aident non seulement la société humaine mais la culture dans l'Après-Vie. Lorsque nous travaillons ensemble, chacun de nos groupes d'âmes vibre de façon plus étroite avec nous sur terre, et nous avec eux. Nous, nous avons l'avantage de pouvoir créer dans la dimension physique à travers le temps, l'espace, et la masse, et les travailleurs spirituels ont l'avantage d'une plus grande sagesse, prescience et éternité.

Grâce à la dixième révélation, nous avons l'intuition que l'humanité peut aujourd'hui transcender les barrières entre la vie physique et l'Après-Vie, ce que l'on appelle dans les textes ésotériques « lever le voile ». Si la conscience évolue vers une fréquence supérieure, nous pourrons avoir accès à tout le royaume des forces et entités non physiques. La communication progresse déjà, tandis que les deux dimensions s'ouvrent l'une l'autre. Nous avons reçu une énorme quantité de récits de première main sur des phénomènes inexpliqués, tels que l'apparition et l'intervention d'anges, des récits de NDE, les rencontres d'extraterrestres ou les enlèvements qu'ils ont effectués, des communications avec les morts, etc. Progressivement nous deviendrons plus conscients de la présence de nos groupes d'âmes dans le monde non physique, et apprendrons à puiser dans leurs connaissances et leurs souvenirs.

> Tel est l'esprit d'aventure [...], abandonner le monde limité dans lequel vous avez été élevé [...], aller au-delà de tout ce que chacun de nous sait [...], pénétrer dans des domaines transcendants [...] et ensuite acquérir ce qui manque, puis revenir avec la bénédiction. (Joseph Campbell.)

Beaucoup d'entre nous sont déjà conscients que les chamanes, les guérisseurs et les personnes ayant des capacités médiumniques peuvent se brancher sur les réalités métanormales ou converser avec la dimension spirituelle. Si une petite minorité y parvient aujourd'hui, il semble logique d'avancer que, lorsqu'un nombre suffisant d'humains accepteront ces possibilités comme des réalités, le champ unifié se modifiera. Dans quelques décennies, ou dizaines de décennies, ces capacités seront aussi unanimement acceptées que les voyages dans l'espace aujourd'hui. Selon la dixième révélation, donc, lorsque nous nous connectons aux groupes d'âmes, ceux-ci, dans l'Après-Vie, « se rapprochent et entrent mutuellement en résonance. La Terre représente le centre d'attention des âmes dans le Ciel. Elles ne peuvent pas s'unir toutes seules. Là-bas, les groupes d'âmes sont fragmentés et n'ont aucune résonance entre eux ; ils vivent dans un monde imaginaire, idéal, qui se manifeste un instant et disparaît aussi rapidement, aussi la réalité y est-elle toujours arbitraire. Il n'y a ni monde naturel ni structure atomique qui, comme ici, jouent le rôle d'une plate-forme stable, d'une scène, d'un arrière-plan communs. Nous influençons ce qui se passe sur cette scène, mais les idées, elles, se manifestent beaucoup plus lentement et nous devons parvenir à un accord sur ce que nous voulons réaliser dans l'avenir. Cet accord, ce consensus, cette unité de vision sur la terre rassemblent aussi les groupes d'âmes dans l'Après-Vie. La dimension terrestre, matérielle, joue un rôle capital car elle est le lieu où se réalise la véritable unification des âmes [17] ! ». La première révélation signale qu'une masse critique de gens est en train de s'éveiller à sa destinée spirituelle. La dixième révélation affirme que non seulement nous découvrons ce destin, mais que nous sommes *encore connectés* à la dimension spirituelle où sont d'abord nés ces destins.

ÉTUDE INDIVIDUELLE

Allez où se trouve l'énergie

Vous êtes déjà sur votre chemin existentiel. Votre conscience et votre intérêt vous conduiront exactement vers les informations, les expériences ou l'aide dont vous avez besoin à ce moment. Ayez confiance : votre passion pour un domaine donné attirera des gens qui pensent comme vous, des livres et des maîtres qui ouvriront votre conscience. Votre travail est de passer un peu de temps chaque jour, tranquillement, avec vous-même, et d'aller où se trouve l'énergie.

Votre groupe d'âmes sœurs

Dessinez un grand cercle sur une feuille de papier. Autour de ce cercle, ou à l'intérieur, notez les noms des personnes avec lesquelles vous vous sentez le plus connecté. Écrivez quelques mots qui décrivent vos sentiments envers elles ou ce qu'elles ont apporté dans votre vie. Notez l'année où vous les avez rencontrées. Voyez-vous un schéma se dégager ?

ÉTUDE COLLECTIVE

Savoir consciemment ce que vous cherchez

Si, dans un groupe, vous souhaitez parler de ce qui vous a attirés les uns vers les autres, commencez par évoquer vos propres raisons de vous trouver là.

• Quel est le *résultat le plus extraordinaire* que je souhaiterais obtenir dans ce groupe ? (Soyez ambitieux.)

• Si j'avais une baguette magique, qu'aimerais-je accomplir avec ce groupe ?

• Quel talent, quel intérêt, quelle capacité, quel sentiment puis-je offrir à ce groupe et qui soit unique pour moi ?

• Quel est le sentiment le plus important qui me poussera toujours à revenir dans ce groupe ?

Faites attention : il existe des raisons inconscientes qui expliquent votre présence dans ce groupe, elles vous seront peut-être révélées peu à peu. Nous ne connaissons pas toujours toutes les raisons qui nous rassemblent.

Définissez votre objectif – de façon consensuelle

Condensez les objectifs individuels de chacun en une phrase qui exprime les objectifs uniques de cette dynamique de groupe particulière. Même si cela vous semble difficile à énoncer en une seule phrase, continuez à travailler sur le consensus du groupe à propos de *chaque mot*, jusqu'à ce que vous ayez l'impression que l'énergie se modifie – davantage de rires, d'accord entre vous, et une forte attirance pour les mots choisis qui doivent exprimer l'objectif. Essayez d'éviter le langage pseudo-technique qui rappelle le jargon des technocrates, du genre : « La mission de notre groupe est de participer à l'évolution spirituelle de nos âmes ainsi que de susciter l'abondance et un complet équilibre dans chaque domaine de la vie. » Cette phrase décrit peut-être vos objectifs, mais elle est longue et ennuyeuse !

L'idéal ? Une définition courte et riche de sens. Certains groupes qui se réunissent pour étudier les neuf premières révélations de *La Prophétie des Andes* ont mis au point des déclarations telles que : « Nous voulons vivre le Mystère ! », « Nous voulons que l'énergie coule sans entraves ! », ou « Nous voulons vivre la magie d'un objectif riche de sens ! »

Laissez chacun parler

• Au début d'une réunion, laissez chacun à son tour exprimer ses idées et ses opinions, sans faire aucun commentaire. Les timides apprécieront de pouvoir parler sans devoir se battre contre des personnalités plus fortes.

• Employez toujours des mots simples, en puisant dans votre cœur, dans vos sentiments. Si vous avez l'habitude de citer des statistiques et des chiffres, d'exposer des arguments, essayez de ne pas utiliser des concepts abstraits pour commenter les actions des autres. Expliquez seulement comment ces problèmes vous touchent vous, personnellement.

• Donnez à chaque intervenant toute votre attention et essayez consciemment de voir, derrière l'apparence physique, la beauté de son âme.

• Cherchez la vérité, ou le mérite, dans chacune de vos idées et dans celles suggérées par les autres. Plutôt que de démolir les idées d'autrui, construisez à partir du germe positif que vous pouvez y trouver. Par exemple, si Jack dit : « Il faut raser tous les bâtiments sur ce terrain et recommencer de zéro », répondez-lui : « Je crois en effet que nous devons nous débarrasser de tout ce qui est inutile, *mais* pourquoi ne pas sauver une ou deux structures si elles s'avèrent rénovables ? » Ainsi Jack se sentira écouté, sans que vous avalisiez sa proposition de tout démolir, et d'autres options pourront être envisagées. Il s'agit ici d'utiliser la septième révélation pour donner de l'énergie aux autres et faire émerger la sagesse de leur Moi supérieur.

Restez branchés sur le flux d'énergie

Laissez l'énergie de votre groupe guider vos décisions, grandes ou petites. Par exemple, soyez prêt à réagir si vous sentez que l'énergie du groupe diminue et que vous ayez besoin d'une petite pause. Sur les problèmes plus importants, observez si l'énergie « coince » quand une personne domine le groupe en parlant trop, en faisant des reproches ou en demandant trop d'attention. Soyez prêt à exposer vos impressions et à demander au groupe son opinion sur la prochaine étape.

La pratique de la Vision de Naissance

Certains d'entre vous ont déjà formé un groupe afin d'étudier les neuf révélations. Si vous désirez inclure la méditation suivante sur vos Visions de Naissance, vous pouvez y consacrer toute une séance, ou étudier un ou deux points à chaque réunion. L'objectif de cet exercice est de se rassembler, d'élever la vibration du groupe, et de vous brancher sur un participant à la fois, afin de voir quelle information vous pourriez lui communiquer à propos de sa Vision de Naissance.

Pour chaque personne, on effectuera cet exercice une ou plusieurs fois pendant quelques semaines ou plusieurs mois d'affilée. Même si vous connaissez très peu certains membres de votre groupe, vous arriverez à percevoir des images et des intuitions sur eux qui indiqueront des talents, des intérêts ou des directions futures.

Une suggestion : avant de commencer la méditation pour la première fois, chacun écrit une petite déclaration d'objectif et la lit au début de la quête de Vision de chaque participant. Par exemple : « Nous sommes maintenant rassemblés en cercle pour aimer et honorer Julie. Nous demandons que le Moi supérieur de chacun soit présent avec le Moi supérieur de Julie ; nous demandons de découvrir et comprendre son objectif spirituel et sa Vision de Naissance pour sa vie actuelle. Nous demandons qu'émerge uniquement l'énergie positive pouvant aider à sa croissance. Commençons la méditation. »

Mais sachez que vous ne connaîtrez jamais la totalité du plan de vie de quelqu'un.

Méditation sur la Vision de Naissance

• Chacun doit avoir une feuille de papier et un stylo devant lui.

• Asseyez-vous en cercle. Les cercles symbolisent traditionnellement le partage de l'énergie et la complétude.

• Créez une atmosphère de sacré en baissant les lumières, en utilisant de l'encens et en disposant des objets naturels représentant la terre, l'air, le feu et l'eau au centre de votre cercle.

• Utilisez une musique ou un son spécial pour signaler le début de la méditation : roulement de tambour, cloches tibétaines, ou un petit morceau musical destiné à la méditation. Les rites suggèrent à l'inconscient qu'il doit s'ouvrir.

• L'un des membres lira la déclaration d'objectif pour cette méditation (voir ci-dessus).

• Décidez combien de minutes de silence vous souhaitez dédier à la personne en question. Demandez à l'un d'entre vous de surveiller sa montre et d'avertir discrètement le groupe quand l'exercice se termine.

• Une personne est volontaire pour être « le sujet de l'expérience », et s'assoit les yeux fermés ou ouverts, selon sa préférence, les pieds à plat sur le sol, et les mains reposant sur ou entre les genoux (mais pas croisées).

• Chacun se concentre silencieusement sur la personne choisie. Sentez l'énergie et l'amour qui passent à travers vous et remplissent l'espace entre vous et la personne.

• Imaginez que vous élevez la vibration de vos cellules à un niveau supérieur. Stabilisez cette sensation d'amour pendant quelques secondes.

• Repérez toutes les images qui vous passent par la tête. Notez tout ce qui vous vient à l'esprit à propos de cette personne. Concentrez-vous au maximum sur ses *qualités positives*, sur toutes les scènes que vous voyez, et décrivez-les sans évaluer leur « exactitude ». Si vous n'obtenez pas d'images visuelles, décrivez les sentiments que le sujet suscite en vous. Des mots isolés ou des phrases conviennent parfaitement.

• Quand l'exercice s'achève, chacun à son tour lit ses notes ou parle des informations qu'il a reçues.

• (Facultatif.) Après la méditation silencieuse, durant deux ou trois minutes, chaque participant évoque spontanément toutes les qualités positives qu'il décèle dans la personne choisie, tandis que l'un d'entre vous note toutes les remarques. Après cela, chacun à son tour lit ses notes ou parle de ce qu'il a perçu durant la concentration silencieuse.

• Quand tout le monde s'est exprimé, le sujet de l'expérience donne son feed-back sur ce qu'il a reçu et remercie le groupe.

• Continuez à faire parler chaque membre du groupe jusqu'à ce que vous sentiez que l'énergie baisse et vous indique qu'il faut vous arrêter.

• Décidez comment vous aimeriez clore l'exercice – par une brève période de silence, une prière de remerciement pour ce qui a été reçu, un roulement de tambour, le son d'une cloche ou des battements de main.

Une réunion de brainstorming pour définir des objectifs ou résoudre des problèmes

Cet exercice est tiré et adapté de *Teamworks! Building Support Groups That Guarantee Success*, de Barbara Sher. Nous vous suggérons d'acheter cet ouvrage si vous souhaitez profiter pleinement de son travail.

Invitez chez vous toutes les personnes pourvues d'imagination et de ressources que vous connaissez, et demandez-leur d'amener des amis. Évitez la présence d'un spécialiste de vos objectifs ou de vos problèmes : il aura tendance à offrir des suggestions fondées sur son expérience; de plus, il risque d'avoir des opinions arrêtées, limitées, sur ce qui fonctionne et ne fonctionne pas. Les vendredi et samedi soir ou le dimanche après-midi sont de bons moments pour se rencontrer.

Demandez à vos invités d'apporter des aliments à partager, cela met les convives à égalité, les implique et les rassure. Distribuez à chacun un stylo et du papier. Trouvez tous ensemble un objectif ou un problème qui sera l'objet du brainstorming. Décidez d'un temps de parole limité pour chacun et commencez l'exercice. Demandez à quelqu'un (pas à celui qui se livre au brainstorming) de noter toutes les idées proposées, même si elles paraissent « idiotes » ou « farfelues ». Passez en revue toutes les propositions et soulignez l'utilité de chacune, même si certaines apparaissent totalement absurdes à première vue. Habituellement, si quelqu'un s'est senti incité à proposer une idée, celle-ci contient un noyau de vérité. Reconvoquez une telle réunion et fixez-en la périodicité, si les participants veulent se soutenir mutuellement et raconter leurs progrès.

Selon Sher, ces séances pourraient devenir partie intégrante de votre vie sociale. Plus vous rencontrez des gens nouveaux et plus votre cercle de connaissances s'élargit, plus vous formerez un vivier de contacts, de talents utiles pour tous les membres de votre groupe.

LES GROUPES D'ÂMES

• La Vision du Monde résulte de l'unification des dimensions physique et spirituelle. Elle a constamment sous-tendu le long voyage historique des hommes sur terre.

• Les groupes d'âmes dans l'Après-Vie conservent la Vision du Monde, à travers les millénaires de l'évolution terrestre, en harmonie avec ceux qui, sur terre, se consacrent à prier sans cesse.

• L'unification ne pourra s'accomplir que lorsque de nombreux êtres humains, l'un après l'autre, se souviendront qu'ils sont sur terre pour construire une masse critique de conscience, en harmonie avec la fréquence de la dimension spirituelle. Si nous sommes dépourvus d'ambitions égoïstes, nous recevons l'énergie et l'inspiration de nos groupes d'âmes.

• Certains événements devaient d'abord se produire sur terre – la pensée critique devait notamment se développer *ainsi que* la confiance intuitive dans le mystère de la vie.

• En ce moment, et malgré les apparences, un réveil spirituel se produit sur toute la planète.

• Chacun de nous possède un morceau de la Vision globale.

• Lorsque nous partageons ce que nous savons et unifions nos groupes d'âmes, nous sommes prêts à amener toute l'humanité à la conscience.

• Le temps est venu d'achever ce travail.

La clarification

Si la conduite d'un participant pose un problème au sein du groupe, peut-être est-ce l'occasion d'apprendre quelque chose sur vous-même. La clarification doit venir d'un sentiment profond d'engagement pour le bien-être de tous, et non être une excuse pour critiquer quelqu'un. Si l'un de vous a été suffisamment courageux pour dévoiler ce comportement, demandez à chacun d'écrire quelques lignes pour répondre aux questions ci-dessous. Choisissez la meilleure façon, celle qui montre le plus de compassion, pour organiser votre dialogue ou votre discussion. Comment un conseil de sages gérerait-il cette situation ?

• Qu'est-ce que je veux pour moi-même dans cette situation ?

• Quels sont les traits ou les comportements chez cette personne que je reconnais en moi-même ?

• Quelles sont les images ou les institutions que je perçois à propos de ma relation avec cette personne ?

• Quels sont les sentiments que j'éprouve dans mon corps à propos de cette personne ?

• Comment les choses pourraient-elles s'améliorer pour moi dans ce groupe ?

• Suis-je prêt à exprimer mes sentiments lorsque le « perturbateur » me gêne, ou gêne le groupe ?

• Quel objectif spirituel cette personne essaie-t-elle d'exprimer dans sa vie ?

• Quelle leçon transmet-elle à tout le groupe ?

• Dans cette situation, puis-je sentir l'amour derrière la peur ou la colère ?

Comme dans toute aventure, on doit être présent, dire la vérité à partir de son cœur, et renoncer à essayer de contrôler ce qui se passe ensuite.

12

De nouvelles visions pour différentes professions

LE CASTOR
LA COMMUNAUTÉ

L'énergie projetée déclencherait une lame de fond sans précédent, apportant l'éveil, la coopération et l'engagement personnel, ainsi qu'un foisonnement d'individus nouvellement inspirés. Tous commenceraient à se rappeler la totalité de leurs Visions de Naissance et suivraient leur chemin synchronistique vers les positions adéquates dans leur société. (*La Dixième Prophétie* [1].)

VERS L'EXPRESSION ET LA DESTINÉE IDÉALES

L'un après l'autre, chacun de vous découvre la source de *l'inquiétude ou du conflit* qu'il ressent : ils proviennent du *fossé existant entre ce qui compte pour vous et votre vécu*. Un matin, alors que nous écrivions ce chapitre, une amie, A.T., nous téléphona : « Il fallait absolument que j'éteigne mon ordinateur et que je vous appelle », nous a-t-elle dit. Quelques jours auparavant, nous avions discuté de la façon dont elle allait étendre sa pratique de consultante. Soudain, A.T. avait des « inspirations » qui ne pouvaient absolument pas attendre. « Vous savez que je me fais des reproches parce que le téléphone n'a pas sonné souvent ce mois-ci. J'ai de très bons résultats avec la société X, mais la société Y ne me rapporte rien. J'étais extrêmement frustrée, et je n'arrêtais pas de penser que je m'y prenais mal. Cette compagnie qui était censée recruter des clients pour moi ne m'envoyait personne. Quant à l'autre, elle se démène de façon formidable. » Nous avons continué à bavarder, puis elle a déclaré : « Vous savez, cela a un rapport avec la Vision, pas avec moi. La compagnie Y a une conception très limitée. Elle n'a pas vraiment compris mon orientation, et n'essaie pas de promouvoir les services que j'offre. Par contre, la société X me consacre une page entière dans sa brochure. »

Dans l'époque de transition où nous vivons, ceux qui agissent selon la nouvelle conception du monde devront nécessairement être créatifs et flexibles pendant la période où ils lancent leurs projets novateurs face aux anciens modes de pensée. Au cours des dernières années, A.T., comme beaucoup d'entre vous, a lutté, sur le plan social, pour établir sa nouvelle affaire et en même temps informer les gens de son utilité. Sur le plan intérieur, elle a médité davantage et exploré des idées spirituelles avec des amis ; elle faisait de l'exercice pour se donner à elle-même un certain équilibre et se consacrer du temps. Elle a aussi choisi, pour le bien de ses enfants, de rester dans une petite ville au lieu de vivre dans une grande agglomération où elle aurait eu accès à une clientèle potentiellement plus importante. Elle désire passer le maximum de temps hors de sa maison avec ses enfants, dans le parc ou au bord de l'océan.

A.T. a beaucoup d'énergie et des idées créatives la traversent souvent à trois heures du matin. Elle nous raconte : « Je reçois tellement d'informations ! Il y a tellement de choses que je me sens incapable de contrôler ! Parfois, j'ai l'impression que je vais devenir folle ! Heureusement, je sais que tout cela a un sens et j'essaie seulement de le trouver. Quand je renonce à contrôler la situation, je vois les messages. *Chaque chose qui m'arrive est une information. J'en reçois un nombre incroyable.* » Lorsqu'elle a mis un terme à notre conversation, A.T. s'est rendu compte qu'elle devait rompre son contrat avec la société Y parce que ces gens n'étaient pas sur la même longueur d'onde. « J'ai fait traîner les choses, en pensant que j'avais besoin des quelques clients qu'ils m'apportaient. Mais, voyez-vous, j'ai toujours su que, lorsqu'on abandonne ce qui cloche, on fait de la place pour ce qui viendra ensuite. »

A.T. ignorait que, en « interrompant » ce matin-là nos travaux d'écriture, elle nous avait fourni un excellent exemple pour illustrer les thèmes débattus dans ce chapitre. Elle exprime un sentiment que beaucoup d'entre nous ont éprouvé et qu'il est important de reconnaître au moment où nous participons à l'évolution des différents champs d'activité.

D'après les neuvième et dixième révélations, lorsque les individus prennent conscience de leur destinée spirituelle, ils sont inexorablement poussés à changer les méthodes de travail en ce monde. Imaginons que tous les métiers constituent une mer d'énergie, chaque profession étant une matrice particulière de l'intention humaine. L'évolution des différentes branches se déroule à trois niveaux : personnel, professionnel et cosmique.

Le niveau personnel

Les dirigeants, les inventeurs et les pionniers ont tous naturellement tendance à améliorer la façon dont on travaille. Spontanément motivés et enthousiastes, ce sont des révolutionnaires et des réformateurs-nés. En fin de compte, chaque changement a pour origine une personne qui suit ses intuitions et pressentiments et prend le risque d'être différente.

La quête du sens devient tellement vitale dans notre culture que même ceux qui se livrent à des études de marché la considèrent comme *la* tendance principale des années 90. Être connecté avec ce qui compte pour nous revitalise chaque champ d'activité, quel qu'il soit : nouveaux traitements de la toxicomanie, progrès des vaccins pour les enfants, préservation des cultures indigènes et des pratiques spirituelles, réduction de l'emploi des herbicides dans les parcs nationaux, croissance zéro de la population, ou toute autre cause dont bénéficie l'ensemble de l'humanité. Il s'agit d'un processus personnel. Personne ne nous oblige à agir ainsi. Certes, il existe aujourd'hui beaucoup plus de lois et de réglementations défendant l'intérêt général qu'auparavant, mais l'impulsion première du changement provient d'êtres concernés et dévoués à leurs objectifs.

> La faculté d'imagination est très étroitement alliée à l'intuition [...]. Notre pouvoir de former des images mentales dans lesquelles nous puisons [...] forme un noyau qui, à son propre niveau, fait intervenir la loi d'attraction universelle, donnant ainsi naissance au principe de la croissance.
>
> Quelle est la relation entre l'intuition et l'imagination ? L'intuition saisit une idée du Grand Esprit Universel, dans lequel toutes les choses subsistent à l'état de potentiels, et propose cette idée à l'imagination dans son essence plutôt que sous une forme définie. Puis notre faculté de construire des images lui donne une forme claire et définie que cette faculté présente à la vision mentale. Ensuite nous vivifions cette idée en laissant notre pensée puiser dedans. Nous lui insufflons ainsi notre propre personnalité, et fournissons cet élément personnel à travers lequel se vérifie toujours l'action spécifique de la loi universelle relative à l'individu particulier. (T. Troward, *The Edinburgh Lectures on Mental Science*.)

Imaginez que votre fille apprenne à l'école à jardiner et à suivre les cycles de la nature, de la graine d'un légume ou d'un fruit jusqu'à son arrivée sur votre table. Ou qu'elle apprenne les mathématiques et les sciences en participant à la réhabilitation d'une crique endommagée par la pollution. Ou qu'elle revienne toute contente de l'école car elle a senti qu'elle était un membre important de sa famille et de sa communauté, qu'on l'écoutait vraiment en classe, et qu'elle avait fait ce jour-là quelque chose d'important. Elle se réveillerait pleine d'énergie chaque matin, avide d'apprendre, et saurait qu'elle a sa place dans ce monde, qu'elle a un rôle crucial à y jouer, que son avenir est ouvert. En revanche, si à vingt et un ans votre fille n'avait mangé jusque-là que de la nourriture synthétique et s'était gavée de télévision, elle serait une personne très différente ; de même, si on lui avait demandé de passer sept heures par jour, cinq jours par semaine, vissée à une chaise, dans un bâtiment en béton entouré d'asphalte ; et la situation serait encore pire si, durant les années importantes de son apprentissage de la vie, elle avait erré dans les rues de la ville avec des copains aussi désœuvrés qu'elle.

De nouvelles formes d'enseignement, pour ne mentionner qu'une branche d'activité, commencent déjà à émerger : elles visent à élaborer des expériences différentes pour former des esprits sains, actifs et ouverts. La dixième révélation nous apporte une information passionnante : ces idées sont en train de devenir réalité grâce aux personnes qui ont une Vision – pas des utopistes, mais des êtres qui savent ce qu'il est possible de réaliser. Mais, dans tous les cas, les idées viennent de l'intérieur pour être appliquées à l'extérieur.

Le niveau professionnel

Imaginez que chaque profession se mette à modifier consciemment ses habitudes, qu'elle agisse en fonction de ses *relations avec le reste du monde vivant* et de son *impact sur les ressources futures*, et enfin qu'elle encourage une *éducation mutuelle entre ses membres et ses clients*.

Imaginez que votre avocat ne se contente plus de vous représenter devant les tribunaux, mais qu'il vous aide à mieux comprendre les circonstances ayant abouti à votre divorce ou à votre litige et à « guérir » cette situation.

Imaginez que vos différents médecins s'intéressent aux conditions psychiques, émotionnelles et économiques qui entourent votre maladie, et soient assez imaginatifs pour avoir recours à toute une *gamme* de professionnels de la santé physique et mentale aux qualifications complémentaires : acupuncteurs, médiums, personnes pratiquant la guérison spirituelle, etc.

Vous pouvez hausser les épaules avec incrédulité et vous esclaffer devant la perspective absurde de voir un jour une de ces idées mise en pratique. De toute façon, elles *sont* déjà en train de prendre forme à travers les efforts de petits groupes d'individus aux quatre coins de la planète, trop nombreux pour que nous les citions ici.

Dans chacun de ces cas, le praticien ou l'organisateur est une *personne* qui croit profondément à l'importance d'aider les autres et apporte aux problèmes à résoudre une perspective plus large. Il ne persévère pas parce que c'est à la mode, facile, ou même rentable financièrement mais parce que cela lui semble juste. Il lui importe d'exprimer ses principes dans la vie. La motivation personnelle de servir l'humanité fait partie intégrante de la Vision du Monde – *elle exprime* en fait la transformation de la conscience. Notre Vision du Monde est modifiée par des hommes et des femmes qui veulent changer quelque chose, et obtenir une satisfaction *personnelle* à partir de ce qu'ils font, même s'ils sont parfois fatigués, frustrés et découragés à la fin de leur journée. Ce n'est pas en *imposant* un nouveau code éthique que l'on parviendra à ce que les êtres humains *reconnaissent* et se *souviennent* des fondements spirituels de la vie.

Le plan cosmique

Le choix des professions n'est pas fortuit. Selon les enseignements des maîtres de l'ésotérisme, il existe sept groupes qui ont pour mission de développer des états de conscience spécifiques chez les hommes. Au cours des quatre cents dernières années, l'humanité a dû accroître ses qualités mentales pour équilibrer les qualités perceptives antérieures, fondées davantage sur l'instinct et les sentiments. Les recherches scientifiques ont permis de progresser dans le domaine de la méthode, la structure et l'intégration, et de renforcer les techniques d'investigation. Nous avons ainsi appris à mieux analyser la réalité, tâche réservée à l'humanité dans l'unification des deux dimensions.

En même temps que de nouvelles informations sur la structure du monde vivant, nous avons « repéré » (ou créé) de nombreux ennemis et dangers. Indirectement, grâce à la radio, la télévision, les magazines et les journaux, nous partageons les malheurs des autres habitants de la planète et y participons presque physiquement. En réponse à tous ces « faits » nous avons créé d'énormes industries qui gèrent nos peurs : les fabricants d'armes, les sociétés pharmaceutiques, l'industrie du divertissement, les compagnies d'assurances, les agences de publicité et les entreprises de sécurité. Nous avons divisé le monde et dressé un mur entre ce que nous aimions et ce que nous n'aimions pas.

L'intégration et la synthèse

Jusqu'à maintenant, les penseurs visionnaires ont, presque sans le vouloir, forgé la nouvelle Vision du Monde, quel que soit le groupe qu'ils ont choisi. Beaucoup d'entre nous ont travaillé sans être conscients de l'objectif spirituel de leur activité. Ce n'est qu'au cours des deux dernières décennies que nous avons pu constater l'existence du réseau qui nous relie à d'autres serviteurs de l'humanité. La prochaine étape, maintenant, sera de prendre conscience de nos relations mutuelles et de dialoguer consciemment pour joindre nos efforts dans certains domaines.

> [...] nous devons nous souvenir que le développement s'opère toujours par une croissance parfaitement naturelle et non en forçant excessivement la moindre partie du système.
>
> [...] l'intuition travaille plus librement dans la direction où nous concentrons habituellement notre pensée ; et, en pratique, on verra que la meilleure façon de cultiver l'intuition [...] c'est de méditer sur les principes abstraits de cette catégorie spécifique de sujets plutôt que de seulement considérer les cas particuliers.
>
> [...] vous découvrirez que la compréhension claire des principes abstraits dans n'importe quel domaine accroît merveilleusement l'intuition dans ce domaine donné. (T. Troward, *The Edinburgh Lectures on Mental Science.*)

Nous sommes maintenant en train de nous préparer à rendre notre évolution plus consciente. Nous avons déjà commencé à comprendre le pouvoir que nous acquérons en utilisant l'intuition et l'intention concentrée. Ces idées circulent facilement autour du globe à travers l'esprit/corps collectif. De nombreux mots actuels comme flux, travail en réseaux, holisme, synergie, alliances, partenariat, cercles, centres ou World Wide Web reflètent l'idée que quelque chose est en train de se forger.

À quel groupe d'âmes pensez-vous appartenir ? Quel type d'*activité* êtes-vous en train d'approfondir ?

Activité culturelle

Développer des relations.
Socialiser et *civiliser.*

Apporter une aide humanitaire.

Inspirer les hommes grâce à l'art, la musique, la danse, la poésie et la littérature.

Élargir les connaissances au moyen de l'enseignement, de la photographie, du cinéma.

Disséminer des idées à travers les médias, les voyages et les communications.

Réglementer à travers les lois et la défense de causes.

Activité philosophique

Échafauder des théories sur la nature de la réalité.

Distinguer et *comparer* des idées, des cultures, l'histoire et l'avenir.

Activité politique

Révolutionner et *réformer* les nations.

Construire et *stabiliser*.

Distinguer et *défendre* les cultures, les frontières.

Étendre les intercommunications.

Mobiliser les ressources.

Élever le niveau de conscience de l'opinion sur les droits de l'homme (en présentant le pour et le contre).

Activité religieuse

Conserver le mystère.

Structurer le mystère.

Convertir et *protester*.

Construire une communauté.

Diviser une communauté.

Enraciner l'esprit.

Fournir de l'aide et de la cohésion dans des périodes troublées.

Créer des troubles.

Prier sans relâche.

Activité scientifique

Développer une compétence dans un domaine donné.

Promouvoir des communications de masse et des relations mutuelles.

Créer des analyses et des critères.

Mettre en corrélation et *synthétiser*.

Explorer les limites de chaque chose, y compris de l'objectivité.

Imposer des programmes militaires.

Activité psychologique

Développer une compétence intérieure.
Mettre fin à de vieux problèmes.
Dénouer des blocages.
Améliorer la qualité de la vie.
Promouvoir la communication et la sensibilité.
Comprendre et *modifier* les comportements.

Activité financière

Contrôler et *organiser* les relations commerciales.
Élargir et *appliquer*.
Construire et *relier*.
Consommer des ressources, *fournir* des biens et des services.
Créer des alliances et des ponts internationaux.

SAVOIR HARMONISER LES CONTRAIRES

Chaque groupe, bien entendu, peut agir à partir des *extrêmes* positifs et négatifs de son aire d'influence. De quelle façon avez-vous été négativement affecté par l'un des sept groupes d'âmes ? Comment jusqu'ici vous ou votre culture avez subi l'impact de deux, ou davantage, de ces groupes possédant informations, qualifications et influence ?

> Le vrai problème du tiers monde est l'ignorance [...]. Il faut donc éduquer les populations [...]. Et il faut le faire énergiquement, sans réticence sentimentale. C'est une nécessité immédiate, une urgence. Il faut leur dire, avec tout ce que cela suppose de malentendus : vous faites fausse route, votre accroissement démographique beaucoup trop fort vous conduit à une misère plus terrible encore [...]. Nous devons lutter contre cet écart grandissant. Cela devrait être notre cible. Rapprocher les deux mondes l'un de l'autre jusqu'à les rendre comparables, et si possible égaux. Oui, cela devrait être notre cible. (Le dalaï-lama interviewé par Jean-Claude Carrière dans *La Force du bouddhisme*.)

Dans l'ancien mode de pensée, ces groupes tendaient à travailler d'une façon individualiste, séparatiste, isolée. Dans le nouveau mode de pensée, chaque groupe doit maintenant participer à une sorte de « Ligue interdisciplinaire mondiale » et assimiler les progrès de chaque discipline pour le bien de toute l'humanité. Chaque groupe détient une parcelle de la vérité. Sans négliger aucun élément, aucune nation, aucune culture, aucun langage, aucune espèce, ni aucune religion, ces groupes devront *soutenir chaque élément afin que son influence nécessaire s'exerce sur la totalité.* Nous devons maintenant engranger les valeurs fondamentales de chaque élément pour nourrir la totalité. Comment harmoniser nos zones d'influence ? Comment contrecarrer les tendances à de nouvelles séparations et à la création de nouvelles structures ? Qu'est-ce qui nous poussera ou nous forcera à le faire ?

Abordons maintenant nos préoccupations : l'environnement, notre peur de l'holocauste nucléaire, la famine mondiale, la surpopulation, les maladies, les droits de l'homme, les catastrophes naturelles et notre intérêt personnel. On considère généralement que l'impact de ces facteurs puissants sur le monde est épouvantable, impensable, inquiétant, fâcheux et inéluctable. Soit cet impact nous polarisera, nous divisera, soit il nous unira et permettra de commencer à combler le fossé créé par la cupidité et la peur. Peut-être, en ce qui concerne la Vision du Monde, sommes-nous encore à l'étape où nous devons apprendre à tirer les enseignements de nos difficultés. Si nous rencontrons des obstacles apparemment insolubles, pourquoi ne pas revenir à un principe de base : L'union fait la force ? Pour unifier les sphères matérielles et spirituelles, il faut unifier le monde par la compassion, l'amour, l'amitié, la tolérance, et tendre la main à ceux qui ont besoin de notre aide. Si des gens comme le Dr Robert, en menant des recherches sur les cellules du cancer dans son laboratoire en Suède, arrivent à élaborer un plan qui aide les hommes d'affaires de tous les pays à changer leur action sur l'environnement, l'humanité ne dispose-t-elle pas de ressources illimitées en matière d'invention ?

PRINCIPALES CARACTÉRISTIQUES DES CONSERVATEURS DE LA VISION

Qu'est-ce qui caractérise un serviteur du Monde, un conservateur de la Vision ? D'abord, la capacité d'aimer, la compassion, la tolérance et un puissant désir de servir l'humanité. Souvenez-vous que ces qualités ne sont pas des abstractions que vous pourriez, tel un costume ou une robe, sortir de votre armoire, prendre et enfiler pour être « spirituellement correct ». Ce sont des acquis de la dixième révélation. Vous possédez déjà ces qualités – souvenez-vous seulement que vous devez avoir un impact positif sur les autres et profiter du flux qui revient vers vous par ricochet.

Voici quelques autres qualifications nécessaires :

- Le désir de travailler de façon intuitive,
- La capacité de juger de la vérité et des messages apportés par les synchronicités et les intuitions, de façon désintéressée,
- La capacité de réfléchir à l'impact sur la totalité quand on doit prendre des décisions, petites ou grandes,
- Être dans un état d'harmonie mentale et de sensibilité émotionnelle, avoir atteint une certaine maturité, et avoir un niveau de conscience spirituelle élevé,
- Avoir le sens de l'humour et savoir rire de soi-même,
- Savoir que la prière est efficace,
- Prier et méditer,
- Reconnaître les qualités des autres, et être capable d'élever spirituellement et d'inspirer ceux que l'on rencontre,
- Se détacher des ambitions personnelles,
- Avoir connu des expériences variées, posséder des intérêts et des talents divers,
- Être souple sur le plan physique et intellectuel,
- Gérer sagement vos finances,
- Savoir transformer les obstacles en opportunités,
- Savoir écouter – et pas seulement avec les oreilles,
- Être un rassembleur, partager ses connaissances avec curiosité et générosité,
- Éviter le sectarisme et l'esprit partisan,
- Dire la vérité sans vouloir contrôler, convertir ou « amender » les autres,
- Être spontané *tout en étant* capable de travailler longtemps, sans obtenir de résultats immédiats,
- Savoir voyager en dehors du corps ou se brancher sur les informations médiumniques et faire le tri des données reçues,
- Prendre des décisions fondées sur ce qui paraît cohérent à l'intérieur de soi et sur ce qui « compte le plus ».

DEVOIRS ET RESPONSABILITÉS DES CONSERVATEURS DE LA VISION

Comment un conservateur de la Vision interagira-t-il avec d'autres pour maintenir un objectif ? Observez les personnes qui pénètrent dans votre vie à partir de maintenant. Dès que vous commencerez à agir de façon désintéressée, à être motivé par le désir de servir l'humanité et à travailler en direction de la Vision du Monde, une connexion s'établira avec les groupes d'âmes qui surveillent la dimension terrestre. Votre énergie atteindra une vibration supérieure, donc vous commencerez à attirer ou à être attiré par ceux qui travaillent selon des lignes de conduite similaires. Passez davangage de temps avec les personnes dont les idées vous communiquent de l'énergie. Laissez ces relations évoluer toutes seules, sans essayer de forcer qui que ce soit ou de vous accrocher. Travaillez pour ce à quoi vous croyez, mais ne perdez pas votre temps à attaquer les autres, à débiter de grands discours ou à aligner des arguments pour la galerie. N'imposez vos idées à personne. Si vous vous surprenez à juger « le niveau de développement » des autres, c'est que vous ne savez pas encore profiter des leçons qu'ils peuvent vous apprendre. Évitez de les critiquer, même si vous pensez que leurs idées travaillent contre les vôtres. Cherchez plutôt un terrain d'entente avec eux et tentez de *devenir* le type de personne que vous aimeriez rencontrer.

Une partie de votre travail consiste maintenant à rassembler ceux qui ont des atomes crochus avec vous, les présenter à d'autres, encourager le soutien de la communauté et le partage des idées. Ralentissez votre rythme de vie, afin d'avoir plus de temps pour réfléchir en dehors de votre activité professionnelle. Demandez que viennent à vous de nouvelles idées pour travailler différemment et améliorer votre efficacité ; pour avoir des relations humaines positives ; vous amuser ; étudier de nouvelles théories ; analyser un vieux problème à partir d'un point de vue différent (demandez à un enfant comment procéder !).

SI VOUS N'AIMEZ PAS VOTRE TRAVAIL ACTUEL

Si vous n'aimez pas votre travail actuel, souhaitez très fort comprendre le but de votre présence dans cette entreprise. Investissez plus d'amour et d'attention dans ce travail et vos collègues, *tant que vous resterez dans cette société*. Vous serez peut-être amené à démissionner de cette entreprise, juste au moment où vous commencez à envisager cet emploi avec optimisme. Cela est arrivé à beaucoup de gens que nous connaissons.

ÉLARGISSEZ VOS CONTACTS

Si vous voulez élargir vos contacts, ou si vous venez de fonder une nouvelle société, ne vous réfugiez pas dans la solitude ! Organisez chaque mois un groupe de brainstorming si l'idée vous attire. Demandez à deux ou trois amis chaque semaine des suggestions à propos de livres, d'associations, de conférences et de stages. Dans toutes sortes de nouveaux domaines de connaissance, des cours sont dispensés dans des institutions et des programmes locaux tels que le Learning Annex à San Francisco, Los Angeles, San Diego, New York et Toronto. L'institut Oméga à New York, Interface à Boston, et l'institut Esalen ne sont que trois des organismes les plus connus parmi les multiples centres qui ont conservé la Vision pendant de nombreuses années. Ces « universités » accessibles représentent le pôle démocratique et attractif de la conscience spirituelle émergente.

Continuez à demander à l'univers de vous indiquer la meilleure direction. Soyez clair sur la façon dont vous voulez servir les autres dans votre profession. Faites cadeau de quelque chose. Cherchez toujours le moyen d'aider les autres, et écoutez leurs besoins et leurs préoccupations au niveau de votre *cœur*. Si vous travaillez dans le commerce et qu'un client, par exemple, marchande le prix d'un article, en fait il cherche souvent à entrer en contact avec une personne authentique qui se préoccupe *vraiment* de ses besoins. Parlez-lui de *son* objectif dans la vie, de ses rêves.

APPLIQUER LA LOI DU MOINDRE EFFORT

Aujourd'hui j'accepte les gens, les situations, les circonstances et les événements comme ils se produisent. Je sais que ce moment est comme il doit être.

Ayant accepté les choses comme elles sont, je *prends en charge* ma situation ainsi que tous les événements que je considère comme des problèmes.

Je n'ai plus besoin de défendre mon opinion. Je reste ouvert à tous les points de vue et ne suis rigidement attaché à aucun d'entre eux. (Deepak Chopra, *Les Sept Lois spirituelles du succès.*)

Vous n'êtes pas obligé de recruter des adeptes ou des collègues qui soient d'accord avec votre mode de pensée. Chacun, dans sa profession, peut servir la Vision du Monde, s'il sait ce qu'il est venu faire sur terre. Lorsque vous rencontrez quelqu'un qui veut réellement travailler à un niveau plus élevé ou plus profond, contentez-vous de partager votre enthousiasme pour votre propre travail d'une façon amicale, ouverte. Nul besoin d'impressionner, ni de changer qui que ce soit. Comme nous l'avons dit auparavant, concentrez votre attention sur l'état idéal que vous désirez atteindre.

LES MODÈLES DE PENSÉE NOUS AIDENT À VOIR LE TABLEAU D'ENSEMBLE

Nous allons examiner maintenant quatre grands domaines d'activité : la santé, le droit, l'enseignement et l'art. Que vous soyez d'accord ou non avec nos suggestions, utilisez-les comme un tremplin pour réfléchir sur la progression que vous voyez dans votre propre branche depuis 1965 ou 1985.

Dans le secteur de la santé, nous présentons quatre paradigmes qui montrent l'évolution de la pensée dans ce domaine.

Dans le secteur juridique, nous décrivons un processus qui favorise la capacité de réunir les gens, le travail en réseaux et l'investigation au-delà des évidences superficielles, processus que vous pouvez appliquer d'une façon ou d'une autre à votre propre métier. Comment ? Cela dépend de vous.

Dans le domaine de l'enseignement, nous suggérons de nouveaux schémas pour l'éducation qui exigent de faire preuve de créativité et de briser des barrières, plutôt que d'obtenir des crédits gigantesques.

Dans le domaine artistique, nous souhaitons nous souvenir nous-mêmes des qualités vivifiantes de la perception esthétique qui rendent l'homme unique parmi toutes les autres espèces. À moins que les dauphins n'aient ouvert des galeries d'art dans le triangle des Bermudes !

La santé

La souffrance et la maladie retiennent notre attention plus que tout autre phénomène. En effet, nous ne pouvons leur échapper quand nous sommes mal en point.

Patients et professionnels de la santé s'incitent mutuellement à s'intéresser au nouveau champ des soins psychospirituels et bioénergétiques. De plus en plus, un public informé réclame des conseils et de l'aide pour rester en bonne santé. Les donneurs de soins orientent et suivent la demande.

> Les gens qui réussissent le mieux dans leurs efforts gèrent généralement leurs désirs sans lutter exagérément avec leur environnement – ils sont dans le flux... ils permettent à la solution de se présenter spontanément, et font confiance à leurs propres capacités d'affronter les défis difficiles. (Deepak Chopra, *Un corps sans âge, un esprit immortel, l'alternative quantique à la vieillesse.*)

Dans le passé, les Occidentaux tendaient à s'intéresser au corps seulement lorsqu'il « tombait en panne ». Conditionnés par le mode de pensée scientifique, nous croyions que nos corps « fonctionnaient » comme des machines, et que certaines pièces devaient être réparées de temps en temps. Faisant preuve d'une ingénuité flagrante, nous sommes passés maîtres dans l'art de réparer les pièces et excellons dans la médecine technique – indispensable pour beaucoup de traumatismes et d'abus que nous nous infligeons nous-mêmes.

Cependant, d'autres cœurs et d'autres esprits se posaient des questions différentes, et ont trouvé des réponses différentes. Aujourd'hui, nous avons une vision plus complète des états d'énergie visible et invisible qui créent et conservent ce que nous appelons notre corps, mais pour lesquels nous n'avons pas vraiment de nom adéquat. Nous parlons maintenant de notre matrice énergétique corps/mental/esprit – un terme qui a encore une allure très technique pour le grand être spirituel que nous sommes !

L'approche « holistique » s'intéresse à des questions comme : Que se passe-t-il dans votre vie ? Mangez-vous des aliments frais ? Combien d'heures d'exercice physique faites-vous chaque semaine ? Quelle est l'histoire de votre famille ? Êtes-vous content de votre travail ? Êtes-vous très seul ? souvent en colère ? Quels sont vos sentiments vis-à-vis de vos parents ? Que vous est-il arrivé quand vous aviez trois ans ? Avez-vous récemment perdu un être cher ? Quels sont vos plans pour les prochaines années ? Quelle est votre opinion sur la vie ? Méditez-vous ou priez-vous ? Croyez-vous en quelque chose de plus grand que vous-même ? Peignez-vous ? Dansez-vous ? Quelle sorte de travail bénévole effectuez-vous ? Disposez-vous d'assez de vacances chaque année ? Vous amusez-vous ?

Grâce au travail de millions d'individus inspirés et audacieux nous sommes plus capables qu'à toute autre époque de l'histoire de nous soigner nous-mêmes – physiquement, émotionnellement, financièrement et spirituellement. Comment sommes-nous arrivés à cette étape ? Simplement parce que nous étions curieux, nous ne pouvions nous en empêcher. Plus nous apprenions et écoutions les gens qui avaient *toutes sortes d'expériences, de besoins et d'idées*, plus nous nous rendions compte que notre corps physique est l'expression externe de notre noyau spirituel et de notre objectif karmique. La vieille conception mécaniste du corps n'allait pas assez loin. Elle n'était pas conçue pour inclure la matrice invisible, mais vitale, *générative* et spirituelle à partir de laquelle notre corps grandit. Les partisans des soins corps/esprit comme Deepak Chopra, Larry Dossey, Christine Northrup, Bernie Siegel, Leonard Laskow et Richard Gerber, pour ne mentionner que quelques théoriciens célèbres, font partie d'un groupe pionnier qui a facilité l'apparition de la nouvelle médecine et des méthodes de soins du XXIe siècle. Les outils de la technologie *et* de la guérison psychospirituelle nous offrent des possibilités extraordinaires pour conserver une bonne forme physique et vivre longtemps. Dans un avenir pas trop lointain, nous ne nous contenterons plus de prévenir et gérer la maladie, nous explorerons de façon active la façon de jouir d'une santé exemplaire ou de développer les capacités paranormales.

Est-ce un hasard si nous sommes entrés dans une période de restrictions, si l'on instaure maintenant une gestion budgétaire rigoureuse des soins et des services fournis par les médecins, les infirmières et les techniciens de la santé ? Nous pourrions aussi bien nous demander : « Quel est l'objectif spirituel sous-jacent à l'introduction de ces contrats draconiens, de ces limitations financières ? » Nous sommes dans une époque de transition qui explore les frontières du possible et du souhaitable. De plus en plus de gens souhaiteront élaborer de nouvelles réponses dans ces domaines complexes.

> Une intention représente un signal envoyé par vous vers le champ d'énergie, et *ce que vous recevez en retour de ce champ constitue la plus importante réponse positive qui puisse être fournie à votre système nerveux.* (Deepak Chopra, *Un corps sans âge, un esprit immortel.*)

La psychologie et la psychiatrie seront profondément réorientées pour inclure la connaissance des possibles dysfonctionnements énergétiques de la matrice psychospirituelle/bioénergétique du corps éthérique. Robert Monroe, le défunt homme d'affaires, essayiste et voyageur qui a effectué des voyages hors de son corps pendant trente ans, a émis des hypothèses pertinentes. La psychose ne serait-elle pas une sorte de fuite de la digue qui sépare les dimensions physique et spirituelle ? Des états figés d'énergie comme la catatonie et l'autisme ne résulteraient-ils pas d'une forme de dissociation entre le corps physique et notre deuxième corps ?

À une échelle macroscopique, en explorant l'intersection entre nos états physiques et non physiques, on découvrira peut-être des champs entièrement nouveaux pour l'investigation scientifique. À une échelle microscopique, nous devons rendre hommage au travail des chercheurs scientifiques comme Candace Pert, ancienne directrice du département de biochimie du cerveau à l'Institut national pour la santé mentale. Selon elle, il existe peut-être un équivalent biologique du « champ unifié » de la conscience. Dans une étude souvent citée, le Dr Pert a souligné qu'une molécule comme un neuropeptide était si minuscule qu'elle pouvait voyager partout dans le corps et atteindre n'importe quelle cellule. La question de Pert était : « Que font ces molécules ? » Chaque cellule du corps possède des récepteurs pour ces petits visiteurs neuropeptides. Elle a d'abord pensé que ces molécules se trouvaient seulement dans le système nerveux central. Cependant, les études de Pert montrent que non seulement toutes les cellules du corps peuvent *recevoir* les messagers, mais aussi les *fabriquer*. La capacité des cellules de communiquer entre elles semble suggérer que l'*esprit* existe dans tout le corps, pas seulement dans le cerveau. Dans la mesure où chaque émotion déclenche une réaction des neuropeptides, chaque fois que nous nous mettons en colère ou que nous tombons amoureux, cela se reflète dans nos sécrétions corporelles internes. Vous vous souvenez du rat n° 2, M. Impuissance Acquise, évoqué au chapitre 10 ? Ses neuropeptides transportaient sans doute le message que ce rat était une Victime !

Mais comment le corps obtient-il l'information à partir de son corps énergétique éthérique *en dehors* du corps physique ? Comment captons-nous les influences psychiques d'autres personnes dispersées sur toute la planète ? Quand vous marchez dans une forêt, qu'est-ce qui vous fait sentir que vous êtes dans un espace sacré ? Peut-être les savants du futur découvriront-ils que les neuropeptides ou des molécules similaires relient les champs énergétiques à la physiologie du corps. Des penseurs qui voient loin estiment aujourd'hui que le corps est davantage un réseau d'informations qu'un assemblage de chair et de sang.

La pensée précède la forme

Richard B. Miles, coordinateur exécutif du Réseau des professionnels de la santé intégrale, a suivi l'évolution du domaine des soins et de la santé depuis le début des années 1970. Il a encouragé de nouveaux penseurs et élaboré des programmes de cours pour les soins intégraux. Miles a entamé une nouvelle carrière sur le plan médical juste au moment où différents groupes de contestation culturelle (les hippies, les babas cool, les pacifistes, et les « camés », comme les appelaient ceux qui ne les aimaient pas) réclamaient un changement de société. « Peter Drucker a écrit *Managing in the Age of Discontinuity* en 1967, nous a expliqué Miles. Il voyait déjà que des penseurs de première importance dans toutes les disciplines majeures remettaient en question les hypothèses sur lesquelles ces disciplines étaient construites. Je venais de quitter un travail dans le marketing, et au bout d'environ un an de recherche avec mon associé Jack Frach, nous avions conclu que Drucker avait raison. Il fallait repenser tout le terrain de jeu. »

> Lorsque le niveau de conscience se modifie, ne serait-ce qu'un tout petit peu, l'énergie et l'information introduisent de nouveaux schémas. Si les vieilles habitudes sont si destructrices, c'est parce que les nouveaux schémas ne sont pas autorisés à émerger – une conscience conditionnée est donc synonyme de mort lente. (Deepak Chopra, *Un corps sans âge, un esprit immortel.*)

« Le livre le plus important de cette époque, nous a affirmé R. B. Miles, était *Le Phénomène humain*, de Teilhard de Chardin. Selon ce théoricien, la survie des plus aptes n'était pas le moteur de l'évolution biologique. Il pensait que chaque forme extérieure avait une forme intérieure, et que le principe d'organisation était la conscience. Plus la vie progressait, plus la vie biologique progressait, elle aussi, et devenait complexe. Plus elle devenait complexe, plus elle devenait consciente d'elle-même – prouvant ainsi que la conscience avait toujours été présente. Plus un organisme devenait complexe, plus il devenait capable. Les formes biologiques se modifiaient grâce à la conscience, et la conscience concevait ainsi son propre avenir. Il s'agissait d'une idée extrêmement radicale dans le paradigme scientifique.

« Mon partenaire et moi avons compris, grâce aux idées de Teilhard de Chardin, que, tout autour de nous, la conscience culturelle s'organisait en vue d'un ordre différent. Toutes les disciplines se réinventaient.

– Quelle a été l'évolution de la pensée dans le champ de la santé ? avons-nous demandé.

– Il existe quatre paradigmes pour analyser la santé et la maladie, déclare R. B. Miles, qui a enseigné à l'université John-Fitzgerald-Kennedy et à l'Institut d'études intégrales de Californie à San Francisco. Le premier paradigme – le *paradigme de l'autorité* – opérait encore il y a une centaine d'années. Il a deux volets : 1) Dieu me punit (par cette maladie) et 2) je suis possédé par des esprits malfaisants et des démons. Vous pouvez encore trouver des traces de cette forme de pensée dans les réactions actuelles face à l'épidémie du sida.

« Le second modèle est le *paradigme de la guerre, ou du conflit*. Il s'est développé à partir de notre croyance en des phénomènes que nous ne pouvions pas voir. Les gens avaient coutume d'appeler ces forces invisibles des “ miasmes ”. L'invention des microscopes nous a permis d'apprendre qu'il s'agissait d'organismes particuliers. Alors la maladie est devenue l'ennemi, et le savant le héros. Son but était de trouver l'ennemi, de le vaincre, et ainsi de résoudre le problème. Cette conception a prévalu durant les quatre-vingts dernières années. En fait, ce modèle a cessé d'être efficace dans les années 20 parce que l'on a obtenu des résultats extraordinairement positifs en matière de santé publique en purifiant l'eau, en tuant les moustiques, en mettant les aliments dans des réfrigérateurs et en remplaçant les lampes à pétrole par la lumière électrique. En 1944, quand nous avons commencé à développer des traitements efficaces fondés sur les antibiotiques, les maladies infectieuses étaient déjà depuis longtemps sur le déclin.

« Le troisième paradigme pour penser la santé et la maladie est la *reconnaissance des schémas*. On examine le mode de vie d'une personne dans son ensemble et la façon dont il affecte sa santé. Il ne s'agit pas de chercher l'ennemi, mais le processus qui a conduit au problème – comme la consommation de drogues ou un système familial stressant. L'un des plus importants progrès intervenus dans le traitement des maladies du cœur s'est produit quand on a commencé à enseigner aux gens qu'ils devaient améliorer leur alimentation et faire davantage d'exercice physique, plutôt que d'essayer d'*attaquer* tel ou tel symptôme. Cette idée s'est répandue dans la conscience collective parce que, au lieu de nous focaliser sur les maladies infectieuses, nous nous sommes intéressés aux affections chroniques dégénératives. Pour traiter les maladies chroniques, nul besoin de tuer le moindre ennemi, même si vous entendez encore parler de " guerre contre le cancer ", de " bataille contre le diabète " ou de " lutte contre le sida ". À part le bien-être physique et émotionnel, ce qui est crucial pour le " schéma " d'une bonne santé, c'est de percevoir qu'on a un objectif dans l'existence, que l'on veut vivre et qu'on exerce un certain contrôle sur ses propres choix.

« Le quatrième paradigme (L'*univers* est une métaphore) est encore en train d'émerger. C'est pourquoi nous commençons à nous demander : " Quel *message* cette maladie ou cette blessure contiennent-elles pour moi ? À quoi dois-je faire attention ici ? " »

Pour Miles, ainsi que pour d'autres personnes qui ont écrit des essais sur les questions médicales comme Larry Dossey et Bernie Siegel, inutile de « culpabiliser » les patients en leur affirmant qu'ils sont malades parce qu'ils ne font pas assez attention à leur corps ou qu'ils n'ont pas une vie spirituelle suffisante. Puisque la maladie provient parfois de processus profondément inconscients, ou du karma, selon la philosophie orientale, suggérer qu'un patient a délibérément provoqué sa maladie est à la fois contreproductif et témoigne d'un manque d'amour.

Nous sommes *très* attentifs à la maladie et à la douleur. Nous ne réussissons peut-être pas à capter tous nos messages intérieurs, mais les changements dans notre santé nous lancent un avertissement brutal. « Pourquoi moi ? Pourquoi maintenant ? » demandons-nous. La vision du monde et les valeurs de beaucoup de sujets changent considérablement durant leur maladie ou après. « Dans l'univers métaphysique, dit Miles, clarifiez vos questions et l'univers vous répondra. »

Les conceptions émergentes sur la santé font partie d'une seule et même énergie organisatrice dans l'évolution du Grand Plan. Voyez-vous un parallèle entre le modèle de la guerre et votre domaine d'activité ? Constatez-vous des changements dans la façon dont pensent vos collègues ? Le champ de votre profession se ferme-t-il ou s'ouvre-t-il ? En d'autres termes, y a-t-il de nombreux conflits territoriaux ?

LES FILTRES DE LA CONCEPTION DU MONDE

Modèle de la santé et de la maladie	*Conception du monde*
• Paradigme de l'autorité : Mauvais esprits/Démons	• L'univers est hostile.
• Paradigme de la guerre ou du conflit	• L'univers est régi par le hasard. Tout ce que vous pouvez faire, c'est gagner la guerre.
• Reconnaissance du schéma	• L'univers est amical. Si vous discernez le schéma, vous apprendrez quelque chose.
• La maladie est une métaphore. Chaque événement a une raison d'être	• L'univers est intégral. Non seulement il est amical, mais son évolution a un but.

La nouvelle Vision du Monde dans les professions juridiques

Bill Van Zyverden a fondé l'Alliance internationale des avocats holistes qui regroupe environ cinq cents membres dans quarante-trois États américains et sept pays. Directeur du Centre de justice holistique à Middlebury, cet avocat exerce dans le Vermont. « Chaque profession est en train d'évoluer, affirme-t-il. Si vous prenez le pouls du mécontentement de la société contre les avocats et l'insatisfaction de notre profession vis-à-vis d'elle-même, vous vous rendez compte qu'ils ont atteint un point *critique*. Il en est de même pour la fréquence de cette vibration. Plus la fréquence augmente, plus la clarification s'accroît. Le droit évolue vers sa propre clarification. Nous n'avons pas besoin de savoir à quoi cela ressemblera. Mais l'Alliance internationale des avocats holistes est une borne kilométrique qui vous indique la direction que nous suivons. »

Je suis entré dans la coupole et j'ai dit aux techniciens [...] que je voulais voir Saturne et plusieurs galaxies. J'ai éprouvé un immense plaisir à observer de mes propres yeux et avec la plus grande clarté tous les détails que j'avais seulement vus auparavant sur des photographies.

Pendant que je regardais tout cela, je me rendis compte que la pièce avait commencé à se remplir de gens et que, l'un après l'autre, ils jetaient aussi un coup d'œil dans le télescope. Jusqu'ici, ces astronomes attachés à l'observatoire n'avaient jamais eu l'occasion de regarder directement les objets de leurs recherches. (Victor Weisskopf, *The Joy of Insight.*)

Dans le champ de la médecine holistique, on croit que la véritable guérison ne se produit que lorsqu'on examine les racines et la cause d'une maladie à la lumière de toute la vie du patient. La pratique juridique d'un point de vue holistique a le même sens pour les juristes de cette tendance. « Il ne suffit plus de s'occuper seulement des aspects légaux des affaires de nos clients, soutient Van Zyverden. Je crois que nous devons les aider à se pencher sur les conflits intérieurs qui se manifestent dans leurs litiges. » Les nouvelles perspectives dans la pratique juridique holistique prônent la « guérison » en tirant profit de toutes les difficultés rencontrées, d'une façon qui ressemble fort au processus de traitement de la maladie.

Les racines du conflit et la responsabilité personnelle

Les juristes holistes essaient d'aider leurs clients à se concentrer sur ce qui est réellement important pour eux, au moment où ils affrontent la souffrance et les frustrations de leur situation. L'idée que nous sollicitons tout ce qui arrive dans notre vie afin d'accomplir notre propre apprentissage spirituel est certainement révolutionnaire dans la profession juridique. Par exemple, si la police arrête quelqu'un pour pour conduite en état d'ébriété, l'avocat holiste ne se soucie pas seulement des conséquences légales, mais il aide aussi cette personne à affronter les causes de son alcoolisme ainsi que ses effets sur elle-même, son travail, ses amis et sa famille. Pour l'avocat qui a une vision plus large, la justice est mieux servie quand la personne inculpée n'essaie pas d'esquiver les charges par des échappatoires ou en supprimant des preuves. Dans le cas de la conduite en état d'ivresse, le contrevenant a tout intérêt, sur le long terme, à prendre ses responsabilités, à accepter les conséquences, et à rechercher une aide thérapeutique s'il désire que son comportement change. L'approche holistique aide la personne à affronter les causes du conflit et à le résoudre à chaque niveau – spirituel, mental, émotionnel et financier. La justice holistique souhaite que nous prenions conscience de notre conduite passée, acceptions de façon responsable d'assumer nos actes et nous engagions personnellement à nous amender.

L'empathie et la civilité vis-à-vis des adversaires

L'approche holistique se refuse à diaboliser l'autre. Van Zyverden raconte : « L'un de mes collègues plutôt conservateur m'a demandé un jour : " Vous pratiquez le droit des lopettes ? " Bien qu'il cherchât la confrontation, je lui ai répondu calmement : " Non, le droit du cœur. " Certes tous les avocats ont du cœur, mais la pratique judiciaire traditionnelle ne repose sur aucune empathie émotionnelle. Un litige n'est agréable pour aucune des deux parties, et la diabolisation de " l'adversaire " ne sert qu'à faire souffrir davantage chacun des protagonistes. » L'avocat holiste aide un client à chercher un traitement spirituel, son propre bien-être, plutôt que de céder à un désir de revanche. « Je peux me passionner pour le cas de certains clients, dit Van Zyverden, mais je me refuse à faire mienne leur colère. »

La participation du client et le partenariat

Pour le droit holistique, l'avocat est un guide, un conseiller, et non un personnage omniscient et autoritaire entre les mains duquel nous remettons notre sort. Une personne impliquée dans un procès se sent beaucoup plus sûre d'elle lorsqu'elle participe au processus juridique. Si, par exemple, elle mène une partie de l'enquête et collecte les faits, interviewe les témoins et passe en revue les différentes options de son affaire, elle a beaucoup plus de chances de prendre conscience de ses propres responsabilités et de savoir pourquoi elle se trouve dans cette situation. Van Zyverden pense que l'idée du partenariat avec le client aide aussi énormément *l'avocat*. « Si les avocats cessaient de se prendre pour des porte-parole, des sbires et des alter ego, ils aboliraient ce système pénible fondé sur l'hostilité entre les parties et qui aboutit souvent au stress, à l'alcoolisme, à la consommation de drogues, voire au suicide. » L'approche holistique réduit le fossé entre les individus. Elle encourage des suites plus authentiques et met les responsabilités à leur place – sur les épaules de l'individu.

L'appel à des disciplines complémentaires

Aucune profession n'a autant besoin que la profession judiciaire d'examiner tous les aspects d'une situation. Le système pénal et les prisons actuelles ne constituent plus l'unique solution face aux crimes graves. À tous les niveaux – qu'il s'agisse du divorce, du meurtre ou du terrorisme – la nouvelle Vision du Monde nous pousse à adopter des approches intégratrices vis-à-vis des problèmes qui affectent non seulement les personnes immédiatement impliquées, mais toute la collectivité. Une nouvelle vision de la loi incitera à aller chercher une aide utile auprès de professionnels d'autres disciplines : médiateurs, psychiatres, psychanalystes, psychologues, travailleurs sociaux, équipes médicales pluridisciplinaires, éducateurs. L'idéal serait d'arriver à ce que collaborent la famille et les services d'assistance locaux qui conseilleraient et donneraient une formation à un individu jusqu'à ce qu'il redevienne indépendant et productif.

Dans un musée j'ai vu une exposition consacrée à des coquillages marins qui avaient peut-être été successivement habités par le même mollusque durant son existence. Quand ces créatures sont trop grandes pour rester dans une coquille, elles en sortent en rampant et en fabriquent une autre.

Nous aussi nous créons des coquilles. On les appelle des « convictions ». Quand j'avais dix ans, le but de ma vie était de constituer une énorme collection de cartes de joueurs de baseball [...], quelques années plus tard le rock prit la première place dans mon existence [...]. Ensuite, lorsque sortit le film *Doors*, je fus tout surpris de constater que je n'avais aucune envie d'aller le voir. J'avais emménagé dans une coquille plus grande. (Alan Cohen, *I Had It All the Time.*)

Les politiciens, financiers, responsables culturels concernés par la justice désireront de plus en plus créer des ressources et des solutions de réhabilitation et de prévention, plutôt que de financer seulement des mesures répressives.

La résolution appropriée des litiges

Selon l'ancien modèle de pensée, il y a toujours un gagnant et un perdant dans une compétition, et seul compte le résultat final. Au niveau de l'âme, l'issue d'un conflit n'est pas nécessairement aussi importante que la leçon à en tirer ou l'objectif sous-jacent de toute l'expérience.

Van Zyverden affirme : « Il faut utiliser toutes les méthodes nécessaires pour résoudre un conflit, parfois le procès, parfois non. » Il préfère parler de résolution « adéquate » plutôt que de résolution « alternative » des litiges, parce que le second terme donne l'impression que le prétoire serait le seul lieu où peuvent être tranchés les différends. « Je pense que chaque problème a sa solution et seule la personne impliquée connaît la méthode particulière pour y parvenir. Parfois des excuses suffisent. Notre système actuel place des espoirs injustifiés dans les tribunaux en leur accordant l'autorité suprême. Mais ceux-ci n'imposent une fin à un conflit que parce que les parties refusent d'examiner elles-mêmes leurs responsabilités respectives [2]. »

Fondatrice de la section de Floride de l'Alliance internationale des avocats holistes, Mariza Vazquez nous dit : « Les gens veulent avant tout *être entendus*. Une des clientes de Bill Van Zyverden souhaitait absolument porter son affaire en justice. Comme son dossier ne nous paraissait pas très solide, Bill a organisé un simulacre de procès pour qu'elle puisse passer en revue tous ses arguments avant de porter plainte. Les jurés fictifs ont écouté son histoire mais ont conclu qu'elle avait tort. Ils lui ont expliqué les faiblesses de son argumentation, et elle a décidé d'abandonner son idée. Mais cette expérience lui a apporté un sentiment de complétude, parce qu'elle a apprécié leur écoute très attentive. »

Le droit collaboratif

Même si 98 % des procès civils répertoriés sont réglés avant le jugement, les conflits ou les mauvaises relations entre les parties sont-ils vraiment « guéris », ou l'arrangement entre les protagonistes laisse-t-il subsister de la rancœur entre eux ? Dans les cas où une interprétation technique de la loi résout un problème qui implique peu de problèmes personnels, le jugement par une tierce partie offre habituellement une solution acceptable. Mais, dans la plupart des cas, les conflits sont sous-tendus par de fortes questions émotionnelles auxquelles les lois ne s'intéressent pas.

> C'est le chemin où vous trouvez tout seul, avec ce que vous découvrez ici et là. C'est véritablement cela [...] cet endroit, cette relation, ce dilemme, ce travail.
>
> Gardez toujours en tête qu'il vous faut travailler avec les circonstances mêmes dans lesquelles vous êtes – même si elles vous semblent déplaisantes, décourageantes, limitées, interminables et sans espoir – et vous assurer que vous avez fait tout ce que vous pourriez pour utiliser leur énergie afin de vous transformer, cela avant de vous décider à mettre fin à vos pertes et de passer à autre chose. C'est à ce point précis que le véritable travail doit être effectué. (Jon Kabat-Zinn, *Où tu vas, tu es : apprendre à méditer en tous lieux et en toutes circonstances.*)

Van Zyverden croit que ni le système judiciaire, ni les avocats traditionnels qui guident leurs clients à travers les méandres du système ne résolvent les différends aussi bien que les parties elles-mêmes. L'avocat holiste doit inciter son client à l'introspection, à l'examen de ses convictions et de ses attentes. « J'ai découvert, explique-t-il, que le problème provient généralement moins de l'action d'individus ou d'événements extérieurs que des clients eux-mêmes. Par exemple, dans le cas d'un contrat de mariage, nous avions abordé les avantages et les inconvénients d'un tel document [...], mais c'est seulement lorsque les fiancés évoquèrent leur enfance qu'ils découvrirent que leur démêlé résultait d'un conflit intérieur engendré par les inquiétudes matérielles de leurs parents. Ils ont réussi à résoudre ce conflit en mettant en perspective les conceptions de leurs parents respectifs plutôt que laisser s'établir un mur entre eux [3]. » La plupart du temps, face à un conflit intérieur, nous nous empressons d'accuser des événements extérieurs ou d'autres personnes.

L'approche de Van Zyverden a consisté à suggérer à ce couple de parler de ce que chacun allait apporter dans leur union. Au lieu de commencer par une hypothèse négative du genre « Que se passera-t-il si vous deviez divorcer ? », il leur a demandé : « Que voulez-vous conserver jusqu'à la fin de vos jours et pourquoi est-ce si important pour vous ? » Comme Bill nous l'a confié : « Ma proposition leur donnait l'occasion de prendre conscience de leurs peurs et de voir que celles-ci créent un sentiment de possessivité [4]. »

Si l'arbitrage devient une méthode de plus en plus répandue et efficace, cette technique opère encore à partir d'une conception polarisée de deux parties adverses et n'essaie pas d'examiner les racines du conflit au sein d'un groupe. Le droit collaboratif, d'un autre côté, offre une nouvelle approche intégrative qui vise à un effort de coopération entre les parties adverses et leur avocat pour explorer librement et ouvertement la nature du conflit. Sans que personne n'insulte l'autre ou ne lui fasse des reproches, le groupe recherche pourquoi et comment la relation a évolué de cette façon. Ce type de groupe, qui essaie d'arriver à une compréhension et une solution meilleures, illustre bien le point de vue de la dixième révélation. Selon Van Zyverden, « cette approche prône des critères d'intégrité [...] ; elle ne profite pas des incohérences et des erreurs de calcul mais cherche plutôt à les corriger. La méthode se concentre sur l'avenir plutôt que sur le passé, tente de résoudre des problèmes plutôt que de distribuer des reproches [5] ».

Une occasion pour que la conscience s'élève

Nous avons demandé à Van Zyverden comment il aiderait deux associés en colère qui se disputeraient leurs parts. « D'abord, je dois abandonner l'idée que *je* détiens la réponse. D'habitude, la souffrance des deux associés ne provient pas des motifs qu'ils avancent mais de la relation personnelle qui existe entre eux. Généralement, je ne peux pas leur dire cela tout de suite. Lorsqu'ils ont beaucoup de soucis, ils sont sourds à ce type d'explication.

« Je commence par une expérience. Nous discutons de tout ce qu'ils veulent, de leurs préoccupations, etc. ; mais je ne leur permets pas de me donner uniquement une réponse et de s'arrêter là. Je leur propose d'approfondir à chaque fois. “ Quel est l'aspect de ce problème ? sa couleur ? sa consistance ? du gravier ou de l'eau ? ” Bizarrement, ce type de questions leur semble tout à fait juste quand ils commencent à vivre vraiment le problème. Quand vous ne disposez pas d'un mot pour désigner quelque chose, vous n'avez pas de réponse. Je n'essaie pas d'analyser leurs réponses, parce qu'il existe d'autres moyens que l'intellect pour comprendre un problème. »

Vazquez ajoute : « Quand un client vient nous voir, c'est qu'une partie de sa vie ne fonctionne pas bien. Je le regarde comme un être humain complet, au lieu de m'intéresser seulement à de la paperasse. Il doit faire face à un trouble grave dans sa vie et veut retrouver la paix. La barrière qui l'en sépare est habituellement sa colère. J'explique toujours que faire un procès à quelqu'un ne permet généralement pas de trouver la paix intérieure. Cette procédure est douloureuse et onéreuse, et si les clients espèrent être complètement vengés, leur affaire ne se terminera probablement pas comme ils le désirent. Cependant, certaines personnes ont *besoin* d'apprendre à se défendre et alors un procès constitue souvent la bonne réponse. »

Conserver la Vision

Est-il facile d'être un avocat holiste ? Bill répond : « Beaucoup de nos membres sont très séduits par le mot " holiste ", mais nous avons eu de grandes discussions entre nous pour savoir s'il ne vaudrait pas mieux employer un terme comme " coopératif " pour adoucir notre message. Nous sommes finalement arrivés à la conclusion que nous devions ignorer l'opinion des autres sur notre appellation ou nos méthodes. »

> Suivre son esprit demande d'avoir foi en Dieu. Vous devez croire qu'il existe un plan supérieur à ce que voient vos yeux ; des principes qui régissent l'univers et sont plus profonds que ceux dictés par la société ; et un destin plus vaste que votre conditionnement passé.
>
> L'esprit qui réfléchit n'est donc pas l'arbitre unique ou ultime de ce qui servira au mieux le bien.
>
> Par conséquent, dissociez votre conduite des attentes des autres, et transférez la priorité des exigences extérieures vers le savoir intérieur.
>
> Lancez-vous comme un pionnier de la liberté dans un monde où l'emprisonnement est devenu la règle [...]. Soyez *vous-même* et vivez selon *vos* critères, sans vous excuser ni fournir d'explications. (Alan Cohen, *I Had It All the Time*.)

« Beaucoup d'entre nous ont du mal à exercer leur métier sans entrer en compétition avec l'autre, surtout face à un avocat qui adopte l'attitude d'un adversaire irréductible, affirme Vazquez. Quand je m'adresse à des avocats holistes, je leur dis : " Souvenez-vous de la dissertation que vous avez écrite en première année de fac. " Plus de 50 % de ces travaux montrent qu'ils ont débuté dans cette carrière pour des raisons humanitaires. Mais beaucoup d'entre nous se sont perdus quelque part en chemin. Nous sommes en train de redécouvrir les raisons pour lesquelles nous avions choisi cette profession. »

Mariza Vazquez nous raconte ce qui s'est produit quand elle a commencé à appeler des avocats de sa région intéressés par une pratique holistique. « Je cherchais à poursuivre sur ma voie spirituelle tout en exerçant le droit. Huit d'entre nous vivions à quelques kilomètres les uns des autres et avons trouvé l'Alliance par coïncidence. Le mot " holiste " nous a rassemblés, mais nous étions en désaccord sur ce que ce concept signifie pour la justice. Nous avons commencé à nous réunir chaque mois pour discuter de ces problèmes. Je pense aux deux racines du mot " holistique * ". La médecine et les techniques de soins considèrent de plus en plus que le corps opère comme un tout. Je pense que cela s'applique également aux autres professions. »

Vouloir améliorer la société de façon holistique représente plus que de l'altruisme. Agir nous transforme et nous trouvons bien plus de bienfaits pour *nous-mêmes* que pour ceux à qui nous tendons la main. Van Zyverden nous confie : « Je me suis rendu compte que j'ai choisi de devenir avocat afin d'apprendre ce qu'aucun autre métier n'aurait pu m'apprendre. C'est pourquoi cette profession m'attirait. La loi me fascinait parce que je voulais être à son service. Tous les clients que j'ai eus, sans exception, avaient des problèmes ou se posaient des questions que j'ai retrouvés en moi-même. » Bill Van Zyverden et Mariza Vazquez représentent le type de serviteurs de l'humanité que le désir d'augmenter leur satisfaction personnelle a attirés vers d'autres personnes partageant leur vision. Ce travail s'effectue grâce à la loi de l'attraction, plutôt que par la publicité accordée à ces idées.

Vazquez nous a raconté une rencontre très révélatrice, survenue au cours d'un récent voyage au Moyen-Orient. Elle a découvert une autre attitude culturelle et spirituelle face à un accident ou une tragédie. Le guide de Vazquez lui demanda de servir d'interprète à un jeune touriste italien qui avait renversé une petite fille de trois ans et redoutait les conséquences de son acte. Celle-ci avait brusquement traversé la rue devant sa voiture et se trouvait hospitalisée pendant qu'il devait répondre aux questions de la police locale. « Je savais qu'il s'agissait d'un signe, dit-elle. Alors j'ai fait de mon mieux, avec mon espagnol et mon anglais, pour communiquer avec la police et avec l'Italien. Il s'agissait clairement d'un accident, et non d'une imprudence du chauffeur. Après avoir expliqué la version du conducteur italien du mieux que j'ai pu, j'ai demandé aux policiers de m'expliquer quelle était la procédure habituelle dans ce type d'accident.

« Ils m'ont dit que, d'après la loi de ce pays, les parents ou un représentant de la victime devaient venir au commissariat et décider s'ils

* En anglais : *whole*, totalité, et *holy*, saint. (*N.d.T.*)

voulaient porter plainte contre l'Italien ou lui *pardonner*. C'est le mot qu'ils ont utilisé : pardonner. S'ils lui pardonnaient, l'affaire s'arrêtait là. Tandis que j'expliquais cela au jeune Italien, un vieil homme, apparemment le grand-père de la fillette, est entré. Après avoir échangé seulement quelques mots avec lui, les policiers ont levé les bras en l'air. Je leur ai demandé ce qui se passait. Sans même entendre le récit des faits, le grand-père avait pardonné au touriste ! Le jeune homme était évidemment extrêmement soulagé.

« Mon guide a éclairé la signification de cet incident pour moi quand il m'a expliqué que, selon l'islam, les hommes attirent dans leur vie certaines expériences pour en tirer certaines leçons. Le grand-père avait sûrement senti que la petite fille avait créé ce drame dans son existence pour un objectif supérieur. Il était très conscient du rôle mineur qu'avait joué le touriste dans cet accident. Allah déciderait du destin de l'enfant, et la famille n'allait pas modifier le courant de l'énergie et déclencher un autre scénario. J'ai été très impressionnée par cette philosophie. Cela change vraiment toute notre conception de la victimisation. »

> Les réformateurs et ceux qui provoquent des changements majeurs dans la société ont souvent eu eux-mêmes un problème personnel identique ou lié à un problème social plus vaste. En affrontant puis en résolvant leurs propres difficultés, ils ont découvert une solution utile pour la société. (Corinne McLaughlin et Gordon Davidson, *Spiritual Politics : Changing the World from the Inside Out.*)

La pratique holistique va au-delà de l'éthique juridique actuelle. Elle répond à un appel supérieur, à quelque chose d'autre qui nous indique ce qui nous apparaît comme bien ou mal. Vazquez explique : « Tout le monde aime attaquer les avocats. Mais ils sont ce qu'ils sont parce que nous avons tous créé le système juridique actuel à partir de notre propre besoin d'obtenir quelque chose d'autrui, à n'importe quel prix. Chacun d'entre nous est-il prêt à assumer la manière dont la loi est appliquée ? »

L'enseignement

Laurette Rogers, enseignante en CM2, a discuté avec sa classe de la situation critique des espèces menacées de disparition. Un élève a levé la main et a demandé : « Mais, madame Rogers, que pouvons-*nous* faire pour aider ces petites bêtes ? » À partir de cette simple question est née une expérience extraordinaire qui a changé pour toujours la vie des élèves, des professeurs et le destin d'une variété de crevette d'eau douce, pratiquement disparue, et de son environnement en pleine dégénérescence.

Les propriétaires de ranches, les crevettes et les saules

Poussés par le désir sincère de modifier leur environnement, ces enfants, leurs remarquables professeurs et un audacieux directeur d'école ont commencé un voyage de découverte qui a finalement impliqué des parents, des propriétaires de ranches, des hommes d'affaires, des biologistes, des journalistes, ainsi que des représentants du comté et de l'État. En l'espace de six mois, le Projet de sauvegarde des crevettes d'eau douce élaboré par l'école Brookside à San Anselmo, en Californie, a été reconnu au niveau local et national ; il a aussi reçu le grand prix de la fondation Anheuser-Bush pour la préservation de l'environnement dont le montant est de trente-deux mille cinq cents dollars. Mais les récompenses non mesurables, cependant, se sont avérées beaucoup plus importantes.

> La crise planétaire de l'environnement semble sans espoir quand on la considère seulement au niveau, ou sous la forme, physique. Mais quand on l'analyse de l'intérieur, la situation apparaît totalement différente. La nature n'est pas une force aveugle, mais une force consciente qui agit à travers des essences intérieures et des champs d'énergie. Les forces intérieures de la nature jouent un rôle clé et peuvent offrir une aide capitale si nous apprenons à coopérer consciemment avec elles. (Corinne McLaughlin et Gordon Davidson, *Spiritual Politics : Changing the World from the Inside Out.*)

Apprendre dans le courant

Dans son récent article décrivant ce projet, Laurette Rogers donne au lecteur un aperçu passionnant d'une nouvelle vision de l'enseignement. Elle écrit : « La motivation et l'enthousiasme des enfants étaient extraordinaires ! Leurs yeux brillaient. Ils parlaient avec animation et prenaient leurs tâches très au sérieux [...]. Alexandre m'a dit : “ Je n'ai plus l'impression d'aller à l'école mais au boulot ! ” [6] » Rogers décrit des élèves impatients de se retrouver en classe, et qui consacrent du temps durant le week-end à leur activité pour la sauvegarde des crevettes. « Soudain, les devoirs scolaires débordaient les limites de la classe, du temps scolaire. Tout le monde apprenait quelque chose [7]. »

Les méthodes d'enseignement fondées sur des projets sont encouragées par des recherches sur la structure du cerveau selon lesquelles cet organe est toujours à la recherche de schémas. L'enseignement fondé sur la mémorisation (tables de multiplication, orthographe, dates historiques) requiert que l'on apprenne par cœur à force de répétition, mais le cerveau a une capacité plus faible pour ce type d'activité. En revanche, il semble avoir une capacité infinie à se souvenir de schémas. En effet, dans ce dernier cas, vous introduisez de nouvelles notions dans le cadre de ce que vous avez déjà appris – cela s'intègre à votre vie. Les écosystèmes nous enseignent que les réseaux apprennent plus rapidement que les systèmes hiérarchisés. Donc, un enfant apprendra mieux s'il participe à la découverte, à l'intégration et à l'utilisation d'une information. Au lieu de rester assis et d'écouter le professeur à la tête d'une classe (hiérarchie), il apprendra plus rapidement s'il peut partager ses propres idées avec d'autres dans un environnement sécurisant, amical, où l'on donne et reçoit.

Le Centre de formation écologique, fondé par le physicien et essayiste Fritjof Capra à Berkeley, en Californie, a commencé à développer un programme au cours révolutionnaire pour l'enseignement élémentaire fondé sur des concepts trouvés dans les écosystèmes vivants : l'interdépendance, les cycles, les partenariats, les courants d'énergie, la flexibilité, la diversité, la coévolution et la durabilité.

Laissez les enfants s'en occuper

> Travaillez comme Dieu. Aucune tâche ne sera trop humble pour vous, aucun projet ne sera trop grandiose. (Roy Doughty, poète et cadre du Centre de formation écologique.)

En utilisant ces principes, Rogers et sa collègue Ruth Hicks ont créé un environnement démocratique qui permettait aux enfants d'orienter leur propre apprentissage. Pendant ce travail, ils ont expérimenté et compris les interconnexions existant entre tous les éléments sur terre et posé les fondements de ce qu'ils espèrent accomplir dans l'avenir. Adam, un garçon de neuf ans, dit : « Ce projet a vraiment changé mon point de vue, parce que je croyais que les professeurs traceraient la voie et que les élèves suivraient, mais en fait ce sont les élèves qui ont ouvert la route et les professeurs qui ont suivi [8]. »

Ce projet est exemplaire pour trois raisons :

1. Tous les éléments – propriétaires de ranches, professeurs, enfants, crevettes, arbres, clôtures, argent, soutien de la population locale – ont joué leur rôle et se sont organisés eux-mêmes facilement (même si cela a nécessité beaucoup de travail, cela n'a pas demandé d'*efforts*). Chacun a suivi ses sentiments sur la façon dont il désirait participer. Les professeurs n'ont pas eu besoin d'imposer une discipline

parce que personne n'avait le temps de chercher à se quereller ou à s'attirer des ennuis. Tous étaient trop occupés à s'amuser et à servir une cause plus vaste qu'eux-mêmes.

2. Les participants ont ressenti le plaisir d'être en plein air et de faire partie de la nature.

3. Ils ont retrouvé un sentiment de contrôle (au lieu du désespoir) sur leur environnement, sentiment dont les chercheurs ont montré qu'il contribue à une bonne santé. L'enseignement n'était pas simulé à l'intérieur des murs d'une salle de classe. Chacun, et pas seulement les enfants, a vécu la satisfaction véritable de modifier quelque chose d'important – notre habitat à tous et l'habitat d'organismes minuscules qui garantissent la santé du lit de la rivière.

Ces élèves du CM2 ont obtenu des résultats significatifs, non seulement pour eux-mêmes mais pour leur communauté et d'autres espèces. Par exemple, les enfants devaient contacter les propriétaires des ranches locaux : agacés, ceux-ci se méfiaient de citadins qui venaient leur reprocher d'avoir endommagé une rivière. Mais le projet prônait la tolérance et le recours permanent aux bonnes manières et à la diplomatie, dans *toutes* les circonstances. Les professeurs ont demandé aux enfants : « Comment vous sentiriez-vous si demain quelqu'un entrait soudain dans votre chambre et décidait de ce qui vous est permis ou interdit d'y faire ? » La sincérité des élèves, leur sérieux, leur volonté d'être ouverts et de respecter tout le monde leur ont permis de gagner le soutien de gros fermiers, de journalistes, de fonctionnaires du gouvernement et d'agences de financement.

L'expérience fondamentale du mystère de la vie

En apprenant dans le contexte, les enfants ont écrit des rapports et des communiqués de presse, analysé des données scientifiques, mené des recherches sur d'autres espèces menacées, appelé des journalistes, dessiné et vendu des T-shirts, conçu la chorégraphie d'une danse de la crevette, planté de jeunes saules, dessiné et construit des clôtures et visité d'autres lieux. Sur tous les plans, ils avaient une *expérience fondamentale* de l'apprentissage, non la connaissance de seconde main que l'on acquiert habituellement dans les livres, et qui n'a ni répercussion ni feed-back.

> Un principe fondamental : la nouvelle manière n'a rien à voir avec l'ancienne. Il n'y a pas de connexion linéaire ; la physique quantique n'a pas évolué comme une extension des principes newtoniens.
>
> Comme l'implique la nouvelle appellation, un changement

quantique s'est produit entre ce qui était et ce qui est. Nous devions examiner le jeu à partir d'un angle complètement différent pour mieux voir ce qui se passe. Nous sommes en train de jouer dans un nouveau stade de base-ball avec un ensemble de règles totalement nouvelles. (Alan Cohen, *I Had It All the Time*.)

La coopération, la tolérance, le respect et la responsabilité se développent naturellement, loin de cet autoritarisme maladroit qui a pour effet de gaspiller l'énergie dans les classes traditionnelles où les enseignants cherchent surtout à maintenir l'enfant assis derrière son pupitre. Selon Rogers, « si les élèves eux-mêmes prennent le contrôle du " quoi ", du " quand " et du " comment " de l'enseignement, ils deviendront des décideurs expérimentés, des citoyens curieux et hardis, des professeurs attentionnés et efficaces [9] ».

La réflexion et la réponse

Dans tout domaine d'activité, les visionnaires qui ont un but commun en discutent collectivement et cherchent à repenser leur travail à un niveau plus profond suscitent des changements positifs. Zenobia Barlow, directrice exécutive du Centre pour la formation écologique, nous dit : « Les professeurs subissent tellement la pression du temps que, très souvent, ils ne se connaissent même pas entre eux. La fragmentation des programmes fait presque d'eux des entrepreneurs indépendants qui sous-loueraient des salles dans l'école. Ils participent rarement à des journées de réflexion, par exemple, pour s'interroger en profondeur sur leur pratique ou pour concevoir des projets communs.

« Pourquoi le projet sur les crevettes est-il intéressant ? Parce que, tout d'un coup, la salle de classe s'est élargie au quartier, à la ligne de partage des eaux et aux ranches. Si nous voulons que ce type d'enseignement intégré se développe, les professeurs doivent disposer de temps pour mieux se connaître et imaginer, ou rêver tout éveillés, l'évolution de leur profession. »

Le projet de la cour d'école d'Edible

Voici l'histoire d'une autre citoyenne qui a réagi face à son environnement immédiat. En élaborant un projet important, elle a transformé une école de Berkeley en Californie et lui a donné un nouvel élan. Alice Waters, chef cuisinière novatrice et propriétaire de chez Panisse (elle a soutenu aussi d'autres programmes comme « Partageons nos richesses »), passait tous les jours devant les mornes terrains de jeux du collège Martin-Luther-King en revenant de son restaurant. Elle observait qu'à midi les élèves mangeaient dans un snack-bar qui servait seulement des pizzas réchauffées au micro-ondes, des hamburgers, des chips et des sodas. Quand elle exposa ses préoccupations au proviseur, celui-ci lui demanda de lui proposer une solution. C'est ainsi que naquit le Projet pour la cour d'école d'Edible, comprenant la revitalisation des bâtiments, la création d'un jardin biologique, d'une boulangerie, d'un four à pain en plein air, la plantation d'oliviers, de figuiers, d'agrumes, d'une pelouse et de différents légumes.

La nourriture et la communauté

Maintenant l'école est conçue à l'intérieur du jardin. Waters considère que la nourriture constitue un facteur capital de civilisation, et ne sert pas seulement à alimenter nos corps. Dans une lettre au président Clinton et au vice-président Gore, elle écrit : « [...] comment pouvons-nous raisonnablement espérer que nos concitoyens sachent comment commencer [à construire une communauté] alors que tant d'entre eux croient qu'ils ne changeront jamais rien ? [...] Notre projet, appelé la Cour d'école d'Edible, prévoit de créer et d'entretenir un jardin et un environnement biologiques totalement intégrés dans le programme de cours de l'établissement et des repas de midi. Les élèves s'occuperont de tous les aspects de l'entretien du jardin ; ils cultiveront, cuisineront, serviront et consommeront les aliments qu'ils feront pousser. Ce projet vise à réveiller leurs sens et à leur apprendre des valeurs comme la responsabilité commune, l'entretien et la bonne gestion de la terre. Je suis ravie que Delaine Eastin, surintendante de l'éducation pour l'État de Californie, ait décidé qu'un jardin scolaire doit faire intégralement partie de chaque école expérimentale qui participe au programme de l'équipe de nutrition du ministère de l'Agriculture pour améliorer les repas scolaires [10]. »

> Que puis-je faire d'autre que de cueillir des tomates, laver leur peau, couper leur pédoncule, et les débiter en tranches pour les verser dans une marmite géante sur le feu, les cuire puis les moudre pour en faire de la purée ? Dans ma vie en ce moment l'abondance est représentée par les tomates, et mon acte créatif est de fabriquer de la sauce tomate. (Arlene Bernstein, *Growing Season : A Healing Journey into the Heart of Nature.*)

Un vrai propriétaire soigne sa terre

Le jour où nous avons écrit ce chapitre, de façon synchronistique, un article est paru dans le journal. Il portait sur une classe d'une école primaire en Caroline du Nord qui a adopté le dernier marais salant subsistant dans le comté de Marin. Ces jeunes ont commencé à vouloir protéger ce marais d'eaux stagnantes rempli d'ordures et qui, autrefois, couvrait environ la moitié des terrains bâtis. L'idée était d'impliquer les enfants du voisinage dans la réhabilitation de cette zone marécageuse pendant les dix prochaines années. « Ces enfants se sont presque immédiatement sentis propriétaires », a déclaré Annette Rose, l'adjointe au directeur du comté de Marin, qui a créé ce projet de restauration [11].

Chaque chose en son temps

> Les vignes poussent à leur place. Elles plongent profondément leurs racines dans la terre et en tirent leur nourriture, qui les alimente pendant des décennies, parfois près d'un siècle.
>
> Chaque vigne doit grandir à partir de sa propre connexion à la terre, toute seule, et c'est seulement lorsque sa croissance est fermement établie que les gracieuses vrilles nouvelles vont suffisamment loin pour s'entrelacer avec d'autres. (Arlene Bernstein, *Growing Season : A Healing Journey into the Heart of Nature.*)

Si, pour les jeunes enfants, le but de l'éducation est de se brancher sur leur goût naturel pour apprendre, les méthodes doivent être en harmonie avec leurs capacités naturelles de développement. Alors que la réforme actuelle de l'enseignement prône l'achat massif d'ordinateurs, politique évidemment approuvée par l'industrie informatique, quelques chercheurs mettent en garde contre cet usage prématuré. Selon eux, il réduit l'apprentissage du contexte, fondamental pendant les premières années de l'enfance. Dans un article récent, Fritjof Capra déclare : « Des recherches récentes indiquent que l'utilisation d'ordinateurs est tout simplement inadéquate avant huit ans et doit être soigneusement contrôlée à tous les âges pour éviter une interférence dommageable avec le développement cognitif et neuronal de l'enfant [12]. » Si la technologie nous libère de certaines tâches, nous laisse plus de temps pour nos activités créatrices et spirituelles, elle ne remplace pas les conditions naturelles qui produisent la créativité.

Creusez et enrichissez-vous

Nouvelles ou vieilles idées ? Alice Waters cite l'éducateur James Ralph Jewel, qui en 1909 écrivit un pamphlet intitulé *Suggestions pour le jardinage dans les écoles de Californie* où il affirmait : « Les jardins scolaires enseignent, entre autres, à chaque individu le respect de la propriété publique, l'économie, l'honnêteté, l'application, la concentration, la justice, la dignité du travail et l'amour des beautés de la nature. » Ces valeurs ne sont-elles pas défendues aujourd'hui *à la fois* par les conservateurs et les progressistes ? Toutes les idées que nous essayons en vain d'imposer en exhortant les citoyens à agir et en légiférant – le respect de la propriété, l'honnêteté, la justice, des emplois qui aient un sens et la préservation de notre environnement –, toutes ces idées pourraient être défendues, illustrées et appliquées si nous éduquions notre plus importante ressource vivante : la conscience de nos enfants.

Un nouveau schéma du monde

Une nouvelle conception du monde représente un nouveau schéma mondial d'énergie créative. La réponse se trouve à l'intérieur de nos problèmes. Si nos enfants meurent dans la rue, à la maison, à cause de leur propre désespoir ou de leur absence d'espoir dans l'avenir, laissons-les prendre les rênes. Ils sont nés avec une vision et c'est donc à nous, les adultes, de leur laisser le champ libre, de permettre à cette vision – qui sera l'avenir – de s'épanouir. Nous devons tout faire pour apprendre aux enfants, même à un très jeune âge, à puiser dans leur intuition et leur créativité propres, et les encourager dans cette voie. Avec leur regard neuf et leurs petits cœurs enthousiastes, ils nous donneront peut-être les clés que nous cherchons désespérément dans le vieux paradigme qui a créé nos problèmes ! Dans le grand schéma de la vie, l'alimentation de notre espèce commence avec le lait de la mère et continue avec une éducation riche de sens qui libère les potentialités de jeunes cœurs et de jeunes esprits, avides d'entreprendre les tâches qui les attendent.

L'art et la beauté

L'art et la musique expriment les rêves et les ressources profondes de l'esprit humain. La beauté nous inspire, nous donne de l'énergie et nous soigne. L'art nous maintient en contact avec ce que signifie le fait d'être humain, d'avoir de l'imagination, et d'être civilisé. La peinture et la sculpture nous obligent à nous poser des questions sur la vie qui, autrement, sont étouffées par nos préoccupations quotidiennes.

> Faite de couleurs captivantes et de surfaces lumineuses suggérant la douceur [l'œuvre de Georgia O'Keeffe] donne le sentiment d'une découverte étonnante ; le cœur de la fleur gît comme un noyau obscur, mystérieux, au centre chargé d'énergie de ces toiles. Bien que son œuvre soit explicitement féminine, elle présente également une puissance convaincante et triomphante, combinaison inédite.
>
> Les grandes fleurs expriment la fascination d'O'Keeffe, pen-

dant son enfance, pour le monde miniature des maisons de poupée. C'est là qu'elle a découvert les transformations magiques qui s'opèrent en changeant de perspective.

« Quand vous prenez une fleur dans votre main et que vous la regardez bien, elle devient votre monde pendant un instant. Je voulais donner ce monde à quelqu'un d'autre. » (Roxana Robinson, *Georgia O'Keeffe : A Life.*)

Au cours d'une interview, le peintre new-yorkais Robert Zakanitch nous a communiqué ses opinions à propos de l'objectif spirituel de la peinture et de la sculpture : « Le rôle de l'art jusqu'à maintenant a été de refléter la société. Je pense que la technologie a modifié cette fonction. La télévision remplit cette tâche beaucoup mieux, et dans l'instant. Je crois que désormais le rôle de l'artiste est d'orienter la société – il doit diriger notre attention vers les énergies curatives plutôt que de créer des images de plus en plus destructrices. Les artistes plantent des semences très profondes. Leurs déclarations et leurs œuvres pénètrent lentement dans la psyché de la société. L'art parle à notre âme. Nous ne savons pas ce qu'est l'âme, mais, sans elle, nous n'existerions pas. » Les énormes toiles de Zakanitch ruissellent, palpitent, et incluent des structures organiques, aux couleurs éclatantes, et des objets mystérieux et ambigus que vous pourriez trouver dans un magasin de bric-à-brac cosmique. Selon lui, chaque société a un aspect, un caractère, une attitude spécifiques, et tout cela s'exprime dans son art. Nous faisons partie de cette expression, mais peu d'entre nous en ont conscience. « L'art est presque comme la magie, affirme-t-il. Les images sont si puissantes que nous manquons de mots pour les évoquer. Quand les cubistes, les impressionnistes ou Jackson Pollock sont apparus, les mots faisaient défaut à leurs contemporains pour décrire la nouvelle vision du monde que ces artistes exprimaient. »

Les fleurs et les derricks de pétrole

Zakanitch veut s'adresser aux éléments éternels, sains et pleins d'amour de chacun d'entre nous. « Au cours des vingt dernières années, j'ai peint des parties de nous qui soignent ou ont une fonction nourricière et ressentent de la joie. Ma dernière série [la suite des grands bungalows] porte sur la vie de famille et le confort dont nous pouvons nous entourer et que nous pouvons donner aux autres. Tout cela se niche dans les actes d'affection les plus infimes. Quand vous vivez à côté de derricks de pétrole, les fleurs semblent tellement merveilleuses, et je trouve une étincelle de vie même dans les petits objets décoratifs que ma mère avait disposés dans sa cuisine et sa salle à manger. J'ai aussi une série sur les bijoux et les pin's ; je les trouve très positifs. En effet, ils représentent une étincelle de joie quand nous les portons sur nous ou les donnons à quelqu'un que nous aimons. Mon travail vise à renforcer les choses délicates que nous avons en nous. Ma question, quand je peins, est toujours : " Comment puis-je évoquer l'allégresse de l'esprit humain, de la renaissance spirituelle ? " Si votre travail parvient à communiquer cette idée aux gens, c'est magique. »

En étudiant où nous mène notre nouvelle Vision du Monde, et les nouvelles dimensions de la vie spirituelle suggérées par la dixième révélation, il est important de ne pas perdre de vue notre nature terrestre. Notre objectif est de réveiller tous nos sens, y compris notre intuition. Trop souvent nous nous refermons en réaction à notre environnement, par peur, pour éviter d'affronter la douleur, la pauvreté ou la laideur. Comment pouvons-nous ensuite nous ouvrir au pouvoir de la nature, à ceux qui sont susceptibles de nous transmettre des messages, comment pouvons-nous laisser entrer des messages symboliques ?

Rafraîchir notre âme

> De nouveau assise à la table de la cuisine, elle lut les petites annonces, mue par le désir de changer sa vie à tous les niveaux, de toutes les façons – de continuer à avancer, à progresser ; elle souleva négligemment un flacon de vernis à ongles et, le visage triste, sentant un trou béant dans sa poitrine, elle passa la demi-heure suivante à faire osciller lentement le flacon, tout en examinant les chemins ouverts dans le vernis par les perles argentées qu'elle agitait, les gravures argentées dans le cramoisi. (Anne Lamott, *Rosie*.)

James Hillman, psychologue des archétypes et essayiste, souligne que, dans notre société, nous nous anesthésions de nombreuses manières : nous bloquons notre conscience avec des pilules, des drogues, de l'alcool ou en écoutant de la musique à plein volume. Nous nous stimulons à l'excès pour planer, atteindre l'extase. Nous fabriquons des interprétations scientifiques ou théologiques sophistiquées au lieu de vivre. L'art a pour rôle de nous ramener à nos sens et de nous remettre en prise avec le monde. Selon Hillman, « l'œil de l'artiste sert à revigorer l'âme plutôt qu'à soigner la société, ou à stimuler l'esprit, ou à souligner les injustices sociales, toutes activités fort louables par ailleurs. Mais elles doivent être le fait d'une âme éveillée. Commencez donc par redonner des forces à votre âme, ensuite quelque chose d'autre se produira. Et seuls l'amour, la beauté et le souvenir de la mort restaurent l'âme [13]. »

Le désir d'élever l'esprit des autres s'applique à tous les travaux créatifs que nous faisons. Si notre intention intérieure est d'apprécier le meilleur chez les autres, et de l'amener à la surface, alors nous consacrons la Vision du Monde.

TRAVAIL INDIVIDUEL

Résumé

Dressez la liste de toutes les professions que vous avez exercées dans votre vie. Réfléchissez sur la façon dont vous avez pu être guidé vers ce(s) métier(s). Dans quelle mesure avez-vous eu un impact, secondaire ou important, dans ce(s) domaine(s) ? Avez-vous préservé votre métier ? Avez-vous clarifié son objectif, fait progresser sa cause, étendu son influence, amené des innovations, l'avez-vous réformé ou interconnecté à un autre domaine ?

Quel est votre guide ? votre héros ?

Qu'aimeriez-vous faire maintenant ?

Qu'est-ce qui vous arrête ?

De quoi avez-vous besoin ?

Quel nouveau pas en avant pouvez-vous effectuer ?

Si vous deviez travailler sur un projet bénéfique à la planète ou à votre communauté, quel serait-il ?

Cherchez d'autres personnes qui soient en harmonie avec cet objectif et soutenez-vous mutuellement pour agir.

Interview d'embauche

Lisez la liste des qualités requises pour les nouveaux serviteurs de l'humanité (*cf.* pages 309-310). Entourez celles que vous possédez déjà, même dans une infime proportion. Quelle est celle qui vous manque et que vous aimeriez acquérir ? Comment pourriez-vous procéder ? Si vous désirez *très fortement* faire apparaître cette qualité dans votre vie, même si vous ne savez pas comment la développer maintenant, souhaitez très fort que l'on vous montre comment vous y prendre. (Vous devez réellement le vouloir ! Uniquement penser que ce serait agréable ne suffit généralement pas pour qu'elle se manifeste.)

TRAVAIL COLLECTIF

Ici et maintenant

Commencez votre réunion en notant tous les changements que vous observez dans votre champ d'intérêt, disons au cours des cinquante, dix ou cinq dernières années. Quelles tendances voyez-vous à l'œuvre ? Quels changements décelez-vous ? Laissez chacun s'exprimer à ce sujet. Cet exercice apportera peut-être quelques informations intéressantes que personne n'a pris la peine de remarquer jusqu'ici. Il importe peu que les participants soient impliqués dans des branches différentes. En fait, plus votre groupe sera varié, plus la discussion sera vivante.

Évolution collective

Certains d'entre vous sentent le besoin de se retrouver avec des gens de leur réseau professionnel et de débattre collectivement de nouvelles conceptions concernant ce travail. Plutôt que de vous considérer comme des concurrents, réfléchissez et débattez ensemble sur une question ou un problème communs en partant de votre expérience personnelle dans votre métier.

Au cours de votre réunion, concentrez-vous sur les liens communs qui ont attiré chacun d'entre vous vers cette profession. Sentez-les. Une fois que vous êtes en harmonie, comme l'explique la huitième révélation, exposez les sentiments que vous éprouvez à propos de problèmes spécifiques (les nouvelles réglementations, le manque d'acceptation par l'opinion, l'évolution de votre métier et la façon dont elle affecte votre travail). Ou, sinon, échangez des hypothèses sur l'avenir de votre profession. Puis essayez de visualiser en silence la vision spirituelle de votre groupe professionnel et de partager vos impressions intuitives.

Développeurs, conservateurs, pionniers et constructeurs

- Séparez-vous en petits groupes selon le rôle que vous avez tendance à jouer le plus souvent. Êtes-vous un développeur, un conservateur, un pionnier ou un constructeur ? Définissez vos propres sous-catégories, mais faites cet exercice avec quelqu'un qui ait la même caractéristique que vous (tous les développeurs ensemble, tous les conservateurs ensemble, etc.).
- Réunissez-vous et décrivez pendant cinq minutes ce que chacun de vous a fait dans ce rôle.
- Qu'avez-vous aimé dans cet exercice ?
- Qu'est-ce qui vous a déplu ?

• Maintenant, vous comporteriez-vous différemment dans ce rôle ou ce métier ?

• Sachant ce que vous savez aujourd'hui, qu'auriez-vous aimé voir se produire ?

• Reformez le premier groupe au grand complet. Écoutez les récits de chacun.

• Ne vous inquiétez pas si vous combinez plusieurs activités professionnelles. Choisissez seulement celle que vous avez le plus appréciée aujourd'hui !

• Comment organiseriez-vous un groupe de jeunes pour un projet utile à un village du tiers monde (avec leur permission et à leur invitation, bien sûr) ?

POUR EFFECTUER UN CHANGEMENT

• Prenez au sérieux votre désir de le réaliser.

• Ne l'écartez pas parce qu'il vous semble impossible ou que d'autres personnes pensent qu'il est utopique.

• Vous ne ressentiriez pas de fortes aspirations si vous n'aviez pas une tâche à accomplir sur ce chemin. Nos rêves nous poussent à emprunter une certaine voie, mais l'issue finale peut s'avérer bien différente de ce que vous auriez imaginé ou essayé sans ce rêve.

• Visualisez que votre profession serve au maximum l'humanité. Quels bienfaits apporte-t-elle aux autres ?

• Améliorez votre capacité de conserver votre vision intuitive et *laissez-la vous montrer comment elle veut se manifester*, plutôt que de lui imposer vos objectifs.

• Engagez-vous dans une tâche qui vous passionne, pas seulement parce que cela vous semble une « bonne idée ». La capacité de conserver la Vision augmente quand vous êtes vraiment survolté.

• Restez attentif à vos sentiments instinctifs. Accordez-leur autant de confiance qu'à votre esprit rationnel.

• Continuez à vous concentrer sur la totalité. Si la Vision ne se réalise pas comme vous l'espériez, cherchez l'objectif spirituel dans votre expérience quotidienne.

• Débusquez des signes subtils indiquant que vos guides et votre groupe d'âmes travaillent à travers vous. Vous noterez peut-être une augmentation de l'énergie ou de la clarté, ou le désir d'entreprendre quelque chose d'entièrement nouveau. Un coup de téléphone inattendu, la découverte d'un livre ou une rencontre inopinée peuvent indiquer que votre groupe d'âmes vous aide dans votre développement.

• Mettez fin à votre confusion à propos de votre objectif supposé en entamant un petit pas concret ou une action au service d'autrui.

Sixième partie

Le cercle complet

13

La Vision du Monde

LE FAUCON
LE MESSAGER

Soudain notre attention se reporta sur l'Après-Vie, et nous comprîmes alors avec une grande clarté que, pendant tout ce temps, notre intention n'était pas seulement de créer une nouvelle Terre mais aussi un nouveau paradis. *(La Dixième Prophétie* [1]*.)*

L'UNIFICATION DES DIMENSIONS

« Telle terre, tel ciel. » Les vérités élémentaires ne changent pas. Notre problème est de rester en contact avec elles et de nous souvenir d'insuffler l'esprit dans la vie quotidienne.

Au fur et à mesure que chacun de nous saisit *pour lui-même* la réalité des thèmes de la dixième révélation – l'existence de l'Après-Vie, la réincarnation, notre appartenance à un groupe d'âmes, la conservation des images de notre guide intérieur, notre volonté de servir l'humanité, la clarification de nos peurs et de notre conditionnement involontaire –, nous nous élevons à un autre champ de potentialité. En réalité, notre conscience introduit la spiritualité dans la dimension matérielle grâce à l'ouverture de nos schémas de pensée.

Quel message spirituel contient le drame racial ou culturel d'une existence particulière ? Chaque vie a le pouvoir de contribuer à l'évolution de la totalité. Selon la dixième révélation, si nous examinons notre existence, nous nous rendons compte que nous sommes nés dans un lieu ou une culture particulière pour en tirer une leçon spécifique. Le temps est venu de mieux comprendre comment chacun de nous sert en dernière analyse la famille planétaire. Contribuons-nous à renforcer le matérialisme, la consommation et la séparation, ou bien à élever spirituellement l'humanité ?

Alice A. Bailey a écrit dans les années 40 que l'affrontement entre les idéologies nationalistes et religieuses avait poussé les hommes à réfléchir à toutes les cultures. « Au cours des siècles passés, affirme-t-elle, seuls ceux qui avaient fait des études et ceux qui faisaient partie de l'élite pensaient et planifiaient. Les nouvelles tendances de la pensée signalent l'émergence d'une nouvelle civilisation, meilleure, et elles balisent le chemin pour des progrès spirituels fondamentaux [...]. L'esprit [de l'humanité] progresse, habituellement de façon inconsciente, vers une civilisation et une culture plus spirituelles [...]. Mais la mentalité de [l'homme] se développe tous les jours et sa capacité à comprendre les questions internationales s'accroît. Il s'agit de l'un des événements spirituels les plus importants, un fait fondamental qui rend la vie de l'âme et la croissance de la perception intuitive possibles sur une grande échelle. C'est en partie la conséquence de l'affrontement entre les idéologies, mais surtout le véritable et magnifique résultat du système d'enseignement universel qui – quels qu'en soient les défauts – a permis que presque tous les habitants de la planète lisent, écrivent et communiquent les uns avec les autres [2]. »

CHÉRIR LA MOSAÏQUE HUMAINE

Imaginez ce que serait la vie si nous cessions de juger les autres et nous posions des questions comme : Quelle pièce du puzzle possèdent-ils ? Quelle est *leur* Vision de Naissance ? Que puis-je apprendre avec eux ? Si une masse critique d'hommes et de femmes conservaient le tableau d'ensemble, ils permettraient à l'unité mondiale de *se réaliser à travers les gens ordinaires*, plutôt que de résulter de règlements politiques nationaux. Grâce à cette prise de conscience, nous apprécierons les diverses cultures et religions sans essayer de rendre tous les êtres humains semblables (en admettant que ce soit possible !). Comme des étudiants curieux et enthousiastes qui font des expériences de chimie, nous discuterions, comparerions et estimerions les différentes destinées de chacun. Nous apercevant que, chaque fois que nous rendons service à quelqu'un ou l'aidons discrètement, nous nous faisons un véritable cadeau *à nous-mêmes*, nous essaierions de soutenir et d'aider chaque personne rencontrée.

J'aimerais vous rappeler maintenant que la Hiérarchie spirituelle de notre planète se moque de savoir si un homme est démocrate, socialiste ou communiste, catholique, bouddhiste ou incroyant. Elle s'intéresse seulement à ce que l'humanité – dans sa totalité – saisisse toutes les occasions spirituelles. C'est une opportunité qui se présente aujourd'hui d'une façon encore plus évidente que jamais auparavant. (Alice A. Bailey, *Les Rayons et les initiations*.)

LES NOUVEAUX EXPLORATEURS DES VOYAGES INTERDIMENSIONNELS – PERCER LA DIGUE

La dixième révélation suggère que, tandis que certains individus et groupes atteindront des niveaux de conscience proches de celui de l'Après-Vie, ils voyageront d'une dimension à l'autre, comme le chercheur Robert Monroe et d'autres l'ont fait en sortant de leur corps.

À l'instar d'autres spécialistes du champ spirituel et parapsychologique, Robert Monroe croyait que la plupart des êtres humains, si ce n'est la totalité, possèdent ce qu'il appelle un « deuxième corps », non physique, qui voyage dans les autres dimensions de l'Après-Vie. Il pensait que beaucoup d'entre nous voyagent hors de leur corps, la nuit, durant leur sommeil, sans en conserver un souvenir conscient. Au cours d'une de ses excursions extraordinaires dans son corps astral, Monroe rend visite à un ami. Il pince alors cet ami, dont le visage exprime un instant la douleur. Quelques jours plus tard, la personne en question rencontre Monroe et confirme qu'elle a bien senti un pincement pénible. Par cette expérience, Monroe a démontré qu'une personne opérant dans son corps astral peut avoir à la fois un effet physique et émotionnel sur autrui.

Ses découvertes l'ont amené à s'intéresser aux problèmes éthiques qu'implique un tel pouvoir. Si un certain nombre d'hommes et de femmes arrivent à ce stade de l'évolution où ils pourront consciemment « lever le voile » entre les dimensions, courrons-nous le risque que ce pouvoir soit mal utilisé ? Il pensait que, jusqu'à maintenant, nous avions sans doute été protégés par plusieurs obstacles : 1) nous ne savions pas que nous avions ce pouvoir ; 2) nous éprouvions une peur superstitieuse à l'idée de contacter des esprits ; 3) nous nous méfiions des expériences transcendantales relatées par les grandes religions ; 4) les scientifiques méprisaient le plan spirituel et refusaient de l'explorer, car ils considéraient qu'il ne s'agissait pas d'une aire de recherche valable. Monroe inclut également la possibilité que « l'utilisation d'un tel pouvoir soit sous le contrôle et la direction d'êtres neutres, intelligents, qui empêcheraient des interférences non constructives [3] » – il suggère que, peut-être, des groupes d'âmes nous empêchent de détruire l'humanité par ignorance ou méchanceté.

Que se passerait-il, demande Monroe, si l'humanité acceptait l'existence de la dimension spirituelle et apprenait à pénétrer à volonté dans la vibration supérieure ? L'un des plus importants changements intervenus dans la conscience humaine sera le passage de la *croyance* à la *connaissance*. Plus important encore, nous aurons une *connaissance* sans équivoque de notre relation à Dieu et de notre place dans l'univers. Possédant *une connaissance et une expérience personnelles du divin*, nous nous rapprocherons de notre objectif : éliminer une grande partie de la Peur (qui est en dernière analyse la peur de la mort) et peut-être un certain nombre d'émotions négatives. Comme ceux qui ont vécu une NDE, nous *saurons* que la mort est une transition vers une autre dimension de notre vie éternelle, et que nous *sommes* davantage que notre corps physique.

Comme l'indique la neuvième révélation, l'augmentation collective de l'énergie encouragera une extension du savoir dans toutes les sphères, créant une matrice à l'intérieur de laquelle les solutions apparaîtront naturellement au fur et à mesure que les êtres humains suivront davantage leur intuition. Un conflit religieux sera impossible puisque chaque religion se souviendra que son message particulier avait sa place dans une vision globale. Comme le dit Monroe : « Chacune affirmera aux autres : “ C'est ce que nous avons essayé de vous dire depuis des siècles [4]. ” »

BONJOUR DU PARADIS

Selon Bill et Judy Guggenheim, les communications après la mort se produisent de différentes façons. Après avoir étudié et classé trois mille trois cents cas, ils décrivent toute une palette d'expériences : apparition visuelle, voix, contact physique, parfum ou odeur, pendant le sommeil ou même durant une sortie hors du corps. Par exemple, une infirmière du Wisconsin eut une rencontre mystique avec sa petite fille de cinq mois qui était décédée d'une déficience cardiaque : « Environ trois ou quatre semaines après la mort d'Amanda, j'étais couchée dans mon lit, mais je ne dormais pas. Tout à coup, j'ai senti que l'on me tirait hors de mon corps. Je me trouvais en l'air, près du plafond de ma chambre à coucher, et je regardais par la fenêtre. Celle-ci s'emplit d'une lumière dorée qui brillait avec une intensité inimaginable ! C'était un peu comme lorsqu'une voiture arrive la nuit en face de vous et vous aveugle avec ses pleins phares. J'ai eu l'impression d'être absorbée par la lumière et j'ai senti la présence de ma fille.

« Ensuite, j'ai vu Amanda ! J'ai vu son esprit dans cette lumière ! Et je l'ai entendue – c'était une communication télépathique. Elle a dit : " Merci pour tout ce que tu m'as donné. Je t'aime beaucoup. " Soudain, j'ai senti une présence, très, très puissante – la présence de Dieu. J'ai éprouvé la plus incroyable sensation d'amour et de compréhension que j'ai eue de toute ma vie. Et à ce moment-là, j'ai tout compris [5] ! »

Dans un autre récit, Richard, un agent immobilier de Caroline du Nord, a vu et touché son père décédé d'une crise cardiaque à l'âge de soixante-six ans. « Trois jours après son enterrement quelqu'un m'a réveillé. Je me suis assis dans le lit pour voir qui me dérangeait, et j'ai vu mon père. Les lumières de la rue, visibles par la fenêtre derrière moi, éclairaient son visage. Je le distinguais très bien – il n'y avait pas le moindre doute, c'était bien lui.

« Il a dit : " Richard. " J'ai reconnu sa voix, et suis sorti de mon lit. Il m'a immédiatement serré les mains, et sa main était très familière et chaude. Puis il a ajouté : " Je suis si content de te voir, Richard. Ne t'inquiète de rien. Je t'aime. " J'ai entendu distinctement ces mots sortir de ces lèvres. Sa voix était plus claire que jamais. Je ne pouvais détacher mes yeux de son visage. De son vivant je ne l'avais jamais vu dans une telle forme. [...] Il semblait comblé et joyeux, comme s'il existait quelque chose de plus merveilleux que tout ce dont je pourrais jamais rêver. Et ensuite il est parti.

« J'étais étonné et électrisé. J'avais profondément souffert de sa disparition, et cette expérience m'a donné l'assurance que la vie après la mort *est* une réalité. C'*était* bien réel – je n'avais aucun doute à ce sujet, pas le moindre [6]. »

NOUVEAU PARADIS, NOUVELLE TERRE

> Notre mission sur cette planète découle de notre participation initiale à la construction de l'origine cosmique de la Terre. Nous devons promouvoir la conscience de notre identité céleste auprès de ceux qui sont moins évolués. Nos anciens nous ont appris que certains habitants de l'univers avaient autant besoin de recevoir de l'aide que d'autres d'en donner. Cette Terre est l'un des nombreux endroits où ceux qui ont soif d'aider peuvent satisfaire aisément ce désir, et où ceux qui ont soif d'aide peuvent aisément en bénéficier. (Malidoma Patrice Somé, *Of Water and the Spirit*.)

La dixième révélation stipule que « notre intention depuis toujours n'était pas seulement de créer une nouvelle Terre, mais aussi un nouveau paradis ». En nous souvenant de la Vision du Monde, nous transformons l'Après-Vie. Au fur et à mesure que les individus et les groupes ont des vibrations suffisamment élevées pour atteindre la dimension spirituelle, les groupes d'âmes dans l'Après-Vie acquièrent également la capacité de pénétrer dans la dimension physique, complétant ainsi le transfert d'énergie dans les deux univers. L'Après-Vie, notre foyer éternel, est la dimension dans laquelle nos âmes ont conservé la Vision et les souvenirs. Le plan physique est la dimension dans laquelle nous donnons une existence matérielle à la Vision.

La dixième révélation poursuit : « Plus tard, tandis que la conscience progressera sur terre et que la population augmentera, l'équilibre de l'énergie et de la responsabilité se déplacera lentement vers la dimension matérielle, jusqu'au moment où suffisamment d'énergie sera transférée. La Vision du Monde sera alors largement connue, le pouvoir complet et la responsabilité de créer l'avenir projeté passeront de l'Après-Vie aux âmes sur terre, aux nouveaux groupes en formation, à nous-mêmes [7] ! » Puisque les contacts avec les âmes du royaume spirituel se multiplient, la conscience humaine doit forcément affronter la réalité de cette dimension. Alors qu'une masse critique d'acceptation abat les murs entre les mondes, *tout en élevant la vibration sur le plan physique*, le royaume spirituel sera capable d'interpénétrer plus facilement.

LES FUTURES TENDANCES POUR LA DIMENSION TERRESTRE

Imaginer, c'est concevoir. Rêver, c'est entrer dans la quatrième dimension. Ce qui était de la science-fiction hier deviendra la réalité de demain. Tandis que l'espèce humaine fonce tête baissée, nous nous demandons où diable nous allons arriver – si tant est que nous arrivions quelque part. Que se passe-t-il ? Qu'arrivera-t-il si nous levons le voile qui sépare les niveaux de conscience ? Quel est l'interrupteur que nous transportons dans notre ADN et sur lequel nous n'avons pas encore appuyé ? Comme d'autres scientifiques novateurs, Hank Wesselman, paléoécologiste et auteur de *Celui qui marchait avec les esprits*, histoire d'un voyage chamanique dans les cinq prochains millénaires, croit que nous avons tous en nous un « logiciel » inutilisé qui nous permet d'entrer dans la quatrième dimension quand nous le désirons. Dans son livre *The Future of the Body*, Michael Murphy a réalisé un énorme travail sur les fonctions extraordinaires du corps humain. Il pense que des

« capacités exceptionnelles se développent le plus complètement dans les cultures qui les valorisent [...]. Inversement, de telles capacités sont souvent altérées ou étouffées par les conditions sociales. Certains athlètes, par exemple, possèdent un self-control et une sensibilité tels qu'ils seraient probablement des yogis accomplis s'ils vivaient dans la civilisation hindoue [8] ».

La culture contribue à façonner nos capacités, et même les révélations mystiques sont filtrées par la matrice sociale, bien qu'elles proviennent de l'énergie divine universelle. L'évolution, alors, n'est donc pas seulement un processus automatique, mais le vaste champ de la créativité, modelé en partie par nos intentions, nos émotions et notre esprit. L'évolution nous façonne et nous participons consciemment à la conception, même si nous n'avons pas une vision d'ensemble du plan.

Puisque nous sommes en train d'abandonner notre vieux modèle de pensée fondé sur les interprétations littérales, nous pouvons aussi abandonner celles des prophéties des Écritures concernant la fin du monde. Inutile de croire au déluge, aux incendies généralisés et à l'apocalypse. Nous savons maintenant comment créer notre monde grâce à notre intention et notre désir. Nous avons compris que nous sommes des cocréateurs avec l'esprit divin. Nous pouvons réinterpréter les messages des Écritures et y voir une description métaphorique de cette période de transition.

Penney Peirce, une voyante internationalement reconnue qui habite dans le comté de Marin en Californie, a décrit les tendances futures à partir d'intuitions, de rêves et de visions qui sont très proches des principes de la dixième révélation. Au cours d'une conférence à l'église d'Unity, à Walnut Creek, en Californie, elle a récemment exposé ses prédictions. Voici comment elle envisage dans ses grandes lignes l'évolution des événements psychologiques et spirituels dans un avenir pas trop lointain. Peut-être ces hypothèses stimuleront-elles vos propres capacités visionnaires.

PÈRE CIEL ET MÈRE TERRE – L'UNIFICATION DES DIMENSIONS – LES ÉNERGIES ARCHÉTYPALES MASCULINES ET FÉMININES

Penney Peirce conçoit l'unification des dimensions comme la réunion de la Terre et du Ciel, représentés métaphoriquement par le mariage sacré de l'énergie descendante masculine (le Ciel) et de l'énergie ascendante féminine (la Terre). Cette fusion céleste sera exprimée dans la « vie réelle » par des hommes qui exploiteront et intégreront consciemment leur capacité de recevoir, d'écouter, d'avoir de l'empathie et une attitude nourricière (énergies féminines), et par des femmes cultivant et intégrant consciemment leur capacité à diriger, déterminer et produire (énergies masculines). Selon Peirce, à l'avenir, les relations seront plus fluides, permettant à chaque partenaire d'utiliser toute la créativité du cerveau, d'échanger naturellement les rôles – chaque partenaire étant tantôt plus dynamique, tantôt plus réceptif. Un équilibre entre les énergies mâle et femelle s'établira à la fois dans la dynamique interpersonnelle et dans la connexion entre le cerveau gauche et le cerveau droit. La tendance archétypale à *l'unification* peut même conduire à ce que davantage d'âmes sœurs se retrouvent, spécialement à notre époque, puisque de plus en plus d'âmes s'incarnent dans des groupes pour travailler ensemble.

> L'approche masculine qui a tendance à différencier [...] entre l'être humain et le monde a atteint un point critique. Cependant, nous décelons aussi maintenant, à de multiples points de vue, la possibilité d'une transformation importante et d'une guérison, d'une progression vers la totalité grâce à la formidable réapparition de l'archétype féminin [...], pas seulement les archétypes évidents du féminisme [...] mais aussi la nouvelle ouverture des hommes aux valeurs féminines.
>
> On le discerne aussi dans l'éclosion d'une approche totalement différente de la vie – les théories scientifiques sur la psyché humaine, la nouvelle sensibilité des êtres humains à l'égard de la nature et des autres formes de vie sur la planète –, tout cela reflète l'émergence de l'archétype féminin à l'échelle culturelle globale. Cela se manifeste par un nouveau sentiment de connexion avec la totalité [...], la réunion de l'être humain et de la nature [...], de l'intellect et de l'âme [...]. Nous sommes engagés en ce moment dans un processus de transformation extrêmement complexe, à de multiples niveaux. (Richard Tarnas, *Towards a New World View.*)

L'unification des dimensions et des énergies masculine et féminine se manifeste aussi dans de nouvelles aires de recherches sociales, spirituelles et scientifiques. Par exemple, nous remarquons un intérêt accru pour les phénomènes mentaux et spirituels tels que les anges, les extraterrestres, les NDE, et pour la géométrie sacrée et ses symboles. Ce sont là des signes de la nature mentale et spirituelle plus élevée de l'énergie masculine descendante archétypale. De même, l'énergie féminine ascendante archétypale accentue la spiritualité fondée sur la terre (intérêt pour le chamanisme, les cristaux, les plantes et tous les systèmes naturels).

Dans les premières sociétés, reposant sur l'agriculture, le matriarcat s'est développé à partir de nos capacités de fusion et d'union. Dans les cultures plus récentes bâties sur la technologie, le patriarcat nous a donné la possibilité de différencier les idées (mode masculin, linéaire, rationnel) et de faire en sorte que des progrès se produisent dans le monde extérieur (science, commerce, domination et guerre). Grâce à une perception globale, nous apprécierons à la fois notre processus *intérieur* (intelligence féminine) et nous sentirons en confiance pour explorer de nouvelles façons d'agir (intelligence masculine).

Les changements dans la perception

Dans la nouvelle conception du monde, une perception intégrée mental/corps/esprit remplace la perception linéaire. À ce niveau de conscience nous serons capables de gérer les *paradoxes*, de penser en termes de « à la fois/et », pas seulement de « soit/soit ». Au lieu de constamment fixer des limites aux *concepts* (par exemple, choisir entre plus ou moins d'État) nous pourrons examiner le contexte global et trouver des solutions qui fonctionnent pour tout le monde.

> La pleine synchronie de l'harmonie planétaire ne peut réellement être comprise seulement par l'intellect ; cela relève davantage de l'expérience intuitive. L'intellect peut la décrire, mais pour l'expérimenter directement et la vivre dans notre vie quotidienne il faut une approche plus profonde et plus directe. La pratique de la méditation, durant laquelle nous vivons naturellement et spontanément cette conscience de l'unité, permet de l'assimiler plus efficacement. *Dans ce contexte, la méditation n'est pas un luxe mais une nécessité pour la survie de l'humanité.* (Gabriel Cousens, *Les Sept Chemins de la paix : manuel pour la paix individuelle et collective.*)

Parce que nous pourrons rester en contact avec notre flux d'énergie (*cf.* la troisième révélation), nous saurons différencier rapidement des sensations comme la lourdeur et la légèreté. Nous comprendrons que lorsque nous sommes séparés de la totalité (quand nous oublions le tableau d'ensemble de notre objectif spirituel), nous éprouverons une baisse d'énergie et nous sentirons seuls. Ce sentiment d'être drainés et seuls nous fera réagir, en nous rappelant que notre pensée est devenue confuse. Alors nous nous souviendrons de demander conseil à notre intuition pour nous recentrer.

Attitudes et émotions plus élevées

Puisque notre pensée ne sera plus seulement dichotomique, notre énergie et notre créativité augmenteront. Comblés par notre objectif, nous désirerons naturellement nous réaliser en prenant davantage de responsabilités parce que ce sera dans notre intérêt personnel. *Nous satisferons notre propre besoin de donner et de recevoir de l'énergie.* Lorsque nous saurons que *nous sommes notre âme*, nous nous connecterons immédiatement avec l'intelligence universelle, et tout commencera à couler de nouveau. Le fait de sentir notre connexion à notre objectif spirituel élève notre vibration et la vibration de toutes les interactions que nous avons avec la conscience de notre âme. Quand l'énergie coule entre les gens, la compassion et la tolérance suivent naturellement.

Les modifications du niveau de l'énergie inconsciente

Selon Peirce, le changement des attitudes et des perceptions affectera aussi le niveau auquel nous enfouissons l'ombre collective. Une conscience collective supérieure fera remonter à la surface davantage de matériaux inconscients que nous avons rejetés autrefois. Nous traverserons une période de transition marquée par des troubles, des drames nationaux et internationaux, le retour de vieilles peurs, la régression à des schémas négatifs, premier pas naturel pour clarifier la peur collective dans le monde. Ce que recelait habituellement l'inconscient deviendra conscient, comme nous le voyons déjà aujourd'hui dans les talk-shows télévisés qui sont si populaires et exposent tous les traumatismes, faiblesses et crises humaines imaginables.

Le JT de vingt heures

La télévision a toujours parlé du chaos. Peirce fait une analogie entre la multiplication apparente des attentats et des explosions et l'éruption de notre colère, de nos angoisses et de nos frustrations collectives refoulées. Les attentats terroristes réveillent nos peurs les plus profondes, notre vulnérabilité. Sans une perspective spirituelle, cependant, nous n'avons qu'une compréhension partielle de ces événements internationaux. Peur, endiguement de la violence et représailles semblent les seules réponses rationnelles. Souvent notre première réaction est de revenir à ce qui fonctionnait auparavant – qui serait considéré comme une régression conservatrice. Il existe d'autres preuves de remous dans l'ombre collective, par exemple, les scandales politiques ou le réexamen de vieux tabous (comme en témoignent encore une fois les talk-shows). Nous commençons à entendre parler davantage des enlèvements par les Martiens, ce qui nous oblige à reconsidérer les limites de nos croyances.

> Les Mayas savaient quel était leur objectif. Ils savaient quand se produirait leur disparition, de même que les Tibétains ont prévu l'invasion de leur pays [...]. Parce que les Mayas étaient les Gardiens du Temps, ils purent quitter la terre, en sachant que leur objectif était accompli.
>
> Ceci est l'un des secrets les plus importants des Mayas – ils connaissaient la date et le moment [...], de leur point de vue, ils ont été transportés dans une autre dimension physique [...]. Et ils savaient qu'un jour leurs connaissances, leurs clés seraient mises au jour et découvertes par la Famille de la Lumière – par vous. Nous avançons l'hypothèse que certaines personnes ont déjà trouvé ces clés. (Barbara Marciniak, *Earth : Pleiadian Keys to the Living Library*.)

Options – se battre-ou-s'enfuir ou... ?

La réponse instinctive à la menace des troubles est en général : se battre-ou-s'enfuir (la suppression et la dénégation). Ignorant la Vision du Monde, nous avons essayé de supprimer ou de dominer les gens ou les peuples que nous considérons comme nos ennemis. Le syndrome de la *fuite* ou de la dénégation nous pousse aussi à rechercher (et à voter pour) une puissante figure parentale qui s'occupe de nous. Peirce prédit que notre quête de la sécurité provoquera une résurgence temporaire des charlatans et dictateurs.

> Considérez-vous comme une cellule du corps cosmique. Au lieu de penser l'humanité comme la toile de la vie, voyez-la comme l'un des fils de la toile cosmique de la vie. (Gabriel Cousens, *Les Sept Chemins de la paix*.)

Si nous choisissons la seconde réponse – le combat – nous retournerons à la pensée dualiste. « Je vais essayer de me débarrasser de vous en recourant à la violence et à la guerre. » Une bataille d'idées se déclenchera et les positions polarisées que nous avons déjà décrites se mettront en place. Une partie de la réaction agressive – les gangs, les multiples scissions politiques, les luttes acharnées entre les partis et le racisme – continuera à créer des Dominateurs et des Victimes.

Les réactions psychologiques et physiques

Dans le modèle de Peirce, les réactions habituelles conformes au vieux paradigme (telles que le combat-ou-la-fuite) aboutiront à des déceptions. Toute la polarisation à laquelle nous assistons aujourd'hui exprime la dénégation du chaos qui nous semble imminent. Cependant, le chaos est une phase importante de notre développement si nous le considérons comme l'occasion d'abandonner les vieilles valeurs et les vieux comportements inadaptés au prochain millénaire. Au niveau personnel, la morosité et la résignation augmenteront dans la population. Déjà les suicides progressent chez les adolescents et les populations déplacées, et la consommation des antidépresseurs comme le Prozac s'accroît. Il est possible que se développent aussi des maladies comme la fatigue chronique, les crises de panique, les allergies à l'environnement, la dépendance à l'alcool et à la drogue.

Dans les périodes de chaos, les frontières ont tendance à devenir floues et la peur d'être envahi augmente. L'immigration illégale est déjà un problème controversé aux États-Unis. Les modifications de l'économie et de l'environnement à l'échelle mondiale soulignent le besoin d'une redéfinition des identités. À l'échelle locale, l'existence des sans-abri révèle que de nombreuses personnes ne sont plus centrées sur leur propre estime (ne sont plus « chez elles ») et ce phénomène symbolise, d'une façon très réelle, un manque d'identité et d'appartenance. Les limites territoriales que s'imposaient les ethnies et qui garantissaient un équilibre démographique ont disparu. Nous devons faire face à la surpopulation (à la croissance incontrôlée) à une échelle macrocosmique, tandis qu'au niveau microcosmique nous devons combattre les maladies de la croissance sauvage comme le cancer. Même le faible taux de fécondité des hommes et des femmes peut être une microréponse au chaos mondial.

Les industries produisant de la viande drainent plus de 50 % de l'eau d'un pays, occasionnent 80 % de l'érosion des sols, et nécessitent vingt fois plus de terrains que les produits agricoles qui sont à la base d'une alimentation végétarienne. Un régime végétarien sauve un acre de forêt chaque année. (Gabriel Cousens, *Les Sept Chemins de la paix*.)

Recentrage – premier niveau

Selon la vision de Peirce, une fois que nous aurons été submergés par tout ce chaos, arrivera une époque de recentrage, dont le premier niveau sera un retour réactionnaire de l'ego. Nous commencerons par nous débarrasser de certaines influences culturelles comme le conditionnement publicitaire et l'affiliation aux partis politiques traditionnels. Chacun dira : « Je mérite un certain respect, et je n'accepte plus d'être dépossédé de mon pouvoir. »

Le désir d'individualité s'accroît comme en témoignent peut-être la multiplication actuelle aux États-Unis du nombre d'établissements où l'on sert exclusivement du café – qui fait s'emballer l'adrénaline –, l'utilisation d'ordinateurs personnels, le télétravail et le recours à la psychothérapie pour devenir un sujet plus épanoui. A l'échelle internationale, ce désir d'individualité se traduira par une montée du nationalisme et du patriotisme.

Recentrage – deuxième niveau

Une fois que notre développement initial nous aura propulsés vers un niveau supérieur d'individualisation, nous arriverons à une plus grande authenticité. À ce stade nous nous rendrons compte : « Je suis ici. J'ai toujours été moi-même. Je suis relié à quelque chose de beaucoup plus grand que je ne le pensais. » Nous commencerons à nous détendre et à sentir les lois universelles qui opèrent à l'intérieur de nous (la septième révélation). Nous découvrirons aussi que tous les autres êtres humains font partie de la même énergie que nous (huitième révélation). À ce stade de la conscience, nous serons dans le nouveau paradigme. La vision de Peirce fait écho à la première révélation : un par un, les gens auront leur propre expérience des révélations sur la nouvelle Vision du Monde, ce qui accentuera l'unification du champ d'énergie. Quand nous passerons à l'étape suivante et utiliserons cette énergie de façon positive, nous aurons de nouvelles formes d'éducation, de santé, de droit, de nourriture, de travail social, d'architecture et de gouvernement.

La guérison et l'intégration

La dernière étape du modèle de Peirce est le traitement des souffrances personnelles et mondiales lorsqu'une masse critique de gens se rendra compte que nous sommes tous reliés les uns aux autres. Ils choisiront de ne pas augmenter la souffrance du monde, mais de vivre comme le disent les bouddhistes, de façon avisée. Face à des situations angoissantes, nous serons mieux équipés pour effectuer des choix positifs parce que nous avons en tête le tableau d'ensemble (l'idéal). Nous préférerons travailler en groupe. Au lieu de centres de recherche, se constitueront des centres de méditation où l'on apprendra à fusionner en une seule fréquence aimante et curatrice pour réaliser le changement. Ces groupes de méditation interdisciplinaires auront de nouvelles capacités et inaugureront de nouvelles méthodes de résolution des problèmes. On organisera davantage de conférences par satellite. Le travail en groupe développera en nous l'estime pour ceux qui ont les capacités dont nous manquons ; toutes les minorités pourront accéder aux responsabilités.

Peirce estime que le concept linéaire et dualiste d'opposition fera place à l'idée paradoxale du *ensemble/séparément*. Les hiérarchies fondées sur l'opposition entre le haut et le bas deviendront des cercles et des comités où tous auront le même type de relations. Nous chercherons automatiquement le facteur d'unification le plus important ou une troisième solution pour résoudre les alternatives. Par exemple, au lieu de nous débattre avec les problèmes des hommes et ceux des femmes, nous nous intéresserons aux problèmes des *êtres humains*. Les citoyens demanderont que l'on abandonne les systèmes bipartites et que l'on cherche ce qui fonctionne pour le bien de tous en tenant compte de positions antérieurement opposées.

Les hôpitaux pour malades incurables et les mouvements pour l'euthanasie volontaire prendront plus d'importance au fur et à mesure que les hommes et les femmes deviendront plus conscients que la mort est une transition vers un niveau d'existence spirituel. Plus l'humanité désirera conserver la conscience et la connaissance de ses objectifs et les leçons apprises sur terre, plus les recherches sur la mort, sur l'agonie, et la technologie pour résoudre ces questions progresseront. On définira une attitude équilibrée à la fois pour sauver la vie des personnes gravement malades ou accidentées et permettre au processus de la mort de progresser naturellement sans résistance ou peur inutile.

Nous pensons que nous, êtres vivants, sommes différents des objets inanimés, mais selon le principe de l'inter-être, les êtres vivants sont composés d'éléments non vivants. [...] Pourquoi établir une discrimination contre ce que nous appelons les choses inanimées ? Pour protéger les êtres vivants, nous devons protéger les pierres, le sol et les océans. Avant le lancement de la bombe atomique sur Hiroshima, il y avait de ravissants bancs de pierre dans les jardins publics. Lorsque les Japonais ont reconstruit la ville, ils ont découvert que ces pierres étaient mortes, alors ils les ont emportées et brûlées. Ensuite ils ont ramené des pierres vivantes. N'allez pas penser que ces choses ne sont pas vivantes. Les atomes bougent sans cesse [...]. Ces atomes et ces pierres sont la conscience elle-même. (Thich Nhat Hanh, *Love in Action*.)

La capacité collective de se brancher sur les structures d'énergie mondiales augmentera exactement comme notre capacité individuelle de nous brancher sur l'énergie. Alors, les structures climatiques traduiront l'état des émotions collectives, et les fluctuations monétaires, les changements dans les systèmes de valeurs.

Les nouveaux groupes d'âmes

Avec d'autres maîtres et éducateurs spirituels, Peirce voit aussi qu'un nouveau groupe d'âmes arrive sur terre. Certaines ne se sont pas incarnées depuis longtemps et sont plus versées dans les fréquences supérieures de la dimension mentale/spirituelle. Depuis environ 1970, il semble y avoir une augmentation du nombre d'enfants hyperactifs, allergiques à certains produits, ou qui ont des difficultés d'apprentissage. Loin d'être inintelligentes, leurs âmes sont souvent brillantes, mais ces enfants ont du mal à s'adapter aux structures familiales et scolaires existantes. Peirce suggère qu'ils vibrent peut-être à un niveau différent de ce que nous considérons comme « normal ». Ils ont peut-être du mal à ajuster leur fréquence à la densité de la dimension terrestre. Cependant, ils peuvent aussi participer à la transformation de la planète, en intensifiant la fréquence de la conscience. Une fréquence plus élevée de l'activité cérébrale peut les attirer vers des technologies comme les jeux vidéo, les ordinateurs et la réalité virtuelle. Leur difficulté sera de rester équilibrés, ils auront donc besoin de plus d'aide pour leur développement émotionnel, ou de davantage de contacts physiques. S'ils ne s'enracinent pas dans le monde matériel et n'apaisent pas leur esprit grâce à la méditation, ils auront peut-être du mal à rester connectés à l'énergie terrestre. Les études et les recherches montrent déjà que les enfants hyperactifs se calment avec des ondes bêta, alors que les gens « normaux » ont besoin des fréquences alpha et thêta.

Puisque de plus en plus d'enfants naissent dans des foyers monoparentaux, Peirce croit que nous créerons un nouveau type d'école. Ce nouvel environnement constituera un mélange d'école et de famille adoptive, où de nombreuses activités développeront les capacités intuitives des enfants et leur capacité à travailler collectivement avec des personnes très variées. Les parents, également, seront formés au parentage ou à la thérapie pendant que leurs enfants iront en classe.

Ces âmes sont peut-être tellement habituées à fonctionner en groupe dans la dimension spirituelle qu'elles ont du mal à vivre sans un groupe semblable dans la dimension physique. Tenir compte de leurs besoins spéciaux peut nous aider à imaginer des méthodes pour accéder à l'esprit de groupe, et créer un énorme cerveau unique qui pourrait lancer une technologie totalement différente de tout ce que nous connaissons aujourd'hui. Peut-être des enfants feront-ils breveter de nouvelles inventions et apprendront-ils à produire des choses eux-mêmes.

Tout a commencé quand je leur ai demandé ce qu'ils ressentaient au début de l'année scolaire. Quel que soit leur milieu culturel, ils ne voulaient pas revenir à l'école. « J'ai la bougeotte », déclara l'un. « Mon esprit ne tient pas en place », affirma une petite fille.

Cela toucha une corde sensible chez moi. Je savais que nous étions en train de parler de l'esprit. Ils aimaient tous les textes qui contenaient les mots esprit, mystère, tout ce qui était inconnu et qui, d'une façon ou d'une autre, nous gouverne. Ils aimaient aussi entendre qu'ils étaient responsables de leur esprit.

Quand j'ai lu la phrase suivante : « Mana est la force vitale qui provient d'une grande source universelle – une puissance supérieure – et le voyage sur terre est un voyage spirituel », tous les enfants se sont exclamés : « Ah ! » (Shirley Richardson, cofondatrice de la Summit Intermediate School.)

Un groupe d'âmes légères

Peirce raconte aussi une vision qu'elle a eue et qui est clairement en harmonie avec le concept des groupes d'âmes qui nous soutiennent et conservent notre Vision de Naissance dans l'Après-Vie, concept exposé dans la dixième révélation. Dans sa vision, un grand groupe d'âmes observait la terre, se rapprochant de plus en plus de notre dimension. Elle a aussi vu des êtres humains qui levaient les yeux vers le ciel, et pressentaient l'existence de ces âmes invisibles. Elle a vu la bande de lumière autour de la terre briller de plus en plus et les âmes de la dimension spirituelle se rapprocher des âmes sur terre. Finalement se créait une zone de rencontre, qui chevauchait les deux dimensions, et où les âmes incarnées et désincarnées pouvaient échanger des connaissances grâce à la télépathie.

Selon les tendances futures exposées par Peirce, la polarisation de la conscience provoquera deux phénomènes opposés : à ce moment-là, certaines personnes deviendront plus légères et se sentiront plus connectées les unes aux autres, tandis que d'autres deviendront plus denses et se sentiront plus isolées. Ceux qui sont plus proches du pôle négatif se sentiront drainés et sans espoir à cause du manque d'énergie. Lorsque la polarisation atteindra un point critique, une bifurcation énergétique se produira. Les individus ayant une conscience plus dense mourront les uns après les autres, parce qu'ils seront incapables de vivre à la fréquence supérieure de la dimension physique. Quand ils se réincarneront, ils reviendront à l'ancien niveau dont ils se souviennent et ne s'apercevront pas qu'un événement inhabituel s'est produit. Les âmes qui ont plus de lumière dans leurs corps énergétiques créeront pour elles-mêmes une dimension terrestre qui sera remplie de lumière, et leurs corps deviendront translucides. Les différentes vibrations subsisteront dans des mondes parallèles, ce qui semble correspondre au modèle de la physique quantique. Celle-ci nous enseigne que la lumière est à la fois une particule et une onde. À l'échelle humaine de ce concept, nous pouvons imaginer que nous oscillons entre nous connaître nous-mêmes en tant que consciences individuelles, et pressentir notre existence comme champ de la conscience.

> Tous les vingt-cinq ans, les Kurmaras libèrent une quantité chaque fois plus importante d'Amour cosmique, de Sagesse et d'Énergie. Cette Lumière Éclatante et ce Rayonnement transcendant, qui illuminent la terre et ses habitants et interpénètrent tout, représentent un processus d'élévation formidable : il fait progresser considérablement la croissance de la terre entière et de ses habitants.
>
> Juste avant chacune de ces grandes décharges, se produisent de fantastiques perturbations physiques, et une inquiétude générale se répand dans la population. De telles perturbations sont dues à la discorde qui s'est accumulée à la fin de la dernière période [...]. Une telle dysharmonie est toujours due à l'éloignement du « Principe de Vie » fondamental. (Godfré Ray King, *Unveiled Mysteries*.)

Pour conserver la Vision du Monde, alors, nous devons continuer à nous diriger vers les personnes et les champs d'intérêt qui vibrent au niveau que nous souhaitons atteindre ou à l'intérieur duquel nous souhaitons exister. Il nous faut toujours garder dans notre cœur *l'idéal* de ce que nous nous efforçons d'obtenir.

Les prophéties des Andes

Selon les prophéties des Andes, entre 1990 et 1993, le monde a subi un *Pachakuti*, un événement considéré comme une « transmutation cosmique qui prépare l'arrivée d'une nouvelle ère de réorganisation cosmique ». Elizabeth Jenkins, directrice de la Fondation Viracocha pour la préservation de la sagesse indigène, étudie la tradition mystique andine depuis 1987. À partir de 1990 elle a travaillé avec l'anthropologue péruvien Juan Nuñez del Prado, qui lui-même s'intéresse aux Indiens Queru du Pérou depuis plus de trente ans.

Jenkins nous a déclaré : « Les prophètes des Andes, les saints hommes et saintes femmes qui sont les prophètes et les visionnaires de leur peuple, affirment que la période actuelle, entre 1993 et 2012, est une " période critique " dans l'évolution de la conscience humaine. Nous sommes maintenant entrés dans ce qu'ils appellent le *Taripay Pacha*, " l'Époque où nous nous rencontrerons nous-mêmes une nouvelle fois ". Il y a peu, ces prophéties n'étaient pas discutées ouvertement. Maintenant, cependant, les habitants des Andes affirment qu' " il est temps de chasser la *peur* et de se rassembler pour le bien commun ". »

Les Andins croient que la nouvelle ère commencera quand apparaîtra un dirigeant ayant des pouvoirs de guérison totale. Cela indiquera que le champ unifié de la conscience a créé les conditions grâce auxquelles les individus travailleront moins sur leur karma individuel et davantage sur le karma collectif de la planète. Selon les prophéties, le développement psychospirituel de beaucoup de gens passe maintenant du troisième au quatrième degré de conscience. Au troisième niveau de conscience, des sentiments comme la Peur, le conflit et la séparation sont encore très répandus. Au quatrième niveau, qui fait écho aux changements dont traite également la dixième révélation, nous apprenons à transformer en amis ou en alliés la Peur et les forces de la nature. Devenus capables d'assimiler l'ombre collective, le lieu où réside la Peur, les êtres humains commencent à contribuer au changement collectif de l'évolution. Au quatrième niveau nous apprenons aussi à communiquer directement avec les énergies de la nature – les montagnes, les rivières, les arbres, le ciel et la Terre comme l'explique la troisième révélation de *La Prophétie des Andes*.

Notre mission est de nettoyer l'énergie collective de la Peur et de la conscience du troisième niveau, puis de faire descendre suffisamment d'énergie spirituelle pour passer collectivement au quatrième niveau. Mais ces très anciennes prophéties affirment clairement que le changement ne se produira pas tant que nous n'aurons pas vaincu la Peur.

Fait paradoxal, plus nos problèmes deviennent complexes et apparemment insolubles, moins le citoyen moyen se sent capable d'agir. Mais, précisément, cela indique que l'engagement des citoyens et des communautés est absolument indispensable. Tant que nous ne reconnaîtrons pas et ne suivrons pas cette vérité fondamentale, nous ne pourrons pas modifier de façon significative les conditions sociales dans lesquelles nous vivons. (Bill Shore, *Share Our Strengths.*)

En rassemblant de l'énergie psychique humaine, les prêtres andins croient que nous *ensemençons* l'évolution future. Tous les pouvoirs humains du corps, du mental et de l'esprit se développeront alors, comme l'explique la neuvième révélation. Selon le mysticisme andin, les conditions sont mûres, nous avons atteint le stade du développement, pour modifier la conscience de l'humanité.

LA VISION DU MONDE

- La vie sur terre a une signification plus profonde que tout ce que peuvent nous apprendre nos cinq sens.
- Jusqu'à maintenant, nous n'avons disposé que d'informations partielles sur le monde.
- Il existe de nombreuses couches d'existence intelligente (supérieures et inférieures).
- Ces couches existent dans la nature (en dehors de nous) et à l'intérieur de notre propre conscience.
- Nous commençons à connaître les autres niveaux d'existence grâce aux expériences de mort imminente (NDE), aux expériences de sortie du corps (voyages astraux), aux communications avec les morts (transcommunication), aux interventions d'anges et de saints (et peut-être aux enlèvements par des extraterrestres).
- Nos obsessions matérialistes, qui avaient autrefois un but, n'ont plus de sens aujourd'hui.
- Les expériences extraordinaires qui ne coïncident pas avec nos convictions sur la réalité nous forcent à progresser sur le plan intellectuel, émotionnel et physique. Nous vivons un changement de paradigme.
- Tout ce qui se produit a un but. Il existe une Vision du Monde dont nous ne pouvons qu'avoir une vague idée.
- Une masse critique d'âmes s'est incarnée pour conserver la Vision du Monde.
- Une partie de la Vision du Monde consiste à lever le voile entre les deux dimensions.
- Le voile est en train de se lever.

ÉTUDE INDIVIDUELLE

Vous souvenez-vous de la dernière fois où vous avez participé à une réunion – un pique-nique, un barbecue, une pièce de théâtre à l'école, un lieu de vacances, un mariage, un baptême, la visite d'un site sacré – et où vous avez souhaité que la journée ne se termine jamais parce que vous vous sentiez heureux, aimé et connecté ? À ce moment-là vous existiez dans le continuum d'énergie qui a une capacité infinie de raffinement et de joie.

Fermez les yeux pendant un moment et recréez un sentiment de bonheur intense que vous avez éprouvé dans le passé. Insufflez de l'énergie et de la lumière dans ce sentiment. Ensuite emportez-le encore plus haut.

14

Conserver la Vision

LE BUFFLE
L'ABONDANCE

Lorsque nous prions correctement, nous ne demandons pas à Dieu de faire quelque chose. Dieu nous inspire d'œuvrer à Sa place afin d'exécuter Sa volonté sur la terre. Nous sommes les émissaires du divin sur cette planète [...]. Dans ce sens, chaque pensée, chaque espoir – tout ce que nous visualisons dans l'avenir – est une prière, et tend à créer cet avenir. Mais aucune pensée, aucun désir, aucune peur n'est aussi puissant qu'une vision en harmonie avec le divin. *(La Dixième Prophétie* [1]*.)*

PARLER À L'ESPRIT DU FLEUVE

« Une fois que vous avez expérimenté l'impossible, votre conception de la réalité s'élargit. À ce point, vous ignorez ce qui se passera quand l'énergie collective commencera à se déplacer à travers vous pour ouvrir votre chemin existentiel. » Elizabeth Jenkins, la femme qui a étudié la tradition andine avec les prêtres péruviens, nous a téléphoné *exactement au moment* où nous allions récrire ce chapitre. Elle venait de rentrer d'un voyage à New York. Avant de partir, elle nous avait appelés pour nous faire part de ses hésitations. Son intuition ne cessait de lui suggérer : « Allez, vas-y ! », mais elle n'était pas sûre que ce fût le bon moment.

« J'ai vraiment bien fait d'y aller », nous a-t-elle raconté. Un de ses projets était apparemment bloqué, et ce voyage lui avait permis de résoudre certains problèmes qui n'auraient pu l'être en son absence. « Plus je crois en ces sentiments, plus je suis mon cœur, et plus je suis stupéfaite devant les coïncidences qui s'accumulent, l'une après l'autre.

Il suffit que je sois ouverte au vent divin qui souffle dans mon oreille et me conduit vers la prochaine pensée nouvelle, le prochain signe. »

Depuis huit ans, Jenkins effectue un parcours extraordinaire, après avoir été amenée de façon synchronistique à connaître la tradition mystique andine fondée sur les liens avec la nature. Ses expériences sortant de l'ordinaire ont changé la façon dont elle voit la « réalité », et elle cherche à combler le fossé entre ces puissantes pratiques très anciennes et notre vie quotidienne, prétendument harmonieuse. Sa démarche est pleine d'enseignements pour tous ceux qui désirent servir l'humanité durant la période de transition. « Quels conseils pouvez-vous nous donner ? » lui avons-nous demandé.

> Si nous prenons au sérieux ce que déclarent [...] les chercheurs et explorateurs contemporains [...], alors nous devons admettre la possibilité que des personnes comme les yogis hindous, les lamas tibétains et certains moines du mont Athos sont en contact avec des réalités inaccessibles au commun des mortels qui vivent dans un monde grossièrement matérialiste et n'ont que des préoccupations terre à terre. Par conséquent, il est plus sage de ne pas rejeter a priori les récits des moines du mont Athos sur les miracles et de ne pas les considérer comme des fantasmes ou des hallucinations. Nous devrions plutôt les écouter attentivement. (Kyriacos C. Markides, *Riding with the Lion.*)

« J'ai parfaitement compris comment nos différents filtres nous empêchent d'assimiler une nouvelle information. Par exemple, quand je relate certaines de mes expériences avec les prêtres andins, j'ai remarqué que mes amis plus traditionnels ont du mal à accepter mes propos – sur les objets qui ont du pouvoir, par exemple. Ils veulent bien s'intéresser vaguement à une autre culture, mais refusent de laisser ces informations pénétrer dans leur vie. Aussi, dans certains cas, plutôt que d'insister sur l'importance d'un *symbole*, je parle du sens sous-jacent. Si quelqu'un prend vos propos à la lettre, essayez de lui transmettre l'essence de votre information. Par exemple, si je dis à une amie : “ Oh, cet objet est réputé pour avoir tel et tel pouvoir ”, l'image et le concept d'un “ objet magique ” se gravent dans son esprit, et son côté rationnel va commencer à discuter avec moi sur la question de savoir si un objet peut ou non avoir ce pouvoir. Ce n'est pas vraiment le problème. Si je veux que notre conversation progresse à nouveau, devienne fluide, je dois lui tenir des propos comme ceux-ci : “ Écoute, peu importe si nous appelons cela une pierre ou le saint Graal. L'important c'est la façon dont cela m'a amenée à rencontrer telle et telle personne. ” *Une chose ou une idée n'ont d'importance que si elles me font bouger.* Les mouvements énergétiques qui se sont produits après que j'ai eu cet objet entre mes mains peuvent provenir de cet objet ou non. L'objet, en lui-même, n'a aucune importance.

« Voici comment j'ai reçu des messages et pourquoi j'ai continué à suivre cette voie, dit Jenkins. Je m'accrochais à des symboles qui me donnaient de l'énergie. Cela m'a conduite à l'étape suivante de mon histoire. Je savais alors ce que je devais faire. Je me sentais prête à aller vers les personnes que je devais rencontrer. Le sens littéral de quelque chose ne compte pas autant que le fait de repérer les messages contenus dans les signes et les symboles. Vous fusionnez avec la structure de l'énergie. La forme ne compte pas et ne devrait pas prévaloir sur le flux d'énergie.

« Quand vous faites ces rencontres avec la dimension spirituelle et que vous revenez à la dimension physique, votre ego s'enfle et se contracte. Un jour, vous vous sentirez peut-être comme Jésus-Christ. Le lendemain, vous penserez que vous n'êtes rien, seulement un petit ver de terre qui apprend ce qu'est la vie. Je suppose que cela fait partie du processus. Nous devons passer par cette épreuve – et ne pas nous fixer sur les fluctuations de notre ego. Des synchronicités étonnantes peuvent se produire qui nous sidéreront, mais ensuite nous devons continuer, même si tout nous semble de nouveau très monotone. »

Il est merveilleux d'entendre Elizabeth Jenkins exprimer certains de nos sentiments, et aussi d'exposer à tous ceux qui liront ce livre l'expérience d'une personne qui est sur la voie. Sur quelle voie ? vous demandez-vous. La vôtre ! Nous ne pouvons pas vous dire ce que vous devez chercher, ou ce que vous êtes en train de chercher. Sinon, il ne s'agirait plus d'un mystère, n'est-ce pas ? Soyez persuadé que vous contribuez à construire le pont. Quoi que vous fassiez pour découvrir le pouvoir qui vous habite, la clarté intérieure sur votre objectif le plus important vous poussera en avant et vous aidera à franchir tous les seuils que vous devez franchir. Revenons pour quelques instants aux révélations d'Elizabeth durant son voyage à New York.

« Pachamama (l'esprit de la Terre) est très, très puissant à New York, nous a-t-elle déclaré d'une voix paisible. On croit généralement que New York se caractérise seulement par ses gratte-ciel, mais les *terrains* sur lesquels ils sont construits sont incroyablement puissants [Joseph Campbell tenait d'ailleurs exactement les mêmes propos]. C'est pourquoi cette ville a attiré une telle masse d'énergie humaine créatrice. Je logeais chez mon amie Linda Michaels, et je suis sortie le samedi matin pour me rendre au musée d'art moderne, le Metropolitan. J'ai commencé à marcher. Tout à coup, j'ai entendu la voix du fleuve [l'Hudson] me parler. Elle m'a dit dans mon esprit : “ Excuse-moi ! Tu n'es pas venue me présenter une offrande. Tu ne m'as pas salué, tu ne m'as pas dit bonjour. ”

« Je ne savais pas où j'étais. J'aurais pu me trouver très loin du fleuve, car j'ignorais son emplacement. J'ai acheté un plan dans un kiosque à journaux. L'Hudson se trouvait à deux pâtés d'immeubles. Je suis allée droit vers lui et je lui ai fait mon offrande. Le fleuve était un grand esprit, puissant et beau, et il m'a soufflé tout ce que j'avais besoin de savoir pour mon entretien avec mon éditeur. Il m'a aussi confié : " Les êtres humains font partie de la nature, et tu ferais bien de le reconnaître. Ils essaient de la dominer, mais montre-moi un seul homme capable de résister à l'énergie d'un volcan, de lutter contre une tornade ou d'arrêter un tremblement de terre. Pourquoi ne pas joindre tes forces à celles de la nature ? Admets sa puissance et travaille avec elle. Si tu collabores avec moi, m'a dit le fleuve, tu auras accès à toute cette puissance. "

> « Père Maxime, connaissez-vous un *gerontas* [maître] du nom de Vassilios ? » demandai-je alors qu'il s'asseyait à côté de moi. Il sourit et resta silencieux pendant quelques instants. « Eh bien ? » insistai-je. « Le père Vassilios est mon *gerontas*. Je travaille avec lui. » Il s'agissait d'une de ces coïncidences qui vous font vous demander s'il s'agit de coïncidences ou du résultat d'une cause ineffable que la conscience ordinaire ne peut saisir [...]. Le mont Athos est une survivance de la civilisation byzantine, à une époque où l'on croyait aux miracles. À cet endroit, des miracles discrets, presque invisibles, se produisent réellement, des chapelets de coïncidences auxquelles aucun statisticien ne croirait. Parfois ces séquences poursuivent une personne dans le monde extérieur et changent sa vie. (Kyriacos
> C. Markides, *Riding with the Lion.*)

« Je me trouvais à New York, à deux pâtés de maisons de Central Park. Je pouvais *sentir* le pouvoir de la nature, sa *force gigantesque*. J'ai compris que la ville n'était qu'une petite écorce sur cette force de la nature. New York était relativement insignifiante.

« Durant ce week-end, j'ai eu une expérience complètement nouvelle de New York. J'y ai passé des journées formidables. Habituellement je déteste les villes, et j'apprécie seulement la nature. Mais je me suis rendu compte que, *où que je sois*, je suis toujours dans la nature. Sur terre, je ne peux me trouver nulle part ailleurs. » Elizabeth s'est tue quelques instants au téléphone avant de continuer.

« Je revenais d'un voyage au Brésil, où j'avais étudié avec mon maître, Don Manuel. Nous nous trouvions près du Rio Negro, non loin de l'Amazone. Nous avons marché jusqu'à la berge, et il a commencé à m'expliquer ce que disait l'esprit du fleuve. Il a appris à ma " bulle d'énergie " à communiquer avec l'esprit de ce fleuve. C'était exactement l'expérience dont j'allais avoir besoin quand je me suis rendue à New York. L'énergie de chaque cours d'eau a une conscience, et si vous apprenez à vous connecter à lui, vous recevrez des informations ou même réussirez à traiter ou guérir certains maux. À ce propos, j'avais mal à l'estomac quand je me dirigeais vers l'Hudson, mais lorsque je m'en suis éloignée, ma douleur avait disparu. »

ÊTRE LA VISION

Conserver la Vision signifie *être* la Vision du Monde. Conserver la Vision, c'est *la vivre* pour vous-même et projeter l'intention d'un bien supérieur pour l'avenir. Dans le dernier chapitre de *La Dixième Prophétie*, David affirme : « Il ne suffit pas de voir cette Vision du futur, bien que ce soit très important. Il nous faut surtout la *projeter* d'une certaine façon, la *conserver* pour le reste de l'humanité. Tel est le contenu véritable de la dixième révélation [2]. »

Conservez la Vision en sachant que vous êtes sur terre pour remplir une mission. Apprenez à parler aux Esprits de la Terre et à sentir le vent. Écoutez la voix qui émane de la foule. Disciplinez votre esprit pour assimiler de nouvelles informations, en les retournant de nombreuses fois dans votre esprit pour qu'elles s'intègrent à vos convictions, jusqu'à ce que vous voyiez ce qui vous convient à ce moment de votre vie. Suivez la piste que vous indique la synchronicité : humez, écoutez, immobilisez-vous comme un cerf, guettez, attendez – puis sautez comme Pégase, le cheval ailé, sautez, franchissez le ravin.

Souvenez-vous, également, que le calendrier joue un rôle précis dans vos plans. Imaginez que vous êtes assis au centre d'une grotte creusée dans du grès ocre jaune. Les murs, fortement striés par les flux de la rivière durant un million d'années, sont noirs. Un petit pan du mur de la grotte, cependant, est éclairé. Vingt mètres au-dessus de votre tête, une ouverture laisse passer un rayon de lumière jaunâtre sur ce pan de mur. Vous vous approchez pour examiner les marques sur cette paroi bien éclairée. Vous voyez des symboles, et vous rendez compte qu'ils *vous* représentent à ce moment précis de votre vie. Tant que le soleil ne sera pas à l'aplomb de la grotte, vous ne pourrez pas voir les symboles de votre avenir. Chaque chose a été parfaitement programmée selon votre prise de conscience.

Construire un pont afin que nous puissions nous rejoindre les uns les autres

Dans *La Dixième Prophétie*, presque à la fin du roman, le groupe des sept s'efforce de se concentrer suffisamment pour stopper les expériences dans la vallée. Malgré leurs efforts, ils n'arrivent pas à conserver la vision. Ils ont en effet commis l'erreur de considérer comme leur ennemi Feyman, l'homme qui essayait de développer la technologie de l'énergie à n'importe quel prix – quelqu'un qu'ils devaient combattre et vaincre. En se concentrant sur lui, ils lui donnaient de l'énergie et augmentaient son pouvoir. Tel est le piège qui nous attend quand nous nous cantonnons dans une énergie hostile, « anti ». Le groupe des sept découvre une méthode plus efficace : ils visualisent que Feyman se souvient *pourquoi* il travaillait avec la technologie de l'énergie et envoient ainsi de l'énergie à sa Vision de Naissance originelle, positive.

1. Abandonner la lutte de pouvoir et « se placer du même côté »

Cet exemple met en valeur trois principes qui nous aideront à conserver la Vision. D'abord le fait de traiter les autres comme des ennemis les revigore, *car notre statut d'ennemi leur fournit un point d'appui contre lequel ils peuvent lutter.* Cela ne signifie pas que nous devions approuver leur attitude, mais essayer de comprendre, à partir d'un point de vue positif, le but qu'ils poursuivent. Quelle est leur intention ultime ? Quelle force positive se cache derrière leur intention ? En *leur* envoyant de l'énergie pour qu'ils se souviennent de leur objectif originel, nous n'essayons ni de les « amender » ni de les changer.

Nous devons chercher surtout à ne pas perdre de vue notre idéal, et travailler en coopération avec d'autres personnes pour faire progresser l'humanité. Il est inutile et inefficace de rester bloqué sur la responsabilité d'autres gens ou de personnalités : cela ne fait qu'alimenter la polarisation des points de vue. Travailler seulement sur les effets extérieurs nous maintient prisonniers du problème. S'intéresser davantage à la dimension intérieure, à notre propre développement et à notre ouverture nous aide à créer les canaux télépathiques qui attireront le soutien et les informations recherchés. Le recours à la prière et à la visualisation pour concentrer notre intention crée la dynamique cocréatrice la plus puissante de l'univers. Comprendre les peurs ou le point de vue des autres nous aide à pressentir comment nous pourrions construire un pont qui nous relie à eux.

2. *Ne plus penser en termes d'« eux ou nous »*

Deuxième leçon apprise par le groupe des sept : tout le monde doit être inclus dans la Vision. Leur lutte avec Feyman leur a rappelé que nous sommes tous interdépendants. Nous ne pouvons plus nous permettre de penser en termes d'« eux ou nous ». « Eux » n'existe pas. Seul « nous » existe. Ce qu'une personne fait, ce qu'un groupe accomplit, ce qu'un pays réalise, tout cela affecte chacun de nous, quelle que soit la distance physique entre cette personne, ce groupe, ce pays et nous. La conscience, fondation et élément d'interconnexion de toute la vie, est partout.

> La mémoire n'est pas un terme utilisé par les physiciens. Pourtant, il est facile d'en trouver des manifestations dans le monde quantique – les particules qui sont séparées par d'énormes distances d'espace-temps savent ce que chacune d'entre elles est en train de faire. Quand un électron saute dans une nouvelle orbite à l'extérieur d'un atome, l'antiélectron (ou positron) qui est accouplé avec lui doit réagir, quel que soit l'endroit où il se trouve dans le cosmos. En fait, l'univers entier est tissé par ce type de réseau de mémoire. (Deepak Chopra, *Le Corps quantique*.)

3. *Diffuser la spiritualité et recomposer*

Troisième leçon du groupe des sept : la guérison et le souvenir ont beaucoup de points communs sur le plan énergétique. En changeant le monde, notre modèle peut être un modèle visant à soigner – recomposer – ce que nous voulons changer. Plutôt que d'utiliser un modèle pour « combattre » le crime, la pauvreté, la guerre et les atteintes à l'environnement, nous serions mieux lotis si nous partions de l'idée d'ajouter ce qui manque – aimer et soutenir ce qui est cassé et souffre. Jusqu'à maintenant, notre conscience collective a essayé de résoudre les problèmes sur le mode de la confrontation, ce qui, trop souvent, aboutit à un antagonisme ou une lutte. Comme nous l'avons vu avec le paradigme de la guerre ou du conflit dans le domaine de la santé, nous sommes apparemment prêts à passer au mode de la reconnaissance des structures, mode qui nous donne une vision plus ample et profonde des problèmes. Si nous avons en tête le schéma de ce que nous essayons d'accomplir, nous gaspillons moins d'énergie dans le conflit, et redirigeons l'énergie vers l'élaboration d'une issue positive.

Se souvenir que chacun de nous est une parcelle de Dieu (ou de Tout-ce-qui-est, ou d'Allah), écouter les autres, respecter leur point de vue, et leur faire savoir que vous les écoutez, tout cela accroît la vibration de la totalité de l'humanité. Dans le roman, Wil remarque : « Quand tous les cinq vous avez augmenté votre énergie et vous êtes consciemment souvenus de la plus grande partie de la Vision du Monde, vous avez fait passer toute cette vallée à un niveau vibratoire supérieur, celui de l'Après-Vie. Mon corps, comme le vôtre, est donc plus visible. Et il en sera désormais de même pour les groupes d'âmes dans cette région [3]. »

La méditation ambulante

Vous rappelez-vous la dernière fois où vous vous êtes trouvé dans un supermarché, lorsqu'un employé vous a interpellé : « Monsieur, la caisse numéro 3 est ouverte. Vous n'avez pas besoin d'attendre » ? Souvenez-vous du soulagement que vous avez ressenti : votre frustration prenait fin, vous alliez quitter ce magasin et pouvoir passer à autre chose. Inutile d'attendre. Vous avez beaucoup lu et réfléchi : l'heure est venue de passer à la pratique. Vous vous trouvez exactement à l'endroit où vous êtes supposé être, et vous ne manquerez pas d'occasions de croiser d'autres personnes. Profitez des rencontres de hasard. Gardez votre cœur ouvert et votre esprit en alerte pour saisir les occasions où vous pourrez faire le plus de bien.

La façon dont vous traitez la prochaine personne qui vous démarchera au téléphone, la façon dont vous guidez avec amour un enfant, la manière calme et persévérante dont vous gérez votre travail, tout cela fait partie de votre contribution à la Vision du Monde. L'amour et la gentillesse renforcent chaque âme dans son objectif.

Le bénéfice ne réside pas dans le nombre de vos actions, mais dans le fait que vous agissiez, et que vous le fassiez de tout votre cœur. Prenez le point de vue holistique, qui considère un « problème » seulement comme un des éléments d'un grand ensemble. Nous avons la capacité d'intervenir dans les *cycles* de la pauvreté, de la criminalité, de la violence et du chômage en cherchant à aider une personne à la fois. Laissez le sentiment d'amour couler entre vous et les autres. Restez connectés à la *passion* qui vous motive : elle vous relie à l'esprit. Si vous perdez votre connexion avec cette *valeur*, votre zèle pour servir les autres s'épuisera rapidement. Ou vous vous attacherez au succès et à la renommée, au lieu de rester fidèle à vos motivations premières. N'essayez pas de sauver le monde en vous sacrifiant. Suivez votre intérêt personnel, au sens spirituel : prenez plaisir en servant l'humanité.

Au volant de votre voiture, pratiquez la paix. La respiration et le sourire. En marchant de votre bureau à l'arrêt d'autobus, pratiquez ce que nous appelons la méditation ambulante : ne pensez à rien du tout, marchez seulement sur cette merveilleuse planète. Si vous marchez comme cela pendant trois ou cinq minutes, vous vous retrouverez vous-même et ramènerez la sérénité en vous. C'est ce que nous appelons la pratique de la méditation dans la vie quotidienne. (Thich Nhat Hanh, interviewé par *We the People* et Jerry Brown.)

Chaque obstacle vous apprendra quelque chose d'utile : ne l'oubliez pas, cela vous aidera à ne pas épuiser vos forces. Généralement nous voulons écarter les obstacles le plus rapidement possible. Réfléchissez plutôt à ce que vous suggère chaque obstacle. Pourquoi suis-je bloqué ? Pourquoi ne vois-je pas de solution ? Quelle est l'information que j'ignore et que cet obstacle va me communiquer ? Souvenez-vous de la phrase d'A.T. : « Des messages m'arrivent de partout. »

Faire des reproches ou servir les autres

Si nous nous débarrassons de notre pessimisme et de notre tendance à céder à la peur, nous cesserons aussi de rendre le monde extérieur ou l'« administration » responsables de notre situation. Nous apprendrons plutôt à observer les voies qui s'ouvrent devant nous pour agir nous-mêmes.

Commencez à observer ceux qui pratiquent, même à petite échelle, des méthodes pour réduire la souffrance. Y a-t-il une organisation qui vous attire ? Existe-t-il une nouvelle façon de réfléchir à un problème qu'il vous semble important de résoudre ?

Bernard Tetsugen Glassman s'est installé à Yonkers, dans l'État de New York, pour ouvrir une communauté zen. Grâce à sa vision, il a lancé des projets et fondé des sociétés qui offrent des logements à des prix accessibles aux sans-abri, des appartements et des services pour les malades du sida, des programmes de formation professionnelle et un centre zen. Dans une interview pour *Inquiring Mind*, Glassman a déclaré : « Les vrais enseignements d'un maître s'incarnent dans sa vie, et les élèves sont attirés par un maître particulier à cause de ses intérêts et de ses préoccupations [...]. J'organise souvent ce que j'appelle des retraites dans la rue ou du " travail de témoignage ". Certaines personnes viennent ici pour faire des retraites avec moi, tandis que d'autres viennent collaborer à nos différents projets à Yonkers. »

Une femme que je connaissais s'asseyait dans une pièce tranquille de sa maison tous les jours. Elle regardait, par la fenêtre, le lac gelé et notait soigneusement ce qu'elle pensait et ce qui se passait chaque jour – ce que sa petite fille ou son mari disaient, les menus événements de leur vie commune.

Elle retapa ses notes sur des feuilles de papier jaune et les rangea – cela représentait une grosse pile qui s'accumulait dans un tiroir et qu'elle ne relut pas pendant près d'un an.

Curieusement, tandis qu'elle s'asseyait pour écrire et regardait le lac, elle pensait : Je suis une femme à l'aspect agréable, dans la quarantaine, je mène une vie tranquille, ordinaire, confortable, plutôt banale. »

Mais un an plus tard, quand elle relut ce qu'elle avait écrit – alors que son texte était devenu froid et s'était séparé d'elle, comme le texte d'un inconnu – elle fut absolument surprise. Elle ne pouvait croire que son journal fût si intéressant.

« C'est excellent, saisissant, remarquable ! m'écrivit-elle [...]. Et j'ai découvert que, loin de mener une vie tranquille, agréable et ordinaire, mon existence était extrêmement violente, extraordinaire, terrifiante [...]. Et l'image de ma petite fille se détache de tout cela comme celle d'un tableau de Goya. » (Brenda Ueland, *If You Want to Write : A Book About Art, Independence and Spirit.*)

Glassman exige que les gens collectent de l'argent auprès de leurs amis, afin qu'ils sachent ce que représente le fait de mendier et d'être regardé avec hostilité. Quand l'argent est réuni, on le verse au projet des sans-abri, et le volontaire se prépare à vivre dans la rue pendant une semaine. Glassman explique : « Quand vous demandez l'aumône aux passants, vous voyez presque toujours leurs yeux se détourner. C'est un sentiment de rejet auquel nous, membres des classes moyennes, ne sommes pas habitués. À la suite de cette expérience, aucun de ceux qui l'ont partagée avec moi ne se comportera plus de la même façon devant un SDF. Quand vous vivez dans la rue, au bout de peu de temps vous commencez à sentir mauvais, personne ne veut vous regarder en face, et on ne vous admet plus dans les établissements où vous alliez normalement prendre une tasse de café. C'est une expérience très profonde [4]. »

Que nous en soyons conscients ou pas, nous sommes tous guidés par des intuitions intérieures qui nous poussent à aider les autres. Le courage est l'issue naturelle d'une intention puissante. Nous avons choisi quelques récits sur les actions et les projets de gens ordinaires, dont le courage a joué un rôle considérable.

LA VISION – DANS CE MONDE

SAUVER LES ENFANTS

En 1993, Joseph Marshall Jr., professeur de maths à San Francisco et cofondateur de l'Omega Boys Club, a parlé devant une commission commune au Sénat et à la Chambre des représentants pour traiter des questions de l'enfance, de la jeunesse, de la famille, de la drogue et de l'alcoolisme. Il a raconté son expérience dans son livre, écrit en collaboration avec Lonnie Wheeler, *Street Soldier : One Man's Struggle to Save a Generation – One Life at a Time.* « C'est drôle, ai-je dit au Sénat, [...] mais je ne vois pas une grande différence entre le fait d'aller en prison et de me placer au coin d'une rue où je dois convaincre les jeunes de cesser leurs activités – vendre de la drogue, organiser des viols collectifs ou tuer. Il faut absolument arriver à ce qu'ils croient que c'est possible [...]. Vous devez savoir que c'est possible. Et ça l'est. Je dois dire cela dès le début. C'est possible [5]. »

Comme l'explique Lonnie Wheeler : « Où nous voyons des statistiques, Marshall voit des adolescents, pleins d'intelligence, de talent, de sensibilité et d'ambition. Où nous voyons de la paresse, il décèle un potentiel. Où nous voyons des cas sans espoir, il voit de futurs étudiants [6]. » En effet, si l'on a pas une bonne dose de courage et de conviction, la lecture des statistiques est désespérante [7] :

• En 1990, il y a eu vingt-deux assassinats par arme de petit calibre en Grande-Bretagne, soixante-huit au Canada, quatre-vingt-sept au Japon et dix mille cinq cent soixante-sept aux États-Unis.

• Toutes les quatre heures, un enfant noir américain est tué par une arme à feu.

• Parmi les Noirs entre vingt-cinq et trente-quatre ans qui ont abandonné le collège ou le lycée, 75 % d'entre eux sont en prison, en liberté surveillée ou en liberté conditionnelle.

• Bien que les Noirs ne représentent que 12,4 % de la population américaine, ils forment plus de 50 % de la population carcérale.

Et on pourrait continuer à citer des statistiques. Joseph Marshall Jr. et Jack Jacqua voient dans ces chiffres la preuve qu'une maladie gangrène le pays. Au cours des vingt-cinq dernières années, *trois fois plus* d'Américains sont morts par suicide ou homicide aux États-Unis que sur les champs de bataille à l'étranger durant tout le XXe siècle. Marshall et Jacqua considèrent que cette épidémie de violence provient de conditions et de croyances qui peuvent être changées.

L'air fraîchit comme en automne. Le vent du nord frappe la tôle qui vibre avec un bruit métallique sur le toit de la grange, annonçant l'arrivée de la nouvelle saison. Les chênes acceptent de se séparer de leur frondaison, le vent l'entraîne sur le toit de la maison avec un bruissement de feuillage froissé. Les pourpres de l'automne et l'or des pampres de la vigne respendissent [...]. Une gelée meurtrière fera bientôt craquer les feuilles, les brunira, et elles aussi tomberont. (Arene Bernstein, *Growing Season : A Healing Journey into the Heart of Nature.*)

Dans une interview avec la journaliste du *San Francisco Chronicle* Catherine Bowman, Marshall a déclaré : « J'ai grandi dans le quartier de South Central à Los Angeles. Et quand j'étais enfant, je trouvais toujours un travail [...], le genre de petits boulots qui n'existent plus aujourd'hui pour les jeunes. Aujourd'hui, la tentation de l'illégalité commence dès la porte de leur immeuble ou de leur maison, et beaucoup d'enfants mettent le doigt dans l'engrenage à huit ou neuf ans, et n'en sortent jamais.

« Le deuxième grand changement [par rapport à ma jeunesse] est la prolifération des armes. [...] Dans la rue, les jeunes peuvent s'acheter des Uzis, des AK-47, des armes de guerre de 9 mm [...]. Je pense que le pire, le facteur certainement le plus dévastateur, [...] c'est le phénomène du crack. Il s'agit du pire fléau qui se soit abattu sur les Noirs américains depuis l'esclavage [8]. » Marshall raconte l'histoire d'un garçon de neuf ans que sa mère a commencé à négliger, quand elle s'est mise à consommer ce poison. « Des gens mouraient chez elle, préparaient leurs doses dans la cuisine, lui soufflaient du crack dans la figure. Ses copains l'ont incité à fumer de l'herbe et boire de l'alcool. Ils l'ont poussé à se procurer une arme et à tuer ceux qui avaient fait du mal à sa mère [9]. » Finalement ce garçon a tiré sur un officier de police et a été condamné à sept ans de détention. Pendant qu'il était en prison, il a rencontré l'un des membres de l'Omega Boys Club. Il va maintenant passer l'équivalent du bac avec une moyenne de dix-huit sur vingt et entrer en faculté cet automne.

« [Je suis seulement] l'adulte du coin de la rue qui surveille les enfants, exactement comme les adultes le faisaient à mon époque », affirme Marshall. Dans ce cas, cependant, à travers le travail de l'Omega Club, il a aidé à envoyer plus de cent jeunes à l'université. Dans ce programme, la vraie mesure du succès pour les jeunes, dit-il, c'est qu'ils restent en vie et en liberté. La fac n'est plus que la cerise sur le gâteau.

Marshall et son associé ont observé ce milieu, regardé des films, lu des livres et mené des recherches sur les enfants et les adolescents. Ils se sont rendu compte que certaines situations se terminent toujours par des incidents où domine l'agressivité. « Nous avons dressé une liste des situations à éviter si vous voulez dominer le risque de violence. Même si vous avez grandi dans un quartier à problèmes [...] vous pouvez quand même diminuer les risques que cela vous affecte [10]. » Dans leur programme, ils s'engagent à augmenter de façon significative les chances que ces garçons restent en vie et en liberté.

À partir de leur expérience ils ont défini quatre « règles de vie » pour les jeunes. Elles remplacent le code de conduite suicidaire de la rue qui n'aboutit qu'à tuer ou à se faire tuer :

« – Un ami est quelqu'un qui ne te placera jamais dans une situation dangereuse.

– Le respect vient de soi-même, et de personne d'autre. (Le respect est en effet très important dans la dynamique de la rue.)

– Si vous voulez que les choses changent, il faut que *vous* changiez.

– Rien de plus précieux que la vie humaine [11]. »

Les deux hommes ont fondé l'Omega Boys Club « sans un rond » et sont maintenant financés par plusieurs fondations, des personnes privées et de grandes sociétés. Marshall affirme avec fierté : « Envoyer un enfant dans une maison de correction ou en prison coûte quarante mille dollars à la communauté. Pour la même somme, nous pouvons inscrire dix garçons à la fac – et nous le faisons [12]. »

LES GENS COMPTENT SUR NOUS

Quand nous cessons de diaboliser les autres, que nous ne les considérons plus comme des stéréotypes ou des statistiques, des victimes ou des criminels, nous récupérons nos sentiments. En percevant ce que nous avons en commun avec eux, nous ne pouvons plus rester passifs et accepter leur souffrance comme naturelle. Un grand travail spirituel nous attend : réduire le fossé entre « nous » et « eux », que ce soit au niveau du quartier, de l'entreprise ou en politique. Ce travail doit être effectué à l'intérieur de nous-mêmes, en changeant notre perception et en nous intéressant à leur existence.

Comme Joseph Marshall Jr., Jack Jacqua et d'autres dans nos groupes d'âmes, nous commençons à reconnaître que les autres comptent sur nous pour les aider. Pour ceux qui ont une vie difficile, l'apathie et la dénégation diminuent devant un sourire inattendu, un enfant qui vous prend la main, ou un ami que l'on peut appeler au milieu de la nuit. Nous pouvons travailler comme un castor, muer comme un serpent, être aussi infatigable qu'une fourmi, croasser comme le corbeau ou voler comme les oiseaux.

Une fois que nous avons remporté de petits succès dans de petites actions, impossible de faire marche arrière. C'est ce que représente le réveil spirituel : vous ne pouvez revenir en arrière. Notre intuition nous conseillera et nous donnera la force de « prendre le temps d'intervenir dans les conflits à tous les niveaux de la société humaine [13] ». La dixième révélation nous rappelle que nous agirons plus courageusement parce que nous savons que nous devrons faire face à l'inévitable Revue de Vie « au cours de laquelle nous regarderons les conséquences tragiques de notre pusillanimité (ou de notre incapacité à intervenir) ». Cela nous rappelle aussi qu'il est inefficace de prendre une position qui ne prône pas l'inclusion.

Dans le roman, Wil affirme : « [Nous pouvons apprendre à] intervenir sur le plan spirituel ! Leur faire prendre conscience de tout le processus, comme le font ces âmes pour ceux qui sont coincés dans le monde des illusions. [...] Nous devons nous souvenir que, même si les autres ont une attitude néfaste, ce sont seulement des âmes qui essaient de se réveiller, comme nous [14]. »

RENDRE CE QUE L'ON A REÇU

À l'âge de vingt et un ans, Palena Dorsey, en se regardant dans son miroir, vit un squelette. « Quelque part, je sus que j'avais deux solutions, explique-t-elle. Soit je changeais et prenais une autre route, soit j'allais *devenir* ce squelette. » Durant les vingt-deux années suivantes, elle a guidé plus de cent douze jeunes perturbés vers ce chemin différent qu'elle a elle-même choisi. Mère célibataire avec deux enfants, Palena a ouvert les portes de sa maison pour accueillir des enfants de toute race et de tout âge. « La plus jeune était une prostituée de neuf ans qui avait été mise sur le trottoir par son père pour qu'il puisse se payer ses doses. La plupart des gamins que j'hébergeais étaient toxicomanes, avaient été maltraités par leurs parents et arrêtés par la police. » À un moment, Palena, qui travaillait aussi à temps complet, logeait vingt-deux enfants dans sa maison comprenant huit chambres. Sa philosophie est qu'aucun enfant ne se prostitue ni se drogue volontairement.

Construire une école dans le nord du Balistan (au Pakistan) n'est pas une tâche aisée. L'endroit est tellement accidenté et isolé qu'il a fallu d'abord construire un pont de quatre-vingt-cinq mètres de long au-dessus du fleuve Braldu pour transporter les matériaux de construction jusqu'à la future école. Aujourd'hui le pont est terminé, les fondations sont posées pour la première école, des professeurs locaux qualifiés ont été embauchés, et on va créer une deuxième école pour le village qui se trouve à un jour de marche de Korphe [...]. Ce projet s'intitule Lam Bela – le « chemin de demain » –, nom tout à fait approprié. (*American Himalayan Foundation Newsletter*, été 1996.)

« Les enfants ont absolument besoin d'être sûrs que vous avez foi en eux, que vous leur faites confiance, dit-elle. Ils ont besoin de savoir qu'ils peuvent compter sur vous. Je leur ai raconté mon histoire en détail, et ils savent que je suis persuadé qu'ils peuvent changer, eux aussi. Une fois qu'ils sentent que vous croyez en eux, ils se considèrent eux-mêmes sous un jour nouveau et toute leur attitude change. Si auparavant ils appartenaient à des gangs parce qu'ils avaient besoin de cette identité de groupe, ils abandonneront cette attitude héritée de la rue. Ils n'ont plus besoin de se cacher derrière leur bande. »

Comment a-t-elle commencé ? « Eh bien, en 1978, mon pasteur m'a appelée pour me demander si je pouvais héberger une jeune fille qui devait aller dans un foyer de l'Assistance publique. J'ai accepté. J'avais envie de rendre ce que j'avais reçu, dans la mesure où j'avais moi-même surmonté tellement de choses. Ce n'était pas facile au début. J'ai appris ce qui marchait et ce qui ne marchait pas. Le plus important est d'écouter les enfants. La plupart des adultes *leur parlent avec indifférence*, ils ne s'intéressent pas vraiment à eux. Ainsi j'ai appris à leur parler et à les écouter. Je leur explique que je leur fais confiance, et que j'attends certaines choses d'eux.

« Nous avons plusieurs règles dans notre maison qui ne sont pas négociables. S'ils violent ces règles, ils sont exclus et ils le savent. Nous avons aussi un grand tableau avec le nom de chacun et la liste de leurs tâches domestiques. Il y a un responsable de la maison, et si quelqu'un n'accomplit pas sa tâche, le responsable doit s'en acquitter, même s'il en a jusqu'à minuit. Il y a aussi un bol des conséquences – dans lequel on dépose un bout de papier sur lequel on inscrit les sorties dont on sera privé pendant un mois ou les corvées supplémentaires à faire. Nous nous réunissons deux fois par jour, une fois le matin avant d'aller travailler, une fois le soir après le dîner. Je n'ai aucun ordre du jour. Je demande simplement : “ Quelqu'un a-t-il un point à discuter ? ” »

L'une des règles de Palena était que chaque enfant devait gagner de l'argent pour acheter son lit ou les meubles de sa chambre et se débrouiller pour amener le tout à la maison par ses propres moyens. « Je ne leur facilite pas la tâche, mais une fois qu'ils ont accompli cet exploit, cette expérience leur servira plus tard. » Son but est toujours d'apprendre à l'enfant à s'estimer lui-même, en stimulant sa croissance avec beaucoup d'amour et en lui confiant des responsabilités.

Il est significatif que le Dr Hoerni, l'un des grands-pères de l'industrie des puces électroniques, ait décidé d'aider les enfants qui apprennent encore à écrire sur le sol. (*American Himalayan Foundation Newsletter*, été 1996.)

« Ce qui m'a fait le plus peur, au début, c'était de sentir que je pourrais mettre en danger mes propres enfants en les faisant vivre auprès de jeunes qui parleraient de leurs défonces avec les drogues. Mais, heureusement, ils n'ont eu aucun problème, et maintenant je suis même deux fois grand-mère. » En dehors du soutien constant du pasteur de son quartier, Palena a aussi reçu beaucoup de dons de la communauté pour l'aider à habiller et nourrir ses protégés. Elle est encore en contact avec près de soixante-dix des enfants, devenus adultes, qu'elle a hébergés. « Il y a toujours un certain pourcentage d'échecs, mais la plupart de mes gamins sont restés sur leur nouvelle voie, et certains d'entre eux aident maintenant d'autres gosses de la rue. »

Quel conseil peut-elle donner à ceux qui désirent travailler avec des enfants perturbés ? « Je crois qu'il y a une raison pour chaque chose, et que, s'il existe un mal, il doit aussi exister une façon de le réparer. Mes enfants, ceux que j'ai mis au monde et ceux que j'ai adoptés, constituaient la mission de ma vie, même si je craignais de perdre mon emploi dans le cas où l'on apprendrait mon passé. Vous devez être prêt à écouter les jeunes et à leur expliquer que vous leur faites confiance pour agir correctement. Ils doivent être libres d'exprimer leurs opinions. Mais vous devez aussi avoir de la patience. Soit vous en avez, soit vous n'en avez pas, cela ne s'apprend pas. J'ai vu trop de gens qui ne devraient pas travailler avec des enfants, mais qui le font tout de même et ensuite ils s'étonnent que rien ne fonctionne. »

Quel autre conseil peut-elle nous communiquer ?

« Quand vous allez dans un foyer pour adopter un enfant, ne choisissez pas le gosse le plus sympathique, mais le pire. Les enfants qui ont vraiment besoin de vous sont ceux dont personne ne veut. »

Des personnes comme Palena Dorsey, Joseph Marshall et Jack Jacqua illustrent parfaitement la prédiction de la dixième révélation : « Des volontaires jouaient le rôle de " grands frères ", de " grandes sœurs ", et de tuteurs. Guidés par leur intuition intérieure qui les incitait à aider les autres, tous se souvenaient de leur intention de changer le sort d'une famille, d'un enfant [15]. »

[...] les villages de l'ouest du Népal [...] sont tellement pauvres que des familles désespérées vendent souvent leurs filles aux bordels de l'Inde. Chaque année, de cinq à sept mille Népalaises sont forcées de se prostituer de cette façon. Beaucoup attrapent le sida, et la plupart d'entre elles ne revoient jamais leur famille, car leur vie est brutalement interrompue.

Un foyer a été créé pour les jeunes filles qui se sont échappées ou sont menacées ; si elles n'ont pas d'autre endroit où aller, on leur trouve aussi une famille d'accueil et une école [...], une petite allocation peut aider une adolescente à continuer ses études. Plus elles étudient longtemps, moins il y a de chances qu'elles soient vendues aux réseaux de prostitution.

Ce projet pilote a commencé avec cinquante-six jeunes filles dans le village de Syangia et a remporté un tel succès que, avec l'aide de l'American Himalayan Foundation, il concernera cette année un deuxième village. Il est incroyable qu'une si petite somme (cent dollars par fillette et par an) puisse provoquer un changement aussi important. (*American Himalayan Foundation Newsletter*, été 1996).

DES RACINES POUSSENT DANS DES ENDROITS SOMBRES

Récemment le *San Francisco Chronicle* a mis en lumière le travail de la Delancey Street Foundation, considérée comme le meilleur centre de rééducation et d'entraide pour les toxicomanes et les ex-prisonniers. Bien que la plupart des pensionnaires de cet établissement soient pratiquement illettrés et ne possèdent aucune qualification quand ils y entrent, ils suivent des cours de rattrapage correspondant à ceux de l'enseignement secondaire. Ils peuvent choisir entre trois métiers différents cotés sur le marché et obtenir leur diplôme. En dehors de ce programme scolaire et professionnel, on leur enseigne aussi à vivre en société : les relations avec les autres, les attitudes, les valeurs, le sens des responsabilités et la confiance en soi ; ainsi ils réussiront à vivre en société, à ne plus consommer de drogues, et à gagner de l'argent sans se livrer à des activités illégales. Soulignons enfin que la « famille élargie » de Delancey Street ne coûte pas un sou au contribuable !

Tandis que se diffusent les révélations, quelle que soit la difficulté de notre situation, ou l'enracinement de nos habitudes autodestructives, chacun de nous se souvient de sa mission et de son objectif. *(La Dixième Prophétie.)*

La fondation s'autofinance grâce à quatre entreprises (un restaurant, un service de traiteur, une société de déménagement et une imprimerie) qui permettent à tous les résidents d'apprendre un métier. Guidés par le principe « Chacun enseigne à son voisin », tous travaillent.

Après avoir réhabilité d'anciens prisonniers, toxicomanes et prostituées pendant vingt-cinq ans, la fondation est reconnue et accréditée par la Golden Gate University [16]. Son logo arbore fièrement la devise « *Vertere vertute* », qui signifie « Transformer courageusement ». Shirley La Marr illustre bien le type de métamorphose opérée par Delancey Street et qui a rendu cette institution célèbre. Cette femme, à l'âge de quarante ans, avait quatre enfants. Prostituée et toxicomane, elle possédait un palmarès d'arrestations impressionnant. Elle devait être condamnée à une peine de prison, mais après avoir conclu un accord avec la police et le procureur, elle choisit de venir à Delancey Street. Pour elle, la transformation commença par de très petits détails. Progressivement, par petites touches – « comme le fait de dire la vérité, d'admettre que j'avais fait une connerie et de demander comment je pourrais la réparer » –, son attitude changea par rapport à ce qu'elle croyait possible. « La philosophie de Delancey Street est très simple, explique La Marr. Elle n'a rien de mystique. Vous devez vous montrer responsable, intègre et avoir du caractère. Vous devez traiter les autres comme vous aimeriez qu'ils vous traitent, et obéir à la discipline de l'établissement. Une discipline sévère mais juste. On ne reçoit pas de caresses, mais beaucoup d'amour, un amour rude, coriace. » Lorsqu'on lui demande quel héritage elle aimerait laisser, elle suggère la devise du nouveau logo : *Vertere vertute*. « Ces deux mots me plaisent, dit-elle. Ils résument tout. » Cette fondation exceptionnelle montre que des gens ordinaires peuvent réaliser des rêves extraordinaires – voire impossibles – en mettant leurs ressources en commun, en s'entraidant, et en poursuivant un objectif avec le maximum d'intégrité.

LA MISSION DE LA PRISON

Le personnage principal de *La Dixième Prophétie* nous rappelle que la transition est un processus évolutif. Par exemple, il comprend (dans la Vision du Monde) que « à court terme, on aura besoin de nouvelles prisons et de nouveaux centres de détention. On suivra en cela une vérité traditionnelle : le fait de libérer trop tôt les délinquants ou les criminels, ou de ne pas les emprisonner sous prétexte de leur donner une nouvelle chance, renforce seulement leurs comportements antisociaux. Mais, en même temps, on appliquera les dix révélations au fonctionnement de ces lieux de détention ; des individus et des groupes extérieurs privés s'engageront auprès des prisonniers afin d'éradiquer la mentalité criminelle et d'entamer la seule réhabilitation efficace : celle qui fait appel au souvenir de la Vision de Naissance [17] ».

Les solutions traditionnelles, centrées uniquement sur le châtiment, ne répondent plus aux besoins de notre culture. Entasser des criminels dans des maisons d'arrêt, sans leur donner aucune formation ni aucune aide psychologique, n'aidera jamais la société.

Selon Peter Breen, directeur exécutif du Centerforce, réseau de services qui s'occupe des enfants et des familles des personnes incarcérées, « 55 % des enfants dont les parents sont emprisonnés finissent eux-mêmes derrière les barreaux ». Selon Centerforce, ces enfants déjà en danger doivent être détournés du chemin que leurs parents ont suivi. C'est pourquoi cet organisme aide les jeunes à soigner les traumatismes qui les séparent de leurs congénères. Dans la seule Californie, trois cent cinquante mille enfants ont un ou deux de leurs parents dans des prisons d'État ; et ce chiffre n'inclut pas les personnes enfermées dans les prisons dépendant des villes ou des comtés. Le nombre d'enfants ayant des parents incarcérés devrait en principe doubler au cours des deux prochaines années. En ce moment, deux millions et demi d'enfants américains ont un père ou une mère incarcéré.

Créée en 1975, Centerforce prit d'abord en charge les problèmes de transport et de garde des enfants pour les familles qui rendaient visite à des prisonniers de San Quentin. Aujourd'hui elle représente un réseau de vingt-sept centres qui se consacrent à trente prisons d'État.

Des programmes comme celui-ci vont devenir un aspect important de la nouvelle Vision du Monde, lorsque la société commencera à ne plus nier la criminalité et *ses conséquences qui affectent tout le monde*, et à se débarrasser des peurs que provoquent ces phénomènes. Du point de vue holistique, il est fondamental, sur le plan moral et financier, d'aider ces familles qui souffrent. Elles sont en effet victimes de l'ostracisme et de la réprobation générale ; les enfants sont rejetés par leurs anciens amis, leurs camarades de classe et la communauté, au même titre que la personne condamnée. Les parents incarcérés n'ont souvent jamais connu de famille eux-mêmes ; ils n'ont donc pas les connaissances et l'expérience nécessaires pour s'occuper de leur progéniture. Les conjoints de prisonniers sont également soumis à des pressions économiques et émotionnelles terribles. Le bien-être de ces familles fait partie intégrante de notre propre avenir. La meilleure chance qu'a le détenu de reprendre une vie normale est de rester connecté à l'amour et à l'espoir. Il a besoin de regarder grandir ses enfants, de parler à sa femme, de s'analyser mieux lui-même, d'examiner davantage ses choix et d'acquérir des connaissances qui le soutiendront, lui et sa famille, quand il retournera à la vie normale. Notre société, très sophistiquée sur le plan technique, néglige parfois la nécessité d'une formation de base :

lecture, maths, apprentissage de la discipline, responsabilité personnelle, importance de savoir attendre les récompenses et d'apprendre à pardonner avec amour.

Depuis quatre ans, la prison de San Quentin a créé un nouveau programme, Boot Camp (« Camp d'instruction militaire »), qui peut remplacer une peine de réclusion pour les condamnés non violents jugés pour la première fois. Ce programme pilote, unique, conçu d'après un programme testé à New York, combine un entraînement de type militaire et des exercices physiques le matin avec l'accomplissement de tâches utiles à toute la communauté, des cours et une thérapie intensive. Dans un récent article publié par le *San Francisco Chronicle*, Erika Zak Bencich, pyschologue participant à ce programme, a déclaré : « [Pour beaucoup de prisonniers] c'est la première fois de leur vie qu'on leur impose une discipline, qu'on leur offre des modèles de comportement positifs. Nous leur apprendrons d'abord à vivre [18]. » À ce jour, aucun de ceux qui ont suivi le programme jusqu'au bout – du camp d'instruction militaire à la liberté conditionnelle – n'est retourné en prison. Ce type de programmes dépend dans une large mesure du soutien de la communauté et de bénévoles. Vous sentez-vous attiré par la thérapie, la garde d'enfants, l'enseignement ou l'aide au transport de familles de prisonnier ? Êtes-vous prêt à rencontrer un groupe de détenus une fois par mois, juste pour partager des sentiments, des espoirs ou discuter des bons livres que vous avez lus ?

> Le corbeau est le présage du changement. Les Anciens Chefs nous ont dit que le Corbeau voit simultanément les trois faces de la vie – le passé, le présent et l'avenir. Si la médecine du Corbeau apparaît dans votre [existence], vous saurez que les lois du Grand Esprit sont en relation avec les lois de l'humanité.
>
> La Médecine du Corbeau vous apporte une connaissance de première main émanant d'un ordre du bien et du mal supérieur à celui qu'ont prescrit les lois créées par la société humaine. Avec la Médecine du Corbeau, vous parlez d'une voix puissante lorsque vous évoquez des problèmes comme le manque d'harmonie, d'équilibre, d'ordre ou de l'injustice. (Jamie Sams et David Carson, *Les Cartes-médecine : découvrir son animal-totem.*)

LA MISSION ÉCOLOGIQUE

La pollution se produit à cause de notre complaisance tacite, de notre ignorance et de notre apathie. Nous voyons malheureusement des ordures dans les rivières. Nous toussons à cause des gaz d'échappement.

Nous continuons à conduire des voitures, sans tenir compte de nos propres préoccupations. Si une personne adopte la perspective de la « tolérance apprise », elle peut changer quelque chose autour d'elle.
Tout comme les « témoins inspirés » mentionnés dans la Vision du Monde, les gens cités dans les récits ci-dessous ont su déceler un besoin et y répondre.

Les Gardiens de la Forêt

> Une jolie route va d'Ixopo jusqu'aux montagnes. Couvertes d'herbe et vallonnées, ces collines sont vraiment superbes [...]. L'herbe est riche et dense, vous ne pouvez pas voir le sol. Mais les riches collines vertes s'interrompent brusquement. Elles surplombent la vallée et changent de nature. Elles deviennent rouges et dénudées ; elles ne peuvent plus retenir ni la pluie ni la brume, et les rivières sont asséchées dans les ravins. Elles ne sont plus gardées, conservées, ou soignées, elles ne retiennent plus les hommes, ne les gardent plus, ne s'occupent plus d'eux. Le titihoya ne pleure plus dans cette région.
> Les grandes collines rouges ont l'air désolées et la terre est déchirée comme une peau blessée. Lorsque tonnent les éclairs, que les nuages les arrosent, les rivières mortes reviennent à la vie, pleines du sang rouge de la terre. Dans les vallées, les femmes égratignent les rares lopins fertiles, et les épis de maïs n'atteignent même pas la taille d'un homme. Les vallées abritent de vieux hommes et de vieilles femmes, des mères et des petits enfants. Les hommes adultes sont partis, les jeunes garçons et les jeunes filles aussi. La terre ne peut plus les garder. (Alan Paton, *Pleure, ô pays bien aimé.*)

Au Nouveau-Mexique, une organisation écologiste, les Gardiens de la Forêt, a acheté plus de mille deux cent vingt-deux hectares de terrains boisés pour protéger les rives des dégâts occasionnés par le bétail lorsqu'il broute au bord des rivières. John Horning, responsable de la conservation de l'environnement pour cette organisation, a été interviewé par Salle Merril Redfield dans le *Celestine Journal.* Il a déclaré : « Nous sommes nés au beau milieu d'une controverse. En 1989, le service des Eaux et Forêts a proposé de couper les derniers arbres centenaires de la forêt domaniale de Santa Fe. Sam Hitt, le fondateur de notre organisation, a pensé que la vente de ce bois était contraire à l'intérêt public. Aussi avons-nous créé cette organisation à partir du désir de préserver cette forêt d'arbres centenaires. Nous avons finalement gagné et jusqu'à ce jour ce domaine unique est toujours debout [19]. » Plus récemment, les Gardiens de la Forêt se sont efforcés de prévenir les dommages causés aux berges des rivières par les troupeaux qui détruisent la végétation et polluent l'eau. « En nous attaquant à des idoles comme les cowboys et les éleveurs, nous savions parfaitement que nous abordions un problème très difficile et sensible. Nous avons compris que, si nous profitions des lois du marché, nous soulèverions le moins de controverses possible. Nous avons donc choisi de protéger les zones boisées proches des rivières sans faire appel à la justice – même si nous avons rencontré pas mal de résistance. L'ironie de tout cela est que les éleveurs, malgré leur culte acharné de la liberté individuelle, ont fait appel aux autorités du comté, de l'État, et même au gouvernement fédéral pour empêcher les écologistes d'utiliser la libre concurrence. » L'organisation a acquis mille deux cent vingt-cinq hectares au prix d'un dollar l'hectare.

Voici une situation où le vieux mode de vie – l'élevage – doit laisser place à une vision supérieure pour servir la terre. Selon Horning et les Gardiens de la Forêt, il existe beaucoup de zones où les pâturages sont contraires à l'intérêt général. Non seulement le bétail occasionne d'énormes dommages aux terres publiques, mais en plus les contribuables payent soixante-dix millions de dollars par an pour réparer ces dégâts.

LES LOUPS – LA SURVEILLANCE, LE RITUEL,
LA LOYAUTÉ ET L'ESPRIT

Les loups incarnent la quintessence de l'esprit sauvage [...], le véritable esprit des grandes étendues vierges et non dévastées. Le loup possède une intelligence extrême, [...] un odorat qui lui confère une grande capacité de jugement [...] et une ouïe excellente.

[Le loup] nous rappelle que nous devons écouter nos pensées et nos monologues intérieurs. Le loup a la capacité de nouer des relations rapides et solides sur le plan émotionnel. Apprendre à croire à vos propres intuitions et conforter vos attachements font partie de ce que la médecine du loup nous enseigne. (Ted Andrews, *Animal-Speak.*)

D'autres efforts déployés pour empêcher les Eaux et Forêts d'abattre des arbres ont été utiles, mais il reste encore beaucoup de travail à faire pour protéger les dernières forêts centenaires contre les multinationales de l'industrie du bois. Aussi incroyable que cela puisse paraître, les Eaux et Forêts refusent de vendre le droit d'exploiter des forêts à une organisation comme la Northwest Ecosystem Alliance (NEA), bien qu'elle fasse les offres les plus intéressantes, et ce uniquement parce que la NEA se refuse à abattre un seul arbre. Horning déclare : « Cela prouve que les Eaux et Forêts travaillent main dans la main avec les multinationales du bois [...]. Nous sommes dans cette situation difficile parce que le Congrès et le président Clinton ont promulgué une loi qui a suspendu toutes les réglementations protégeant les forêts domaniales – sous prétexte que l'abattage favoriserait d'une manière ou d'une autre l'écosystème. Il s'agit en fait d'un faux prétexte pour laisser pénétrer ces sociétés dans les dernières forêts centenaires et les détruire. Nous tentons vraiment d'encourager une connexion entre les citoyens et la région où ils vivent. Si nous réussissons à renforcer ce lien, les gens défendront farouchement les endroits qu'ils connaissent et qui leur tiennent à cœur [20]. »

Au niveau de conscience représenté par la dixième révélation, s'organiseront sûrement de nouvelles alliances comme celle entre « les chasseurs traditionnels, les nostalgiques mordus d'histoire et ceux qui ont compris que les sites naturels sont des portails sacrés ». Cela permettra de sauver les ressources naturelles telles que les forêts vierges et les forêts tropicales. Une partie de ce changement de perception se produira lorsque l'intuition, la conscience et la mémoire de la Vision du Monde se préciseront, et que les sociétés développées auront assimilé les connaissances mystiques des peuples indigènes.

LES HÉROS DE L'ENVIRONNEMENT PRIMÉS POUR LEUR ACTION

Quatre lauréats du prix Goldmann pour l'environnement caractérisent la conscience, la volonté et le courage face à de grands risques encourus, qualités qui sont au premier plan de la Vision du Monde.

Les jaguars, les loups, les perroquets et les êtres humains

> Le pivert est un oiseau relié aux pulsations de la terre elle-même [...], il signale aussi le besoin d'insister sur certains changements et rythmes nouveaux qui vont bouleverser votre vie.
>
> La façon de voler et le rythme du pivert sont absolument uniques. Cet oiseau vous révèle qu'il deviendra de plus en plus important pour vous de suivre votre rythme et votre vol particuliers. Faites ce qui fonctionne pour vous le mieux possible. Quand le pivert pénètre dans votre vie, cela indique que les fondations sont posées. Suivre votre propre rythme ne présente plus le moindre danger. (Ted Andrews, *Animal-Speak.*)

Après avoir survécu à trois tentatives de meurtre lorsqu'il était trafiquant de drogue, Edwin Bustillos, trente et un ans, a fondé une organisation en faveur de l'environnement et des droits de l'homme en 1992 : CASMAC (Conseil consultatif de la Sierra Madre). Il veut créer une réserve de deux millions et demi d'hectares pour la biosphère dans la Sierra Madre occidentale, au nord du Mexique, pour protéger les écosystèmes menacés et les quatre populations indigènes qui vivent dans ces montagnes depuis deux mille ans. Après avoir abrité les Indiens Tarahumara, dont la capacité à courir de longues distances est légendaire, ainsi que des jaguars, des loups gris, des perroquets au gros bec, et des centaines de variétés de pins et de chênes, la terre est récemment passée sous le contrôle de cultivateurs de coca agressifs. Or, le territoire de la principale communauté indigène, entouré par une forêt centenaire, a été officiellement classé depuis peu comme réserve à la suite des efforts soutenus de Bustillos et de sa petite organisation. Bustillos croit que « si l'on est entouré de forêts denses et de canyons profonds, de chants d'oiseaux et de chutes d'eau, d'une abondance de plantes et d'espèces animales, l'on n'a besoin de rien de plus pour vivre. Pour cette raison, ceux qui sont en harmonie avec leur environnement vivent avec intelligence [21] ».

Le courage en Amazonie

Marina Silva, trente-huit ans, a passé sa jeunesse à récolter du caoutchouc, à chasser et à pêcher pour aider son père à nourrir sa famille nombreuse. Née au cœur de l'Amazonie brésilienne, elle alla vivre à la ville à l'âge de seize ans. Bien qu'elle fût illettrée au départ, et malade, elle étudia la nuit, et obtint un diplôme universitaire. Dans les années 1980, elle retourna dans le territoire de l'Acre et, avec le dirigeant des récolteurs de caoutchouc, Chico Mendes, elle aida à organiser les manifestations pacifiques de ces travailleurs vivant dans les forêts, car ils étaient menacés par la déforestation et l'expulsion de leurs communautés. Après l'assassinat de Mendes en 1988, Marina Silva a continué à travailler pour la création de réserves de latex durables. Aujourd'hui il existe deux millions d'hectares de forêt, produisant du caoutchouc et gérés par des communautés indigènes. Malgré ses problèmes de santé, Silva est devenue la première récolteuse de caoutchouc élue au Sénat brésilien. Elle dit : « Notre seule solution aujourd'hui est d'essayer de prolonger notre vie sur cette planète. Toutes nos capacités techniques et scientifiques devront être utilisées pour inverser le processus de destruction que nous avons créé. C'est pourquoi je suis fière d'être née en Amazonie où nous avons encore une chance d'entamer un développement durable [22]. »

« Je lutte seulement pour l'environnement à tout moment »

En 1984, Mahesh Chander Mehta, quarante-neuf ans, maintenant l'un des plus célèbres avocats qui défendent l'intérêt général, visita le Taj Mahāl. Il vit que le marbre avait jauni et était piqueté à cause des produits polluants des industries locales. Il intenta son premier procès en faveur de l'environnement devant la Cour suprême de l'Inde, puis un deuxième pour défendre le Gange qui était très gravement pollué. Les déchets industriels qui y étaient déversés y avaient même mis le feu. Depuis, un tribunal se réunit spécialement chaque vendredi pour traiter les affaires de Mehta.

> Les éléphants représentent la force et le pouvoir. On les a considérés comme les symboles des nuages, et beaucoup ont cru que les éléphants créaient les nuages [...]. Ils symbolisent le brouillard qui sépare les mondes créés des mondes non encore créés.
>
> L'éléphant [...] se fie à son odorat. Ceux dont l'éléphant est l'animal-totem devraient prêter attention aux odeurs agréables et désagréables. Vos choix sont-ils justes ? Ceux des autres le sont-ils ? Quelque chose dégage-t-il une odeur bizarre ? Vous arrive-t-il de ne pas réagir, même quand certaines choses ont une odeur inquiétante ? (Ted Andrews, *Animal-Speak.*)

En 1993, après dix ans de batailles judiciaires, la Cour suprême a ordonné la fermeture de deux cent douze petites usines situées autour du Taj Mahāl parce qu'elles n'avaient pas installé d'appareils de contrôle de la pollution. Elle a intimé à trois cents autres entreprises de prendre les mêmes mesures. Travaillant le plus souvent seul, Mehta a enquêté personnellement sur tous les sites, ne pouvant supporter de voir toutes ces souffrances et ces dégâts. Sans aucune aide, il a gagné près de quarante procès qui ont abouti à des jugements faisant date en matière d'environnement. Mehta est à l'origine de règlements demandant à cinq mille usines d'installer des mécanismes de contrôle de la pollution, et à deux cent cinquante villes d'installer des usines de traitement des eaux usées. Il a fait signer une pétition adressée à la Cour suprême pour qu'elle ordonne au gouvernement fédéral de distribuer de l'essence sans plomb dans les quatre plus grandes villes du pays. Il a obtenu également que neuf mille industries polluantes de New Delhi soient déplacées. Enfin, grâce à ses efforts, des notions d'écologie sont dispensées dans les écoles et dans tous les lieux de rassemblements publics. Il a été l'un des fondateurs du Conseil indien pour l'action écologiste légale, organisation à but non lucratif regroupant des avocats, des scientifiques et des médecins. Elle promeut la prise de conscience écologiste et lutte pour que davantage d'avocats intentent des procès en faveur de la défense de l'intérêt général en matière d'environnement. Il explique : « On dit souvent que je suis toujours *contre* ceci ou cela. Je lutte seulement *pour* l'environnement à tout moment. Ceux auxquels je m'oppose devant les tribunaux se rendront compte un jour qu'eux et leurs enfants bénéficieront également de la protection de l'environnement [23]. »

Montrer-et-témoigner

Amooti Ndyakira, journaliste de *New Vision*, journal africain indépendant, a travaillé avec acharnement pour élever le niveau de conscience de l'opinion sur les questions écologiques. Il affirme : « Les gens ne prendront conscience que lorsqu'ils seront informés. Alors ils agiront et sauveront les espèces et leur environnement [24]. » Ayant dénoncé les braconniers qui capturaient des gorilles dans les montagnes et les abattages illégaux d'arbres, il a obtenu que ces primates et ces arbres soient mieux protégés. Au risque de sa vie, Amooti a personnellement participé à un raid pour attraper une bande de contrebandiers qui vendaient des animaux sauvages. Il a aussi contribué à faire pression sur le gouvernement pour que celui-ci signe un traité international sur les espèces en danger.

UNE RÉVOLUTION
AU CŒUR DES PROBLÈMES DE LA FAIM

Il existe des milliers d'organisations et de groupes qui luttent sans relâche pour apporter de la nourriture aux gens démunis et leur trouver un logement. Un groupe novateur, Partageons nos forces, fournit non seulement des aliments mais un modèle de service totalement nouveau pour la communauté. À une époque où la plupart d'entre nous se sentent découragés parce que ni l'État ni les organisations caritatives ne fournissent des ressources suffisantes à ceux qui en ont vraiment besoin, est apparue une nouvelle vision pour créer des richesses en faveur de la communauté. Cela montre que nous pouvons imaginer des solutions inspirées pour résoudre des problèmes solidement enracinés.

Après avoir été, durant de nombreuses années, l'assistant des sénateurs Gary Hart et Bob Kerry, Bill Shore est arrivé à un tournant de sa vie. Son expérience au gouvernement lui avait appris à se lier aux gens et à les organiser ; et elle lui avait aussi montré ce que l'État pouvait faire et ce qu'il ne fallait pas lui demander. Vers 1987, il décida de consacrer son expérience et son énergie à la conception d'un nouveau modèle pour lutter contre la faim et la pauvreté. Avec sa sœur, Debbie Shore, il fonda l'organisation Partageons nos forces qui distribue aujourd'hui trente millions de dollars de subventions par an sans avoir jamais reçu un centime de l'État. Dans son livre *Revolution of the Heart : A New Strategy for Creating Wealth and Meaningful Change*, Shore nous donne un schéma directeur puissant pour repenser toute l'idée des organisations à but non lucratif. Shore pense que ce secteur ne doit plus être financé par des donations et des subventions qui reposent sur des reliquats de fonds provenant de budgets déjà compressés ; les organisations humanitaires doivent tirer leurs capitaux d'entreprises autosuffisantes, bien gérées, qu'elles créeront elles-mêmes. Shore croit aussi qu'il faut tenir compte de notre besoin de participer activement – pas seulement de distribuer quelques dollars par-ci par-là, mais de donner nos compétences.

> Aucun autre animal, à l'exception peut-être du loup, n'incarne mieux l'idée de communauté que le chien de prairie. Une communauté de chiens de prairie est toujours remplie d'activité. Leurs vastes terriers sont divisés en coteries ou communautés dont les membres dépendent les uns des autres.
>
> Ils sont très sociables [...], se saluent en s'embrassant et s'étreignant [...]. La gueule ouverte, ils se touchent les dents en même temps. Ils aiment montrer de l'affection.
>
> Examinez votre propre sens de la communauté [...]. Participez-vous pleinement ? (Ted Andrews, *Animal-Speak.*)

Si nous dressions une liste des besoins primordiaux de la planète, notre alimentation et celle de nos enfants viendraient certainement en tête, non loin du contrôle des naissances et de la coexistence pacifique. Non seulement les enfants sous-alimentés tombent malades, mais, s'ils ne sont pas correctement nourris quand tel ou tel organe a besoin de croître – comme le cerveau, par exemple –, les dommages peuvent être incalculables et irréversibles. Ces enfants auront une capacité d'attention et de concentration moins grande, et moins de curiosité. Les implications à long terme de ces déficiences sont évidentes. Si dans d'autres pays la faim est provoquée par la guerre ou la famine, aux États-Unis elle provient non seulement de la pauvreté économique, mais de la pauvreté de notre vision au sujet de ce qu'il est possible de traiter.

« Avant que Partageons nos forces soit devenue une organisation, c'était une idée. Et avant cela, une émotion, une réaction, écrit Bill Shore. Je croyais que l'horreur éprouvée devant la famine en Éthiopie avait donné sa première impulsion à ce projet. Aujourd'hui je sais que ce n'était pas seulement une réaction à cette catastrophe, mais une conséquence des dix ans de dur labeur que j'avais passés dans les coulisses du Congrès, observant triomphes et déceptions ; une réaction à la superficialité de la politique présidentielle ; une réaction à l'enfance très confortable que m'ont offerte des parents tendres et attentifs. Ma vie a pris un tournant : j'avais toujours pensé que l'État, les entreprises et les autres institutions avaient pour principale responsabilité de résoudre les problèmes sociaux ; maintenant je voyais ma responsabilité et celle d'autres personnes comme moi, ainsi que les espérances que nous faisions naître [25]. »

Partageons nos forces commença par organiser une série d'événements gastronomiques (« Le Goût de la nation »), où des chefs, des restaurateurs, des viticulteurs, des fabricants de café et d'alcool apportèrent leurs talents, leur temps et leurs produits. Depuis, Partageons nos forces a créé un nouveau concept : l'Entreprise de ressources créatrices – un hybride animé de l'esprit d'entreprise qui fournit des articles ou des services aux gens qui veulent acheter pour des raisons indépendantes de leurs intentions charitables [26].

Shore et ses collègues ont découvert que la plupart des gens préféraient apporter des contributions non monétaires sous forme de temps ou de compétences. Par exemple, des écrivains connus comme Anne Tyler ont écrit et publié des nouvelles dont les droits sont allés à Partageons nos forces. Des auteurs ont aussi collecté de l'argent en organisant des lectures publiques de leurs textes et en publiant des anthologies. « Partageons nos forces a maintenant plus de cent mille donateurs. Un accord original avec American Express a plus que doublé la taille de l'organisation et aidé à créer d'autres partenariats avec la compagnie aérienne Northwest Airlines, les studios Universal, les sociétés Seagram's, Fetzer Vineyards, Barnes and Noble, Starbucks Coffee, Calphalon Cookware, Gallo Wines, et de nombreuses autres. En 1996, Partageons nos forces a réuni et dépensé plus de seize millions de dollars pour soutenir des projets locaux visant à la fois à soulager et à prévenir la faim. Cet argent ne vient ni du gouvernement, ni d'autres fondations, ni de dons individuels. De nouvelles richesses sont produites chaque année et de nouveaux dollars investis dans ces projets afin que tous les groupes combattant la faim et la pauvreté puissent en bénéficier [27]. »

Si chaque habitant de la planète consacrait cinq ou dix minutes chaque jour à réfléchir, cela nous aiderait tous à nous occuper du travail de Dieu, parce que nous avons besoin de réfléchir, nous avons besoin tous les jours de demander à Dieu de nous bénir, et nous avons besoin de L'introduire dans nos vies de façon à pouvoir Le donner aux autres. Quand nous avons Dieu dans notre vie, cela lui confère un sens et cela rend chaque chose digne d'intérêt et féconde. L'absence de Dieu accompagne habituellement les choses imparfaites dans notre monde. (Lucinda Vardey, *Mother Teresa : A Simple Path.*)

Le livre *Revolution of the Heart* suggère, entre autres, de choisir dans votre entreprise un article dont l'achat bénéficierait à la cause à laquelle vous tenez le plus. Selon Shore : « Cela permet de collecter de l'argent, cela fait connaître d'importants problèmes de la communauté, et cela donne à vos clients l'occasion de faire des choix socialement utiles [28]. »

Fournissez-vous auprès des entreprises qui participent à l'enrichissement de la communauté comme Newman's Own (la société agro-alimentaire Paul Newman distribue 100 % de ses profits après impôts à toute une série de causes caritatives et éducatives), Working Assets, Timberland, American Express, House of Seagram's ou FILA.

Utilisez vos talents ou inculquez-les aux autres. Trouvez une école, un centre communautaire ou une organisation à but non lucratif où vous pourrez enseigner ou faire profiter les autres de vos compétences ou de votre passion créatrice. Si ce type d'activité vous attire, lisez le livre de Bill Shore ou appelez les bureaux de Partageons nos forces.

Quand nous blâmons les autres, que ce soit pour condamner l'inefficacité du gouvernement ou l'intervention des multinationales, nous finissons involontairement par les diaboliser et alimenter la polarisation du bien et du mal. Lorsque nous cherchons des solutions supérieures – lorsque nous partageons ce que nous faisons le mieux – et prenons nos responsabilités, nous contribuons à conserver la Vision. Nous sommes satisfaits de nous-mêmes, notre énergie reste entière, et nous aidons les autres. Nous sommes connectés à notre intention originelle.

CONTINUER À SE RÉVEILLER

Dans *La Dixième Prophétie*, Wil nous apporte un message important : « Tout autour de la planète, des gens vivent les mêmes expériences que vous. Une fois que nous avons compris les neuf premières révélations, chacun de nous doit essayer quotidiennement de faire face aux dissensions et au pessimisme croissants qui se manifestent autour de nous. Mais, en même temps, notre situation spirituelle, ce que nous sommes réellement, nous apparaît dans une perspective plus large, avec une plus grande clarté. Nous découvrons un vaste projet pour la planète Terre [29]. » Nous progressons pas à pas.

> Les défis de la dernière décennie avant l'an 2000 ne pourront être relevés avec succès qu'à une seule condition : nous devons sérieusement réorganiser notre monde qui repose sur des principes spirituels et ne pas nous contenter de bricoler avec les systèmes actuels. (Corinne McLaughlin et Gordon Davidson, *Spiritual Politics : Changing the World from the Inside Out.*)

Planter et cueillir ensemble

Janine Echabarne, mère célibataire et artisan, a vécu en Californie pendant vingt ans. Avec ses deux fils adolescents, elle vit dans une vieille maison, petite mais confortable, située au milieu de plantations d'amandiers. L'histoire de Janine illustre comment ce qui était une charge pour elle devint un cadeau de la vie pour une personne qui avait perdu non seulement sa famille et ses amis mais son identité et sa patrie.

« J'ai un grand jardin, nous dit-elle. Après l'avoir laissé à l'abandon pendant un an, je me suis retrouvée en juin au milieu de mauvaises herbes qui m'arrivaient jusqu'à la taille. Pour moi le jardin représente le centre d'une maison, et je voulais qu'il refleurisse. J'ai demandé à mes voisins s'ils voulaient m'aider à le ressusciter, mais cela ne les intéressait pas.

« Un jour, une pensée m'a traversé l'esprit : je pouvais demander à une famille hmong de partager cet espace vert avec moi. Une importante communauté hmong s'est installée ici, dans le comté de Merced, quand les membres de cette ethnie ont été forcés de fuir leur patrie après la guerre du Vietnam. J'avais remarqué qu'ils avaient de très beaux jardins.

« J'ai appelé Lao Family Community Inc., agence qui aide les ressortissants du Sud-Est asiatique à s'adapter à la culture américaine. Ils ont fait passer mon annonce sur un réseau de télévision par câble et, le lendemain, une jeune fille de vingt et un ans, May Der, m'a appelée. Elle m'a dit que sa mère était intéressée parce que son jardin venait d'être totalement dévasté par un groupe de jeunes voisins.

« Après avoir raccroché, j'ai commencé à réfléchir, et j'ai eu peur. Il existe certains gangs asiatiques dans la région, nés de la rupture des structures familiales après leur exil. J'ai commencé à penser : “ Mon Dieu, sur qui vais-je tomber ? ” Puis je me suis souvenue que cette peur apparaissait chaque fois que je prenais une nouvelle décision. Cela semble être une réaction naturelle lorsque j'ouvre mon cœur. Aussitôt qu'il s'ouvre, il permet aussi à la peur d'entrer. Aussi l'ai-je surmontée. Le lendemain, Gee Vang et sa fille sont venues et nous avons parlé des termes de notre collaboration. Le plus important pour moi était qu'elles n'utilisent ni pesticides ni fertilisants chimiques. À part cela, nous n'avions qu'à travailler ensemble et voir comment cela se passerait.

> Nous essayons de ne pas stocker les choses dont nous avons besoin et de nous débrouiller seulement avec tout ce qui nous arrive quand cela arrive. Je pense qu'ainsi nous continuerons à recevoir les bienfaits de Dieu, spécialement si nous ne devenons pas déraisonnables et si nous ne songeons pas à vivre pour l'avenir, au lieu de vivre maintenant, dans le présent. (Lucinda Vardey, *Mother Teresa : A Simple Path.*)

« Un mois plus tard, mon jardin semblait n'avoir jamais été abandonné. Tout ce que Gee sème semble pousser comme par enchantement. Elle m'a appris tellement de choses ! La fraîcheur de la nourriture compte beaucoup pour les Hmongs. Même s'ils vivent dans un appartement, ils cultiveront la moindre parcelle de terrain qu'ils pourront trouver. J'ai fini par rencontrer toute la famille et, parfois, je donne des leçons particulières aux enfants. Je les aide aussi à remplir des documents pour les assurances, ou d'autres formalités administratives. J'ai appris à connaître la communauté des Hmongs grâce à Gee, et j'ai compris combien ils ont souffert dans leur chair. La plupart d'entre eux ont perdu tout contact avec leur famille en s'enfuyant du Laos. Une fois arrivés aux États-Unis, ils ont eu l'impression de renoncer à leur âme et à leur culture, mais je pense que, dans leurs merveilleux jardins, ils conservent une grande partie de leur esprit et de la connexion avec leur passé. Gee a des graines qui venaient du Laos et qui se sont multipliées au cours de leurs nombreuses saisons de croissance aux États-Unis. Je suis très honorée qu'elle m'en fasse profiter, et que je puisse l'aider de temps en temps.

« J'apprécie l'amitié de Gee, de son mari Chue, de leurs neuf enfants et de leur vaste famille élargie. Gee et moi mangeons et faisons des courses ensemble, et nous allons fréquemment à des fêtes scolaires avec tous nos enfants.

« Gee a confié à quelqu'un : “ Nous partageons des idées comme une mère le fait avec sa fille. Je peux faire confiance à Janine et elle peut avoir confiance en moi. Tout ce que je ne sais pas, elle essaie de me l'expliquer, et elle me donne des conseils sur ce que je dois faire. Il faut que je conserve toutes ces informations dans ma tête pour toujours. ” »

Cette histoire révèle comment une personne peut agir en dépit de sa peur. Par son geste, elle a construit un pont vers des innocents qui ont été brutalement déracinés. Son attitude est aussi un exemple pour le reste de la communauté.

Il n'y a pas de recette pour agir. Notez seulement ce qui vous arrive et demandez à l'univers des conseils sur la prochaine décision à prendre. Faites attention à ce qui se présente pour *vous*.

> Mary, une volontaire des Missionnaires de la Charité, travaille à la distribution d'une soupe populaire et raconte : « J'ai découvert que le fait d'aider pratiquement les autres peut en fait les démoraliser, si vous n'agissez pas avec amour [...]. Établir des contacts se fait pas à pas [...]. Commencez par servir les plats, enlever les assiettes un peu plus lentement ; essayez de parler à quelqu'un ou de vous asseoir à côté de lui afin d'établir un contact personnel, en tête à tête. » (Lucinda Vardey, *Mother Teresa : A Simple Path.*)

Rendre visite à grand-mère – une nouvelle histoire

C'est l'intuition qui a poussé Kim Burroughs, de Toronto à agir. Un jour, elle a décidé de réaliser un petit projet qui trottait dans sa tête depuis un certain temps. Elle nous raconte : « Je n'arrêtais pas de penser " Quel gâchis ! " en voyant toutes ces personnes du troisième âge qui vivent dans des maisons de retraite alors que leur esprit fonctionne encore parfaitement et qu'elles ont de l'énergie à revendre, mais pas la possibilité de sortir seules. Et je me suis dit : " Ce serait formidable si elles pouvaient passer du temps avec des enfants, qui ont eux aussi besoin d'attention exclusive, de conversation en tête à tête, phénomène si rare dans les familles d'aujourd'hui. " La plupart d'entre nous ne rencontrent pas souvent leurs grands-parents alors que ceux-ci représentent un formidable lien avec notre héritage. Je voulais voir si je pouvais réaliser une sorte de connexion entre les deux générations.

> Ils ont faim, non seulement de nourriture, mais aussi de reconnaissance personnelle, de dignité. Ils veulent être traités comme des êtres humains, comme nous-mêmes le sommes. Ils ont faim d'amour. (Lucinda Vardey, *Mother Teresa : A Simple Path.*)

« J'ai d'abord regardé dans l'annuaire téléphonique pour trouver des adresses de maisons de retraite et d'écoles élémentaires. Un samedi, j'ai fait un tour en voiture avec un ami. L'après-midi même, nous avons trouvé exactement ce que je cherchais – une école et une maison de retraite situées exactement l'une en face de l'autre.

« J'ai appris le nom de la directrice de l'école, je l'ai rencontrée avec plusieurs professeurs, et leur ai exposé mon idée. Nous avons passé en revue tout ce qu'il fallait faire pour que cela fonctionne. J'ai ensuite parlé aux responsables de la maison de retraite, et nous nous sommes tous réunis pour mettre au point les détails. Aucun d'entre nous ne savait si cela marcherait ou non, mais nous avons décidé d'essayer.

« C'était vraiment merveilleux de voir ces enfants entrer en sautillant dans la maison de retraite le premier jour. J'avais dit aux personnes âgées : " Écoutez les enfants. Vous n'avez pas besoin de leur enseigner ou de faire quoi que ce soit. Vous leur lirez quelque chose ou ils vous liront un livre qu'ils aiment. Considérez-les comme des enfants intelligents et dignes d'affection. " J'avais volontairement omis de leur préciser si certains jeunes étaient timides, agités, lents, doués, etc. Je voulais que personne ne soit étiqueté.

« J'ai suggéré aux retraités de leur raconter comment était Toronto à leur époque et les jeunes, du coup, ont été fascinés par les changements intervenus en quelques dizaines d'années dans cette ville. Parfois, ils jouaient ensemble au bingo. Au bout de quatre mois de visites hebdomadaires, nous étions tous étonnés. La directrice était sidérée par les changements positifs qui s'étaient produits chez ses élèves. Un garçon en particulier, auparavant très agressif en classe, s'était totalement calmé, et se montrait beaucoup plus attentif pendant les cours, mais tous les élèves avaient également fait des progrès, sur un plan ou sur un autre. Nous avons organisé une sorte de cérémonie de remise des diplômes. J'avais demandé aux enfants de décrire brièvement leurs impressions sur ce qu'ils avaient vécu avec les personnes âgées et j'ai ensuite lu ces petits textes devant tout le monde. C'était extraordinaire – ils écrivaient, par exemple : " Les vieux ne sont pas ennuyeux. " " J'ai vraiment passé des moments super. " " J'ai aimé entendre parler du passé. " Le personnel de la maison de retraite était aussi impressionné par les changements qui s'étaient produits chez les pensionnaires qui avaient participé à ce programme. Nous renouvellerons certainement cette expérience l'année prochaine.

« L'une des personnes âgées, Margaret, n'avait pas eu d'enfants. Elle venait toujours en avance aux réunions avec ses livres. Le jour de la remise des diplômes, elle est restée dans sa chambre parce qu'elle ne voulait pas voir la fin de cette période si heureuse. Deux des enfants sont montés la voir et lui ont lu leur texte. Ils lui ont déclaré : " Tu es notre meilleure amie " et l'ont serrée dans leurs bras. »

> Ils ont faim, non seulement de nourriture, mais de reconnaissance, de dignité. Ils veulent être traités comme des êtres humains – comme nous. Ils ont faim d'amour – de notre amour. (Lucinda Vardey, *Mother Teresa : A Simple Path.*)

LA PRIÈRE ININTERROMPUE

Ce livre montre comment le commun des mortels peut apprendre à recevoir des indications spirituelles pour servir le bien supérieur de l'humanité *sur cette terre*. Certaines âmes sont nées afin de travailler pour la Vision du Monde, et cela dans la réclusion et l'anonymat total. Les ermites et les membres des ordres monastiques se sont retirés du monde et ont consacré leurs énergies à communiquer directement et sans interruption avec l'esprit divin. Nous disposons de nombreux témoignages sur les miracles et guérisons opérés par des mystiques qui, après avoir persévéré durant plusieurs vies d'efforts, ont réussi à atteindre des états sortant de l'ordinaire et à se matérialiser, se téléporter, léviter, à accomplir des miracles, sauver des vies, etc.

Tout adepte honnête de la spiritualité niera avoir de tels pouvoirs ! Pour les acquérir, curieusement, il faut atteindre un état « où l'on n'a plus de désirs personnels, où l'on devient pur, débarrassé de toutes les tendances égotistes. Alors ce que la personne demande est exaucé parce que sa volonté ne fait qu'un avec la volonté divine. Ce que le saint souhaite est exactement ce que Dieu souhaite, et c'est donc accordé. Tel est l'objectif de l'ascèse *(askesis)* [30] ». Markides pense que le sujet qui mène une vie aussi centrée sur son objectif arrive à vaincre toute fixation sur ses passions et ambitions personnelles : le Saint-Esprit dispose alors d'un canal clair, vidé de tout égoïsme, à travers lequel il peut couler. Tito Collianter, un Finlandais orthodoxe, a un jour donné à Markides un livre ésotérique, *The Way of the Ascetics*, où il est écrit : « " Pour celui qui n'a ni exigences individuelles ni passions, tout va dans la direction qu'il souhaite [...]. Sa volonté converge avec la volonté divine et tout ce qu'il demande est exaucé. " C'est pourquoi, ai-je compris, lorsque des gérontas ou des starets comme le père Vassilios prient pour le bien-être du monde, leurs prières sont extrêmement importantes. Et c'est pourquoi ils prient sans interruption [31]. »

Nous avons chacun notre place dans l'un des niveaux de conscience. « Et vous devez savoir que si ceux qui prient disparaissaient, alors cela amènerait la fin du monde [32]. »

VOUS ÊTES UN GRAND ET PUISSANT ÊTRE DE LUMIÈRE

Prenez un moment pour fermer les yeux et retourner dans la grotte où vous avez vu les symboles de votre vie. Pénétrez à l'intérieur et asseyez-vous au milieu de cette grotte, au sein du rayon de lumière qui passe par l'ouverture au-dessus de votre tête. Observez que vous êtes en train de devenir translucide au fur et à mesure que la lumière dorée vous traverse.

Votre translucidité éclabousse les murs striés d'ocre dans la grotte et l'éclaire dans toutes les directions. Vous ne faites qu'un avec la lumière.

Notes

Chapitre 1

1. James Redfield, *La Dixième Prophétie*, R. Laffont, 1996, p. 21.
2. Paul H. Ray, « The Rise of Integral Culture », *Noetic Sciences Review*, n° 37, printemps 1996, Sausalito, Californie, p. 11.
3. *Ibid.*, p. 8.
4. *Ibid.*
5. Daniel Goleman, *Emotional Intelligence : Why It Can Matter More Than IQ ?*, p. XII. (*L'Intelligence émotionnelle,* R. Laffont, 1997)
6. Lettre de Patricia Hurley, *The Celestine Journal*, janvier 1996, p. 7.
7. Lettre de Marla Cukor, *The Celestine Journal*, janvier 1996, p. 7.
8. Kyriacos C. Markides, *Riding with the Lion : In Search of Mystical Christianity,* Penguin Group, New York, 1996, p. 337.

Chapitre 2

1. James Redfield, *La Dixième Prophétie*, R. Laffont, 1996, p. 27.
2. Redfield, *La Dixième Prophétie*, p. 16.
3. Lettre du Dr Alvin Stenzel, *The Celestine Journal* 2, n° 12, décembre 1995, p. 7.
4. Carolyne Myss, « Why People Don't Heal : How You Can Overcome the Hidden Blocks to Wellness », Sounds True Studios, Boulder, Colorado, 1994.
5. Michael McCabe, « A Decade of Opportunity », *San Francisco Chronicle*, 8 mars 1996, p. A-4.
6. Dr Larry Dossey, *Healing Words : The Power of Prayer and the Practice of Medicine*, HarperSanFrancisco, 1993, p. 86-87. *Ces mots qui guérissent : le pouvoir de la prière en complément de la médecine,* J.C. Lattès, 1995.)
7. Jack Kornfield, *A Path With Heart : A Guide Through the Perils and Promises of Spiritual Life*, Bantam Books, New York, 1993, p. 162.
8. Lettre de Pat Brady Waslenko, *The Celestine Journal* 2, n° 2, février 1995, p. 6.

Chapitre 3

1. James Redfield, *La Dixième Prophétie*, R. Laffont, 1996, p. 17.
2. *Ibid.*, p. 36.
3. Lettre de Sandra Fry, *The Celestine Journal* 2, n° 3, mars 1995, p. 7.
4. Redfield, *La Dixième Prophétie*, p. 79.
5. Sam Whiting, « A Friend for Life », *San Francisco Chronicle Datebook*, 7 avril 1996, p. 35.
6. Lettre d'Allan Ishac, *The Celestine Journal* 2, n° 6, juin 1995, p. 7.
7. Redfield, *La Dixième Prophétie*, p. 80.
8. Lettre de M.A. (Anastasia), *The Celestine Journal* 2, n° 11, novembre 1995, p. 7.
9. Redfield, *La Dixième Prophétie*, p. 89.
10. Marie-Louise von Franz, *On Divination and Synchronicity : The Psychology of Meaningful Chance*, Inner City Books, Toronto, 1980, p. 80. (*La Psychologie de la divination,* Albin Michel, 1995.)
11. Redfield, *La Dixième Prophétie*, p. 215.
12. Von Franz, *ibid.*, p. 77.
13. Ted Andrews, *Animal-Speak : The Spiritual and Magical Powers of Creatures Great and Small,* Llewellyn Publications, St. Paul, 1994, p. IX.
14. *Ibid.*, p. X.
15. *Ibid.*
16. *Ibid.*, p. 13.
17. Redfield, *La Dixième Prophétie*, p. 214.
18. Lettre de Dan Miller, *The Celestine Journal* 2, n° 11, novembre 1995, p. 7.
19. Jean Houston, *The Possible Human*, Jeremy P. Tarcher, Los Angeles, 1982, p. 98-100. (*L'Homme en devenir : découvrez, exploitez et orchestrez vos ressources latentes,* Le Jour, 1986.)
20. *Ibid.*, p. 221.
21. R.L. Wing, *The I Ching Workbook*, Doubleday, New York, 1979, p. 9.
22. Lettre de Nancy Vittum, *The Celestine Journal* 2, n° 6, juin 1995, p. 7.
23. James A. Swan, *Sacred Places : How the Living Earth Seeks our Friendship*, Bear and Company, Inc., Santa Fe, Nouveau Mexique, 1990, p. 33.

Chapitre 4

1. James Redfield, *La Dixième Prophétie*, R. Laffont, 1996, p. 156.
2. Carolyne Myss, « Why People Don't Heal : How You Can Overcome the Hidden Blocks to Wellness », Sounds True Audio, Boulder, Colorado, 1994.
3. *Ibid.*
4. Russell E. DiCarlo, *Towards a New World View : Conversations at the Leading Edge,* Epic Publishing, Erie, Pennsylvanie, 1996, p. 148.
5. *Ibid.*, p. 150.
6. *Ibid.*
7. Redfield, *La Dixième Prophétie*, p. 177.
8. Hans TenDam, *Exploring Reincarnation*, Penguin Books, Londres, 1990, p. 106.

9. Redfield, *La Dixième Prophétie*, p. 175.

10. Brian L. Weiss, *Many Lives, Many Masters*, Simon and Schuster, New York, 1988, p. 69. (*De nombreuses vies, de nombreux maîtres,* J'ai lu, 1991.)

11. *Ibid.*, pp. 176-177.

Chapitre 5

1. James Redfield, *La Dixième Prophétie*, R. Laffont, 1996, p. 67.

2. *Ibid.*, p. 168.

3. Larry Dossey, *Healing Words : The Power of Prayer and the Practice of Medicine*, HarperSanFrancisco, 1993, p. 49. (*Ces mots qui guérissent,* Lattès, 1995.)

4. *Ibid.*, p. 109-110.

5. Rosemary Altea, *The Eagle and the Rose,* Warner Books, New York, 1995, pp. 210-211.

6. Redfield, *La Dixième Prophétie*, p. 76.

7. George Leonard et Michael Murphy, *The Life We Were Given : A Long-Term Program for Realizing the Potential of Body, Mind, Heart and Soul*, Jeremy P. Tarcher/ Putnam Books, New York, 1995, p. XV.

8. *Ibid.*, p. 20.

9. *Ibid.*, p. 22.

10. *Ibid.*, p. 29.

11. Henry Dreher, « The Healing Power of Confession », *Natural Health*, juillet/août 1992.

12. Redfield, *La Dixième Révélation*, p. 73.

13. Notices nécrologiques, *San Francisco Chronicle*, avril 1996.

14. « Who Says There Are No Heroes Anymore ? », *San Francisco Chronicle*, 4 mai 1995, p. C 14.

Chapitre 6

1. James Redfield, *La Dixième Prophétie*, R. Laffont, 1996, p. 36.

2. Robert Monroe, *Journeys Out of the Body*, Doubleday, New York, 1971, p. 74. (*Le Voyage hors du corps*, Le Rocher, 1989.)

3. *Ibid.*, p. 75.

4. *Ibid.*

5. Raymond L. Moody, Jr., *La Vie après la vie*, Laffont, 1977, p. 120.

6. Ruth Montgomery, *A Search for Truth*, Ballantine Books, New York, 1966, p. 177.

7. *Ibid.*, p. 178.

8. *Ibid.*, p. 86.

9. Kenneth Ring, *Heading Toward Omega : In Search of the Meaning of the Near-Death Experience,* William Morrow, New York, 1985, pp. 39-40. (*En route vers Oméga,* R. Laffont, 1991.)

10. Moody, *La Vie après la vie*, p. 68.

11. Hans TenDam, *Exploring Reincarnation*, Penguin Books, Londres, 1990, p. 179.

12. Brian Weiss, *Only Love is Real : A Story of Soul Mates Reunited,* Warner Books, New York, 1996, pp. 54-55.

13. *Ibid.*, p. 85.
14. Bill et Judy Guggenheim, *Hello from Heaven! A New Field of Research Confirms That Life and Love Are Eternal,* Bantam Books, New York, 1995, p. 20.
15. Moody, *La Vie après la vie*, p. 135.
16. *Ibid.*
17. TenDam, *Exploring Reincarnation*, p. 217.
18. Redfield, *La Dixième Prophétie*, p. 88-89.
19. B. et J. Guggenheim, *Hello from Heaven*, p. 342.
20. TenDam, *Exploring Reincarnation*, p. 149.
21. Moody, *La Vie après la vie*, p. 24.
22. Raymond A. Moody, Jr., *Reflections on Life after Life*, Bantam Books, New York, 1977, p. 23. (*Lumières nouvelles sur la vie après la vie,* R. Laffont, 1978.)
23. *Ibid.*, p. 26.
24. Kenneth Ring, *Heading Toward Omega : In Search of the Meaning of the Near-Death Experience,* William Morrow, New York, 1985, p. 111. (*En route vers Oméga,* R. Laffont, 1991.)
25. *Ibid.*, pp. 111-112.
26. *Ibid.*
27. *Ibid.*, p. 114.
28. Ruth Montgomery, *A World Beyond,* Ballantine Books, New York, 1971, pp. 65-66.
29. *Ibid.*, p. 70.
30. Weiss, *Only Love is Real*, pp. 168-169.
31. TenDam, *Reincarnation*, p. 343.
32. *Ibid.*, p. 219.
33. Malidoma Patrice Somé, *Of Water and the Spirit : Ritual Magic and Initiation in the Life of an African Shaman,* Penguin Books, New York, pp. 18-19.

Chapitre 7

1. James Redfield, *La Dixième Prophétie*, R. Laffont, 1996, p. 89.
2. Thomas Moore, *Soul Mates : Honoring the Mysteries of Love and Relationship*, HarperPerennial 1994, New York, p. VIII. (*Les Âmes sœurs : honorez les mystères de l'amour et de la relation,* Le Jour, 1995.)
3. Redfield, *La Dixième Prophétie*, p. 118-119.
4. *Ibid.*, p. 119.
5. *Ibid.*, p. 86.
6. Hans TenDam, *Exploring Reincarnation*, Penguin Books, Londres, 1990, p. 149.
7. *Ibid.*, pp. 244-245.
8. Redfield, *La Dixième Prophétie*, p. 88.
9. *Ibid.*
10. *Ibid.*
11. TenDam, *Exploring Reincarnation*, pp. 149-150.
12. *Ibid.*, p. 150.
13. Redfield, *La Dixième Prophétie*, p. 119.

14. Ruth Montgomery, *A Search for Truth*, Ballantine Books, New York, 1996, p. 100.
15. Glenn Williston et Judith Johnstone, *Discovering Your Past Lives : Spiritual Growth Through a Knowledge of Past Lifetimes*, Aquarian Press, Wellingborough, Angleterre, 1983, p. 207.
16. *Ibid.*, p. 208.
17. Montgomery, *A Search for Truth*, p. 95.
18. Albert Savedra, *San Francisco Chronicle*, février 1996.
19. Ross Sondergaard Rasmussen, *ibid.*
20. Brownie McGhee, *ibid.*
21. Eleanor Clark, *ibid.*
22. Rosalie E. Taylor, *ibid.*
23. Eligio Panti, *ibid.*
24. Page et Eloise Smith, *ibid.*
25. Benny Ong, *ibid.*

Chapitre 8

1. James Redfield, *La Dixième Prophétie*, R. Laffont, 1996, p. 145.
2. Robert Monroe, *Journeys Out of the Body*, Doubleday, New York, 1971, p. 78. (*Le Voyage hors du corps,* Le Rocher, 1989.)
3. Glenn Williston et Judith Johnstone, *Discovering Your Past Lives,* Aquarian Press, Wellingborough, Angleterre, 1983, p. 210.
4. Robert Monroe, *The Ultimate Journey*, Doubleday, New York, 1994, p. 113.
5. *Ibid.*, p. 123.
6. Redfield, *La Dixième Prophétie*, p. 136.

Chapitre 9

1. James Redfield, *La Dixième Prophétie*, R. Laffont, 1996, p. 39.
2. Andrew Bard Schmooker, dans *Meeting the Shadow*, sous la direction de Connie Zweig et Jeremiah Abrams, Jeremy P. Tarcher, New York, 1991, p. 190.
3. Robert Bly, *A Little Book on the Human Shadow*, Harper and Row, San Francisco, 1988, pp. 26-27.
4. Redfield, *La Dixième Prophétie*, p. 104.
5. *Ibid.*, p. 112.
6. *La Force du bouddhisme. Entretiens avec le Dalai-Lama*, J.-C. Carrière, Laffont, 1994, pp. 7-11.
7. *Ibid.*, p. 23.
8. Ramon G. McLeod, « U.S. Population Expected to Be Half Minorities by 2050 », *San Francisco Chronicle*, 15 mars 1996.
9. Fran Peavey, avec Myrna Levy et Charles Varon, « Us and Them », dans *Meeting the Shadow : Hidden Power of the Dark Side of Human Nature*, sous la direction de Connie Zweig et Jeremiah Abrams, Jeremy P. Tarcher, New York, pp. 206-207.
10. *Ibid.*
11. *Ibid.*

12. *Ibid.*
13. *Ibid.*
14. Robert Monroe, *The Ultimate Journey*, Doubleday, New York, 1994, p. 149.
15. *Ibid.*, p. 150.

Chapitre 10

1. James Redfield, *La Dixième Prophétie*, R. Laffont, 1996, pp. 205-206.
2. Margaret Wheatley, « The Unplanned Organization : Learning from Nature's Emergent Creativity », *Noetic Sciences Review*, printemps 1996, p. 19.
3. Paul H. Ray, « The Rise of Integral Culture », *Noetic Sciences Review*, printemps 1996, p. 13.
4. Redfield, *La Dixième Prophétie*, p. 173.
5. *Ibid.*, p. 175.
6. *Ibid.*, p. 176.
7. *Ibid.*, p. 177.
8. Benjamin Barber, « The Global Culture of McWorld », *The Commonwealth*, 26 février 1996, p. 12.
9. Redfield, *La Dixième Prophétie*, p. 180.
10. Walt Hays, « The Natural Step : What One Person Can Do : The Story of Karl-Henrik Robert », *Timeline*, The Foundation for Global Community, Palo Alto, Californie, mars/avril 1995, p. 2.
11. *Ibid.*, p. 5.
12. Redfield, *La Dixième Prophétie*, p. 181.
13. *Ibid.*, pp. 182-183.

Chapitre 11

1. James Redfield, *La Dixième Prophétie*, R. Laffont, 1996, p. 197.
2. Alice A. Bailey, *A Treatise on White Magic or The Way of The Disciple*, Lucis Publishing Company, New York, 1980, p. 400. (*Traité sur la magie blanche,* Lucis, 1975.)
3. Redfield, *La Dixième Prophétie*, p. 202.
4. Barbara Sher et Annie Gotlieb, *Teamworks! Building Support Groups That Guarantee Success*, Warner Books, New York, 1989, p. 44.
5. *Ibid.*, p. 46.
6. Russell E. DiCarlo, interview avec le Dr Beverly Rubik, *Towards a New World View : Conversations at the Leading Edge*, Epic Publishing, Erie, Pennsylvanie, 1996, p. 50.
7. William Drozdiak, *Washington Post*, « Onetime " Sewer of Europe ", The Rhine is Reborn », *The San Francisco Chronicle*, 1er avril 1996, p. A9.
8. Tom Hurley, « Community Groups », *Noetic Sciences Bulletin*, printemps 1996, Institute of Noetic Sciences, Sausalito, Californie, p. 2.
9. *Ibid.*, p. 3.
10. Russell E. DiCarlo, interview avec Peter Senge, *ibid.*, p. 217.
11. Michael H. Murphy et Rhea A. White, *In the Zone : Transcendent Experiences in Sports*, Penguin Books, New York, 1995, p. 75.
12. *Ibid.*, p. 76.
13. *Ibid.*

14. *Ibid.*
15. Redfield, *La Dixième Prophétie*, p. 185.
16. Ruth Montgomery, *A Search for Truth*, Ballantine Books, New York, 1996, p. 95.
17. Redfield, *La Dixième Prophétie*, p. 186-187.

Chapitre 12

1. James Redfield, *La Dixième Prophétie*, R. Laffont, 1996, p. 202.
2. William Van Zyberden, « Holistic Lawyering », *Legal Reformer*, janvier/mars 1994, p. 5.
3. William Van Zyverden, « Collaborative Law – Moving Settlement Toward Resolution », *Vermont Bar Journal and Law Digest*, February 1994, p. 35.
4. *Ibid.*, p. 36.
5. *Ibid.*
6. Laurette Rogers, *The California Freshwater Shrimp Project : An Example of Environmental Project-Based Learning*, Heyday Books, Berkeley, 1996, p. 3.
7. *Ibid.*, p. 3.
8. *Ibid.*, p. 35.
9. *Ibid.*, p. 14.
10. Alice Waters, « Dear Mr. President... », monographie, The Center for Ecoliteracy, Berkeley, Californie, 1995.
11. Tori Minton, « Schoolkids Help Save Marin Salt Marsh », *San Francisco Chronicle*, 4 mai 1996, p. A 13.
12. Fritjof Capra, « Hyping Computers in Education », *San Francisco Chronicle*, 12 mars 1996.
13. James Hillman, interview, *Sculpture*, mars/avril 1992, p. 16.

Chapitre 13

1. James Redfield, *La Dixième Prophétie*, R. Laffont, 1996, p. 208.
2. Alice A. Bailey, *The Rays and the Initiations*, vol. 5. *A Treatise on the Seven Rays*, Lucis Publishing Company, New York, 1960, p. 749. (*Les Rayons et les initiations,* Lucis, 1977.)
3. Robert Monroe, *Journeys out of the Body*, Doubleday, New York, 1991, p. 267. (*Le Voyage hors du corps,* Le Rocher, 1989.)
4. *Ibid.*
5. Bill et Judy Guggenheim, *Hello From Heaven!* Bantam Books, New York, 1995, p. 146.
6. *Ibid.*, p. 94.
7. Redfield, *ibid.*, p. 209.
8. Michael Murphy, *The Future of the Body : Explorations into the Further Evolution of Human Nature*, Jeremy P. Tarcher, Los Angeles, 1992, p. 160.

Chapitre 14

1. James Redfield, *La Dixième Prophétie*, R. Laffont, 1996, p. 217.
2. *Ibid.*, p. 212.

3. *Ibid.*, p. 227.
4. Barbara Gates et Wes Nisker, « Street-Wise Zen : An Interview with Bernard Tetsugen Glassman », *Inquiring Mind*, Berkeley, 1996, p. 11.
5. Joseph Marshall, Jr. et Lonnie Wheeler, *Street Soldier : One Man's Struggle to Save a Generation – One Life at a Time*, Delacorte Press, New York, 1996, p. XXV.
6. *Ibid.*, p. XIV.
7. *Ibid.*, pp. XIII-XIV.
8. Catherine Bowman, « A Man Malcolm Could be Proud of », *San Francisco Chronicle*, supplément du dimanche, 28 avril 1996, p. 5.
9. *Ibid.*
10. *Ibid.*
11. *Ibid.*
12. *Ibid.*
13. *Ibid.*, p. 6.
14. Redfield, *La Dixième Prophétie*, 1996, p. 149.
15. *Ibid.*, p. 202.
16. George Raine, « 25 Years of Tough Love at Delancey », *San Francisco Chronicle*, 17 mars 1996, p. B1, B3.
17. Redfield, *La Dixième Prophétie*, p. 203.
18. Donna Horowitz, « Out of San Quentin by Their Bootstraps », *San Francisco Chronicle*, 5 mai 1996, pp. A 1, A 6.
19. Salle Merril Redfield, « Visionaries at Work : An Interview With John Horning », *The Celestine Journal* 3, n° 4, avril 1996, p. 4.
20. *Ibid.*, p. 7.
21. Communiqué de presse, Goldman Environmental Foundation, San Francisco, Californie, 1996.
22. *Ibid.*, p. 4.
23. *Ibid.*
24. *Ibid.*
25. Bill Shore, *Revolution of the Heart : A New Strategy for Creating Wealth and Meaningful Change*, Riverhead Books, New York, p. 66.
26. *Ibid.*, p. 83.
27. *Ibid.*, pp. 72-73.
28. *Ibid.*, p. 130.
29. Redfield, *La Dixième Prophétie*, p. 227.
30. Kyriacos C. Markides, *Riding with the Lion*, Penguin Books, New York, 1995, p. 282.
31. *Ibid.*, pp. 282-283.
32. *Ibid.*, p. 304.

Quelques adresses utiles

* **Center for Ecoliteracy** (Centre de formation écologiste). 2522 San Pablo Avenue, Berkeley, CA 94702. Tél. : 510-845-4595. Fax : 510-845-1439. Le projet d'écoformation de l'Elmwood Institute promeut un esprit écologiste dans le secteur de l'éducation en aidant les enseignants à concevoir les programmes scolaires afin de transformer les écoles en des communautés d'enseignement participatives.

* **Foundation for Global Community** (Fondation pour une communauté mondiale). 222 High Street, Palo Alto, CA 94301. Tél. : 415-328-7756. Fax : 415-328-7785. Publie la revue bimestrielle *Timeline*, qui explore les multiples expériences et découvertes contribuant à construire un monde où l'on respectera toutes les formes de vie.

* **Institute of Noetic Sciences** (Institut des sciences noétiques). 475 Gate Road, suite 300, Sausalito, CA 94965. Adresse Internet : http://www.noetic.org. Finance des bourses de recherches ou d'études scientifiques très pointues, organise des conférences et publie la *Noetic Sciences Review* tous les trois mois.

* **Integral Health Professional Network** (Réseau des professionnels de la santé intégrale). Richard B. Miles, coordinateur. 6876 Pinehaven Road, Oakland, CA 94611. Adresse Internet : rbmihpn@aol. com. Tél. : 510-655-9951. Fax : 510-654-6699. Publie le bimensuel *New Health Catalyst.*

* **International Alliance of Holistic Lawyers** (Alliance internationale des juristes holistes). William Van Zyverden, P.O. Box 26, Middlebury, VT 05753. Tél. : 802-388-7478. Encourage plaignants et juristes à toujours adopter une perspective à long terme pour résoudre les conflits et litiges.

* **Religious Science International**, P.O. Box 2152, Spokane, WA 99210. Tél. : 509-624-7000. Fax : 509-624-9322. Cherche à enrichir la

pratique spirituelle par une réflexion sur les principes de la nouvelle pensée.

* **Summit Intermediate School,** Shirley Richardson, 5523 Santa Cruz, El Cerrito, CA 94804. Souligne l'importance du savoir et des études. Encourage les hommes et les femmes à trouver leur objectif spirituel. Promeut le respect pour l'individu et la société.

* **The Natural Step** (L'Étape naturelle), 4000 Bridgeway # 102, Sausalito, CA 94965. Tél. : 415-332-9394. Fax : 415-332-9395. Adresse Internet : natsetp@2nature.org. Prône un développement économique et industriel durable et écologique.

* **The Spirit of Health !**, 114 Washington Avenue, Point Richmond, CA 94801. know@aol.com. Tél. : 510-236-2075. Fax : 510-236-1979. Publie le *Work and Spirituality Guide*, ouvrage qui offre de nombreuses informations pour aider les patrons à partager les préoccupations spirituelles de leurs employés et rendre leurs entreprises plus efficaces.

* **Unity School of Christianity**, 1901, NW Blue Parkway, Unity Village, MO 64605-0001. Tél. : 816-251-3535. Fax : 816-252-35550. Un flambeau de lumière spirituelle pour l'humanité.

* **Universal Foundation for Better Living** (Fondation universelle pour une vie meilleure), 11901 South Ashland Avenue, Chicago, Il 60643. Fondation chrétienne qui réfléchit sur les principes de la nouvelle pensée.

TABLE

Troisième partie : Se souvenir

Quatrième partie : Dans l'obscurité